#수능공략
#단기간 학습

수능전략
사회탐구 영역

Chunjae
Makes
Chunjae

[수능전략] 한국사

기획총괄	김덕유
편집개발	오세중, 김세훈
디자인총괄	김희정
표지디자인	윤순미, 심지영
내지디자인	박희춘, 안정승
제작	황성진, 조규영

발행일	2022년 1월 15일 초판 2022년 1월 15일 1쇄
발행인	(주)천재교육
주소	서울시 금천구 가산로9길 54
신고번호	제2001-000018호
고객센터	1577-0902
교재 내용문의	(02)3282-1780

수능전략

사·회·탐·구·영·역

한국사

BOOK 1

이 책의 구성과 활용

본책인 BOOK 1과 BOOK2의 구성은 다음과 같습니다.

BOOK 1
1주, 2주

BOOK 2
1주, 2주

BOOK 3
정답과 해설

주 도입

본격적인 학습에 앞서, 재미있는 만화를 살펴보며 이번 주에 학습할 내용을 확인해 봅니다.

1일

개념 돌파 전략

수능을 대비하기 위해 꼭 알아야 할 핵심 개념을 익힌 뒤, 간단한 문제를 풀며 개념을 잘 이해했는지 확인해 봅니다.

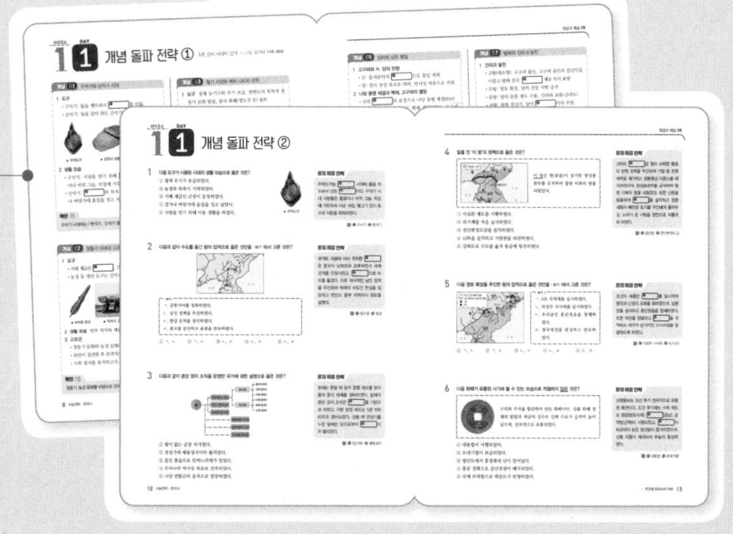

2일, 3일

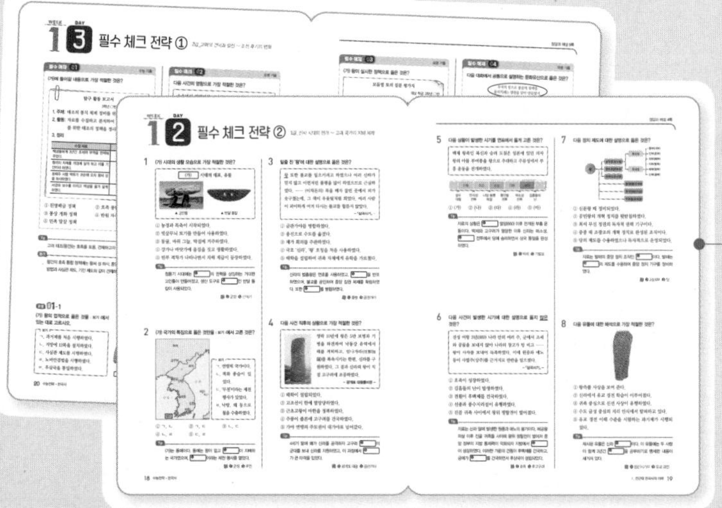

필수 체크 전략

기출문제에서 선별한 대표 유형 문제와 응용 문제를 함께 풀어 보며 문제에 접근하는 과정과 해결 전략을 체계적으로 익혀 봅니다.

부록 수능에 꼭 나오는 필수 유형 ZIP

본 책에서 다룬 대표 유형과 그 해결 전략을 집중적으로 연습할 수 있도록 권두부록을 구성했습니다.
부록을 뜯으면 미니북으로 활용할 수 있습니다.

주 마무리 코너

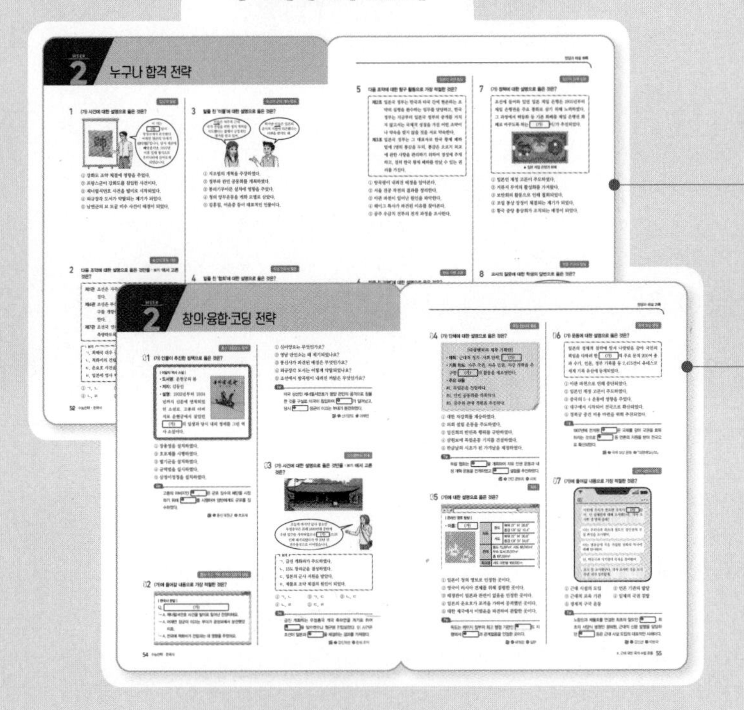

누구나 합격 전략

수능 유형에 맞춘 기초 연습 문제를 풀어 보며 학습에 대한 자신감을 높일 수 있습니다.

창의·융합·코딩 전략

수능에서 요구하는 융·복합적 사고력과 문제 해결력을 기를 수 있습니다.

권 마무리 코너

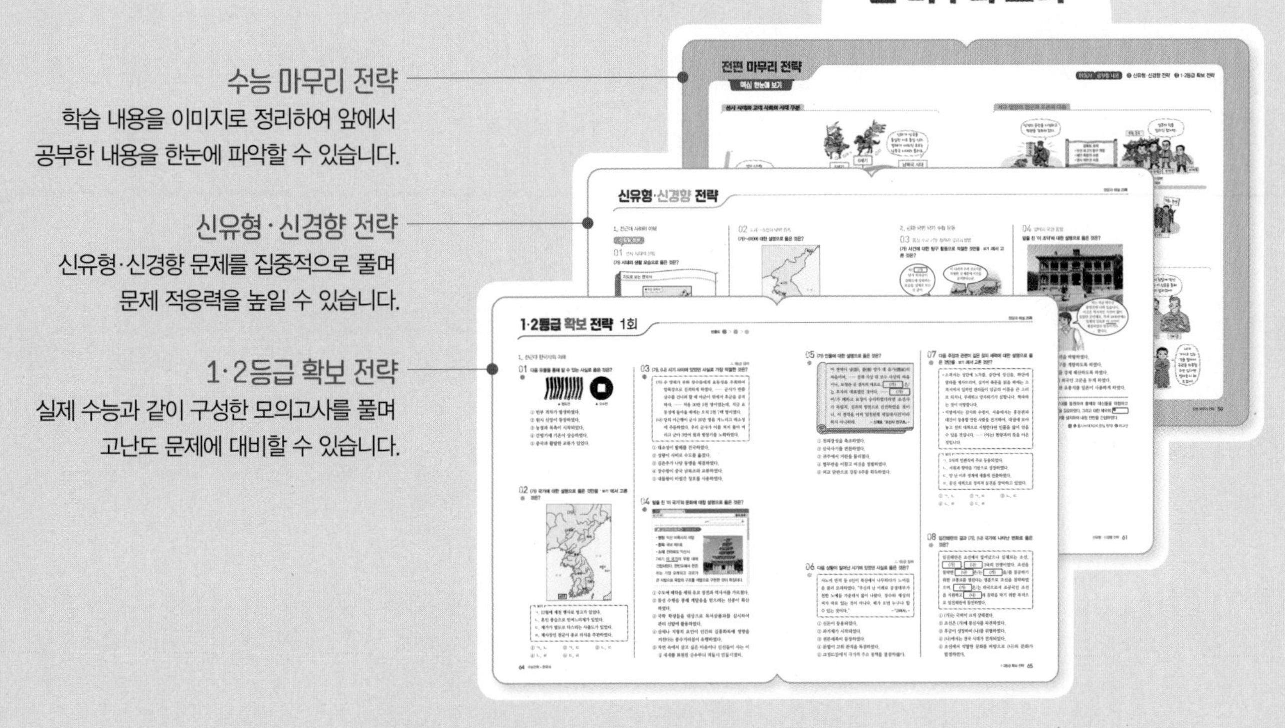

수능 마무리 전략

학습 내용을 이미지로 정리하여 앞에서 공부한 내용을 한눈에 파악할 수 있습니다.

신유형·신경향 전략

신유형·신경향 문제를 집중적으로 풀며 문제 적응력을 높일 수 있습니다.

1·2등급 확보 전략

실제 수능과 같이 구성한 모의고사를 풀며 고난도 문제에 대비할 수 있습니다.

이 책의 **차례**

BOOK 1

WEEK 1

I. 전근대 한국사의 이해

WEEK 2

II. 근대 국민 국가 수립 운동

BOOK 2

WEEK 1

WEEK 2

WEEK

1 Ⅰ. 전근대 한국사의 이해

1강_선사 시대의 전개 ~ 고대 국가의 지배 체제

학습할 내용 **1강** ❶ 선사 시대 ❷ 삼국과 가야 ❸ 삼국의 항쟁과 삼국 통일 ❹ 남북국 시대
2강 ❶ 고려의 건국과 발전 ❷ 고려의 사회와 사상 ❸ 조선의 건국과 발전 ❹ 조선 후기의 변화

2강_고려의 건국과 발전 ~ 조선 후기의 변화

WEEK 1 DAY 1

개념 돌파 전략 ①

1강_선사 시대의 전개 ~ 고대 국가의 지배 체제

개념 01 구석기와 신석기 시대

1 도구

- 구석기: 돌을 깨뜨려서 (❶)를 만듦.
- 신석기: 돌을 갈아 만든 간석기와 토기를 사용함.

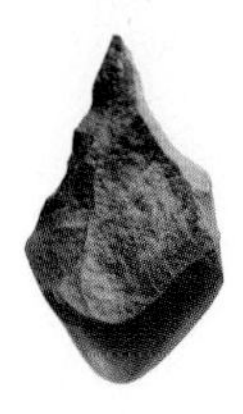
▲ 주먹도끼

▲ 갈판과 갈돌

▲ 빗살무늬 토기

2 생활 모습

- 구석기: 식량을 얻기 위해 (❷) 생활, 동굴이나 바위 그늘, 막집에 거주
- 신석기: (❸)과 목축 시작, 정착 생활, 강가나 바닷가에 움집을 짓고 거주

답 ❶ 뗀석기 ❷ 이동 ❸ 농경

확인 01

구석기 시대에는 (뗀석기 , 간석기)를 사용하였다.

개념 02 청동기 시대와 고조선

1 도구

- 지배 계급은 (❶), 고인돌을 통해 권위를 높임.
- 농경 등 생산 도구는 간석기(반달 돌칼)를 사용함.

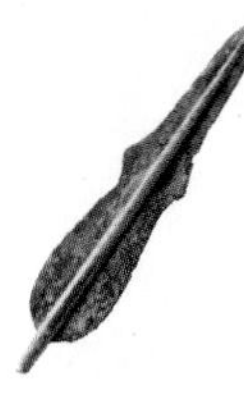
▲ 비파형 동검

▲ 탁자식 고인돌

▲ 반달 돌칼

2 생활 모습 빈부 격차와 계급 발생, 군장 등장

3 고조선

- 청동기 문화와 농경 문화를 바탕으로 건국
- 위만이 집권한 후 본격적으로 (❷) 문화 수용
- 사회 질서를 유지하고자 (❸) 제정

답 ❶ 청동기 ❷ 철기 ❸ 8조법

확인 02

청동기, 농경 문화를 바탕으로 건국된 우리 역사상 최초의 국가는?

개념 03 철기 시대와 여러 나라의 성장

1 도구 철제 농기구와 무기 보급, 한반도의 독자적 청동기 문화 발달, 중국 화폐(명도전 등) 출토

2 여러 나라의 성장

국가	정치	풍습
부여	• 연맹체 국가 • 가(加)들이 (❶) 지배	• 순장, 형사취수혼 • 제천 행사(영고)
고구려	• 연맹체 국가 • 제가 회의	• (❷)(데릴사위제) • 제천 행사(동맹)
옥저, 동예	군장 사회(읍군, 삼로)	• 옥저: 민며느리제, 가족 공동 무덤 • 동예: 족외혼, 책화, 제천 행사(무천)
삼한	군장 사회(신지, 읍차)	• (❸) 사회(천군과 소도) • 벼농사 발달, 철 수출(변한) • 제천 행사(계절제)

답 ❶ 사출도 ❷ 서옥제 ❸ 제정 분리

확인 03

다른 부족의 생활권을 침범하면 소나 말로 변상하는 동예의 풍습은?

개념 04 삼국과 가야의 발전

1 고구려 졸본 지역에 건국

- 소수림왕: 태학 설립, 불교 공인, 율령 반포
- 광개토 대왕: 요동과 만주 지역, 한강 이북 장악
- 장수왕: (❶) 천도, 남진 정책, 한강 유역 차지

2 백제 한강 유역을 기반으로 성장

- 근초고왕: 마한 정복, 고구려 공격, 중국·왜와 교류
- 무령왕: 중국 남조와 교류, (❷)에 왕족 파견
- 성왕: 사비로 천도, 국호를 남부여로 고침, 신라 진흥왕과 연합하여 한강 하류 유역 일시 회복

3 신라 진한의 소국인 사로국에서 출발

- 지증왕: 국호 '신라', '왕' 칭호 사용, 우산국 정복
- 법흥왕: 불교 공인, 율령 반포, 금관가야 정복
- 진흥왕: 한강 유역 차지, (❸) 정복

4 가야 전기(금관가야 중심) → 후기(대가야 중심)

❶ 평양 ❷ 22담로 ❸ 대가야

확인 04

신라는 진흥왕 시기에 (　　　) 유역을 차지하였다.

개념 05 신라의 삼국 통일

1 고구려와 수, 당의 전쟁

- 수: 을지문덕의 ❶ [　　　] 으로 침입 격퇴
- 당: 천리 장성 축조로 대비, 안시성 싸움으로 격퇴

2 나당 동맹 체결과 백제, 고구려의 멸망

- 신라 ❷ [　　　] 의 요청으로 나당 동맹 체결(648)
- 나당 연합군의 공격으로 백제 멸망(660), 고구려 멸망(668) → 각지에서 부흥 운동 전개 → 실패

3 나당 전쟁 당이 한반도 전체를 지배하려 함. → 전쟁 발발 → 신라가 매소성, ❸ [　　　] 전투에서 승리하여 당군을 몰아내고 삼국 통일 완성

답 ❶ 살수 대첩 ❷ 김춘추 ❸ 기벌포

확인 05

(신라 , 고구려)는 648년에 당과 동맹을 맺었다.

개념 06 통일 신라의 발전

1 통일 신라의 발전

▲ 9주 5소경

- 신문왕: 김흠돌의 난 진압, ❶ [　　　] 폐지, 관료전 지급, 국학 설치
- 성덕왕: 정전 지급

2 통치 체제 정비

- 중앙: 집사부 중심
- 지방: 9주 5소경
- 군사: 9서당 10정
- 촌락 문서: 생산 자원과 노동력 관리

3 신라 말 사회 동요와 후삼국의 성립

- 정치 혼란: 혜공왕 피살 이후 진골 귀족 간 왕위 쟁탈전 전개 → 중앙 정부의 통제력 약화 → 농민 봉기 발생(원종과 애노의 봉기 등)
- 사회 변화: 지방에서 ❷ [　　　] 성장 → 일부 6두품 세력과 연합
- 후삼국 성립: 견훤이 후백제, 궁예가 후고구려 건국

답 ❶ 녹읍 ❷ 호족

확인 06

통일 신라는 농민을 철저하게 파악하고 세금을 정확하게 거두기 위해 [　　　] 을/를 작성하였다.

개념 07 발해의 건국과 발전

1 건국과 발전

- 고왕(대조영): 고구려 출신, 고구려 유민과 말갈인을 이끌고 발해 건국, ❶ [　　　] 계승 의식 표방
- 무왕: 영토 확장, 당의 산둥 지방 공격
- 문왕: 당의 문물 제도 수용, 신라와 교류(신라도)
- 선왕: 최대 전성기, 당이 ❷ [　　　] 이라 부름.
- 멸망: 거란의 침략으로 멸망(926)

2 통치 제도 정비

- 중앙: ❸ [　　　] (당의 제도 수용, 독자적 운영)
- 지방: 5경 15부 62주

답 ❶ 고구려 ❷ 해동성국 ❸ 3성 6부제

확인 07

대조영은 고구려 유민과 말갈인을 이끌고 동모산 근처에 (발해 , 고구려)를 건국하였다.

개념 08 고대의 종교와 사상

1 불교

- 삼국 시대: 중앙 집권 체제 확립과 왕권 강화 뒷받침(왕즉불 사상), 불교문화 발달
- 통일 신라: ❶ [　　　] (일심 사상 주장, 아미타 신앙 전파), 의상(화엄 사상 정립, 관음 신앙 전파), 혜초(『왕오천축국전』), 불교문화 융성
- 신라 말: 선종의 유행(9산 선문)

2 유교(유학) 중앙 집권 체제 확립 뒷받침

- 삼국 시대: 태학(고구려), 오경박사(백제), 임신서기석(신라)
- 통일 신라: 국학 설립(신문왕), ❷ [　　　] 실시(원성왕), 강수·최치원의 활약
- 발해: 6부 명칭에 유교 덕목 사용, 주자감 설치

3 도교와 풍수지리설

- 도교: 신선 사상과 함께 귀족을 중심으로 유행, 예술에 영향(사신도, 산수무늬 벽돌, 백제 금동 대향로)
- 풍수지리설: 신라 말에 유행, 수도 금성(경주) 중심의 지리 인식 탈피, 호족의 사상적 기반

답 ❶ 원효 ❷ 독서삼품과

확인 08

삼국은 중앙 집권 국가로 발전하는 과정에서 (불교 , 도교)를 수용하여 사상을 통일하고 왕권 강화를 뒷받침하려고 하였다.

WEEK 1 DAY 1

개념 돌파 전략 ①

2강_고려의 건국과 발전 ~ 조선 후기의 변화

개념 01 고려의 건국과 통치 체제의 정비

1 고려의 건국과 발전

- 태조(왕건): 고려 건국, 후삼국 통일, 발해 유민 포용, 호족 포섭 정책(❶ [ ] 제도, 기인 제도), 북진 정책(서경 중시), 훈요 10조
- 광종: 노비안검법 실시, 과거제 시행, 독자 연호 사용
- 성종: 최승로의 ❷ [ ]를 수용하여 유교를 정치 이념으로 채택, 중앙 정치 체제 정비

2 통치 체제의 정비

- 중앙: 2성 6부제, 도병마사와 식목도감, 대간
- 지방: 12목 설치(성종), 5도 양계, 특수 행정 구역(❸ [ ]), 주현과 속현

답 ❶ 사심관 ❷ 시무 28조 ❸ 향, 부곡, 소

확인 01

(기인 제도 , 노비안검법)은/는 광종이 불법적으로 노비가 된 사람을 해방시킨 정책이다.

개념 02 고려 전기 대외 관계와 지배층의 변화

1 고려 전기의 대외 관계

- 거란: ❶ [ ]의 외교 담판으로 1차 침입 격퇴·강동 6주 획득, 강감찬의 귀주 대첩으로 격퇴
- 여진: 윤관이 ❷ [ ]을 이끌고 정벌, 동북 9성 설치 → 반환, 이후 금의 사대 관계 요구 수용

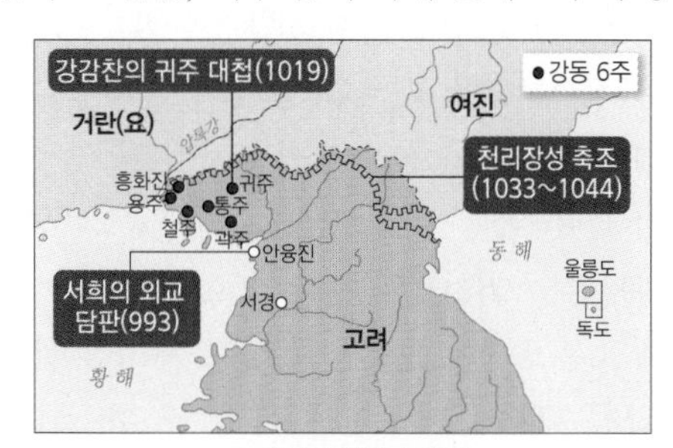

▲ 거란의 침입과 격퇴

2 지배층의 변화 문벌 → 무신

- 문벌 사회의 동요: 이자겸의 난, 묘청의 ❸ [ ]
- 무신 정변: 무신의 정권 장악 → 최씨 무신 정권 성립(교정도감, 삼별초 설치)

답 ❶ 서희 ❷ 별무반 ❸ 서경 천도 운동

확인 02

문신에 비해 낮은 대우를 받던 무신들이 정권을 장악한 사건은?

개념 03 고려 후기의 정치 변동

1 몽골의 침략과 항전

- 최씨 무신 정권: ❶ [ ]로 수도를 옮기고 항전
- 백성, 하층민: 처인성 전투, 충주성 전투 승리
- 삼별초: 강화도 → 진도 → 제주도로 근거지를 옮기며 항전

2 원 간섭기 개경 환도(1270) → 정동행성 설치, 관제와 왕실 칭호 격하, 친원적 성향의 ❷ [ ] 성장

3 공민왕의 개혁 정치

- 반원 개혁: 친원 세력 제거, 쌍성총관부 공격
- 자주 개혁: 전민변정도감(신돈), ❸ [ ] 등용

◀ 쌍성총관부 탈환

답 ❶ 강화도 ❷ 권문세족 ❸ 신진 사대부

확인 03

공민왕은 권문세족이 빼앗은 토지와 억울하게 노비로 삼은 양민을 되돌려 놓고자 (정동행성 , 전민변정도감)을 설치하였다.

개념 04 고려의 경제, 사회, 문화

1 고려의 경제 전시과(토지 제도) 시행, ❶ [ ](국제 무역항) 발달, 활구(은병)와 화폐 사용

2 고려의 사회

- 신분제: 양인과 천인으로 구분, 특수 행정 구역 주민은 차별 대우
- 가족 제도: 부계와 모계가 동등, 자녀 균등 상속, 여성의 재혼 가능

3 고려의 문화

- 불교: 의천(교관겸수), 지눌(정혜쌍수, 돈오점수)
- 역사서: ❷ [ ](김부식), 『삼국유사』(일연)
- 문화유산: 팔만대장경, 『직지심체요절』, 청자 등

답 ❶ 벽란도 ❷ 『삼국사기』

확인 04

의천은 천태종을 개창하고 수행 방법으로 [ ]을/를 내세웠다.

개념 05 조선의 건국과 통치 체제의 정비

1 조선의 건국과 발전

- 태조(이성계): 위화도 회군으로 권력 장악, 과전법 실시 → 조선 건국, 한양으로 천도
- 태종: 6조 직계제 시행(왕권 강화), 호패법 실시
- 세종: ❶ (왕권과 신권의 조화), 훈민정음
- 세조: 6조 직계제 시행, 경연 폐지
- 성종: ❷ 완성 및 반포, 경연 강화

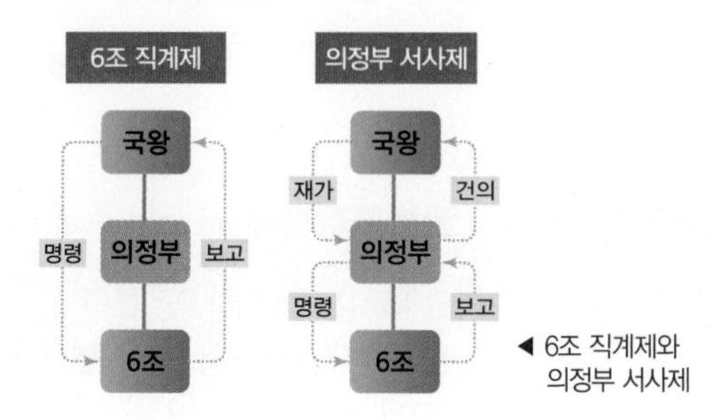

◀ 6조 직계제와 의정부 서사제

2 통치 체제의 정비

- 중앙 정치 제도: ❸ 와 6조, 3사(언론 기구)
- 지방 행정 제도: 8도(모든 군현에 지방관 파견)

답 ❶ 의정부 서사제 ❷ 『경국대전』 ❸ 의정부

확인 05

조선은 (3사 , 의정부)를 두어 고위 관리를 감찰하고 권력의 독점과 부정을 방지하고자 하였다.

개념 06 조선의 정치 운영 변화

1 사림의 성장과 사화의 발생

- 사림의 성장: ❶ 세력의 부정과 비리 비판
- 사화: 사림이 반대파의 탄압으로 큰 피해를 입은 사건 → 서원과 향약을 기반으로 사림 세력 성장

2 붕당의 등장과 정치 운영의 변화

- 붕당 정치: 정국을 주도한 ❷ 간에 대립 발생 → 붕당 형성 → 붕당 간 공존, 공론에 따른 운영
- 예송: 예법 문제를 놓고 붕당 간 대립 심화
- 환국: 특정 붕당의 권력 독점, 상대 당 탄압
- 탕평 정치: 영조와 정조의 왕권 강화, 개혁 추진
- 세도 정치: 외척 세력의 권력 독점

답 ❶ 훈구 ❷ 사림

확인 06

영조와 정조는 ( ) 정치를 시행하여 왕권을 강화하고 붕당 간 대립을 약화하였다.

개념 07 양 난의 발발과 대외 관계의 변화

1 조선 전기의 대외 관계 사대교린을 기본 원칙으로 전개

- 사대: 명에 조공, 경제·문화적 실리 추구
- 교린: 여진, 일본에 회유책과 강경책 함께 사용(세종 때 ❶ 개척, 쓰시마섬 정벌)

2 왜란과 호란

- 왜란: 도요토미 히데요시의 야심 → 일본군의 조선 침략 → 이순신이 이끄는 수군, 곽재우 등 의병의 활약 → 휴전 협상 → 일본군 재침략 → 일본군 철수
- 호란: 광해군의 ❷ 정책 → 인조반정 이후 친명배금 정책 추진 → 정묘호란(후금과 형제 관계 체결) → 병자호란(청과 군신 관계 체결)

3 조선 후기의 대외 관계

- 청에 ❸ 파견, 북벌론과 북학론 등장
- 일본과 기유약조 체결, 통신사 파견

답 ❶ 4군 6진 ❷ 중립 외교 ❸ 연행사

확인 07

병자호란 이후 등장하였으며, 청에 당한 치욕을 씻고 명에 의리를 지키자는 주장은?

개념 08 조선 후기의 변화

1 수취 제도의 개편

- 토지세: 영정법(풍흉에 관계없이 세금액 고정)
- 공납: 대동법(토지 면적에 따라 세금 납부) → ❶ 등장, 상품 화폐 경제의 발달
- 군역: 균역법(영조, 장정 1인당 매년 군포 1필 납부)

2 상품 화폐 경제의 발달

- 농업: 모내기법 보급으로 생산량 증가 → 농민 분화
- 상업: 통공 정책(금난전권 폐지) → 사상의 성장
- 화폐: ❷ (동전)의 전국적 유통

3 농민 봉기 세도 정치 시기 부패 만연, 삼정의 문란

- 홍경래의 난: 세도 정권의 수탈과 ❸ 지역 차별에 반발 → 관군에 진압
- 임술 농민 봉기: 삼정의 문란에 저항, 진주에서 전국으로 확산 → 안핵사 파견, 삼정이정청 설치

답 ❶ 공인 ❷ 상평통보 ❸ 평안도

확인 08

조선 후기 방납에 따른 농민의 부담을 줄이기 위해 토지 면적에 따라 쌀 등을 납부하게 한 수취 제도는 (대동법 , 균역법)이다.

WEEK 1 DAY 1

개념 돌파 전략 ②

1 다음 도구가 사용된 시대의 생활 모습으로 옳은 것은?

① 철제 무기가 보급되었다.
② 농경과 목축이 시작되었다.
③ 지배 계급인 군장이 등장하였다.
④ 강가나 바닷가에 움집을 짓고 살았다.
⑤ 식량을 얻기 위해 이동 생활을 하였다.

▲ 주먹도끼

문제 해결 전략

주먹도끼는 ❶ [ ] 시대에 돌을 깨뜨려서 만든 ❷ [ ]이다. 구석기 시대 사람들은 동굴이나 바위 그늘, 막집에 거주하며 사냥·채집·물고기 잡이 등으로 식량을 획득하였다.

답 ❶ 구석기 ❷ 뗀석기

2 다음과 같이 수도를 옮긴 왕의 업적으로 옳은 것만을 보기에서 고른 것은?

보기
ㄱ. 금관가야를 정복하였다.
ㄴ. 남진 정책을 추진하였다.
ㄷ. 한강 유역을 장악하였다.
ㄹ. 불교를 공인하고 율령을 반포하였다.

① ㄱ, ㄴ ② ㄱ, ㄷ ③ ㄴ, ㄷ ④ ㄴ, ㄹ ⑤ ㄷ, ㄹ

문제 해결 전략

광개토 대왕에 이어 즉위한 ❶ [ ]은 중국의 남북조와 교류하면서 국제 관계를 안정시켰고, ❷ [ ]으로 수도를 옮겼다. 이후 적극적인 남진 정책을 추진하여 백제의 수도인 한성을 점령하고 한반도 중부 지역까지 영토를 넓혔다.

답 ❶ 장수왕 ❷ 평양

3 다음과 같이 중앙 정치 조직을 운영한 국가에 대한 설명으로 옳은 것은?

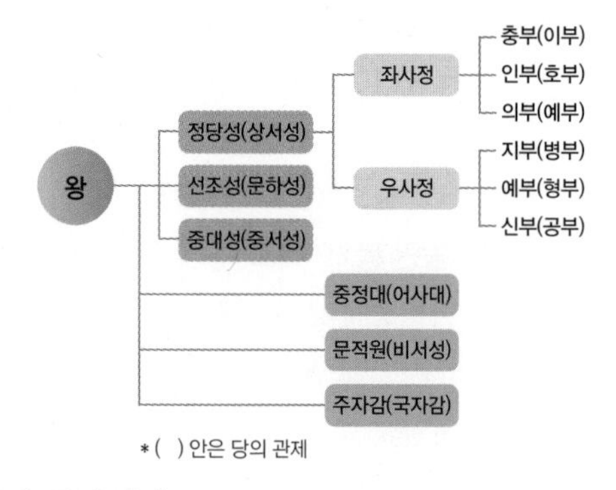

*( ) 안은 당의 관제

① 왕이 없는 군장 국가였다.
② 전성기에 해동성국이라 불리었다.
③ 혼인 풍습으로 민며느리제가 있었다.
④ 우리나라 역사상 최초로 건국되었다.
⑤ 나당 연합군의 공격으로 멸망하였다.

문제 해결 전략

발해는 문왕 때 당의 문물 제도를 받아들여 통치 체제를 정비하였다. 발해의 중앙 정치 조직은 ❶ [ ]를 기본으로 하였고, 지방 행정 제도는 5경 15부 62주로 정비되었다. 선왕 때 전성기를 누린 발해는 당으로부터 ❷ [ ]이라 불리었다.

답 ❶ 3성 6부 ❷ 해동성국

4 밑줄 친 '이 왕'의 정책으로 옳은 것은?

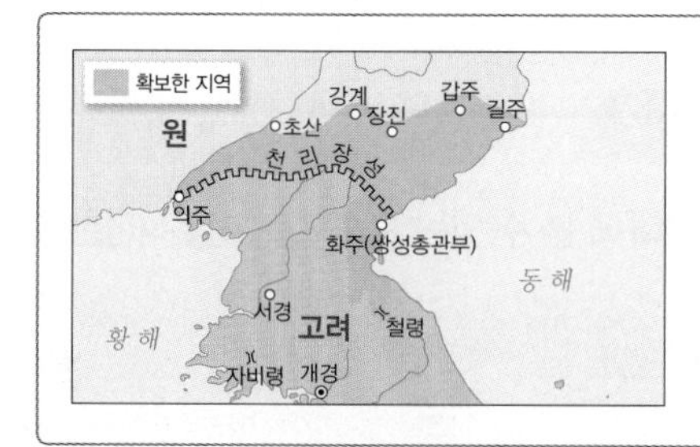

이 왕은 원(몽골)이 설치한 쌍성총관부를 공격하여 철령 이북의 땅을 되찾았다.

① 사심관 제도를 시행하였다.
② 과거제를 처음 실시하였다.
③ 전민변정도감을 설치하였다.
④ 12목을 설치하고 지방관을 파견하였다.
⑤ 강화도로 수도를 옮겨 몽골에 항전하였다.

문제 해결 전략

고려의 (❶)은 원이 쇠퇴한 틈을 타 반원 정책을 추진하여 기철 등 친원 세력을 제거하고 정동행성 이문소를 폐지하였으며, 쌍성총관부를 공격하여 철령 이북의 땅을 되찾았다. 또한 신돈을 등용하여 (❷)을 설치하고 권문세족이 빼앗은 토지를 주인에게 돌려주고, 노비가 된 사람을 평민으로 되돌리려 하였다.

답 ❶ 공민왕 ❷ 전민변정도감

5 다음 영토 확장을 추진한 왕의 업적으로 옳은 것만을 보기 에서 고른 것은?

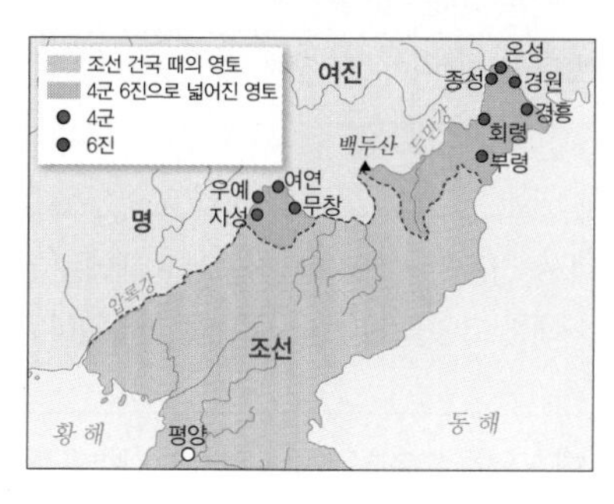

보기

ㄱ. 6조 직계제를 실시하였다.
ㄴ. 의정부 서사제를 실시하였다.
ㄷ. 우리글인 훈민정음을 창제하였다.
ㄹ. 경국대전을 완성하고 반포하였다.

① ㄱ, ㄴ ② ㄱ, ㄷ ③ ㄴ, ㄷ ④ ㄴ, ㄹ ⑤ ㄷ, ㄹ

문제 해결 전략

조선의 세종은 (❶)를 실시하여 왕권과 신권의 조화를 꾀하였으며, 집현전을 설치하고 훈민정음을 창제하였다. 또한 여진을 정벌하고 (❷)을 개척하고 왜구의 본거지인 쓰시마섬을 정벌하도록 하였다.

답 ❶ 의정부 서사제 ❷ 4군 6진

6 다음 화폐가 유통된 시기에 볼 수 있는 모습으로 적절하지 않은 것은?

구리와 주석을 합금하여 만든 화폐이다. 상품 화폐 경제의 발달과 세금의 징수로 인해 수요가 급격히 늘어났으며, 전국적으로 유통되었다.

① 대동법이 시행되었다.
② 모내기법이 보급되었다.
③ 평안도에서 홍경래의 난이 일어났다.
④ 통공 정책으로 금난전권이 폐지되었다.
⑤ 국제 무역항으로 벽란도가 번영하였다.

문제 해결 전략

상평통보는 조선 후기 전국적으로 유통된 동전이다. 조선 후기에는 수취 제도로 영정법(토지세), (❶)(공납), 균역법(군역)이 시행되었고, (❷)이 보급되어 농업 생산량이 증가하였으며, 상품 작물이 재배되어 부농이 등장하였다.

답 ❶ 대동법 ❷ 모내기법

필수 체크 전략 ①

1강_선사 시대의 전개 ~ 고대 국가의 지배 체제

필수 예제 01

수능 기출

(가)에 해당하는 유물로 가장 적절한 것은?

Tip

뗀석기는 구석기 시대에 사용된 도구이다.

풀이

(가)에는 구석기 시대의 도구인 주먹도끼가 들어가야 한다. ① 주먹도끼는 사냥을 하거나 짐승의 가죽을 벗기는 등 다양한 용도로 사용되었다. ② 청동기 시대, ③ 철기 시대 이후, ④ 조선 전기, ⑤ 조선 후기와 관련된 유물이다.

답 ①

필수 예제 02

모평 기출

밑줄 친 '이 시대'에 볼 수 있는 모습으로 가장 적절한 것은?

고창, 화순, 강화 고인돌 유적

- 국가: 대한민국
- 등재 연도: 2000년

▲ 고인돌(인천 강화 부근리)

사유 재산과 계급이 발생한 이 시대를 대표하는 유적이다. 고인돌의 규모를 통해 당시 지배층의 권력과 경제력을 짐작할 수 있다.

① 석굴암 본존불 앞에서 절하는 승려
② 국자감에서 유학을 공부하는 학생
③ 비파형 동검을 들고 있는 군장
④ 장용영에서 훈련을 받는 군인
⑤ 팔관회를 준비하는 관리

Tip

밑줄 친 '이 시대'는 청동기 시대이다. 청동기 시대에는 권력자인 군장이 죽으면 거대한 고인돌이나 돌널무덤을 만들었다.

풀이

청동기 시대의 대표적인 유물로는 비파형 동검, 반달 돌칼 등이 있다. ① 통일 신라, ② 고려, ④ 조선 후기 정조, ⑤ 고려에 해당한다.

답 ③

응용 01-1

다음 유물이 처음 사용된 시기의 생활 모습으로 옳은 것을 보기에서 있는 대로 고르시오.

보기

ㄱ. 빈부 격차가 생겼다.
ㄴ. 농경과 목축이 시작되었다.
ㄷ. 강가나 바닷가에 움집을 짓고 살았다.
ㄹ. 식량을 얻기 위해 이동 생활을 하였다.

응용 02-1

청동기 시대의 사회 모습으로 옳은 것을 보기에서 있는 대로 고르시오.

보기

ㄱ. 군장이 등장하였다.
ㄴ. 돌을 깨뜨려서 뗀석기를 만들었다.
ㄷ. 바위 그늘이나 막집에 거주하였다.
ㄹ. 한반도의 독자적인 청동기 문화가 발달하였다.

필수 예제 03

수능 기출

(가)의 배경으로 가장 적절한 것은?

① 묘청이 천도를 주장하였다.
② 장수왕이 남진 정책을 추진하였다.
③ 흑치상지가 부흥 운동을 일으켰다.
④ 이성계가 위화도 회군을 단행하였다.
⑤ 을지문덕이 살수에서 승리를 거두었다.

Tip

(가)는 백제의 수도가 한성에서 웅진으로 이동하는 것을 나타내고 있다.

풀이

백제의 수도는 한성 → 웅진 → 사비로 변화하는데, 한성 → 웅진은 고구려 장수왕의 남진 정책으로 한성이 함락되면서 행해졌고, 사비 천도는 성왕 시기에 중흥을 위해 이루어졌다. 답 ②

응용 03-1

(가) 국가에 대한 설명으로 옳은 것을 보기 에서 있는 대로 고르시오.

(가) 의 장수왕이 평양으로 수도를 옮기고 적극적으로 남진 정책을 추진하였다. 그 결과 (가) 은/는 한강 유역까지 영토를 확장하였다.

보기
ㄱ. 대가야를 정복하였다.
ㄴ. 22담로에 왕족을 파견하였다.
ㄷ. 벽돌무덤인 무령왕릉을 조성하였다.
ㄹ. 태학을 세워 귀족 자제에게 유학을 가르쳤다.
ㅁ. 국가의 중요한 일을 제가 회의에서 결정하였다.

필수 예제 04

모평 기출

밑줄 친 '이 국가'에 대한 설명으로 옳은 것은?

건축 특별 강연

이 국가는 대내외적인 상황에 따라 수도를 두 차례 옮겼으며, 각 도읍지에 다양한 건축물을 건립하였습니다. 이번 강연에서는 전문가를 모시고 각 도읍지에 남아 있는 건축 문화의 특징을 새롭게 조명해 보고자 합니다.

– 강연 순서 –
◉ **제1 강연**: 한성 시기 풍납 토성과 몽촌 토성의 구조
◉ **제2 강연**: 웅진 시기 벽돌무덤의 건립과 동아시아 교류
◉ **제3 강연**: 사비 시기 부소산성과 왕궁터로 본 도성 체제
• **일시**: 2019년 3월 ○○일 △△시
• **주최**: □□고등학교 역사 동아리

① 석굴암을 조성하였다.
② 무령왕릉을 축조하였다.
③ 동의보감을 편찬하였다.
④ 팔만대장경을 조판하였다.
⑤ 경천사지 10층 석탑을 건립하였다.

Tip

밑줄 친 '이 국가'는 백제이다. 백제는 한성, 웅진, 사비 순으로 수도를 옮겼다.

풀이

백제는 벽돌무덤 양식의 무령왕릉 등 다양한 문화유산을 남겼다. 답 ②

응용 04-1

백제의 문화유산으로 옳은 것을 보기 에서 있는 대로 고르시오.

보기

필수 예제 05 수능 기출

다음 자료를 활용한 학습 주제로 가장 적절한 것은?

> • 적의 장수 이근행이 군사 20만 명을 이끌고 매초성(매소성)에 진을 쳤다. 우리가 군사가 공격하니, 성을 버리고 달아났다. 30,380필의 전투용 말과 그만큼의 병기를 얻었다.
> • 사찬 시득이 수군을 거느리고 적의 장수 설인귀와 소부리주 기벌포에서 싸웠다. …… 크고 작은 스물 두 번의 싸움을 벌여 마침내 승리하였다.
> –『삼국사기』–

① 나당 전쟁의 전개
② 삼별초의 대몽 항쟁
③ 홍건적과 왜구의 침입
④ 임진왜란과 의병의 활약
⑤ 여진 정벌과 동북 9성 축조

Tip

제시된 자료는 매소성, 기벌포 전투에서 신라가 당에 승리한 내용을 담고 있다.

풀이

백제, 고구려가 멸망한 후 당이 웅진도독부, 안동도호부, 계림도독부를 두어 한반도 전체를 지배하려고 하자 신라는 당과 전쟁을 벌였고, 매소성과 기벌포에서 당을 물리치고 삼국 통일을 완성하였다.

답 ①

응용 05-1

다음은 신라가 삼국을 통일하는 과정에서 발생한 사건이다. (가)~(라)를 발생한 순서대로 나열하시오.

> (가) 신라가 매소성에서 당군을 크게 물리쳤다.
> (나) 나당 연합군의 공격으로 백제의 수도 사비가 함락되었다.
> (다) 나당 연합군의 공격으로 고구려의 수도 평양성이 함락되었다.
> (라) 백제의 공격으로 어려움에 처하자, 신라의 김춘추는 당으로 건너가 동맹을 맺었다.

필수 예제 06 학평 기출

(가)에 들어갈 내용으로 적절한 것은?

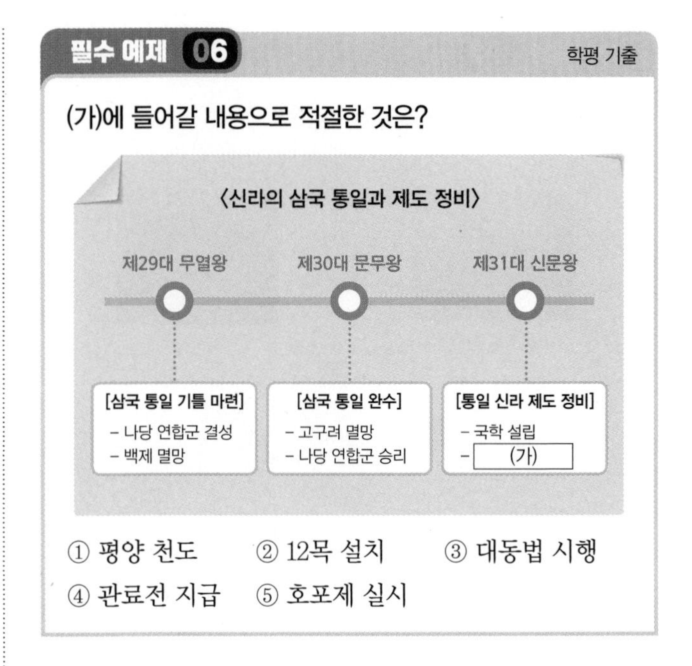

① 평양 천도 ② 12목 설치 ③ 대동법 시행
④ 관료전 지급 ⑤ 호포제 실시

Tip

신라는 삼국을 통일한 이후 신문왕 때 통치 체제를 정비하고 국왕 중심의 정치 운영을 확립하였다.

풀이

신문왕은 김흠돌의 난을 진압하여 왕권을 강화하였으며, 지방을 9주 5소경 체제로 정비하고, 국학을 설립하여 유학을 교육하였다. ④ 또한 녹읍을 폐지하고 관료전을 지급하였다. ① 고구려 장수왕, ② 고려 성종, ③ 조선 후기 광해군, ⑤ 조선 후기 흥선 대원군의 정책이다.

답 ④

응용 06-1

밑줄 친 '왕'에 대한 설명으로 옳은 것을 보기에서 있는 대로 고르시오.

> <u>왕</u> 원년, 반역을 도모한 소판 김흠돌, 파진찬 김흥원, 대아찬 김진공 등을 처형하였다.
> 5년, 청주를 설치함으로써 비로소 9주가 갖추어졌다.
> 7년, 명을 내려 문무 관료들에게 토지를 주었는데 차등이 있었다.

보기
ㄱ. 후백제를 세웠다.
ㄴ. 녹읍을 폐지하였다.
ㄷ. 국학을 설립하였다.
ㄹ. 노비안검법을 시행하였다.
ㅁ. 군사 조직을 9서당 10정으로 정비하였다.

필수 예제 07

모평 기출

밑줄 친 '이 나라'에 대한 설명으로 옳은 것은?

이 석등은 대조영이 건국한 이 나라의 대표적인 유물로, 수도였던 상경성 터에 있습니다.

① 거란에 멸망당하였다.
② 영정법을 시행하였다.
③ 공명첩을 발행하였다.
④ 금관가야를 병합하였다.
⑤ 금융 실명제를 도입하였다.

Tip

제시된 사진은 발해의 대표 유물인 높이 6m가 넘는 석등이다.

풀이

① 발해는 926년 거란의 침입으로 멸망하였다. ② 조선 후기 수취 제도이다. ③ 조선 후기 정부가 재정 수입을 늘리기 위해 발행한 문서이다. ④ 신라 법흥왕의 업적이다. ⑤ 1990년대 김영삼 정부의 정책이다.

답 ①

응용 07-1

(가) 국가에 대한 설명으로 옳은 것을 | 보기 |에서 있는 대로 고르시오.

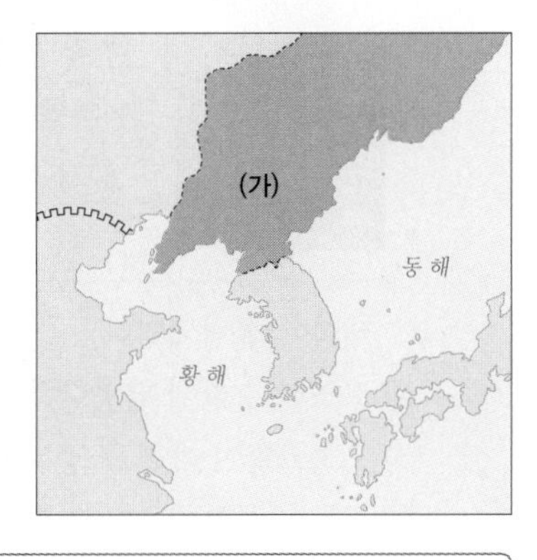

| 보기 |

ㄱ. 대조영이 건국하였다.
ㄴ. 해동성국이라 불리었다.
ㄷ. 고구려 계승 의식을 내세웠다.
ㄹ. 지방을 9주 5소경으로 정비하였다.
ㅁ. 녹읍을 폐지하고 관료전을 지급하였다.

필수 예제 08

모평 기출

(가)에 들어갈 내용으로 가장 적절한 것은?

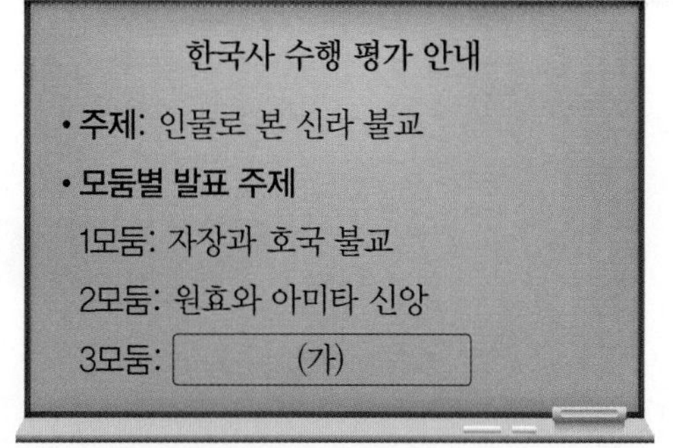

① 의상과 화엄 사상
② 지눌과 수선사 결사
③ 의천과 해동 천태종
④ 신돈과 전민변정도감
⑤ 묘청과 서경 천도 운동

Tip

통일 신라의 대표 승려로는 자장, 의상, 원효, 혜초가 있다.

풀이

(가)에 들어갈 내용은 통일 신라의 승려인 의상과 화엄 사상이다. ① 의상은 화엄 사상을 정립하고 관음 신앙을 제시하였다. ② 지눌은 고려 후기 승려이다. ③ 의천은 고려 전기 승려이다. ④ 신돈은 고려 말 공민왕이 개혁을 위해 등용한 승려이다. ⑤ 묘청은 고려 전기 서경 세력을 대표하는 승려이다.

답 ①

응용 08-1

다음과 같이 주장한 승려에 대한 설명으로 옳은 것을 | 보기 |에서 있는 대로 고르시오.

모든 경계가 무한하지만, 다 일심 안에 들어가는 것이다. 부처의 지혜는 모양을 떠나 마음의 원천으로 돌아가고, 지혜와 일심은 완전히 같아서 둘이 아니다.

| 보기 |

ㄱ. 천태종을 창시하였다.
ㄴ. 왕오천축국전을 남겼다.
ㄷ. 화쟁 사상을 주장하였다.
ㄹ. 수선사 결사를 이끌었다.
ㅁ. 아미타 신앙을 가르쳤다.

필수 체크 전략 ②

1 (가) 시대의 생활 모습으로 가장 적절한 것은?

(가) 시대의 대표. 유물

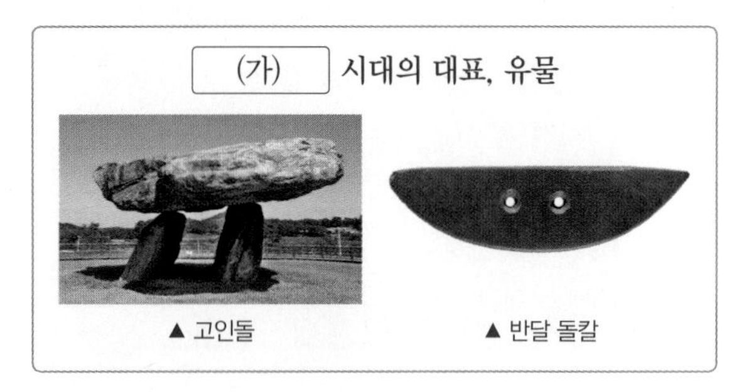
▲ 고인돌　▲ 반달 돌칼

① 농경과 목축이 시작되었다.
② 빗살무늬 토기를 만들어 사용하였다.
③ 동굴, 바위 그늘, 막집에 거주하였다.
④ 강가나 바닷가에 움집을 짓고 생활하였다.
⑤ 빈부 격차가 나타나면서 지배 계급이 등장하였다.

Tip

청동기 시대에는 ❶ ____의 권력을 상징하는 거대한 고인돌이 만들어졌고, 생산 도구로 ❷ ____인 반달 돌칼이 사용되었다.

답 ❶ 군장 ❷ 간석기

2 (가) 국가의 특징으로 옳은 것만을 보기 에서 고른 것은?

보기
ㄱ. 연맹체 국가이다.
ㄴ. 책화 풍습이 있었다.
ㄷ. '무천'이라는 제천 행사가 있었다.
ㄹ. 낙랑, 왜 등으로 철을 수출하였다.

① ㄱ, ㄴ　② ㄱ, ㄷ　③ ㄴ, ㄷ
④ ㄴ, ㄹ　⑤ ㄷ, ㄹ

Tip

(가)는 동예이다. 동예는 왕이 없고 ❶ ____이 지배하는 국가였으며, ❷ ____이라는 제천 행사를 열었다.

답 ❶ 군장 ❷ 무천

3 밑줄 친 '왕'에 대한 설명으로 옳은 것은?

왕 또한 불교를 일으키려고 하였으나 여러 신하가 믿지 않고 이런저런 불평을 많이 하였으므로 근심하였다. …… (이차돈의) 목을 베자 잘린 곳에서 피가 솟구쳤는데, 그 색이 우윳빛처럼 희었다. 여러 사람이 괴이하게 여겨 다시는 불교를 헐뜯지 않았다.

－『삼국사기』－

① 금관가야를 병합하였다.
② 웅진으로 수도를 옮겼다.
③ 제가 회의를 주관하였다.
④ 국호 '신라', '왕' 호칭을 처음 사용하였다.
⑤ 태학을 설립하여 귀족 자제에게 유학을 가르쳤다.

Tip

신라의 법흥왕은 연호를 사용하였고, ❶ ____을 반포하였으며, 불교를 공인하여 중앙 집권 체제를 확립하였다. 또한 ❷ ____를 병합하였다.

답 ❶ 율령 ❷ 금관가야

4 다음 사건 직후의 상황으로 가장 적절한 것은?

영락 10년에 왕은 5만 보병과 기병을 파견하여 낙동강 유역에서 왜를 격퇴하고, 임나가라(任那加羅)를 복속시키는 한편, 신라를 구원하였다. 그 결과 신라의 왕이 직접 고구려에 조공하였다.

－ 광개토 대왕릉비문 －

① 태학이 설립되었다.
② 고조선이 한에 멸망당하였다.
③ 근초고왕이 마한을 정복하였다.
④ 주몽이 졸본에 고구려를 건국하였다.
⑤ 가야 연맹의 주도권이 대가야로 넘어갔다.

Tip

4세기 말에 왜가 신라를 공격하자 고구려 ❶ ____이 군대를 보내 신라를 지원하였고, 이 과정에서 ❷ ____가 큰 타격을 입었다.

답 ❶ 광개토 대왕 ❷ 금관가야

5 다음 상황이 발생한 시기를 연표에서 옳게 고른 것은?

> 백제 왕족인 복신과 승려 도침은 일본에 있던 의자왕의 아들 부여풍을 왕으로 추대하고 주류성에서 부흥 운동을 전개하였다.

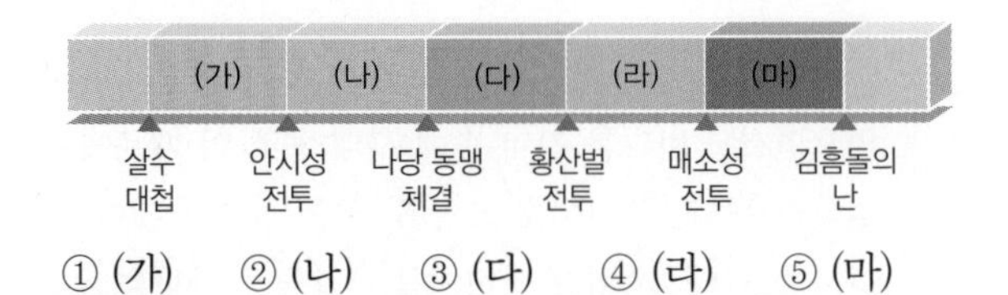

① (가) ② (나) ③ (다) ④ (라) ⑤ (마)

Tip

자료의 상황은 ❶ ______ 멸망(660) 이후 전개된 부흥 운동이다. 백제와 고구려가 멸망한 이후 신라는 매소성, ❷ ______ 전투에서 당에 승리하면서 삼국 통일을 완성하였다.

답 ❶ 백제 ❷ 기벌포

6 다음 사건이 발생한 시기에 대한 설명으로 옳지 않은 것은?

> 진성 여왕 3년(889) 나라 안의 여러 주, 군에서 조세와 공물을 보내지 않아 나라의 창고가 텅 비고 …… 왕이 사자를 보내어 독촉하였다. 이에 원종과 애노 등이 사벌주(상주)를 근거지로 반란을 일으켰다.
>
> –『삼국사기』–

① 호족이 성장하였다.
② 김흠돌의 난이 발생하였다.
③ 견훤이 후백제를 건국하였다.
④ 선종과 풍수지리설이 유행하였다.
⑤ 진골 귀족 사이에서 왕위 쟁탈전이 벌어졌다.

Tip

자료는 신라 말에 발생한 원종과 애노의 봉기이다. 혜공왕 피살 이후 진골 귀족들 사이에 왕위 쟁탈전이 벌어져 중앙 정부의 지방 통제력이 약화되자 지방에서 ❶ ______ 이 성장하였다. 이러한 가운데 견훤이 후백제를 건국하고, 궁예가 ❷ ______ 를 건국하면서 후삼국이 성립되었다.

답 ❶ 호족 ❷ 후고구려

7 다음 정치 제도에 대한 설명으로 옳은 것은?

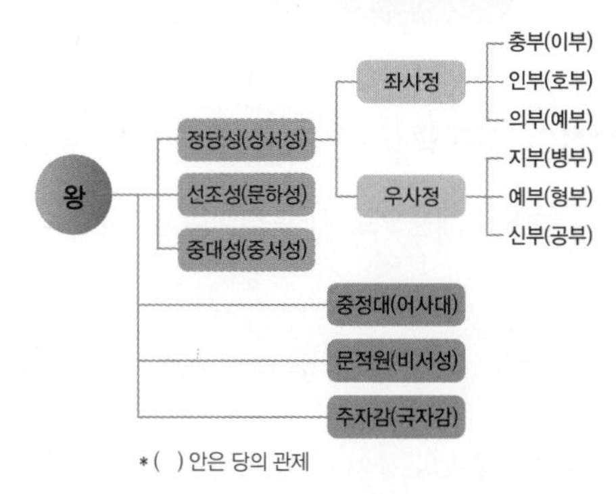

① 신문왕 때 정비되었다.
② 공민왕의 개혁 정치를 뒷받침하였다.
③ 최씨 무신 정권의 독자적 권력 기구이다.
④ 중종 때 조광조의 개혁 정치로 완성된 조직이다.
⑤ 당의 제도를 수용하였으나 독자적으로 운영되었다.

Tip

자료는 발해의 중앙 정치 조직인 ❶ ______ 이다. 발해는 ❷ ______ 의 제도를 수용하여 중앙 정치 기구를 정비하였다.

답 ❶ 3성 6부 ❷ 당

8 다음 유물에 대한 해석으로 가장 적절한 것은?

① 왕즉불 사상을 보여 준다.
② 신라에서 유교 경전 학습이 이루어졌다.
③ 귀족 중심으로 신선 사상이 유행하였다.
④ 수도 금성 중심의 지리 인식에서 탈피하고 있다.
⑤ 유교 경전 이해 수준을 시험하는 과거제가 시행되었다.

Tip

제시된 유물은 신라 ❶ ______ 이다. 이 유물에는 두 사람이 함께 3년간 ❷ ______ 을 공부하기로 맹세한 내용이 새겨져 있다.

답 ❶ 임신서기석 ❷ 유교 경전

필수 체크 전략 ①

2강_고려의 건국과 발전 ~ 조선 후기의 변화

필수 예제 01

수능 기출

(가)에 들어갈 내용으로 가장 적절한 것은?

탐구 활동 보고서

3학년 ○반 ○○번 이름 ○○○

1. **주제**: 태조의 통치 체제 정비를 위한 노력
2. **활동**: 자료를 수집하고 분석하여 통치 체제 정비를 위한 태조의 정책을 정리하였다.
3. 정리

수집 자료	분석 결과
백성들에게 3년간 조세와 부역을 면제해 주었다.	민생 안정 정책
향리의 자제를 개경에 살게 하고 이를 기인이라 하였다.	(가)
광해주 사람 박유가 귀순해 오자 왕씨 성을 하사하였다.	
서경의 보수를 마치고 백성을 옮겨 살게 하였다.	북진 정책

① 친명배금 정책 ② 호족 통합 정책
③ 통상 개화 정책 ④ 반원 자주 정책
⑤ 민족 말살 정책

Tip

고려 태조(왕건)는 호족을 포용, 견제하고자 하였다.

풀이

왕건의 호족 통합 정책에는 왕씨 성 하사, 혼인 등 호족을 포용하는 방법과 사심관 제도, 기인 제도와 같이 견제하는 방법이 있었다.

답 ②

필수 예제 02

모평 기출

다음 사건의 영향으로 가장 적절한 것은?

> 소손녕이 말하기를, "너희 고려가 우리 거란과 접해 있으면서도 바다를 건너 송에 사대하니, 이 때문에 정벌하러 왔다. 우리에게 조공을 하면 무사할 것이다."라고 하였다. 서희가 말하기를, "압록강 안팎은 우리의 영역인데, 지금 여진이 그곳을 차지하여 길이 막혀 조공을 하지 못하는 것이다. 만약 우리가 여진을 쫓아내고 옛 고구려 땅을 되찾아 성을 쌓고 길에 통하도록 해 준다면, 어찌 조공을 하지 않겠는가."라고 하였다. …… 소손녕이 이를 보고하자, 거란 황제가 "고려가 강화를 요청해 왔으니, 마땅히 군사 행동을 중지하라."라고 하였다.

① 별기군이 창설되었다.
② 훈련도감이 조직되었다.
③ 강동 6주가 확보되었다.
④ 금관가야가 멸망하였다.
⑤ 9서당 10정이 편성되었다.

Tip

제시된 자료는 거란 장수 소손녕과 고려 서희의 대화 내용이다.

풀이

서희의 외교 담판 결과 고려는 압록강 인근에 살고 있던 여진을 쫓아내고 ③ 강동 6주를 확보하였다. ① 별기군은 조선 후기 창설된 신식 군대, ② 훈련도감은 임진왜란 시기에 설치된 군영, ⑤ 9서당 10정은 통일 신라의 군사 조직이다. ④ 금관가야는 6세기 신라에 병합되었다.

답 ③

응용 01-1

(가) 왕의 업적으로 옳은 것을 | 보기 |에서 있는 대로 고르시오.

보기
ㄱ. 과거제를 처음 시행하였다.
ㄴ. 지방에 12목을 설치하였다.
ㄷ. 사심관 제도를 시행하였다.
ㄹ. 노비안검법을 시행하였다.
ㅁ. 후삼국을 통일하였다.

▲ 고려의 건국자인 (가) 왕의 청동상

응용 02-1

거란에 대한 설명으로 옳은 것을 | 보기 |에서 있는 대로 고르시오.

보기
ㄱ. 발해를 멸망시켰다.
ㄴ. 고려에 쌍성총관부를 설치하였다.
ㄷ. 강감찬이 귀주에서 크게 물리쳤다.
ㄹ. 윤관이 별무반을 이끌고 정벌하였다.
ㅁ. 고려로부터 동북 9성을 되돌려 받았다.

필수 예제 03

모평 기출

(가) 왕이 실시한 정책으로 옳은 것은?

모둠별 토의 질문 평가지

대상 학급: 3학년 ○반
담당 교사: ○○○

• 과제: 고려 시대 (가) 의 정책에 대한 모둠별 토의 질문 만들기

• 질문 평가

모둠	제출한 질문	평가
1모둠	기철 등 친원 세력을 숙청한 이유는 무엇일까?	적합
2모둠	정동행성 이문소를 폐지한 목적은 무엇일까?	적합
3모둠	쌍성총관부 공격이 가지는 의의는 무엇일까?	적합

① 우산국을 정복하였다.
② 광무개혁을 추진하였다.
③ 경국대전을 반포하였다.
④ 수원 화성을 건설하였다.
⑤ 전민변정도감을 설치하였다.

Tip

(가) 왕은 고려 공민왕이다. 공민왕은 원이 쇠퇴하는 것을 틈타 반원 자주 정책과 왕권 강화 정책을 추진하였다.

풀이

공민왕은 전민변정도감을 설치하여 권문세족이 빼앗은 토지와 노비가 된 백성을 원래대로 되돌려 놓으려 하였다. 답 ⑤

응용 03-1

(가) 왕의 정책으로 옳은 것을 보기 에서 있는 대로 고르시오.

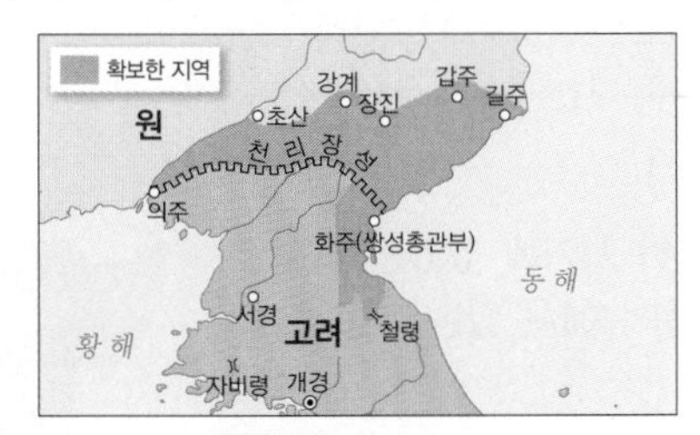

▲ (가) 왕 때 확보한 지역

보기

ㄱ. 노비안검법을 실시하였다.
ㄴ. 신진 사대부를 등용하였다.
ㄷ. 전민변정도감을 설치하였다.
ㄹ. 정동행성 이문소를 폐지하였다.
ㅁ. 최승로의 시무 28조를 받아들였다.

필수 예제 04

모평 기출

다음 대화에서 공통으로 설명하는 문화유산으로 옳은 것은?

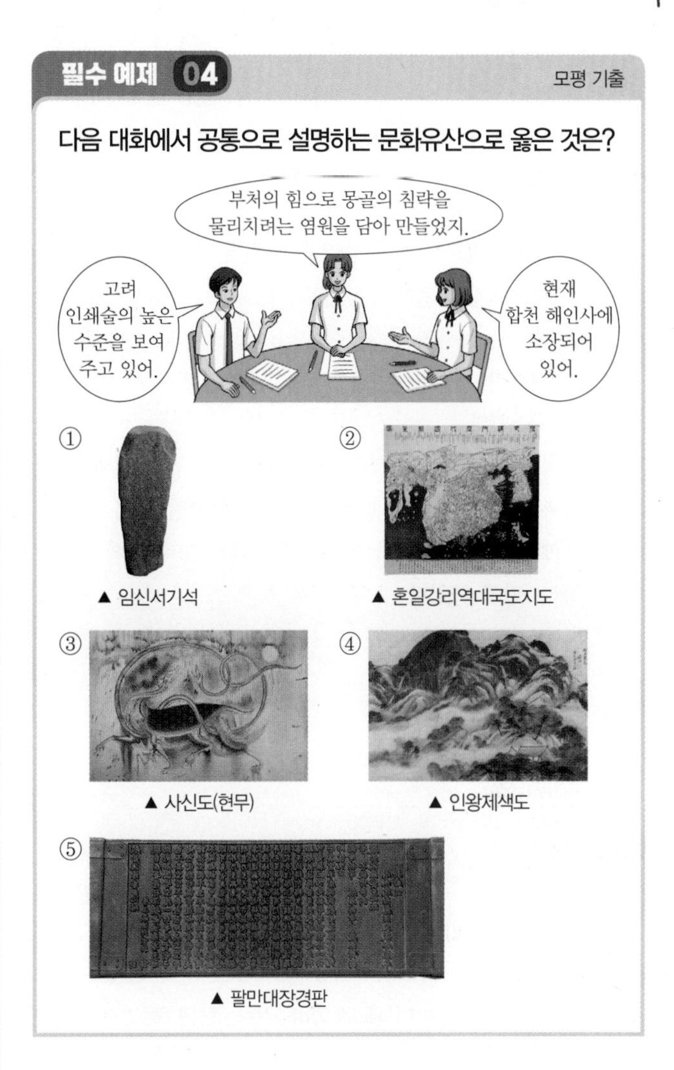

① ▲ 임신서기석
② ▲ 혼일강리역대국도지도
③ ▲ 사신도(현무)
④ ▲ 인왕제색도
⑤ ▲ 팔만대장경판

Tip

고려는 부처의 힘으로 몽골의 침입을 물리치려 하였다.

풀이

⑤ 팔만대장경판은 고려의 대표 문화유산이다. ① 신라, ② 조선 전기, ③ 고구려, ④ 조선 후기 문화유산이다. 답 ⑤

응용 04-1

고려의 문화유산을 보기 에서 있는 대로 고르시오.

보기

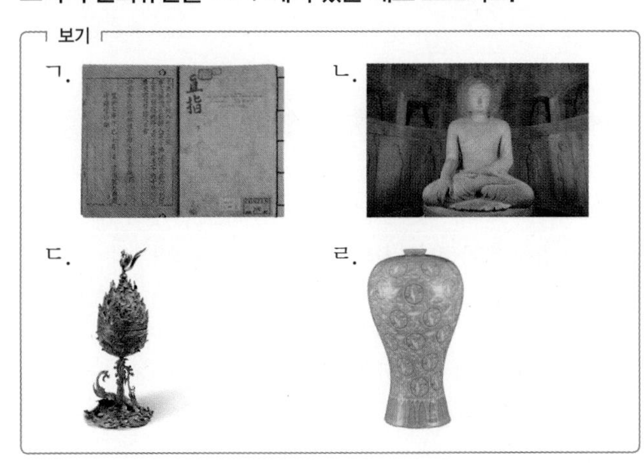

ㄱ. ㄴ. ㄷ. ㄹ.

필수 체크 전략 ①

필수 예제 05

수능 기출

밑줄 친 '왕'의 업적으로 옳은 것은?

- 전제상정소에서 왕에게 아뢰기를, "여러 지역의 토지를 전체적으로 살펴 비옥도에 따라 6등급으로 나누면 조세가 고르게 될 것입니다. …… 조세의 액수는 해마다 농사의 풍흉을 살펴 9등급으로 나누어 부과하는 것이 좋겠습니다."라고 하니, 그대로 시행하라고 하였다.
- 왕이 하교하기를, "6조는 각기 모든 직무를 먼저 의정부에 보고하고, 의정부는 가부를 헤아린 뒤에 국왕에게 아뢰어 재가를 받아 6조에 내려 보내어 시행하라."라고 하였다.

① 금관가야 병합 ② 교정도감 설치
③ 훈민정음 창제 ④ 대전회통 편찬
⑤ 천리장성 축조

Tip

밑줄 친 '왕'은 전분 6등법, 연분 9등법과 의정부 서사제를 시행한 조선의 세종이다.

풀이

조선 세종은 토지를 비옥도에 따라 나누는 전분 6등법과 생산량을 농사의 풍흉에 따라 나누는 연분 9등법을 시행하였다. 또 의정부 서사제를 시행하여 왕권과 신권의 조화를 꾀하였다. ③ 세종은 훈민정음을 창제하였다.

답 ③

응용 05-1

(가) 왕의 정책을 보기 에서 있는 대로 고르시오.

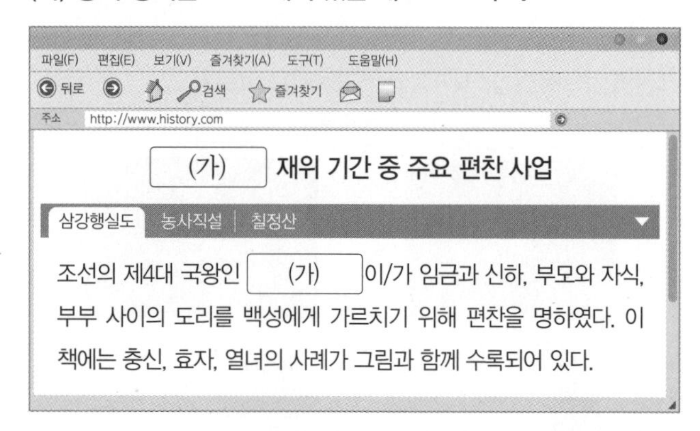

보기
ㄱ. 4군 6진 개척 ㄴ. 경국대전 반포
ㄷ. 호패법 처음 실시 ㄹ. 의정부 서사제 시행

필수 예제 06

모평 기출

(가) 왕이 실시한 정책으로 옳은 것은?

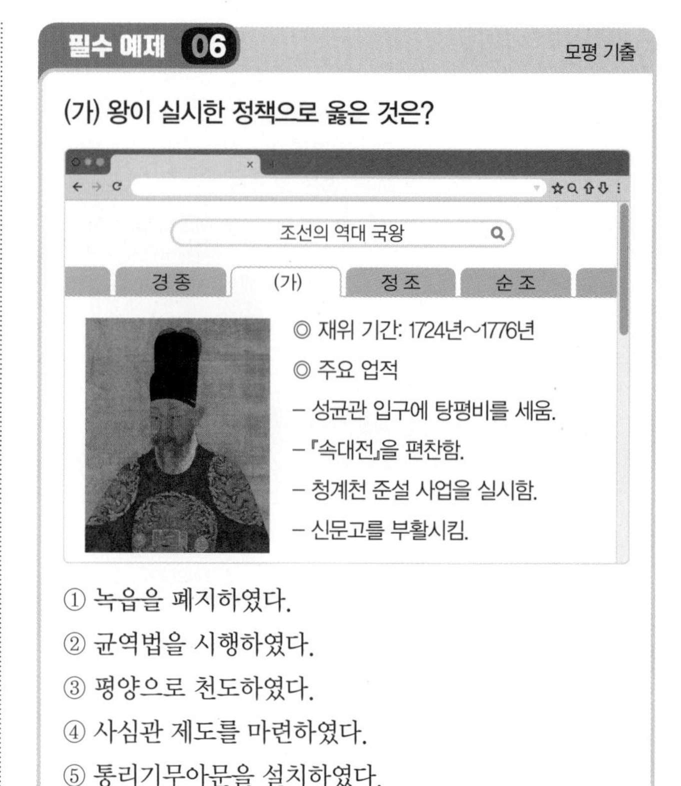

① 녹읍을 폐지하였다.
② 균역법을 시행하였다.
③ 평양으로 천도하였다.
④ 사심관 제도를 마련하였다.
⑤ 통리기무아문을 설치하였다.

Tip

(가) 왕은 영조이다. 영조는 탕평파를 중심으로 정국을 운영하였고, 왕권을 강화하는 정책을 시행하였다. 또 각종 제도 개혁을 추진하고 문물 제도를 정비하고자 하였다.

풀이

영조는 민생을 안정시키고자 장정 1인당 매년 군포를 1필만 납부하는 ② 균역법을 시행하여 백성의 군포 납부 부담을 줄여 주었다. ① 통일 신라의 신문왕, ③ 고구려의 장수왕, ④ 고려의 태조, ⑤ 조선 후기 고종 때의 정책이다.

답 ②

응용 06-1

(가) 왕의 재위 시기에 있었던 사실로 옳은 것을 보기 에서 있는 대로 고르시오.

보기
ㄱ. 예송이 발생하였다.
ㄴ. 균역법이 시행되었다.
ㄷ. 탕평 정치가 시행되었다.
ㄹ. 수원 화성이 건설되었다.
ㅁ. 왕의 외척 세력이 권력을 독점하였다.

▲ (가) 왕이 성균관 입구에 세운 탕평비

필수 예제 07

모평 기출

(가) 전쟁 중에 있었던 사실로 옳은 것은?

① 이성계가 위화도에서 회군하였다.
② 인조가 남한산성에서 항전하였다.
③ 이순신이 한산도에서 대승을 거두었다.
④ 을지문덕이 살수에서 적군을 격파하였다.
⑤ 김좌진이 청산리 전투를 승리로 이끌었다.

Tip

(가) 전쟁은 조선이 청의 군신 관계 요구를 거부하자 이를 빌미로 일어난 병자호란이다.

풀이

청이 침략하자 ② 인조는 남한산성에서 항전하였으나 이후 삼전도에서 굴욕적으로 항복하였다. 답 ②

필수 예제 08

수능 기출

밑줄 친 '이 법'에 대한 설명으로 옳은 것은?

> 광해군 때 이원익이 방납의 폐단을 혁파하고자 이 법의 시행을 건의하였다. …… 우선 경기도에 시범적으로 실시하였는데 백성은 이 법이 편하다고 여겼다. 그러나 권세가와 부호는 방납의 이익을 잃기 때문에 온갖 방법으로 저지하려 하였다. -『국조보감』-

① 공인이 성장하는 계기가 되었다.
② 지계아문을 통해 지계가 발급되었다.
③ 관리들에게 전지와 시지가 지급되었다
④ 사회주의 운동을 탄압하기 위해 만들어졌다.
⑤ 유상 매입·유상 분배를 원칙으로 시행되었다.

Tip

밑줄 친 '이 법'은 대동법이다. 대동법은 방납 업자와 지주층의 반대로 전국적으로 확대되는 데 오랜 시간이 걸렸다.

풀이

방납의 폐단으로 인한 농민들의 부담을 줄여 주고자 광해군 때 토지의 면적에 따라 쌀, 옷감, 동전 등으로 세금을 징수하는 대동법이 경기도에서 처음으로 시행되었다. ① 나라에서는 필요한 물품을 구입하기 위해 공인을 고용하였고, 이들의 활동으로 상품 화폐 경제가 크게 발달하였다. 답 ①

응용 07-1

(가) 전쟁이 끼친 영향으로 적절한 것을 |보기|에서 있는 대로 고르시오.

> **한국사 퀴즈 대회**
> 이 전쟁은 청의 침략으로 시작되었습니다. 인조는 신하들과 함께 남한산성에 들어가 항전하였지만 결국 삼전도에서 항복하였고, 조선은 청과 군신 관계를 맺었습니다.
> 이 전쟁의 명칭은 무엇일까요? 정답: (가)

|보기|
ㄱ. 인조반정이 일어났다.
ㄴ. 연행사가 파견되었다.
ㄷ. 기유약조가 체결되었다.
ㄹ. 북벌 운동이 추진되었다.
ㅁ. 이자겸이 군신 관계 요구를 수용하였다.

응용 08-1

밑줄 친 '이 법'에 대한 설명으로 옳은 것을 |보기|에서 있는 대로 고르시오.

> 강원도에는 이 법을 싫어하는 자가 없는데, 충청도와 전라도에는 좋아하는 자와 싫어하는 자가 있습니다. …… 특히 전라도에는 싫어하는 자가 많은데, 이는 토호가 많은 까닭입니다. 이렇게 볼 때 단지 토호들만 싫어할 뿐 백성들은 모두 이 법을 보고 기뻐합니다. -『포저집』-

|보기|
ㄱ. 영조 때 처음 실시되었다.
ㄴ. 부족한 세금은 결작으로 보충하였다.
ㄷ. 상품 화폐 경제 발달에 영향을 끼쳤다.
ㄹ. 장정 1인당 군포를 1필만 납부하게 하였다

필수 체크 전략 ②

1 다음 자료를 활용한 학습 주제로 가장 적절한 것은?

> 우리 태조께서는 나라를 통일한 뒤에 외관을 두고자 하였으나, 대개 초창기이므로 일이 번거로워 겨를이 없었습니다. 이제 가만히 보건대, 향호가 매양 공무를 빙자해 백성을 침해하여 횡포를 부려 백성이 견디지 못하니, 청컨대 외관을 두도록 하십시오.
>
> -『고려사』,「시무 28조」-

① 12목 설치　② 3성 6부제 시행
③ 9주 5소경 정비　④ 9서당 10정 정비
⑤ 5경 15부 62주 조직

Tip

고려 성종은 최승로의 건의를 받아들여 ❶ [　　] 을 설치하고 지방관을 파견하였다. 고려의 지방 행정 제도는 현종 때 ❷ [　　] 로 완성되었다.

답 ❶ 12목 ❷ 5도 양계

2 다음 상황이 나타난 시기를 연표에서 옳게 고른 것은?

> 명학소 사람 망이, 망소이 등이 무리를 불러 모아 공주를 공격하여 함락하였다. …… 이에 망이의 고향인 명학소를 승격하여 충순현으로 삼았다.

	(가)	(나)	(다)	(라)	(마)	
고려 건국		과거제 시작	귀주 대첩	무신 정변	개경 환도	공민왕 즉위

① (가)　② (나)　③ (다)　④ (라)　⑤ (마)

Tip

자료는 망이, 망소이의 봉기이다. 망이, 망소이의 고향은 ❶ [　　] 인 '소'이며, 이들은 ❷ [　　] 이후 무신 정권의 수탈과 차별 등에 반발하여 봉기하였다.

답 ❶ 특수 행정 구역 ❷ 무신 정변

3 다음 상황이 나타나게 된 배경으로 가장 적절한 것은?

> 다루가치가 말하기를 "왕의 명령을 선지(宣旨)라 하고 왕이 스스로를 짐(朕)이라 하니, 어찌 분수에 넘치는 표현을 씁니까?"라고 하였다. 충렬왕이 …… 제후국에 맞게 선지를 왕지(王旨)로, 짐을 고(孤)로 낮추어 쓰기로 하였다.

① 만적의 난　② 개경 환도
③ 이자겸의 난　④ 전민변정도감 설치
⑤ 묘청의 서경 천도 운동

Tip

고려는 ❶ [　　] 의 침입에 끈질기게 항쟁하였으나 피해가 극심해지자 결국 화의하고 ❷ [　　] 으로 환도하였다. 이후 원 간섭기가 시작되었으며, 고려의 관제와 왕실의 호칭이 격하되었다.

답 ❶ 몽골 ❷ 개경

4 밑줄 친 '그'에 대한 설명으로 옳은 것만을 |보기|에서 고른 것은?

|보기|
ㄱ. 천태종을 창시하였다.
ㄴ. 백련사 결사를 결성하였다.
ㄷ. 숙종 때 화폐의 사용을 주장하였다.
ㄹ. 정혜쌍수와 돈오점수를 강조하였다.

① ㄱ, ㄴ　② ㄱ, ㄷ　③ ㄴ, ㄷ　④ ㄴ, ㄹ　⑤ ㄷ, ㄹ

Tip

의천은 교종의 입장에서 선종을 통합하기 위해 ❶ [　　] 을 창시하였다. ❷ [　　] 는 이론의 연마와 실천을 같이 해야 한다는 주장이다.

답 ❶ 천태종 ❷ 교관겸수

5 (가), (나) 제도에 대한 설명으로 옳은 것만을 | 보기 |에서 고른 것은?

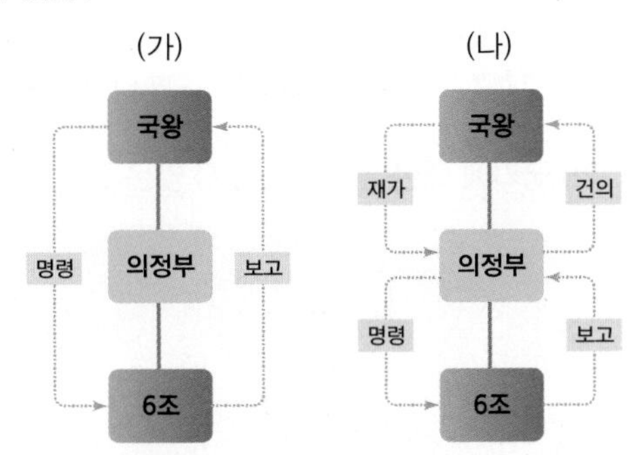

| 보기 |
ㄱ. (가)– 태종 때 폐지되었다.
ㄴ. (가)– 왕권을 강화하려는 목적으로 시행되었다.
ㄷ. (나)– 세조 때 시행되었다.
ㄹ. (나)– 왕권과 신권의 조화를 목적으로 하였다.

① ㄱ, ㄴ ② ㄱ, ㄷ ③ ㄴ, ㄷ ④ ㄴ, ㄹ ⑤ ㄷ, ㄹ

Tip

(가)는 6조 직계제, (나)는 의정부 서사제이다. 6조 직계제는 ❶ ______ 에서 바로 왕에게 보고하도록 한 것이고, 의정부 서사제는 6조에서 올린 사안을 ❷ ______ 에서 논의하여 왕에게 올리도록 한 것이다.

답 ❶ 6조 ❷ 의정부

6 (가) 인물에 대한 설명으로 옳은 것은?

(가) 은/는 조선 전기의 문신으로 호는 정암이다. 중종 때 등용되어 언관으로 활동하였고, 소격서 철폐 등을 주장하였다. 주초위왕 사건으로 유배되었다가 사약을 먹고 죽었다.

① 시무 28조를 건의하였다.
② 조선경국전을 편찬하였다.
③ 초계문신제를 시행하였다.
④ 현량과를 실시하여 사림을 등용하였다.
⑤ 중종반정에서 공을 세워 권력을 장악하였다.

Tip

(가) 인물은 훈구를 견제하기 위해 등용된 ❶ ______ 인 조광조이다. 조광조는 ❷ ______ 를 시행하여 사림을 등용하였으며, 소격서 철폐를 주장하였다.

답 ❶ 사림 ❷ 현량과

7 밑줄 친 '전쟁'에 대한 설명으로 옳은 것은?

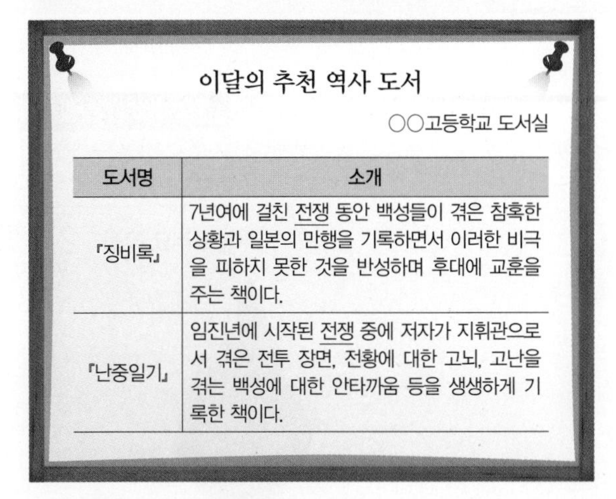
이달의 추천 역사 도서

○○고등학교 도서실

도서명	소개
『징비록』	7년여에 걸친 전쟁 동안 백성들이 겪은 참혹한 상황과 일본의 만행을 기록하면서 이러한 비극을 피하지 못한 것을 반성하며 후대에 교훈을 주는 책이다.
『난중일기』	임진년에 시작된 전쟁 중에 저자가 지휘관으로서 겪은 전투 장면, 전황에 대한 고뇌, 고난을 겪는 백성에 대한 안타까움 등을 생생하게 기록한 책이다.

① 어재연 부대가 저항하였다.
② 병인박해를 구실로 일어났다.
③ 곽재우 등 의병이 활약하였다.
④ 인조가 남한산성에서 항전하였다.
⑤ 강감찬이 귀주 대첩에서 승리하였다.

Tip

밑줄 친 '전쟁'은 임진왜란이다. 전쟁 초기 조선군은 일본군에 패배를 거듭하였으나 ❶ ______ 이 이끄는 수군과 ❷ ______ 의 활약으로 일본군에 타격을 주었다.

답 ❶ 이순신 ❷ 의병

8 다음 정책의 영향으로 가장 적절한 것은?

형조와 한성부에 분부하여 육의전 이외에 (다른 이에게) 난전이라 하여 잡혀 오는 사람들에게는 벌을 주지 마시옵소서. …… 장사하는 사람들은 서로 매매하는 이익이 있을 것이고 백성도 곤궁한 걱정이 없을 것입니다. –『정조실록』–

① 사상이 성장하였다.
② 영정법이 시행되었다.
③ 삼정이 극도로 문란해졌다.
④ 서원이 세워지고 향약이 보급되었다.
⑤ 부계 중심의 가족 제도가 강화되었다.

Tip

제시된 정책은 정조 때 시행된 ❶ ______ 정책이다. 이 정책으로 육의전을 제외한 시전 상인들의 ❷ ______ 이 폐지되었다.

답 ❶ 통공 ❷ 금난전권

WEEK 1

누구나 합격 전략

선사 시대의 도구와 생활 모습

1 (가) 시대의 생활 모습으로 옳은 것은?

(가) 시대의 주요 유물

① 고인돌을 만들었다.
② 빗살무늬 토기를 사용하였다.
③ 강가나 바닷가에 움집을 짓고 살았다.
④ 식량을 얻기 위해 이동 생활을 하였다.
⑤ 빈부 격차가 생기면서 계급이 발생하였다.

삼국의 발전

2 (가) 왕의 업적으로 옳은 것만을 보기 에서 고른 것은?

왼쪽 사진은 공주 송산리 고분군에서 발견된 백제 (가) 의 무덤이다. 벽돌로 만들어졌으며 지석이 발견되어 축조 연대를 정확히 알 수 있다.

보기
ㄱ. 불교를 공인하였다.
ㄴ. 사비로 수도를 옮겼다.
ㄷ. 중국 남조와 교류하였다.
ㄹ. 22담로에 왕족을 파견하였다.

① ㄱ, ㄴ ② ㄱ, ㄷ ③ ㄴ, ㄷ
④ ㄴ, ㄹ ⑤ ㄷ, ㄹ

통일 신라의 통치 체제 정비

3 (가) 국가에 대한 설명으로 옳지 않은 것은?

① 국학을 설치하였다.
② 군사 조직으로 9서당 10정을 두었다.
③ 최대 전성기에 해동성국이라 불리었다.
④ 세금 징수를 위해 촌락 문서를 작성하였다.
⑤ 집사부를 중심으로 중앙 행정을 운영하였다.

고대 사회의 종교

4 다음 자료를 활용한 학습 주제로 가장 적절한 것은?

수많은 촌락에서 노래하고 춤추며 교화하고 읊고 돌아오니 가난하고 무지몽매한 무리들도 모두 부처의 이름을 알게 되었고, 모두 '나무아미타불'을 칭하게 되었다. 원효의 법화가 컸던 것이다.

–『삼국유사』–

① 불교 공인
② 불교의 대중화
③ 풍수지리설의 확산
④ 도교의 수용과 유행
⑤ 유학 교육 기관의 설립

고려의 건국과 발전

5 (가) 왕의 업적으로 옳은 것은?

> 삼국 이전에는 과거법이 없었다. 고려 태조 때 처음으로 학교를 세웠으나 과거로 인재를 뽑는 데까지는 이르지 못하였다. (가) 이/가 쌍기의 의견을 받아들여 과거로 인재를 뽑게 하였다.
>
> -『고려사』-

① 후삼국 통일
② 교정도감 설치
③ 노비안검법 시행
④ 신진 사대부 등용
⑤ 전민변정도감 설치

고려의 경제, 사회, 문화

6 (가) 국가에 대한 설명으로 옳지 않은 것은?

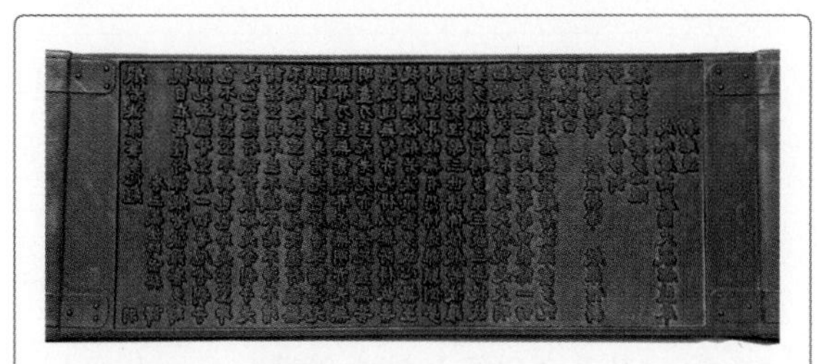

> 팔만대장경은 몽골의 침입을 막아 내고자 (가) 이/가 임시 수도였던 강화도에서 16년에 걸쳐 만들었다. 현재 합천 해인사에 보관되어 있다.

① 토지 제도로 전시과가 운영되었다.
② 상평통보가 전국적으로 유통되었다.
③ 벽란도가 국제 무역항으로 번성하였다.
④ 향리가 속현의 실질적인 운영을 담당하였다.
⑤ 특수 행정 구역의 주민은 차별 대우를 받았다.

조선의 건국과 발전

7 (가) 왕의 업적으로 옳은 것만을 보기 에서 고른 것은?

▲ 헌릉

> 헌릉은 태조의 다섯째 아들로 태어나 조선의 제3대 임금으로 즉위한 (가) 의 왕릉이다. (가) 은/는 한양으로 수도를 다시 옮기고, 왕권을 강화하여 조선 왕조의 기반을 닦았다.

보기

ㄱ. 호패법을 실시하였다.
ㄴ. 훈민정음을 창제하였다.
ㄷ. 6조 직계제를 시행하였다.
ㄹ. 경국대전을 완성, 반포하였다.

① ㄱ, ㄴ ② ㄱ, ㄷ ③ ㄴ, ㄷ
④ ㄴ, ㄹ ⑤ ㄷ, ㄹ

조선 후기 농민 봉기

8 다음 봉기가 일어나게 된 배경으로 옳은 것은?

① 진골 귀족의 왕위 쟁탈전이 벌어졌다.
② 무신 집권자가 농민의 토지를 약탈하였다.
③ 권문세족이 농장과 노비 소유를 확대하였다.
④ 청이 조선에 군신 관계를 요구하며 침략하였다.
⑤ 평안도에 대한 차별과 지배층의 수탈이 심화되었다.

WEEK 1

창의·융합·코딩 전략

철기 시대의 모습

01 (가) 금속 원소를 도구로 사용하면서 나타난 사회 모습의 변화로 옳은 것은?

전이 금속

21 Sc	22 Ti	23 V	24 Cr	25 Mn	26 (가)	27 Co	28 Ni	29 Cu	30 Zn
39 Y	40 Zr	41 Vn	42 Mo	43 Tc	44 Ru	45 Rh	46 Pd	47 Ag	48 Cd
57 La	72 Hf	73 Ta	74 W	75 Re	76 Os	77 Ir	78 Pt	79 Au	80 Hg
89 Ac	104 Rf	105 Db	106 Sg	107 Bh	108 Hs	109 Mt	110 Uun	111 Uuu	112 Uub

▲ 주기율표의 일부

(가) 은/는 금속 원소로 고체이며 은백색이다. 전기가 잘 통하며, 원소 중에서 안정적인 물질이다. 이온화 경향이 높아 쉽게 녹슬고, 녹는점이 1,535℃로 높아 청동보다 늦게 활용되었다.

① 고조선이 건국되었다.
② 돌을 깨뜨려 뗀석기를 만들었다.
③ 흙을 빚어 토기를 만들기 시작하였다.
④ 강가나 바닷가에 움집을 짓고 정착 생활을 하였다.
⑤ 변한 지역에서 덩이쇠가 주변 지역으로 수출되었다.

Tip

(가)는 철이다. 철기가 보급되면서 농업 생산력이 증가하였고, 정복 전쟁이 활발하게 일어났다. 한반도 남부 ❶ 지역에서는 철이 풍부하게 생산되어 낙랑, 왜 등에 ❷ 의 형태로 수출되었다.

답 ❶ 변한 ❷ 덩이쇠

신라의 삼국 통일

02 (가) 왕이 재위하던 시기의 사실로 옳은 것은?

[부여 지역 설화]
– 낙화암과 삼천궁녀 –

백제의 (가) 왕이 신하들의 말을 듣지 않다가 나당 연합군에게 붙잡혔다. 그때 수많은 궁녀가 높은 바위에서 백마강에 몸을 던졌고, 이후 사람들은 그 바위를 낙화암이라 불렀다고 한다.

① 위만이 집권하였다.
② 소수림왕이 태학을 설립하였다.
③ 최승로가 시무 28조를 건의하였다.
④ 계백이 황산벌 전투에서 활약하였다.
⑤ 성덕왕이 백성에게 정전을 나누어 주었다.

Tip

나당 연합군의 공격에 맞서 ❶ 이 ❷ 전투에서 활약하였으나 패배하였고, 결국 백제는 멸망하였다.

답 ❶ 계백 ❷ 황산벌

통일 신라의 발전

03 밑줄 친 '이 문서'가 작성된 목적으로 가장 적절한 것은?

이 문서는 일본 도다이사 쇼소인에 소장된 불교 경전 두루마리를 복원하는 과정에서 발견되었다. 문서에는 서원경 부근 4개 촌락의 인구, 토지, 나무, 소와 말 등의 수가 기록되어 있다.

① 군장의 권위를 높이기 위해
② 철기 문화를 수용하기 위해
③ 한강 유역을 장악하기 위해
④ 새로운 사회와 국가를 건설하기 위해
⑤ 농민을 파악하고 세금을 징수하기 위해

Tip

촌락 문서는 ❶ 에서 농민을 파악하고 ❷ 을 징수하기 위해 3년마다 한 번씩 작성되었다.

답 ❶ 통일 신라 ❷ 세금

고려 전기의 대외 관계

04 (가) 인물에 대한 설명으로 옳은 것은?

▲ 국립 외교원 앞에 있는 (가) 동상

우리나라의 외교관을 교육, 양성하는 국립 외교원 앞에는 (가) 의 동상이 세워져 있다. (가) 은/는 외교 담판으로 고려의 운명을 바꾼 역사적 위인이다.

① 별무반을 이끌었다.
② 거란을 물러가게 하였다.
③ 나당 동맹을 체결하였다.
④ 준왕을 몰아내고 집권하였다.
⑤ 살수에서 수나라의 침략을 물리쳤다.

Tip
서희는 ❶ 이 침입하였을 때 외교 담판을 벌였고, 그 결과 고려는 ❷ 를 확보하였다.

답 ❶ 거란 ❷ 강동 6주

고려 후기의 정치 변동

05 밑줄 친 '이 시기'에 볼 수 있는 모습으로 옳은 것은?

[세계사 인물 말,말,말]

◀ 쿠빌라이 칸

이 시기 고려는 쿠빌라이 칸으로부터 풍속을 유지할 수 있도록 보장받았으나, 그 외 황제국에서 사용하는 명칭들이 모두 금지되었다.

① 공명첩을 구매하는 부농
② 원에 공녀로 끌려가는 여인
③ 석굴암 조성 공사에 참여하는 기술자
④ 훈민정음이 창제되었음을 알리는 관리
⑤ 새로운 수도인 평양으로 이사하는 귀족

Tip
밑줄 친 '이 시기'는 원 간섭기이다. 이 시기에 원은 ❶ 을 통해 고려의 내정을 간섭하고 ❷ 와 환관을 요구하였다.

답 ❶ 정동행성 ❷ 공녀

상품 화폐 경제의 발달

06 다음 게임의 소재로 적합한 것만을 보기 에서 고른 것은?

대한민국 대표 1세대 PC 온라인 게임으로 분류되는 '거상'이 모바일 버전으로 재탄생하였다. 이 게임은 MMORPG에 최초로 유통과 교역을 중심으로 한 경제 시스템을 적용하였다. 이용자는 임진왜란 이후 상품 화폐 경제가 발달하는 조선 후기를 배경으로 전란을 회복하고 부를 쌓는 거상이 되어 활동하게 된다.

보기
ㄱ. 금속 화폐인 상평통보
ㄴ. 청자 병을 구입하는 문벌
ㄷ. 국가 물품을 조달하는 공인
ㄹ. 국가에서 받은 정전을 경작하는 농민

① ㄱ, ㄴ ② ㄱ, ㄷ ③ ㄴ, ㄷ
④ ㄴ, ㄹ ⑤ ㄷ, ㄹ

Tip
조선 후기에는 상업이 발달하면서 사상이 성장하였고, 국가에 물품을 조달하는 ❶ 이 독점적 도매 상인인 도고로 성장하기도 하였다. 또한 장시와 포구가 발달하였으며, 금속 화폐인 ❷ 가 전국적으로 유통되었다.

답 ❶ 공인 ❷ 상평통보

선사 시대의 사회 모습

07 밑줄 친 '토기'가 처음 등장한 시기의 사회 모습으로 옳은 것은?

※ 주제: 신소재

1. **개념**: 기존 소재의 화합물 조성이나 결합 구조를 변화시켜 새로운 성질을 띠게 만드는 물질을 신소재라 한다.
2. **대표적 사례**: 토기

점토를 구우면 높은 열로 화학 반응이 일어나 규소나 알루미늄 같은 플러스 전하를 띠기 쉬운 원자와 마이너스 전하를 띠기 쉬운 산소 등이 교대로 결합하여 견고한 구조를 형성하기 때문에 강도와 내수성이 높아지는 토기가 된다.

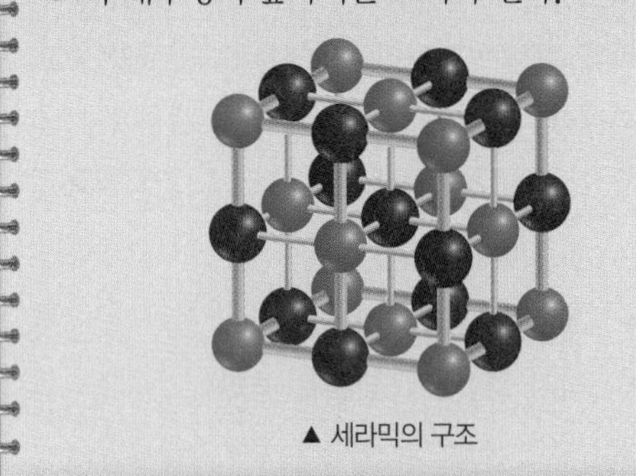

▲ 세라믹의 구조

① 이동 생활을 하였다.
② 돌을 갈아서 간석기를 만들었다.
③ 지배 계급으로 군장이 등장하였다.
④ 한반도에 독자적인 청동기 문화가 발전하였다.
⑤ 농경에 필요한 생산 도구로 반달 돌칼을 사용하였다.

Tip

밑줄 친 토기는 ❶ [ ] 시대에 처음 등장하였다. 이 시대에는 돌을 갈아 만든 ❷ [ ]와 흙을 빚어 만든 토기를 사용하였다. 또한 농경과 목축이 시작되면서 강가나 바닷가에 움집을 짓고 거주하는 정착 생활을 하였다.

답 ❶ 신석기 ❷ 간석기

백제의 중흥

08 (가) 소개 영상에 들어갈 내용으로 가장 적절한 것은?

① 율령 반포
② 태학 설립
③ 고인돌 제작
④ 벽돌무덤 조성
⑤ 철기 문화 수용

Tip

국립 공주 박물관에는 백제가 ❶ [ ]에 도읍을 두었을 당시 문화유산이 전시되어 있다. 주요 전시물로는 ❷ [ ]에서 출토된 지석, 진묘수 등이 있다.

답 ❶ 웅진 ❷ 무령왕릉

발해의 건국과 발전

09 (가) 국가에 대한 설명으로 옳은 것은?

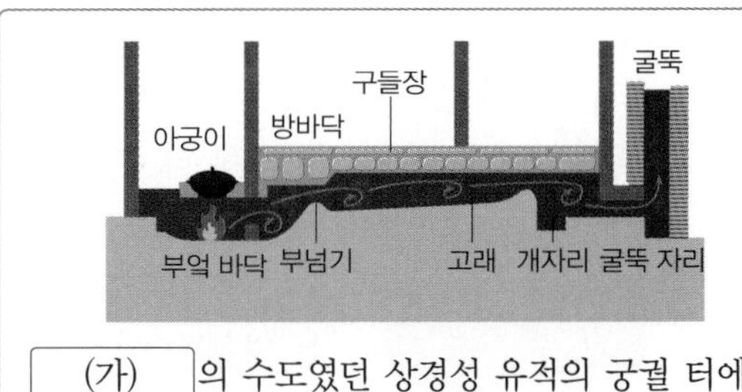

(가) 의 수도였던 상경성 유적의 궁궐 터에서 발견된 온돌 장치 등을 보면 고구려의 양식을 계승하였다는 점을 알 수 있다.

① 거란의 침략을 받아 멸망하였다.
② 신라에 계림도독부를 설치하였다.
③ 군사 제도로 9서당 10정을 마련하였다.
④ 성덕왕 때 백성에게 정전을 지급하였다.
⑤ 유교 교육 기관으로 국자감을 설치하였다.

Tip

(가) 국가인 ❶ [ ]는 대외적으로 고구려 계승 의식을 내세웠고, ❷ [ ]의 침략으로 멸망하였다.

답 ❶ 발해 ❷ 거란

고려의 건국과 통치 체제의 정비

10 (가)에 들어갈 내용으로 가장 적절한 것은?

① 광종이 과거제를 시행하면서부터야.
② 성왕이 사비로 수도를 옮겼을 시기야.
③ 공민왕이 전민변정도감을 설치했을 때야.
④ 태조 왕건이 사심관 제도를 시행하면서부터야.
⑤ 진흥왕이 화랑도를 국가 조직으로 개편했을 때야.

Tip

과거제는 고려 ❶ [ ] 때 쌍기의 건의를 수용하여 처음으로 시행되었다. 과거제 시행으로 ❷ [ ] 적 소양을 갖춘 신진 관료가 등용되었다.

답 ❶ 광종 ❷ 유교

고려의 문화

11 빈칸에 들어갈 내용으로 가장 적절한 것은?

[고려 시대 인물로 만드는 보드게임]

[인물 1: 의천]	[인물 2: 김부식]	[인물 3: 만적]
시기: 고려 전기 타입: 불교 스킬: 교관겸수 파워: 500	시기: 고려 전기 타입: 유교 스킬: (가) 파워: 450	시기: 고려 후기 타입: 천민 스킬: 신분 상승 파워: 520

- 게임 규칙 ① 같은 시기 인물을 모으면 파워 10% 상승
- 게임 규칙 ② 스킬을 설명할 수 있으면 파워 50 상승

……

① 후삼국 통일
② 삼국사기 편찬
③ 교정도감 설치
④ 시무 28조 작성
⑤ 쌍성총관부 탈환

Tip

김부식은 개경의 귀족 세력으로 관군을 이끌고 ❶ [ ] 의 서경 천도 운동을 진압하였으며, 인종의 명을 받아 ❷ [ ] 를 편찬하였다.

답 ❶ 묘청 ❷ 『삼국사기』

조선의 건국과 통치 체제의 정비

12 (가) 왕이 재위하던 시기의 사실로 옳은 것만을 보기 에서 고른 것은?

[조선 시대 최첨단 수학, 천문학의 결정체–『칠정산』]

▲『칠정산』「내편」(왼쪽)과 「외편」(오른쪽)

『칠정산』「내편」, 「외편」은 1442년 (가) 이/가 이순지, 정인지를 비롯한 집현전 학자들에게 명하여 완성된 역법서이다. 칠정(七政)이란 해와 달, 화성, 수성, 목성, 금성과 토성이라는 다섯 행성을 함께 아울러 칭한 것이다. 「내편」은 1년을 365.2425일, 1달을 29.530593로 정하고 있다. 「외편」은 원주를 360도, 1도를 60분, 1초를 60초로 한 새로운 방식을 수용하고 있다. 이는 오늘날 세계에서 통용되는 것과 같은 것이다.

보기

ㄱ. 4군 6진을 개척하였다.
ㄴ. 금난전권을 폐지하였다.
ㄷ. 의정부 서사제를 실시하였다.
ㄹ. 일본과 기유약조를 체결하였다.

① ㄱ, ㄴ
② ㄱ, ㄷ
③ ㄴ, ㄷ
④ ㄴ, ㄹ
⑤ ㄷ, ㄹ

Tip

조선 세종은 집현전 학자들에게 명하여 역법서인 『칠정산』을 편찬하였다. 세종은 왕권과 신권의 조화를 꾀하여 ❶ [ ] 를 시행하였으며, 우리글인 ❷ [ ] 을 창제하는 등 유교 정치를 실현하고자 하였다.

답 ❶ 의정부 서사제 ❷ 훈민정음

WEEK 2 Ⅱ. 근대 국민 국가 수립 운동

3강_서구 열강의 접근과 조선의 대응 ~ 근대 국민 국가 수립을 위한 노력

학습할 내용

3강 ❶ 흥선 대원군의 개혁 정치와 양요 ❷ 개화 정책의 추진과 반발 ❸ 동학 농민 운동과 갑오개혁 ❹ 독립 협회와 대한 제국

4강 ❶ 일본의 국권 침탈 ❷ 항일 의병 운동과 애국 계몽 운동 ❸ 열강의 경제 침략과 경제적 구국 운동 ❹ 개항 이후 사회·문화의 변화

4강_일본의 침략 확대와 국권 수호 운동 ~ 개항 이후 사회·문화적 변화

WEEK 2 DAY 1

개념 돌파 전략 ①

3강_서구 열강의 접근과 조선의 대응 ~ 근대 국민 국가 수립을 위한 노력

개념 01 흥선 대원군의 개혁 정치

1 통치 체제의 재정비
- 비변사 사실상 폐지, 안동 김씨 세력 축출
- 『대전회통』, 『육전조례』 편찬
- 경복궁 중건 → 원납전 징수, ❶ ______ 발행 → 양반층과 백성 모두의 반발

2 민생 안정과 재정 확충
- 양전 사업 실시 → 국가 수입 증가
- 호포제 실시 → ❷ ______ 에게도 군포 징수
- 사창제 실시 → 환곡의 폐단 시정, 농민의 부담 감소
- 서원 철폐 → 백성 환영, 양반 유생 반발

답 ❶ 당백전 ❷ 양반

확인 01

흥선 대원군은 양반에게도 군포를 징수하는 (호포제 , 사창제)를 실시하였다.

개념 02 통상 수교 거부 정책과 양요의 발발

1 병인양요(1866)
- 발발: 프랑스군이 병인박해를 구실로 강화도 침략
- 전개: 한성근 부대(문수산성), 양헌수 부대(정족산성)의 활약 → 프랑스군이 철수 결정
- 결과: 프랑스군이 철수하며 의궤 등 ❶ ______ 의 도서 약탈

2 신미양요(1871)
- 발발: 미군이 ❷ ______ 사건을 구실로 강화도 침략
- 전개: 어재연 부대(광성보) 등의 항전 → 미군 철수
- 영향: 흥선 대원군이 전국 각지에 척화비 건립 → 통상 수교 거부 의지 천명

▲ 척화비

답 ❶ 외규장각 ❷ 제너럴셔먼호

확인 02

프랑스는 흥선 대원군이 수많은 천주교 신자와 프랑스 선교사들을 처형한 ______ 을/를 구실로 조선을 침략하였다.

개념 03 문호 개방과 개화 정책의 추진

1 강화도 조약(1876)
- 배경: 고종의 친정으로 대외 정책 변화, 운요호 사건
- 주요 내용: 조선을 자주 국가로 명시, 부산 외 2개 항구 개항, 해안 측량권과 ❶ ______ 허용
- 성격: 조선이 외국과 맺은 최초의 근대적 조약, 조선에 불리한 불평등 조약

2 조미 수호 통상 조약(1882)
- 배경: 『조선책략』의 유포, 청의 알선
- 주요 내용: 영사 재판권과 ❷ ______ 대우 인정, 관세 부과, 거중 조정 포함

3 정부의 개화 정책 통리기무아문 설치
- 수신사, 조사 시찰단, 영선사 등 해외 시찰단 파견
- 신식 군대인 ❸ ______ 창설

답 ❶ 영사 재판권 ❷ 최혜국 ❸ 별기군

확인 03

김홍집이 일본에 수신사로 다녀오면서 가져온 ______ 은/는 조미 수호 통상 조약 체결의 배경이 되었다.

개념 04 위정척사 운동과 임오군란

1 위정척사 운동 서양 문물 수용을 거부하고 성리학적 질서를 지키려는 운동

시기	주요 인물	핵심 주장
1860년대	이항로, 기정진	통상 반대 운동(척화 주전론)
1870년대	❶ ______	개항 반대 운동(왜양일체론)
1880년대	이만손	개화 반대 운동(영남 만인소)

2 임오군란(1882)
- 배경: 구식 군인에 대한 차별 대우
- 전개: 구식 군인의 봉기 → 도시 하층민 합세 → 흥선 대원군의 재집권 → 청군의 진압
- 결과: 청과 조청 상민 수륙 무역 장정(조선을 속국으로 규정, 청 상인의 내륙 진출 인정), 일본과 ❷ ______ 조약 체결(일본 공사관에 경비병 주둔 허용)

답 ❶ 최익현 ❷ 제물포

확인 04

조선이 청 상인의 내륙 진출을 인정한 것은?

개념 05 개화파의 분화와 갑신정변

1 개화파의 분화

구분	온건 개화파	급진 개화파
중심인물	김홍집, 어윤중	김옥균, 박영효
개화 모델	청의 ❶ [ ]	일본의 메이지 유신
외교 정책	청과의 우호 관계 중시	청의 내정 간섭 반대

2 갑신정변(1884)

- 배경: 청의 내정 간섭 심화, 급진 개화파의 입지 축소
- 전개: 급진 개화파가 ❷ [ ] 개국 축하연을 이용하여 정변 → 개화당 정부 수립 → 개혁 정강 발표 → 청군의 개입으로 실패
- 개혁 정강의 주요 내용: 청에 대한 사대 관계 청산, 조세 제도 개혁, 문벌 폐지, 재정 일원화 등
- 결과: 청의 내정 간섭 심화, 조선과 일본 간 한성 조약 체결, 청과 일본 간 ❸ [ ] 조약 체결

답 ❶ 양무운동 ❷ 우정총국 ❸ 톈진

확인 05

김옥균, 박영효 등 (온건 , 급진) 개화파는 우정총국 개국 축하연을 이용해 갑신정변을 일으켰다.

개념 06 동학 농민 운동의 전개

1 **고부 농민 봉기** 고부 군수 조병갑의 탐학 → 전봉준이 이끄는 농민들의 봉기 → 폐정 시정 약속 후 해산

2 **제1차 봉기** 안핵사 이용태가 고부 농민 봉기 가담자 처벌 → 무장에서 봉기, 백산에서 격문 발표 → 황토현·황룡촌 전투 승리 → 전주성 점령 → 정부가 청에 지원 요청 → 청과 일본 군대의 조선 상륙 → 전주 화약 체결 → 농민 자치 기구인 ❶ [ ] 설치

3 **청일 전쟁과 삼국 간섭** 조선 정부가 청일 양군에 철병 요청 → 일본의 철병 거부, 경복궁 점령 → 청일 전쟁 발발 → ❷ [ ] 조약 체결 → 삼국 간섭으로 일본이 랴오둥반도 청에 반환

4 **제2차 봉기** 일본의 침략을 물리치고자 남접·북접 연합 부대가 논산에 집결 → 공주 ❸ [ ] 전투에서 패배 → 전봉준 등 농민군 지도자 체포

답 ❶ 집강소 ❷ 시모노세키 ❸ 우금치

확인 06

청과 일본이 군대를 파병하자 동학 농민군과 조선 정부는 폐정 개혁을 조건으로 [ ]을/를 체결하였다.

개념 07 갑오개혁

1 제1차 갑오개혁

- 과정: ❶ [ ]를 설치하여 개혁 추진
- 내용: 개국 기년 사용, 과거제 폐지, 조세의 금납화, 신분제 폐지, 조혼 금지, 과부의 재가 허용 등

2 제2차 갑오개혁

- 과정: 군국기무처 폐지 → 김홍집·박영효 연립 내각 구성, 고종의 ❷ [ ] 반포
- 내용: 내각제 도입, 지방 행정 구역 개편(8도 → 23부), 재판소 설치, 교육입국 조서 반포, 한성 사범 학교 관제 제정 등

3 제3차 갑오개혁(을미개혁)

- 과정: 삼국 간섭 이후 러시아의 영향력 확대 → 을미사변 → 김홍집 내각 수립
- 내용: '건양' 연호 사용, 태양력 사용, ❸ [ ]과 종두법 실시, 소학교 설립 등
- 중단: 을미의병, 아관 파천으로 김홍집 내각 붕괴

답 ❶ 군국기무처 ❷ 홍범 14조 ❸ 단발령

확인 07

일본이 친러 정책을 주도하던 명성 황후를 시해한 사건은?

개념 08 독립 협회와 대한 제국

1 독립 협회

- 창립: 『독립신문』을 창간한 ❶ [ ] 등이 독립문 건립을 추진하며 개화파 관료 및 지식인과 창립
- 주요 활동: 만민 공동회 개최, 독립문과 독립관 건립, 관민 공동회에서 ❷ [ ] 채택
- 해산: 보수 세력의 모함 → 고종이 황국 협회와 군대를 동원하여 강제 해산

2 대한 제국

- 배경: 고종의 환궁 → 국호 '대한', 연호 '광무'로 변경, 황제 즉위 → 대한 제국 수립 선포(1897)
- 주요 정책: 원수부 설치, 대한국 국제 반포
- 광무개혁: ❸ [ ]의 원칙에 따라 추진 → 양전 사업 실시, 지계 발급, 상공업 및 산업 진흥책 추진

답 ❶ 서재필 ❷ 헌의 6조 ❸ 구본신참

확인 08

(독립 협회 , 황국 협회)는 만민 공동회를 개최하고 자유 민권 운동과 내정 개혁 운동을 전개하였다.

WEEK 2 DAY 1

개념 돌파 전략 ①

4강_일본의 침략 확대와 국권 수호 운동 ~ 개항 이후 사회·문화적 변화

개념 01 러일 전쟁과 일본의 국권 침탈

1 **러일 전쟁** 삼국 간섭 이후 러시아와 일본 간 대립 심화 → 일본의 기습 공격으로 전쟁 발발 → ❶ [ ] 조약 체결

2 **일본의 국권 침탈**

- 한일 의정서: 일본이 한반도에서 전쟁에 필요한 요충지를 마음대로 사용 가능
- 제1차 한일 협약: 외교와 재정 분야에 외국인 고문 파견(외교: 스티븐스, 재정: 메가타)
- 을사늑약(제2차 한일 협약): 대한 제국의 ❷ [ ] 박탈, 통감부 설치 → 고종의 헤이그 특사 파견 → 고종 강제 퇴위
- 한일 신협약(정미 7조약): 정부 각 부에 일본인 차관 배치, 대한 제국의 ❸ [ ] 해산
- 한국 병합 조약: 대한 제국의 국권 상실

답 ❶ 포츠머스 ❷ 외교권 ❸ 군대

확인 01

을사늑약의 결과 대한 제국의 외교권이 박탈되고 [ ]이/가 설치되었다.

개념 02 항일 의병 운동과 의열 투쟁

1 **항일 의병 운동**

구분	계기	주도	특징
을미의병 (1895)	을미사변, 단발령	유인석, 이소응	단발령 철회와 고종의 해산 권고로 해산
을사의병 (1905)	❶ [ ]	최익현, 신돌석	평민 출신 의병장 등장
정미의병 (1907)	고종 강제 퇴위, 군대 해산	양반 유생, 농민, 해산 군인 등	해산 군인 가담, 13도 창의군 결성 → 서울 진공 작전 전개

2 **의열 투쟁** 나철, 오기호 등이 자신회 조직, 장인환과 전명운이 스티븐스 저격, ❷ [ ]이 이토 히로부미 사살, 이재명이 이완용 습격

답 ❶ 을사늑약 ❷ 안중근

확인 02

의병 전쟁이 확산되는 가운데 13도의 의병은 13도 창의군을 조직하여 [ ]을/를 전개하였다.

개념 03 애국 계몽 운동

1 **애국 계몽 운동 단체**

보안회	일본의 황무지 개간권 요구 반대 운동 전개 → 철회
헌정 연구회	입헌 정치 체제 수립 지향, 일진회의 친일 행위 규탄
대한 자강회	헌정 연구회 계승, ❶ [ ]의 강제 퇴위 반대 운동 전개
대한 협회	대한 자강회 계승, 친일적 모습을 보이기도 함.
신민회	• 안창호, 양기탁 등이 비밀 결사로 조직 • 공화 정체의 근대 국민 국가 건설 목표 • 대성 학교와 오산 학교 설립, 태극 서관과 자기 회사 운영 • 남만주 삼원보에 독립운동 기지 건설, 신흥 강습소 설립 • ❷ [ ]으로 와해

2 **교육·언론·출판** 지방에서 학회 설립, 사립 학교 설립, 각종 신문·학회지 등에 애국심 함양 촉구 글 수록

답 ❶ 고종 ❷ 105인 사건

확인 03

(보안회 , 대한 자강회)는 일본의 황무지 개간권 요구 반대 운동을 전개하여 일본의 요구를 저지하였다.

개념 04 독도와 간도

1 **독도**

- 삼국 시대: 신라 지증왕 때 이사부의 우산국 복속
- 조선: 숙종 때 ❶ [ ]이 일본에 건너가 에도 막부로부터 울릉도와 독도가 우리 영토임을 확인
- 태정관 지령문(1877): 일본 메이지 정부의 태정관이 울릉도와 독도가 일본과 관계없음을 인정한 문서
- 대한 제국 칙령 제41호(1900): 울릉도를 울도로 개칭, 울도 군수가 울릉도와 죽도·석도(독도)를 관할

2 **간도**

- 조선: 숙종 때 ❷ [ ]를 세워 청과 조선의 국경 확정
- 대한 제국: 간도 관리사(이범윤) 임명, 간도를 함경도 행정 구역에 편입
- 간도 협약(1909): 일본이 만주 철도 부설권 등을 얻는 조건으로 간도를 청의 영토로 인정

답 ❶ 안용복 ❷ 백두산정계비

확인 04

대한 제국 시기 간도 관리사로 파견되었던 인물은?

개념 05 개항 이후 열강의 경제 침략

1 **개항 이후의 무역** 개항장 10리 안에서만 무역 가능(거류지 무역), 조선인 중개 상인의 활동(객주, 여각 등)

2 **임오군란 이후 상권 경쟁**
- 조청 상민 수륙 무역 장정(1882): ❶ [ ] 상인의 내지 통상 허용 → 청과 일본 상인의 치열한 상권 경쟁 → 조선인 상인 타격
- 조일 통상 장정(1883): 관세 부과, 양곡 유출 제한(방곡령 근거), 일본의 최혜국 대우 인정

3 **일본의 경제 침탈**
- 화폐 정리 사업(1905): 재정 고문 ❷ [ ]의 주도, 백동화 등을 일본의 제일 은행권으로 교환 → 일본 제일 은행이 사실상 중앙은행 역할 담당, 재정 자주권 침해, 한국 상인과 은행 파산
- 동양 척식 주식회사: 일본인의 토지 투자 및 농업 이민 후원

답 ❶ 청 ❷ 메가타

확인 05

조선은 (조일 통상 장정 , 조청 상민 수륙 무역 장정)을 통해 방곡령 선포의 근거를 마련하였다.

개념 06 경제적 구국 운동

1 **방곡령 실시** 일본으로 곡물 대량 유출 → 곡물 가격 폭등, 식량 사정 악화 → 일부 지방관이 방곡령 선포 → 일본의 항의로 철회, 배상금 지불

2 **상권 수호 운동** 대동 상회·장통 상회 등 회사 설립, 한성의 시전 상인과 시민들이 철시 투쟁, 시전 상인들이 ❶ [ ] 조직

3 **근대 산업 자본 육성** 근대적 기업 및 은행 설립(조선 은행, 한성 은행, 대한 천일 은행 등)

4 **국채 보상 운동**
- 배경: 일본의 차관 도입 등으로 대한 제국의 재정 예속 심화
- 전개: ❷ [ ]에서 시작 → 『대한매일신보』 등 언론 기관과 각종 단체를 통해 전국으로 확산 → 통감부의 탄압으로 중단

답 ❶ 황국 중앙 총상회 ❷ 대구

확인 06

대한 제국의 국채 1,300만 원을 갚아 국권을 회복하자는 취지로 전개된 경제적 구국 운동은?

개념 07 근대 시설과 근대적 교육 기관

1 **근대 시설의 도입**

구분	내용
교통	• 전차: 서대문 ~ 청량리 구간 운행(1899) • 철도: 경인선(1899), 경부선(1905), 경의선(1906) 개통
통신	• 우편: 우정총국 설치(1884), 만국 우편 연합 가입(1900) • 전화: 경운궁에 처음 가설(1886)
의료	• 광혜원(1885, 제중원으로 명칭 변경), 국립 광제원(1900) 등 설립 • 지석영이 종두법 도입
기타	❶ [ ](1883, 신문 발행), 기기창(1883, 무기 제조), 전환국 설립(1883, 화폐 발행), 경복궁에 전등 가설(1887)

2 **근대적 교육 기관**
- 최초의 근대식 교육 기관인 원산 학사(1883) 설립
- 정부는 동문학(1883), 육영 공원(1886) 등을 설립
- 선교사들이 배재 학당, 이화 학당 등 설립
- ❷ [ ](1895) → 근대 학교에 관한 법규 제정
- 을사늑약 전후 애국 계몽 운동의 일환으로 학교 설립

답 ❶ 박문국 ❷ 교육입국 조서

확인 07

함경도 덕원과 원산 주민이 세운 우리나라 최초의 근대식 교육 기관은?

개념 08 언론 기관의 발달과 종교의 변화

1 **언론 기관의 발달**

신문	내용
『한성순보』	순 한문, 최초의 신문, 정부 정책 홍보
『독립신문』	최초의 순 한글 신문, 영문판 발행, 민권 의식 향상에 노력
『황성신문』	양반 유생층 대상, 장지연의 ❶ [ ] 게재
『대한매일신보』	양기탁과 영국인 베델이 창간, 일본의 국권 침탈 비판, 의병 운동을 호의적으로 보도, 국채 보상 운동 후원

2 **종교의 변화**

종교	내용
천주교	소학교와 고아원 등 설립, 『경향신문』 발행
개신교	근대 교육과 서양 의술 보급 노력
천도교	손병희가 동학을 천도교로 개칭, 『만세보』 발행
불교	한용운 등이 불교 자주성 회복 노력
유교	박은식이 「유교 구신론」을 저술하여 개혁 강조
대종교	나철, 오기호 등이 단군 신앙을 바탕으로 창시, 만주 일대에서 ❷ [ ]을 조직하여 무장 독립 투쟁 전개

답 ❶ 「시일야방성대곡」 ❷ 중광단

확인 08

[ ]은/는 영국인 베델을 발행인으로 내세우고 일본의 국권 침탈을 비판하였다.

WEEK 2 DAY 1

개념 돌파 전략 ②

1 밑줄 친 '이 사건'의 배경으로 옳은 것은?

① 병인박해가 일어났다.
② 척화비가 건립되었다.
③ 단발령이 시행되었다.
④ 조선책략이 유포되었다.
⑤ 제너럴셔먼호 사건이 발생하였다.

문제 해결 전략

병인양요는 흥선 대원군이 천주교 신자와 프랑스 선교사 등을 탄압한 ❶ ( ) 를 구실로 프랑스군이 강화도를 침략하면서 발생하였다. 프랑스군의 침입에 맞서 ❷ ( )의 부대가 문수산성에서 활약하였고, 양헌수의 부대가 정족산성에서 프랑스군을 물리쳤다.

답 ❶ 병인박해 ❷ 한성근

2 다음 조약에 대한 설명으로 옳은 것은?

> **제1관** 조선은 자주국이며 일본과 평등한 권리를 가진다.
> **제4관** 조선은 부산 이외에 제5관에 기재하는 2개 항구를 개항하고 일본인이 왕래 통상함을 허가한다.

① 영사 재판권을 인정하였다.
② 갑신정변의 결과로 체결되었다.
③ 집강소를 설치하는 계기가 되었다.
④ 최혜국 대우 관련 내용을 포함하였다.
⑤ 일본 공사관에 경비병 주둔을 허용하였다.

문제 해결 전략

조선의 대외 정책 변화와 운요호 사건을 계기로 체결된 ❶ ( )으로 조선은 부산 외 원산, 인천 등 2개 항구를 개항하는 내용과 함께 해안 측량권과 ❷ ( )을 인정하였다.

답 ❶ 강화도 조약 ❷ 영사 재판권

3 (가) 사건에 대한 설명으로 옳은 것은?

> 이들은 우정총국 개국 축하연을 계기로 ((가)) 을/를 일으킨 주역이다. 이들은 개혁 정강을 발표하는 등 개혁을 추진하였으나, 청군의 개입으로 3일 만에 실패하였다.

① 급진 개화파가 주도하였다.
② 토지의 균등 분배를 주장하였다.
③ 을미의병이 일어나는 배경이 되었다.
④ 청의 양무운동을 개혁의 모델로 삼았다.
⑤ 구식 군인에 대한 차별 대우가 원인이었다.

문제 해결 전략

김옥균, 박영효 등의 ❶ ( )는 우정총국 개국 축하연을 계기로 갑신정변을 일으킨 후 청에 대한 사대 관계 청산, 문벌 폐지 등의 내용을 담은 ❷ ( ) 을 발표하였다.

답 ❶ 급진 개화파 ❷ 개혁 정강

4 (가) 정부가 추진한 정책으로 옳은 것은?

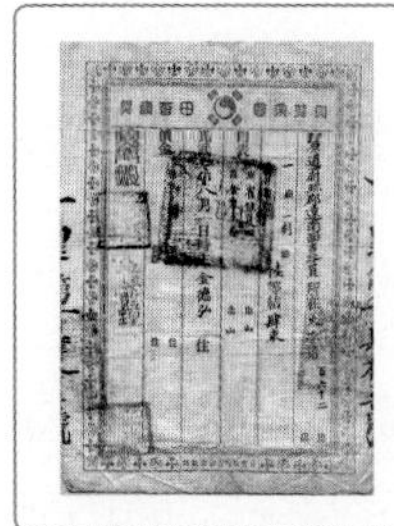

이것은 (가) 이/가 지계아문을 설치하여 발행한 지계이다. (가) 은/는 조세 수입을 늘리고 토지 소유 관계를 정비하기 위해 양전 사업을 벌였고, 토지 소유권을 보장하는 문서인 지계를 일부 지역에 발급하였다.

① 경복궁을 중건하였다.
② 군국기무처를 설치하였다.
③ 대한국 국제를 공포하였다.
④ 조사 시찰단을 파견하였다.
⑤ 농민군과 전주 화약을 체결하였다.

문제 해결 전략

대한 제국은 ❶ 을 개혁 원칙으로 삼아 점진적인 개혁을 추진하였다. 이를 위해 양지아문을 설치하여 양전 사업을 실시하고 토지 소유권을 보장하는 문서인 ❷ 를 일부 지역에 발급하였다.

답 ❶ 구본신참 ❷ 지계

5 다음 표는 일제의 국권 침탈 과정을 정리한 것이다. ㉠~㉤ 중 적절하지 않은 것은?

	구분	주요 내용
㉠	한일 의정서	일본이 군사적 요충지 사용 가능
㉡	제1차 한일 협약	외교와 재정 분야에 외국인 고문 채용
㉢	을사늑약	대한 제국의 외교권 박탈, 총독부 설치
㉣	한일 신협약	정부 각 부에 일본인 차관 배치
㉤	한국 병합 조약	대한 제국의 국권 상실

① ㉠ ② ㉡ ③ ㉢ ④ ㉣ ⑤ ㉤

문제 해결 전략

열강으로부터 한국에 대한 독점적 지배권을 인정받은 일본은 대한 제국에 ❶ 의 체결을 강요하여 대한 제국의 외교권을 박탈하고, ❷ 를 설치하여 외교뿐만 아니라 내정 전반을 간섭하였다.

답 ❶ 을사늑약(제2차 한일 협약) ❷ 통감부

6 (가) 운동에 대한 설명으로 옳은 것은?

일제가 제1차 한일 협약 이후 대한 제국에 막대한 차관 도입을 강요하여 1907년 무렵 대한 제국의 차관이 1,300만 원에 이르렀다. 이에 일본에 대한 경제적 예속에서 벗어나자는 취지에서 대구를 시작으로 (가) 운동이 전개되었다.

① 삼정이정청이 설치되는 계기가 되었다.
② 대한매일신보 등 언론의 지원을 받았다.
③ 일제의 황무지 개간권 요구를 철회시켰다.
④ 황국 중앙 총상회가 조직되는 결과를 가져왔다.
⑤ 백동화를 일본 제일 은행권으로 바꾸도록 하였다.

문제 해결 전략

차관 도입으로 인해 대한 제국의 경제적 예속이 심해지자 나랏빚을 갚아 국권을 회복하자는 ❶ 이 대구에서 시작되었고, 양기탁과 베델이 발행한 ❷ 등 언론 기관과 각종 단체를 통해 전국으로 확산되었다.

답 ❶ 국채 보상 운동 ❷ 『대한매일신보』

필수 체크 전략 ①

3강_서구 열강의 접근과 조선의 대응 ~ 근대 국민 국가 수립을 위한 노력

필수 예제 01

학평 기출

(가) 인물이 추진한 정책으로 옳은 것은?

> 임금께서 어리시어 (가) 에게 나라의 복잡한 사무를 대신 도맡아 다스리게 하였습니다. 그런데 지금 (가) 의 정치를 보면 경복궁을 중건하기 위하여 거둔 원납전은 부족하였고, 이를 충당하기 위해 주조한 당백전은 백성들의 생활을 더욱 어지럽게 만들었습니다.

① 역분전을 지급하였다.
② 화랑도를 정비하였다.
③ 척화비를 건립하였다.
④ 우산국을 정벌하였다.
⑤ 화폐 정리 사업을 실시하였다.

Tip

(가) 인물은 흥선 대원군이다. 고종의 아버지인 흥선 대원군은 왕실의 권위를 높이기 위해 경복궁을 중건하였다.

풀이

③ 흥선 대원군은 통상 수교 거부 정책을 추진하면서 프랑스와 미국의 침입을 격퇴한 뒤 전국에 척화비를 세웠다. ① 고려 태조, ② 신라 진흥왕, ④ 신라 지증왕 시기의 사실이다. ⑤ 화폐 정리 사업은 1905년 메가타의 주도로 이루어졌다. 답 ③

필수 예제 02

학평 기출

(가) 사건의 결과로 옳은 것은?

▲ 덕진진 경고비

이 비석은 강화도 덕진진에 있는 경고비이다. 프랑스는 병인박해를 구실로 함대를 보내 통상을 요구하며 (가) 을/를 일으켰다. 조선은 한성근, 양헌수 등의 활약으로 프랑스군을 물리쳤다. 이후 흥선 대원군은 통상 수교 거부의 의지를 담아 '바다의 관문을 지키고 있으니 외국 배는 함부로 지나가지 말라.'라는 내용의 비를 세웠다.

① 외규장각 도서가 약탈되었다.
② 러시아의 주도로 삼국 간섭이 일어났다.
③ 영국이 거문도를 불법적으로 점령하였다.
④ 조청 상민 수륙 무역 장정이 체결되었다.
⑤ 파리 강화 회의에 김규식이 대표로 파견되었다.

Tip

프랑스가 병인박해를 구실로 함대를 보내 일으키고 한성근, 양헌수 등이 활약한 (가) 사건은 병인양요이다.

풀이

병인양요 당시 프랑스군은 퇴각하면서 ① 강화도에 있는 외규장각에 불을 지르고 의궤를 비롯한 각종 도서를 약탈하였다. 답 ①

응용 01-1

(가) 인물이 추진한 정책으로 옳은 것을 | 보기 |에서 있는 대로 고르시오.

이것은 (가) 의 집권 때 경복궁을 중건하는 데 필요한 자금을 마련하기 위해 발행한 당백전이다.

| 보기 |
ㄱ. 민생 안정을 위해 서원을 철폐하였다.
ㄴ. 법령을 정비하여 대전통편을 편찬하였다.
ㄷ. 호포제를 시행하여 양반에게도 군포를 거두었다.
ㄹ. 척화비를 세우는 등 통상 수교 거부 정책을 펼쳤다.

응용 02-1

병인양요에 대한 설명으로 옳은 것을 | 보기 |에서 있는 대로 고르시오.

| 보기 |
ㄱ. 병인박해를 구실로 발생하였다.
ㄴ. 제너럴셔먼호 사건을 배경으로 일어났다.
ㄷ. 영국이 거문도를 점령하는 구실이 되었다.
ㄹ. 외규장각 도서가 약탈되는 결과를 가져왔다.

필수 예제 03 학평 기출

(가) 조약에 대한 설명으로 옳은 것은?

▲『심행일기』

이 책은 조선 정부가 운요호 사건으로 인해 강화도에서 일본과 협상할 당시 전권 대사로 임명된 신헌이 기록한『심행일기』이다. 이 책을 통해 조선이 외국과 체결한 최초의 근대적 조약인 (가) 의 협상 과정을 알 수 있다.

① 기묘사화가 발생하는 원인이 되었다.
② 척화비가 설치되는 결과를 가져왔다.
③ 임진왜란이 일어나는 배경이 되었다.
④ 묘청이 난을 일으키는 계기가 되었다.
⑤ 부산 이외에 2개 항구의 개항을 규정하였다.

Tip

운요호 사건을 배경으로 강화도에서 조선이 외국과 체결한 최초의 근대적 조약인 (가) 조약은 강화도 조약이다.

풀이

⑤ 강화도 조약에서는 부산 외에 2개 항구의 개항을 규정하여 부산, 원산, 인천이 개항되었다. ① 기묘사화는 조선 중종 때 일어났다. ② 신미양요 이후 흥선 대원군은 전국 각지에 척화비를 건립하여 통상 수교 거부 의지를 천명하였다. ③ 임진왜란은 1592년에 일어났다. ④ 묘청의 서경 천도 운동은 고려 시대의 일이다.

답 ⑤

응용 03-1

다음 사진과 관련된 조약에 담긴 주요 내용으로 옳은 것을 | 보기 |에서 있는 대로 고르시오.

| 보기 |

ㄱ. 최혜국 대우 보장
ㄴ. 수출입 상품에 관세 부과
ㄷ. 부산 외에 2개 항구의 개항
ㄹ. 해안 측량권과 영사 재판권 인정

필수 예제 04 모평 기출

다음 상황이 나타난 시기를 연표에서 옳게 고른 것은?

임오년 6월 10일 흥선 대원군에게 군국 사무를 처리하라는 명이 내려졌다. 흥선 대원군은 기무아문과 무위영, 장어영을 폐지하고 5영의 군제를 복구하라는 명을 내리고, 군량을 지급하게 하였다. 이에 난병들은 대궐에서 물러나 사방으로 흩어졌다.

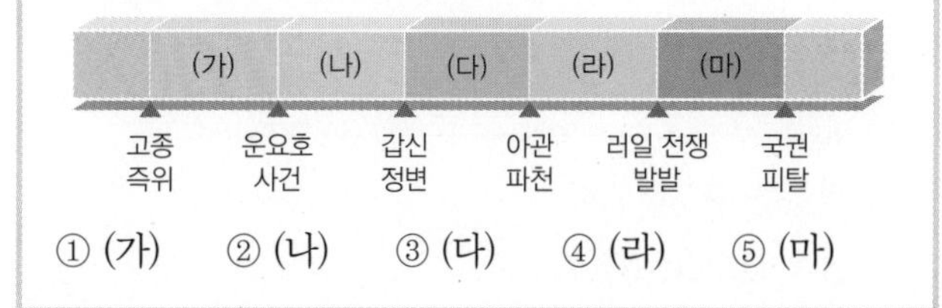

① (가) ② (나) ③ (다) ④ (라) ⑤ (마)

Tip

제시된 상황은 임오군란(1882) 당시 흥선 대원군이 재집권한 모습을 담고 있다.

풀이

신식 군대와의 차별 대우에 구식 군인들이 반발하여 봉기를 일으키자 도시 하층민이 가세하였고, 왕비가 피신하는 상황에 이르자 고종은 흥선 대원군에게 수습을 요청하였다. 운요호 사건은 1875년에 일어났고, 갑신정변은 1884년에 일어났다.

답 ②

응용 04-1

(가) 사건에 대한 설명으로 옳은 것을 | 보기 |에서 있는 대로 고르시오.

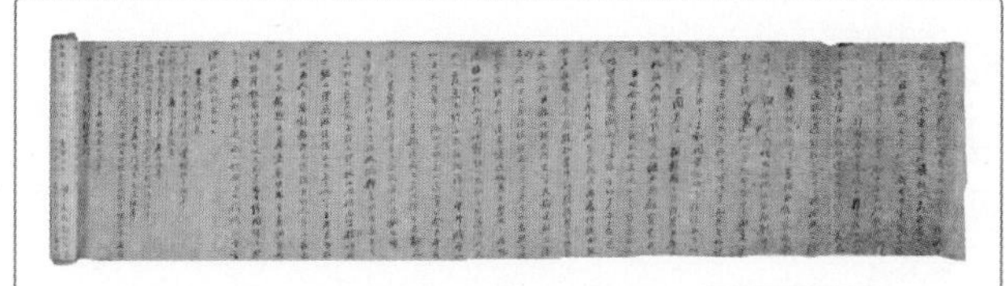

이 자료는 구식 군인들의 주도로 일어난 (가) 에 대한 기록이 담긴 문서이다. 자료에는 고종이 청국에 흥선 대원군의 귀환을 요청한 주문(奏文) 내용, 일본이 주동자 처벌·손해 배상·양화진 통상 등을 요구한 내용, 청국이 명성 황후의 복위를 요구한 내용 등이 담겨 있다.

| 보기 |

ㄱ. 단발령에 반발하여 일어났다.
ㄴ. 청군의 개입으로 진압되었다.
ㄷ. 별기군과의 차별 대우 등이 원인이었다.
ㄹ. 일본과 제물포 조약을 체결하는 계기가 되었다.

필수 체크 전략 ①

필수 예제 05

모평 기출

밑줄 친 '우리 당'에 대한 설명으로 옳은 것은?

○○월 ○○일

우정총국 연회가 밤에 있으므로 박영효 등 우리 당 동지들은 각각 밀령을 받고, 모두 마음을 경계하며 신중한 태도를 취하였다. …… 주상께서는 내 목소리를 알아들으시고 급히 침실에서 나를 부르시며, "무슨 사고가 있느냐?" 하셨다. 나는 즉시 박영효 등과 함께 주상의 침실로 들어가 우정총국의 변을 아뢰었다.

① 예송을 주도하였다.
② 남북 협상을 추진하였다.
③ 삼정이정청 설치를 건의하였다.
④ 인민 평등권의 제정을 주장하였다.
⑤ 교정도감을 통해 세력을 강화하였다.

Tip

우정총국 연회에 박영효 등이 일으킨 정변은 갑신정변으로 밑줄 친 '우리 당'은 급진 개화파에 해당한다.

풀이

급진 개화파는 우정총국 개국 축하연을 이용하여 갑신정변을 일으켰다. ④ 급진 개화파는 개화당 정부를 수립한 후 청에 대한 사대 관계 청산, 인민 평등권 제정, 지조법 개혁 등의 내용을 담은 개혁 정강을 발표하였다.

답 ④

필수 예제 06

수능 기출

밑줄 친 '창의군'에 대한 설명으로 옳은 것은?

창의군의 영수 전봉준이 충청 감사에게 글을 올립니다.
일본 도적놈이 전쟁을 일으키고 군사를 움직여 우리 임금을 핍박하고 우리 백성을 어지럽히고 있는데, 차마 무슨 말을 할 수 있겠습니까? …… 일편단심 죽음을 무릅쓰고 조선 왕조 오백 년 동안 길러 주신 은혜에 보답하겠습니다. 삼가 바라건대 충청 감사께서도 창의군과 의(義)로써 함께한다면 매우 다행이겠습니다.

갑오(甲午)년 논산에서 삼가 드립니다.

① 베트남 전쟁에 파병되었다.
② 안시성 전투에서 승리하였다.
③ 한산도에서 대승을 거두었다.
④ 인천 상륙 작전을 수행하였다.
⑤ 우금치에서 일본군과 전투를 벌였다.

Tip

제시된 자료는 동학 농민군의 2차 봉기 당시 전봉준이 쓴 글로 밑줄 친 '창의군'은 동학 농민군이다.

풀이

⑤ 동학 농민군은 일본의 침략을 물리치고자 다시 봉기하였으나 공주 우금치 전투에서 일본군과 관군에게 패하였다.

답 ⑤

응용 05-1

밑줄 친 '이들'에 대한 설명으로 옳은 것을 보기 에서 있는 대로 고르시오.

우정총국 개국 축하연을 이용하여 정변을 일으킨 이들은 민씨 정권의 고관들을 죽이고 개화당 정부를 수립하였다. 그러나 이들의 정변은 청군의 개입으로 3일 만에 실패로 끝이 났다.

보기

ㄱ. 점진적인 개혁을 추진하였다.
ㄴ. 메이지 유신을 개혁의 모델로 삼았다.
ㄷ. 김옥균, 박영효 등이 대표적인 인물이다.
ㄹ. 청과의 전통적인 외교 관계를 중시하였다.
ㅁ. 문벌 폐지와 인민 평등권 보장을 주장하였다.

응용 06-1

밑줄 친 '농민군'에 대한 설명으로 옳은 것을 보기 에서 있는 대로 고르시오.

피고는 일본군이 대궐에 들어갔다는 말을 듣고, 일본군을 쳐서 물리치고 거류민을 나라 밖으로 몰아낼 마음으로 다시 농민군을 모았다. …… 그해 10월 충청도 공주에 이르러 일본군과 두 차례 싸웠다가 모두 크게 패배하였다.

– 전봉준 판결 선고서 –

보기

ㄱ. 남접과 북접이 연합하였다.
ㄴ. 반봉건·반외세의 성격을 띠었다.
ㄷ. 평안도 지역에 대한 차별 대우에 반대하였다.
ㄹ. 우정총국 개국 축하연을 이용하여 난을 일으켰다.

필수 예제 07

모평 기출

(가)에 들어갈 내용으로 가장 적절한 것은?

① 장용영을 창설하였습니다.
② 영정법을 시행하였습니다.
③ 금융 실명제를 도입하였습니다.
④ 과부의 재가를 허용하였습니다.
⑤ 사사오입 개헌안을 통과시켰습니다.

Tip

군국기무처는 제1차 갑오개혁을 주도한 기구이다.

풀이

경복궁을 점령한 일본의 위협 속에 수립된 김홍집 내각은 군국기무처를 설치하고 제1차 갑오개혁을 추진하였다. 따라서 (가)에는 제1차 갑오개혁에 관한 내용이 들어가야 한다. ④ 제1차 갑오개혁 때에는 과부의 재가를 허용하는 개혁이 이루어졌다.
① 장용영을 창설한 것은 조선 정조이다.
② 영정법은 조선 인조 때부터 시행되었다.
③ 금융 실명제는 김영삼 정부 때 도입되었다.
⑤ 사사오입 개헌안은 이승만 정부 시기에 통과되었다.

답 ④

응용 07-1

제1차 갑오개혁의 개혁 내용으로 옳은 것을 보기 에서 있는 대로 고르시오.

보기

ㄱ. 과거제 폐지	ㄴ. 단발령 실시
ㄷ. 재판소 설치	ㄹ. 태양력 사용
ㅁ. 신분제 폐지	ㅂ. 과부의 재가 허용

필수 예제 08

학평 기출

(가) 단체에 대한 설명으로 옳은 것은?

(가) 은/는 1898년 3월 10일 종로에서 만민 공동회라는 민중 대회를 개최하여 러시아의 이권 침탈과 내정 간섭을 규탄하였다. 이 대회에 참가한 사람들은 러시아의 군사 교관과 재정 고문을 철수시키자고 결의하였다. 이는 국권을 지키기 위한 운동이었다.

① 일제의 황무지 개간권 요구를 철회시켰다.
② 고종 강제 퇴위 반대 운동을 전개하였다.
③ 근대식 의회 설립 운동을 주도하였다.
④ 한글 맞춤법 통일안을 제정하였다.
⑤ 브나로드 운동을 추진하였다.

Tip

만민 공동회라는 민중 대회를 개최하여 러시아의 이권 침탈과 내정 간섭을 규탄한 (가) 단체는 독립 협회이다.

풀이

독립 협회는 관민 공동회를 개최하여 헌의 6조를 채택하고 ③ 중추원 관제를 통한 근대식 의회 설립 운동을 주도하였다.
① 보안회는 일제의 황무지 개간권 요구를 철회시켰다.
② 대한 자강회는 고종 강제 퇴위 반대 운동을 전개하였다.
④ 조선어 학회는 한글 맞춤법 통일안을 제정하였다.
⑤ 브나로드 운동은 일제 강점기에 전개된 농촌 계몽 운동이다.

답 ③

응용 08-1

(가) 단체에 대한 설명으로 옳은 것을 보기 에서 있는 대로 고르시오.

서울 서대문구에 있는 이 독립문은 청의 사신을 맞이하던 영은문이 헐린 자리 부근에 서재필 등이 조직한 (가) 이/가 모금 활동을 벌여 건립한 것이다.

보기

ㄱ. 집강소를 설치하였다.
ㄴ. 홍범 14조를 반포하였다.
ㄷ. 만민 공동회를 개최하였다.
ㄹ. 교조 신원 운동을 전개하였다.

필수 체크 전략 ②

3강_서구 열강의 접근과 조선의 대응 ~ 근대 국민 국가 수립을 위한 노력

1 (가) 인물이 추진한 정책으로 옳은 것만을 보기에서 고른 것은?

> 나라에 제도로서 인정(人丁)에 대한 세를 신포(身布)라고 하였는데, 충신과 공신의 자손에게는 모두 신포가 면제되었다. …… (가) 은/는 이를 시정하고자 동포(洞布)라는 법을 제정하였다. 이 때문에 예전에는 면제되던 자라도 신포를 바치지 않을 수가 없게 되었다. 조정의 관리들이 반대하자 (가) 은/는 이를 듣지 않으면서 …… 그 법을 시행하였다.

보기
ㄱ. 사창제 실시　　ㄴ. 장용영 설치
ㄷ. 경복궁 중건　　ㄹ. 대전통편 편찬

① ㄱ, ㄴ ② ㄱ, ㄷ ③ ㄴ, ㄷ ④ ㄴ, ㄹ ⑤ ㄷ, ㄹ

Tip
흥선 대원군은 집집마다 군포를 징수하여 양반에게도 군포를 징수하는 ❶ 와 환곡의 폐단을 시정하기 위한 ❷ 를 시행하였다.

답 ❶ 호포제 ❷ 사창제

2 (가) 사건이 일어난 배경으로 옳은 것은?

> 영조 정순 왕후 가례도감 의궤는 본래 강화도의 외규장각에 보관되어 있었으나 (가) 때 약탈된 후 방치되어 있었다. 그러나 정부와 민간단체가 지속적으로 환수 요구를 한 결과 영구 임대 방식으로 우리나라로 반환되었다.

① 평양 관민이 제너럴셔먼호를 침몰시켰다.
② 일본 군함 운요호가 초지진을 공격하였다.
③ 오페르트가 남연군 묘의 도굴을 시도하였다.
④ 통상 수교 거부 의지를 담은 척화비가 세워졌다.
⑤ 흥선 대원군이 천주교도와 선교사를 처형하였다.

Tip
병인박해를 구실로 삼아 프랑스가 조선을 침략하면서 ❶ 가 일어났고, 제너럴셔먼호 사건을 구실로 미국이 조선을 침략하면서 ❷ 가 일어났다.

답 ❶ 병인양요 ❷ 신미양요

3 밑줄 친 '책'에 대한 설명으로 옳은 것만을 보기에서 고른 것은?

> 경상도 유생 이만손 등이 상소하길, "신들은 모두 영남의 소원한 종적으로 유신(維新)의 정치를 도운 적이 없습니다. 곧 삼가 수신사 김홍집이 받아 가지고 온 황준헌의 책이 이리저리 떠도는 것을 보니, 깨닫지 못하는 사이에 머리털이 쭈뼛해지고 담이 떨리며 이어서 통곡하여 눈물이 흐릅니다.

보기
ㄱ. 강화도 조약 체결에 영향을 주었다.
ㄴ. 러시아를 막기 위한 방책을 언급하였다.
ㄷ. 조선을 중립국으로 삼자는 주장을 담고 있다.
ㄹ. 조미 수호 통상 조약이 체결되는 배경이 되었다.

① ㄱ, ㄴ ② ㄱ, ㄷ ③ ㄴ, ㄷ ④ ㄴ, ㄹ ⑤ ㄷ, ㄹ

Tip
수신사 김홍집이 가지고 온 책인 ❶ 은 조선과 미국의 연합을 주장하였고, 이는 청의 알선으로 ❷ 이 체결되는 배경이 되었다.

답 ❶ 『조선책략』 ❷ 조미 수호 통상 조약

4 다음 조약이 체결된 배경으로 옳은 것은?

> **제4조** 흉도의 폭거로 일본이 받은 피해 및 공사를 호위한 육해군 경비 중에서 50만 원은 조선이 채워 준다. 매년 10만 원씩 5년 동안 완납한다.
> **제5조** 일본 공사관에 군인 약간을 두어 경비한다. 그 비용은 조선국이 부담한다.

① 대한 제국의 군대가 강제로 해산되었다.
② 일본이 경복궁을 침범하여 국왕을 위협하였다.
③ 일본이 명성 황후를 시해하는 사건이 벌어졌다.
④ 우정총국 개국 축하연을 이용한 정변이 일어났다.
⑤ 구식 군인 등이 별기군과의 차별 대우에 반발하였다.

Tip
임오군란의 결과 조선은 청과 ❶ 을 체결하였고, 일본과 ❷ 조약을 체결하였다.

답 ❶ 조청 상민 수륙 무역 장정 ❷ 제물포

5 밑줄 친 '변고'에 대한 설명으로 옳은 것은?

> 오늘날의 변고를 차마 말할 수 있겠습니까? 임금께서 두 번이나 파천하고 궁궐이 마침내 전쟁디가 되었으니, 이는 참으로 만고에 없던 변고입니다. 김옥균 등이 군부를 위협하고 속여서 외병(外兵)을 불러들여 정승들을 살해하여 우리 전하로 하여금 그들의 제재를 받게 하여 각전(各殿)과 각궁(各宮)에 이르기까지 일체를 장악하여 하룻밤 사이에 갑자기 하늘까지 닿을 재앙을 이루었습니다.

① 청군의 개입으로 진압되었다.
② 을미사변에 반발하여 일어났다.
③ 고종의 인산일을 기해 일어났다.
④ 제물포 조약 체결의 배경이 되었다.
⑤ 구식 군인에 대한 차별 대우가 원인이었다.

Tip
김옥균 등 급진 개화파는 우정총국 개국 축하연을 이용하여 ❶ [ ]을 일으켰으나 ❷ [ ]의 개입으로 실패하였다.

답 ❶ 갑신정변 ❷ 청군

6 다음 자료가 발표된 시기를 연표에서 옳게 고른 것은?

> 우리들은 전에 폐정을 개혁할 목적으로 일어났으나 임금의 조유(詔諭)가 있어서 초토사와 화약을 맺었다. …… 일본은 대병을 파견하여 우리나라를 삼키려고 하여, 일본 병사들은 대거 영토를 제압하고 이미 경성에 들어왔는데, 이에 국가가 위급하고 존망이 갈리었다. 진실로 나라를 생각하는 자는 창을 들고 일어나 방어해야 할 때이다.

	(가)		(나)		(다)		(라)		(마)	
운요호 사건		거문도 사건		고부 농민 봉기		전주 화약		우금치 전투		을미개혁

① (가) ② (나) ③ (다) ④ (라) ⑤ (마)

Tip
동학 농민군은 정부와 ❶ [ ]을 맺은 후 해산하였으나 일본군이 경복궁을 침범하자 다시 봉기하였다. 그러나 공주 ❷ [ ] 전투에서 일본군과 관군에 패배하였다.

답 ❶ 전주 화약 ❷ 우금치

7 밑줄 친 '이 기구'가 추진한 개혁의 내용으로 옳은 것만을 보기에서 고른 것은?

> 일본군이 경복궁을 침범한 지 4일 뒤 국왕께서 전교하기를, "이 기구 회의 총재는 영의정 김홍집이 맡고, 내무 독판 박정양, 협판 민영달, 강화 유수 김윤식, 내무 협판 김종한, 내무 참의 정경원, 외무 참의 유길준, 공조 참의 이응익 등을 회의원으로 하여 날마다 와서 모여 크고 작은 사무를 협의하여 보고하라."라고 하였다.

보기
ㄱ. 과부의 재가를 허용하였다.
ㄴ. 개국 기년을 사용하도록 하였다.
ㄷ. 한성 사범 학교 관제를 제정하였다.
ㄹ. 지방 행정 구역을 23부로 개편하였다.

① ㄱ, ㄴ ② ㄱ, ㄷ ③ ㄴ, ㄷ ④ ㄴ, ㄹ ⑤ ㄷ, ㄹ

Tip
일본의 경복궁 침입 이후 수립된 김홍집 내각은 ❶ [ ]를 설치하고 과거제 폐지, 신분제 폐지 등을 내용으로 하는 ❷ [ ]을 추진하였다.

답 ❶ 군국기무처 ❷ 제1차 갑오개혁

8 (가) 정부에 대한 설명으로 옳은 것은?

① 원수부를 설치하였다.
② 단발령을 시행하였다.
③ 육영 공원을 설립하였다.
④ 만민 공동회를 개최하였다.
⑤ 교육입국 조서를 반포하였다.

Tip
아관 파천 이후 환궁한 고종은 환구단에서 황제로 즉위하고 ❶ [ ] 수립을 선포하였다. 이후 구본신참의 원칙에 따라 ❷ [ ]을 추진하였다.

답 ❶ 대한 제국 ❷ 광무개혁

필수 체크 전략 ①

4강_일본의 침략 확대와 국권 수호 운동 ~ 개항 이후 사회·문화적 변화

필수 예제 01

수능 기출

밑줄 친 '조약'이 강제로 체결된 시기를 연표에서 옳게 고른 것은?

> 일본 전권 대사와 공사가 조약서를 들고 궁궐에 들어와 조약에 서명할 것을 강요하였는데, 그 내용을 보면 일본인 통감을 우리나라에 두고 우리의 외교권을 일본이 박탈한다는 것이다. …… 일본 전권 대사가 협박을 가하였고, 병사들을 동원하여 공포 분위기를 만들어 가부를 결정하라고 위협하는 가운데, 처음부터 일정한 절차도 없이 외부(外部)의 도장을 강제로 빼앗아 날인하고 이를 조약이라고 하고 있다.

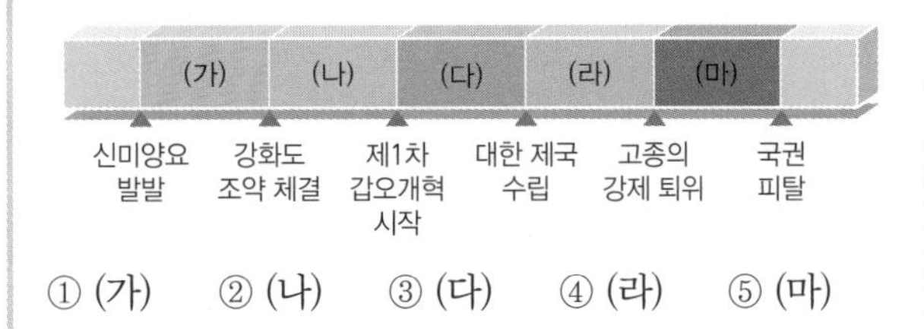

① (가) ② (나) ③ (다) ④ (라) ⑤ (마)

Tip

밑줄 친 '조약'은 1905년에 일본이 을사 5적을 앞세워 강제로 체결하여 대한 제국의 외교권을 박탈한 을사늑약이다.

풀이

④ 대한 제국이 수립된 것은 1897년이며, 고종의 강제 퇴위는 1907년에 해당한다.

답 ④

응용 01-1

(가) 조약에 대한 설명으로 옳은 것을 보기에서 있는 대로 고르시오.

> 일본은 열강으로부터 한국에 대한 독점적 지배권을 인정받은 후 대한 제국에 (가) 을/를 강요하였다. 이 조약은 고종의 위임장도 없이 외부대신인 박제순이 날인하였고, 조약문에 황제의 서명과 도장도 없는 것이 특징이다.

보기

ㄱ. 러일 전쟁 중에 체결되었다.
ㄴ. 대한 제국의 외교권을 박탈하였다.
ㄷ. 헤이그 특사가 파견되는 배경이 되었다.
ㄹ. 외국인을 외교 고문으로 고용하게 하였다.

필수 예제 02

학평 기출

다음 지도를 활용한 탐구 주제로 가장 적절한 것은?

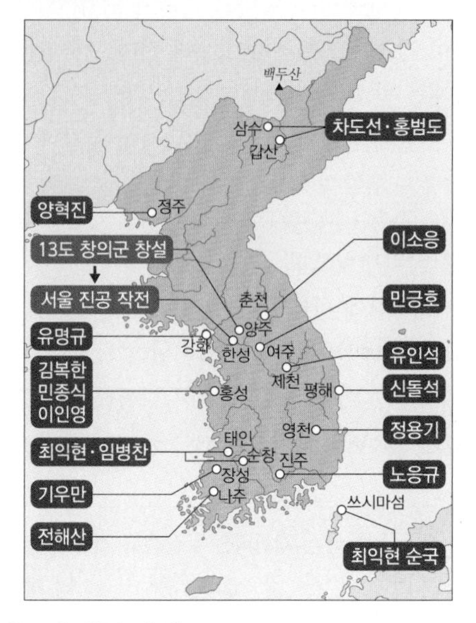

① 심별초의 대몽 항쟁
② 임술 농민 봉기의 전개
③ 진골 귀족 간의 권력 다툼
④ 홍건적과 왜구의 침입 격퇴
⑤ 국권 수호를 위한 항일 의병 운동

Tip

유인석, 이소응 등은 을미의병 당시 대표적인 의병장이고, 최익현과 신돌석은 을사의병 시기 대표적인 의병장이다. 정미의병 당시 13도 창의군은 서울 진공 작전을 전개하였다.

풀이

의병장과 대표적인 의병 단체가 제시된 점으로 보아 ⑤ 국권 수호를 위한 항일 의병 운동을 제시한 지도임을 알 수 있다.

답 ⑤

응용 02-1

정미의병에 대한 설명으로 옳은 것을 보기에서 있는 대로 고르시오.

보기

ㄱ. 고종의 해산 권고를 받고 해산하였다.
ㄴ. 최초의 평민 출신 의병장이 활약하였다.
ㄷ. 을미사변과 단발령을 계기로 봉기하였다.
ㄹ. 해산된 군인이 합류하여 전투력이 높아졌다.
ㅁ. 13도 창의군을 결성해 서울 진공 작전을 시도하였다.

필수 예제 03 학평 기출

(가) 단체에 대한 설명으로 옳은 것은?

초청장
창작 뮤지컬 「신흥 강습소」

안창호, 양기탁 등이 1907년에 비밀 결사로 조직한 (가) 이/가 서간도 지역에 독립군 양성을 위해 세운 신흥 강습소. 이곳을 배경으로 격변하는 시대를 살았던 사람들의 치열한 삶을 담아낸 창작 뮤지컬 「신흥 강습소」가 시작됩니다. 많은 관람 바랍니다.

▣ 기간: 2019년 7월 ○일~○○일
▣ 장소: □□문화예술회관

① 독립문을 건립하였다.
② 물산 장려 운동을 전개하였다.
③ 좌우 합작 7원칙을 발표하였다.
④ 광주 학생 항일 운동을 지원하였다.
⑤ 대성 학교와 오산 학교를 설립하였다.

Tip

안창호, 양기탁 등이 1907년에 비밀 결사로 조직하고 서간도 지역에 신흥 강습소를 설치한 (가) 단체는 신민회이다.

풀이

⑤ 신민회는 교육 진흥을 위해 대성 학교와 오산 학교를 설립하였다.
① 독립문 건립을 주도한 단체는 독립 협회이다.
② 물산 장려 운동은 평양의 물산 장려 기성회 등이 주도하였다.
③ 1946년에 좌우 합작 위원회는 좌우 합작 7원칙을 발표하였다.
④ 일제 강점기 광주 학생 항일 운동을 지원한 단체로는 신간회가 있다.

답 ⑤

응용 03-1

신민회에 대한 설명으로 옳은 것을 보기 에서 있는 대로 고르시오.

보기
ㄱ. 대성 학교와 오산 학교를 설립하였다.
ㄴ. 태극 서관과 자기 회사를 운영하였다.
ㄷ. 일제의 황무지 개간권 요구를 철회시켰다.
ㄹ. 남만주 삼원보에 독립운동 기지를 건설하였다.

필수 예제 04 학평 기출

밑줄 친 '이 섬'에 대한 탐구 활동으로 적절한 것을 보기 에서 고른 것은?

보기
ㄱ. 안용복이 일본으로 건너간 배경을 조사한다.
ㄴ. 대한 제국이 반포한 칙령 제41호의 내용을 분석한다.
ㄷ. 신미양요 때 어재연 부대가 미군과 전투를 벌인 곳을 찾아본다.
ㄹ. 러시아의 남하를 견제하기 위하여 영국이 점령한 지역을 알아본다.

① ㄱ, ㄴ ② ㄱ, ㄷ ③ ㄴ, ㄷ ④ ㄴ, ㄹ ⑤ ㄷ, ㄹ

Tip

신라 지증왕 때 울릉도와 함께 우리 영토로 편입된 섬은 독도이다.

풀이

ㄱ. 조선 시대에 안용복은 두 차례에 걸쳐 일본에 건너가 독도가 우리 땅임을 확인받고 돌아왔다.
ㄴ. 대한 제국은 1900년에 반포한 칙령 제41호를 통해 울릉도를 울도군으로 승격시키고, 울도 군수가 독도까지 관할하도록 하였다.

답 ①

응용 04-1

다음 중 독도와 관련된 탐구 활동으로 적절한 것을 보기 에서 있는 대로 고르시오.

보기
ㄱ. 운요호 사건이 벌어졌던 섬을 찾아본다.
ㄴ. 대한 제국 칙령 제41호의 내용을 알아본다.
ㄷ. 대한 제국이 이범윤을 파견한 지역을 조사한다.
ㄹ. 메이지 정부의 태정관이 내린 지령문을 분석한다.

필수 체크 전략 ①

필수 예제 05

학평 기출

(가)에 들어갈 내용으로 가장 적절한 것은?

수행 평가 보고서

1. 탐구 주제: (가)
2. 수집 자료

▲ 구 백동화 무효에 관한 고시

3. 조사 내용

자료는 일본인 재정 고문 메가타의 주도로 시작된 정책의 시행 과정에서 발표된 것이다. 백동화 사용이 완전히 금지되기 전에 일본 제일 은행권으로 교환하는 과정에서 국내 상공업자들이 큰 피해를 입었다.

① 귀주 대첩의 성과
② 방곡령 선포의 배경
③ 균역법의 제정 이유
④ 훈련도감의 창설 목적
⑤ 화폐 정리 사업의 전개 과정

Tip

일본인 재정 고문 메가타의 주도로 시작되어 백동화를 일본 제일 은행권으로 교환하도록 한 정책은 화폐 정리 사업이다.

풀이

제1차 한일 협약에 따라 재정 고문으로 파견된 메가타는 대한 제국의 재정을 장악하기 위해 화폐 정리 사업을 추진하였다. 그 결과 대한 제국의 재정 자주권이 침해당했으며, 일본 제일 은행이 대한 제국의 중앙은행 역할을 하게 되었다.

답 ⑤

응용 05-1

화폐 정리 사업에 대한 설명으로 옳은 것을 | 보기 |에서 있는 대로 고르시오.

보기

ㄱ. 재정 고문인 메가타가 주도하였다.
ㄴ. 방곡령을 내릴 수 있는 근거가 되었다.
ㄷ. 대한 제국의 자본이 성장하는 배경이 되었다.
ㄹ. 백동화 등을 일본 제일 은행권으로 교환하도록 하였다.

필수 예제 06

수능 기출

(가) 운동에 대한 설명으로 옳은 것은?

한국사 신문 ○○○○년 ○월 ○일

가락지를 빼서 (가) 운동에 앞장서자

나랏빚 1,300만 원을 갚을 수 있는지에 따라 국권이 달려있다는 소식을 들었다. 각지에서 (가) 운동에 호응하여 남자들은 담배를 끊어 저축한 돈을 모금하고 있으며 황제께서도 담배를 끊을 뜻을 밝혔다. 이에 우리 여자들도 각각의 가락지를 빼서 나랏빚을 갚는 데 앞장선다면 국권이 회복될 것이고, 여자의 힘이 세상에 전파되어 남녀평등권을 찾을 수 있을 것이다.

① 청군의 개입으로 실패하였다.
② 치안 유지법에 의해 탄압받았다.
③ 조선 건국 준비 위원회가 주도하였다.
④ 『대한매일신보』 등 언론 기관의 지원을 받았다.
⑤ 이만손 등이 영남 만인소를 올리는 계기가 되었다.

Tip

나랏빚 1,300만원을 갚기 위해 각지에서 돈을 모금한 국권 수호 운동은 1907년에 있었던 국채 보상 운동이다.

풀이

④ 국채 보상 운동은 『대한매일신보』 등 언론 기관의 지원을 받아 전국으로 확산되었다.

답 ④

응용 06-1

다음 민족 운동에 대한 설명으로 옳은 것을 | 보기 |에서 있는 대로 고르시오.

지금 나라의 빚이 1,300만 원이며, 이는 우리 대한 제국의 존망에 관계된 일이다. …… 일반 국민도 이 국채 보상에 대한 의무에 대해 모른 체하거나, 참여하지 않겠다고 말할 수 없다. 모두가 보상에 참여해야만 성공할 수 있다.

보기

ㄱ. 『조선책략』의 유포에 반발하였다.
ㄴ. 조선 물산 장려회의 주도로 전개되었다.
ㄷ. 『대한매일신보』 등 언론의 지원을 받았다.
ㄹ. 평양에서 시작되어 전국으로 확산되었다.

필수 예제 07 모평 기출

(가)에 들어갈 내용으로 가장 적절한 것은?

한국사 수행 평가 과제

○ 주제: (가)

○ 모둠별 발표 주제

1모둠: 『독립신문』에 실린 경인선 개통 상황

2모둠: 『알렌의 일기』에 기록된 제중원의 의료 활동

3모둠: 『헐버트 서신』에 나타난 육영 공원의 교육 내용

① 경제적 구국 운동
② 중앙아시아 한인의 삶
③ 무장 독립 전쟁의 전개
④ 근대 문물의 수용과 변화
⑤ 신탁 통치를 둘러싼 갈등

Tip

경인선은 1899년에 개통된 우리나라 최초의 철도이고, 제중원은 광혜원이 명칭을 변경한 서양식 의원이다. 육영 공원은 근대적 교육을 위해 설치한 최초의 관립 교육 기관이다.

풀이

경인선의 개통 상황, 제중원의 의료 활동, 육영 공원의 교육 내용 등은 모두 개항기에 등장한 근대 시설과 근대적 교육 기관의 사례에 해당하며, 이는 근대 문물의 수용 사례라고 할 수 있다.

답 ④

응용 07-1

다음 중 개항기 근대 문물의 수용 사례가 옳게 연결된 것을 | 보기 |에서 있는 대로 고르시오.

| 보기 |

ㄱ. 기기창– 근대 무기 제조
ㄴ. 전환국– 근대적 신문 발행
ㄷ. 경인선– 최초의 근대적 철도
ㄹ. 원산 학사– 근대식 관립 교육 기관

필수 예제 08 학평 기출

밑줄 친 '이 신문'에 대한 설명으로 옳은 것은?

양화진 외국인 묘지 공원

묘역 안내 / 주요 안장자 / 베델

베델은 영국 출신으로 1904년 양기탁 등과 함께 <u>이 신문</u>을 창간하였다. 이 신문은 일제의 국권 침탈을 비판하는 기사를 실었으며, 국한문, 영문, 순 한글 등 세 종류로 발행되어 폭넓은 독자층을 확보하였다.

① 박문국에서 발행되었다.
② 브나로드 운동을 후원하였다.
③ 천도교의 기관지로 발간되었다.
④ 국채 보상 운동의 확산에 기여하였다.
⑤ 모스크바 3국 외상 회의 결정 사항을 보도하였다.

Tip

베델과 양기탁이 창간하여 일제의 국권 침탈을 비판한 신문은 『대한매일신보』이다.

풀이

『대한매일신보』는 국채 보상 운동이 전국적으로 확산되는 데 기여하였다. ① 『한성순보』, ② 『동아일보』, ③ 『만세보』, ⑤ 『동아일보』 등에 해당한다.

답 ④

응용 08-1

밑줄 친 '이 신문'에 대한 설명으로 옳은 것을 | 보기 |에서 있는 대로 고르시오.

베델은 양기탁과 함께 <u>이 신문</u>을 창간했습니다. 그 덕분에 <u>이 신문</u>은 일제의 침략을 비판하는 기사를 많이 실을 수 있었습니다.

| 보기 |

ㄱ. 박문국에서 발간하였다.
ㄴ. 최초의 순 한글 신문이었다.
ㄷ. 문자 보급 운동을 전개하였다.
ㄹ. 국채 보상 운동의 확산에 기여하였다.

WEEK 2 DAY 3

필수 체크 전략 ②

4강_일본의 침략 확대와 국권 수호 운동 ~ 개항 이후 사회·문화적 변화

1 다음 조약이 체결된 시기를 연표에서 옳게 고른 것은?

> **제1조** 대한 제국 정부는 대일본 제국 정부가 추천한 일본인 1명을 재정 고문에 초빙하여 재무에 관한 사항은 모두 그의 의견을 들어 시행할 것.
> **제2조** 대한 제국 정부는 대일본 제국 정부가 추천한 외국인 1명을 외교 고문으로 외부에서 초빙하여 외교에 관한 중요한 업무는 모두 그의 의견을 들어 시행할 것.

(가) (나) (다) (라) (마)

일본, 경복궁 점령 / 을미사변 / 러일 전쟁 발발 / 통감부 설치 / 고종 강제 퇴위 / 일제의 한국 강제 병합

① (가) ② (나) ③ (다) ④ (라) ⑤ (마)

Tip

일본은 대한 제국에 ❶ ______ 체결을 강요하여 외국인 고문을 임명하도록 하였고, ❷ ______을 강요하여 대한 제국의 외교권을 박탈하였다.

답 ❶ 제1차 한일 협약 ❷ 을사늑약(제2차 한일 협약)

2 다음 자료와 관련된 의병이 일어난 배경으로 옳은 것은?

> 우선 신임하는 인물을 서울에 잠입시켜 각국 영사관을 순방하고 통문 한 통씩을 전달하니, 그 개략적 의도는 일본의 불의를 성토하고 한국의 불행한 상황을 상세히 진술하고 또 의병은 순수한 애국적인 혈단(血團)이니 열강도 이를 국제 공법상의 전쟁 단체로 인정해 줄 것과 또 정의와 인도를 주장하는 국가의 동성 응원(同聲應援)을 호소하였다.

① 단발령이 내려졌다.
② 고종이 강제로 퇴위당하였다.
③ 대한 제국의 외교권이 박탈되었다.
④ 명성 황후가 일본에 의해 시해되었다.
⑤ 한국 병합 조약이 강제로 체결되었다.

Tip

고종의 강제 퇴위와 대한 제국 군대의 강제 해산을 배경으로 ❶ ______이 일어났다. 이 당시 전국의 의병들은 13도 창의군을 결성하고 ❷ ______을 전개하였다.

답 ❶ 정미의병 ❷ 서울 진공 작전

3 (가) 단체에 대한 설명으로 옳은 것만을 보기에서 고른 것은?

> (가) 의 목적은 한국의 부패한 사상과 습관을 혁신하여 국민을 유신(維新)케 하며, 쇠퇴한 발육과 산업을 개량하여 사업을 유신케 하며, 유신한 국민이 통일 연합하여 유신한 자유 문명국을 성립케 한다고 말하는 것으로서, 그 깊은 뜻은 열국 보호하에 공화 정체의 독립국으로 함에 목적이 있다고 함.
> -『주한 일본 공사관 기록』-

보기
ㄱ. 헌의 6조를 채택하였다.
ㄴ. 대성 학교를 설립하였다.
ㄷ. 태극 서관을 운영하였다.
ㄹ. 헌정 연구회를 계승하였다.

① ㄱ, ㄴ ② ㄱ, ㄷ ③ ㄴ, ㄷ ④ ㄴ, ㄹ ⑤ ㄷ, ㄹ

Tip

안창호, 양기탁 등이 비밀 결사로 조직한 ❶ ______는 공화 정체의 근대 국민 국가 건설을 목표로 하였으나, 일제가 날조한 ❷ ______으로 와해되었다.

답 ❶ 신민회 ❷ 105인 사건

4 밑줄 친 '이 지역'에 대한 설명으로 옳은 것은?

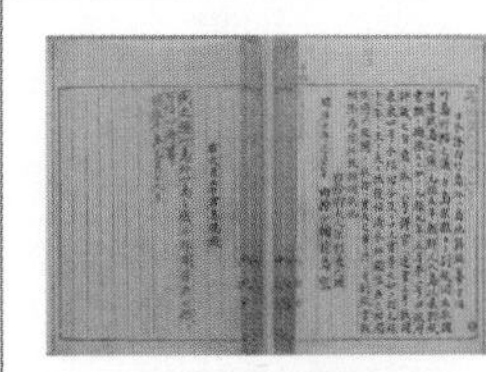
▲「태정관 지령」

> 1877년 일본의 최고 행정 기관인 태정관에서 내린 지령에서는 이 지역이 일본과는 관계없음을 명시하고 있다.

① 홍경래의 난이 발생했던 지역이다.
② 영국에 의해 불법 점령되었던 곳이다.
③ 병인양요와 신미양요가 일어났던 지역이다.
④ 대한 제국 시기 이범윤이 파견되어 관할하였다.
⑤ 러일 전쟁 중 일본이 불법으로 자국 영토에 편입하였다.

Tip

일본은 ❶ ______ 때 ❷ ______를 불법으로 자국의 영토로 편입하였다.

답 ❶ 러일 전쟁 ❷ 독도

5 다음 법령에 따라 추진된 사업에 대한 설명으로 옳은 것만을 | 보기 |에서 고른 것은?

> **제2조** 교환을 위해 제출한 구 백동화는 모두 화폐 감정역이 감정하도록 한다. 화폐 감정역은 탁지부 대신이 임명한다.
> **제3조** 구 백동화의 품질, 무게, 인상(印象), 모양이 소재 가치와 액면가가 일치하는 화폐[正貨]로 인정받을 만한 것은 한 개당 금(金) 2전 5리의 비율로 새로운 화폐로 교환한다.

보기
ㄱ. 일본인 재정 고문이 주도하였다.
ㄴ. 황국 중앙 총상회 결성의 배경이 되었다.
ㄷ. 일본 제일 은행권을 법정 화폐로 삼았다.
ㄹ. 동양 척식 주식회사가 사업을 담당하였다.

① ㄱ, ㄴ ② ㄱ, ㄷ ③ ㄴ, ㄷ ④ ㄴ, ㄹ ⑤ ㄷ, ㄹ

Tip
일본인 재정 고문인 ❶ ______ 는 백동화 등을 일본 제일 은행권으로 교환하도록 하는 ❷ ______ 을 추진하였다.

답 ❶ 메가타 ❷ 화폐 정리 사업

6 밑줄 친 '조약'에 대한 설명으로 옳은 것은?

> 함경도의 배상금 문제로 말한다면, 지난 기축년에 함경도에 기근이 들었는데 황두(黃豆) 소출 상황이 더욱 심각하여 외서(外署)에 문의하였습니다. 그러자 외서에서는 원산항 감리에게 공문을 보내 10월 초부터 기한을 정하고 조약대로 방출을 금지토록 하였습니다. …… 일본 공사관에 공문서를 보내고는 배상금 지급을 몰래 수락하였습니다.

① 갑신정변의 결과 체결되었다.
② 일본군의 주둔을 허용하였다.
③ 일본에 최혜국 대우를 인정하였다.
④ 청 상인의 내지 통상을 허용하였다.
⑤ 부산 외 2개 항구의 개항을 명시하였다.

Tip
조일 통상 장정은 일본에 ❶ ______ 부과와 최혜국 대우 인정을 포함하였고, 양곡 유출의 제한 규정을 두어 ❷ ______ 을 내릴 수 있는 근거가 되었다.

답 ❶ 관세 ❷ 방곡령

7 다음 대화가 이루어진 당시 볼 수 있는 모습으로 적절하지 않은 것은?

①『황성신문』을 읽고 있는 유생
② 궁궐에서 온 전화를 받는 관리
③ 이화 학당에 공부하러 가는 학생
④ 광제원에 치료를 받으러 가는 환자
⑤ 소식을 쓴 편지를 우편으로 보내는 시민

Tip
우리나라 최초의 근대적 철도는 ❶ ______ 년에 개통된 ❷ ______ 이다.

답 ❶ 1899 ❷ 경인선

8 (가) 신문에 대한 설명으로 옳은 것은?

> 지금은 지역이 점차 열리고 지혜도 날로 발전하여 증기선이 전 세계를 누비고 전선이 서양까지 연결되며, …… 각종 기계와 물건에 있어서도 그 기교가 1만 가지이니, 세상의 일에 마음을 둔 사람이라면 몰라서는 안 될 것이다. 그러므로 우리 조정에서도 박문국을 설치하고 관리를 두어 외국의 신문을 폭넓게 번역하고 아울러 국내의 일까지 기재하여 나라 안에 알리는 동시에 다른 나라에까지 공포하기로 하고, (가) 을/를 발행해 견문을 넓히고, 여러 가지 의문점을 풀어 주고, 상업에도 도움을 주고자 하였다.
> – 1883. 10. 31. –

① 국채 보상 운동을 지원하였다.
② 우리나라 최초의 근대적 신문이다.
③ 최초의 순 한글 신문으로 발행되었다.
④ 양기탁 및 베델이 발행을 주도하였다.
⑤ 장지연의 시일야방성대곡을 게재하였다.

Tip
우리나라 최초의 근대적 신문은 박문국에서 발행된 ❶ ______ 이고, 최초의 순 한글 신문은 서재필 등이 정부의 지원을 받아 창간한 ❷ ______ 이다.

답 ❶『한성순보』 ❷『독립신문』

WEEK 2

누구나 합격 전략

양요의 발발

1 (가) 사건에 대한 설명으로 옳은 것은?

① 강화도 조약 체결에 영향을 주었다.
② 프랑스군이 강화도를 침입한 사건이다.
③ 제너럴셔먼호 사건을 빌미로 시작되었다.
④ 외규장각 도서가 약탈되는 계기가 되었다.
⑤ 남연군의 묘 도굴 미수 사건이 배경이 되었다.

조선의 문호 개방

2 다음 조약에 대한 설명으로 옳은 것만을 보기 에서 고른 것은?

> **제1관** 조선은 자주국이며 일본과 평등한 권리를 가진다.
> **제4관** 조선은 부산 이외에 제5관에 기재하는 2개 항구를 개항하고 일본인이 왕래 통상함을 허가한다.
> **제7관** 조선국 연해를 일본국의 항해자가 자유롭게 측량하도록 허가한다.

보기
ㄱ. 최혜국 대우 규정을 포함하였다.
ㄴ. 척화비의 건립에 영향을 주었다.
ㄷ. 운요호 사건을 계기로 체결되었다.
ㄹ. 일본에 영사 재판권을 허용하였다.

① ㄱ, ㄴ ② ㄱ, ㄷ ③ ㄴ, ㄷ
④ ㄴ, ㄹ ⑤ ㄷ, ㄹ

조선의 근대 개혁 운동

3 밑줄 친 '이들'에 대한 설명으로 옳은 것은?

이들은 자주적 근대 국가 건설을 위한 정치 개혁을 시도했다는 점에서 긍정적인 평가를 받고 있어.

하지만 이들은 일본의 군사적 지원에 의존했다는 비판을 받기도 해.

① 지조법의 개혁을 주장하였다.
② 정부와 관민 공동회를 개최하였다.
③ 통리기무아문 설치에 영향을 주었다.
④ 청의 양무운동을 개화 모델로 삼았다.
⑤ 김홍집, 어윤중 등이 대표적인 인물이다.

독립 협회의 활동

4 밑줄 친 '협회'에 대한 설명으로 옳은 것은?

> **제2조** 중추원 직원은 다음 직원으로 구성할 일. 의장 1인, 부의장 1인, 의관 50인, 참서관 2인, 주사 4인.
> **제3조** 의장은 대황제 폐하께옵서 칙수(勅授)하시고, 부의장은 중추원 공천에 의해 칙수하고, 의관은 반수는 정부에서 국가에 공로가 일찍이 있는 자로 회의에 추천하고 반수는 협회 중에서 27세 이상인 사람으로 정치·법률·학식에 통달한 자로 투표 선거할 일.

① 독립문을 건립하였다.
② 만세보를 발행하였다.
③ 홍범 14조를 반포하였다.
④ 교조 신원 운동을 전개하였다.
⑤ 일제의 황무지 개간권 요구를 철회시켰다.

일본의 국권 침탈

5 다음 조약에 대한 탐구 활동으로 가장 적절한 것은?

> **제2조** 일본국 정부는 한국과 타국 간에 현존하는 조약의 실행을 완수하는 임무를 담당하고, 한국 정부는 지금부터 일본국 정부의 중개를 거치지 않고서는 국제적 성질을 가진 어떤 조약이나 약속을 맺지 않을 것을 서로 약속한다.
>
> **제3조** 일본국 정부는 그 대표자로 한국 황제 폐하 밑에 1명의 통감을 두되, 통감은 오로지 외교에 관한 사항을 관리하기 위하여 경성에 주재하고, 친히 한국 황제 폐하를 만날 수 있는 권리를 가진다.

① 방곡령이 내려진 배경을 알아본다.
② 서울 진공 작전의 결과를 정리한다.
③ 아관 파천이 일어난 원인을 파악한다.
④ 헤이그 특사가 파견된 이유를 찾아본다.
⑤ 공주 우금치 전투의 전개 과정을 조사한다.

항일 의병 운동

6 밑줄 친 '의병'에 대한 설명으로 옳은 것은?

> 저 국적(國賊)들의 머리부터 발끝까지의 머리카락이 누구로부터 나온 것인가. 원통함을 어찌할까. 국모(國母)의 원수를 생각하며 이미 이를 갈았는데, 참혹함이 더욱 심해져 임금께서 머리를 깎이시고 의관을 찢기는 지경에 이른 데다가 또 이런 망극한 화를 당하였으니, …… 이에 감히 먼저 <u>의병</u>을 일으키고서 마침내 사람들에게 이를 포고하노라.

① 13도 창의군을 결성하였다.
② 고종의 강제 퇴위를 배경으로 하였다.
③ 해산 군인 등 다양한 계층이 참여하였다.
④ 신돌석 등 평민 의병장이 처음으로 등장하였다.
⑤ 국왕의 해산 권고 조칙으로 대부분 해산하였다.

일본의 경제 침탈

7 (가) 정책에 대한 설명으로 옳은 것은?

> 조선에 들어와 있던 일본 제일 은행은 1905년부터 제일 은행권을 주요 통화로 삼기 위해 노력하였다. 그 과정에서 백동화 등 기존 화폐를 제일 은행권 화폐로 바꾸도록 하는 (가) 이/가 추진되었다.

▲ 일본 제일 은행권 화폐

① 일본인 재정 고문이 주도하였다.
② 거류지 무역의 활성화를 가져왔다.
③ 보안회의 활동으로 인해 철회되었다.
④ 조일 통상 장정이 체결되는 계기가 되었다.
⑤ 황국 중앙 총상회가 조직되는 배경이 되었다.

언론 기관의 발달

8 교사의 질문에 대한 학생의 답변으로 옳은 것은?

① 천도교의 기관지였어요.
② 박문국에서 발행하였어요.
③ 서재필 등이 창간하였어요.
④ 최초의 순 한글 신문이었어요.
⑤ 국채 보상 운동을 지원하였어요.

창의·융합·코딩 전략

흥선 대원군의 정책

01 (가) 인물이 추진한 정책으로 옳은 것은?

| 이달의 역사 소설 |
- **도서명**: 운현궁의 봄
- **저자**: 김동인
- **설명**: 1933년부터 1934년까지 신문에 연재되었던 소설로, 고종의 아버지로 운현궁에서 살았던 (가) 의 일생과 당시 내외 정세를 그린 역사 소설이다.

① 장용영을 설치하였다.
② 호포제를 시행하였다.
③ 별기군을 설치하였다.
④ 균역법을 실시하였다.
⑤ 삼정이정청을 설치하였다.

Tip

고종의 아버지인 ❶ 은 군포 징수의 폐단을 시정하기 위해 ❷ 를 시행하여 양반에게도 군포를 징수하였다.

답 ❶ 흥선 대원군 ❷ 호포제

통상 수교 거부 정책과 양요의 발발

02 (가)에 들어갈 내용으로 가장 적절한 것은?

| 한국사 문답 |
Q. (가)
└→ A. 제너럴셔먼호 사건을 빌미로 일어난 전쟁이에요.
└→ A. 어재연 장군이 이끄는 부대가 광성보에서 분전했었어요.
└→ A. 전국에 척화비가 건립되는 데 영향을 주었어요.

① 신미양요는 무엇인가요?
② 영남 만인소는 왜 제기되었나요?
③ 통신사가 파견된 배경은 무엇인가요?
④ 외규장각 도서는 어떻게 약탈되었나요?
⑤ 조선에서 방곡령이 내려진 까닭은 무엇인가요?

Tip

미국 상선인 제너럴셔먼호가 평양 관민의 공격으로 침몰한 것을 구실로 미국이 침입하여 ❶ 가 일어났고, 당시 ❷ 장군이 이끄는 부대가 분전하였다.

답 ❶ 신미양요 ❷ 어재연

갑신정변의 전개

03 (가) 사건에 대한 설명으로 옳은 것만을 | 보기 |에서 고른 것은?

오늘의 마지막 답사 장소인 우정총국은 본래 1880년대 중반에 우편 업무를 시작하였으나 (가) (으)로 인해 폐지되었다가 약 10년 뒤 전우총국으로 이어졌습니다.

| 보기 |
ㄱ. 급진 개화파가 주도하였다.
ㄴ. 13도 창의군을 결성하였다.
ㄷ. 일본의 군사 지원을 받았다.
ㄹ. 제물포 조약 체결의 원인이 되었다.

① ㄱ, ㄴ ② ㄱ, ㄷ ③ ㄴ, ㄷ
④ ㄴ, ㄹ ⑤ ㄷ, ㄹ

Tip

급진 개화파는 우정총국 개국 축하연을 계기로 하여 ❶ 을 일으켰으나 청군에 진압되었다. 이 사건은 조선이 일본과 ❷ 을 체결하는 결과를 가져왔다.

답 ❶ 갑신정변 ❷ 한성 조약

독립 협회의 활동

04 (가) 단체에 대한 설명으로 옳은 것은?

[다큐멘터리 제작 기획안]
- **제목:** 근대적 정치·사회 단체, (가)
- **기획 의도:** 자주 국권, 자유 민권, 자강 개혁을 추구한 (가) 의 활동을 재조명한다.
- **주요 내용**

#1. 독립문을 건립하다.
#2. 만민 공동회를 개최하다.
#3. 중추원 관제 개편을 추진하다.

① 대한 자강회를 계승하였다.
② 의회 설립 운동을 주도하였다.
③ 일진회의 반민족 행위를 규탄하였다.
④ 삼원보에 독립운동 기지를 건설하였다.
⑤ 한글날의 시초가 된 가갸날을 제정하였다.

Tip
독립 협회는 ❶ ( ) 을 개최하여 자유 민권 운동과 내정 개혁 운동을 전개하였고 ❷ ( ) 설립을 추진하였다.

답 ❶ 만민 공동회 ❷ 의회

독도

05 (가)에 대한 설명으로 옳은 것은?

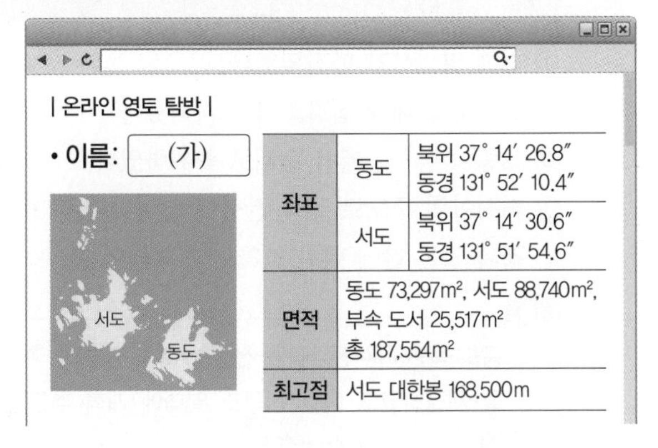
| 온라인 영토 탐방 |
• 이름: (가)

좌표	동도	북위 37° 14′ 26.8″ 동경 131° 52′ 10.4″
	서도	북위 37° 14′ 30.6″ 동경 131° 51′ 54.6″
면적	동도 73,297m², 서도 88,740m², 부속 도서 25,517m² 총 187,554m²	
최고점	서도 대한봉 168.500m	

① 일본이 청의 영토로 인정한 곳이다.
② 영국이 러시아 견제를 위해 점령한 곳이다.
③ 태정관이 일본과 관련이 없음을 인정한 곳이다.
④ 일본의 운요호가 포격을 가하며 공격했던 곳이다.
⑤ 대한 제국에서 이범윤을 파견하여 관할한 곳이다.

Tip
독도는 메이지 정부의 최고 행정 기관인 ❶ ( ) 도 지령에서 ❷ ( ) 과 관계없음을 인정한 곳이다.

답 ❶ 태정관 ❷ 일본

국채 보상 운동

06 (가) 운동에 대한 설명으로 옳은 것은?

일본의 경제적 침략에 맞서 나랏빚을 갚아 국민의 책임을 다하려 한 (가) 의 주요 문적 200여 종과 수기, 언론, 정부 기록물 등 2,475건이 유네스코 세계 기록 유산에 등재되었다.

① 아관 파천으로 인해 중단되었다.
② 일본인 재정 고문이 주도하였다.
③ 중국의 5·4 운동에 영향을 주었다.
④ 대구에서 시작되어 전국으로 확산되었다.
⑤ 경복궁 중건 비용 마련을 위해 추진되었다.

Tip
1907년에 전개된 ❶ ( ) 은 국채를 갚아 국권을 회복하자는 것으로 ❷ ( ) 등 언론의 지원을 받아 전국으로 확산되었다.

답 ❶ 국채 보상 운동 ❷ 「대한매일신보」

근대 시설의 도입

07 (가)에 들어갈 내용으로 가장 적절한 것은?

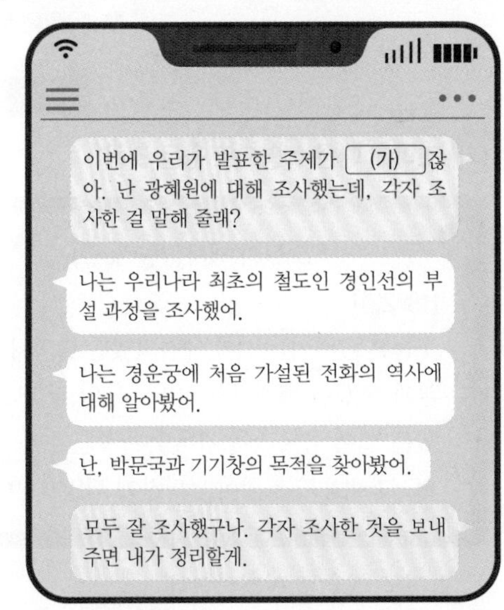

① 근대 시설의 도입 ② 언론 기관의 발달
③ 근대적 교육 기관 ④ 일제의 국권 침탈
⑤ 경제적 구국 운동

Tip
노량진과 제물포를 연결한 최초의 철도인 ❶ ( ), 최초의 서양식 병원인 광혜원, 근대적 신문 발행을 담당하던 ❷ ( ) 등은 근대 시설 도입의 대표적인 사례이다.

답 ❶ 경인선 ❷ 박문국

병인양요의 배경

08 (가) 사건의 발생 배경으로 옳은 것은?

| 사이버 역사 답사관 |

- **장소명**: 강화도 외규장각
- **소개**: 외규장각은 왕실 관련 서적을 보관할 목적으로 강화도 설치한 기구이다. 그러나 (가) 당시 프랑스군에 의해 이곳의 의궤를 포함한 여러 서적이 약탈되고 수천 권이 불에 타 소실되는 사건이 일어나기도 하였다.

① 병인박해가 일어났다.
② 수신사가 파견되었다.
③ 조선책략이 유포되었다.
④ 강화도 조약이 체결되었다.
⑤ 제너럴셔먼호 사건이 일어났다.

Tip
프랑스군이 강화도를 침입하면서 일어난 ❶ [ ]는 프랑스 선교사와 천주교 신자를 탄압한 ❷ [ ]를 빌미로 하여 발생하였다.

답 ❶ 병인양요 ❷ 병인박해

제물포 조약의 특징

09 (가) 조약에 대한 설명으로 옳은 것은?

오늘의 역사(8월 30일)

[1882년]
오늘은 (가) 이 체결되었던 날입니다. 일본과 조선이 체결한 (가) 의 결과 조선에 있는 일본 공사관에 경비병이 주둔하게 되었으며, 그 비용도 조선이 담당하게 되었습니다.

① 최혜국 대우를 인정하였다.
② 갑신정변의 영향을 받았다.
③ 임오군란의 결과 체결되었다.
④ 척화비의 건립에 영향을 주었다.
⑤ 운요호 사건을 계기로 맺어졌다.

Tip
구식 군인에 대한 차별 대우를 배경으로 일어난 ❶ [ ]의 결과 조선은 일본과 ❷ [ ]을 체결하였다.

답 ❶ 임오군란 ❷ 제물포 조약

동학 농민 운동의 전개

10 (가)의 전개 과정 중에 있었던 사실로 옳은 것은?

① 청에 영선사가 파견되었다.
② 전라도 일대에 집강소가 설치되었다.
③ 고종이 환구단에서 황제로 즉위하였다.
④ 러시아의 주도로 삼국 간섭이 일어났다.
⑤ 청과 일본 간에 톈진 조약이 체결되었다.

Tip
동학 농민군은 전주성을 점령한 이후 정부와 ❶ [ ]을 체결하였고 이후 전라도 일대에 개혁 추진을 위해 ❷ [ ]를 설치하였다.

답 ❶ 전주 화약 ❷ 집강소

일본의 국권 침탈

11 밑줄 친 '조약'의 내용으로 옳은 것은?

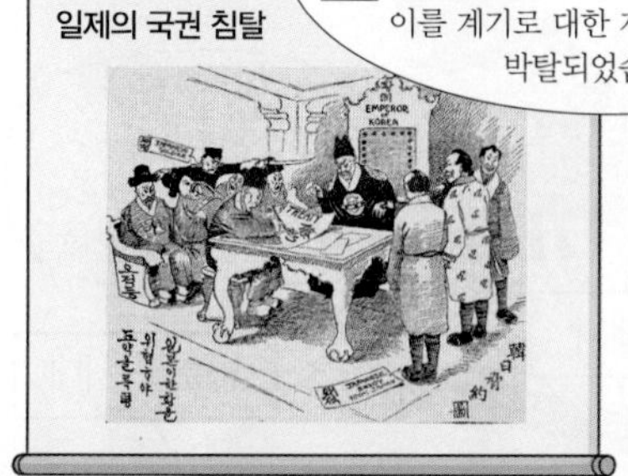

① 대한 제국의 군대를 해산한다.
② 정부 각 부에 일본인 차관을 배치한다.
③ 외교권 관할을 위한 통감부를 설치한다.
④ 외교와 재정 분야에 외국인 고문을 채용한다.
⑤ 전쟁에 필요한 요충지를 사용할 수 있게 한다.

Tip

1905년 10월 일본은 ❶ ______의 체결을 강요하여 대한 제국의 외교권을 박탈하였다. 그리고 외교권 관할을 위한 기구로 ❷ ______를 설치하였다.

답 ❶ 을사늑약(제2차 한일 협약) ❷ 통감부

신민회의 활동

12 (가) 단체에 대한 설명으로 옳은 것은?

| 한국사를 빛낸 위인 |

▲ 안창호

대표적 독립 운동가인 안창호는 독립 협회에 가입하여 이상재 등과 만민 공동회를 개최하였고, 미국으로 건너가 대한인 공립 협회를 설립하였다. 그는 을사늑약이 체결되자 귀국하여 1907년 양기탁과 함께 비밀 결사인 (가) 을/를 결성하는 한편, 그 일환으로 평양에 대성 학교를 설립하였다.

① 독립문과 독립관 건립을 주도하였다.
② 입헌 정치 체제의 수립을 지향하였다.
③ 태극 서관과 자기 회사를 운영하였다.
④ 고종 강제 퇴위 반대 운동을 전개하였다.
⑤ 일본의 황무지 개간권 요구 반대 운동을 펼쳤다.

Tip

1907년 양기탁, 안창호 등이 비밀 결사로 조직한 ❶ ______는 ❷ ______과 자기 회사를 운영하는 등 산업 진흥에 힘썼으며, 대성 학교와 오산 학교를 설립하여 교육 진흥을 위해 노력하였다.

답 ❶ 신민회 ❷ 태극 서관

언론 기관의 발달

13 (가)에 들어갈 내용으로 가장 적절한 것은?

① 천도교의 기관지였어요.
② 박문국에서 발행하였어요.
③ 영문판으로 발행되기도 하였어요.
④ 국채 보상 운동의 확산에 기여하였어요.
⑤ 장지연의 「시일야방성대곡」을 게재하였어요.

Tip

서재필 등이 주도하여 발행한 ❶ ______은 우리나라 최초의 순 한글 신문으로 ❷ ______으로도 발행되었으며 민권 의식 향상에 많은 기여를 하였다.

답 ❶ 「독립신문」 ❷ 영문판

전편 마무리 전략

핵심 한눈에 보기

선사 시대와 고대 사회의 시대 구분

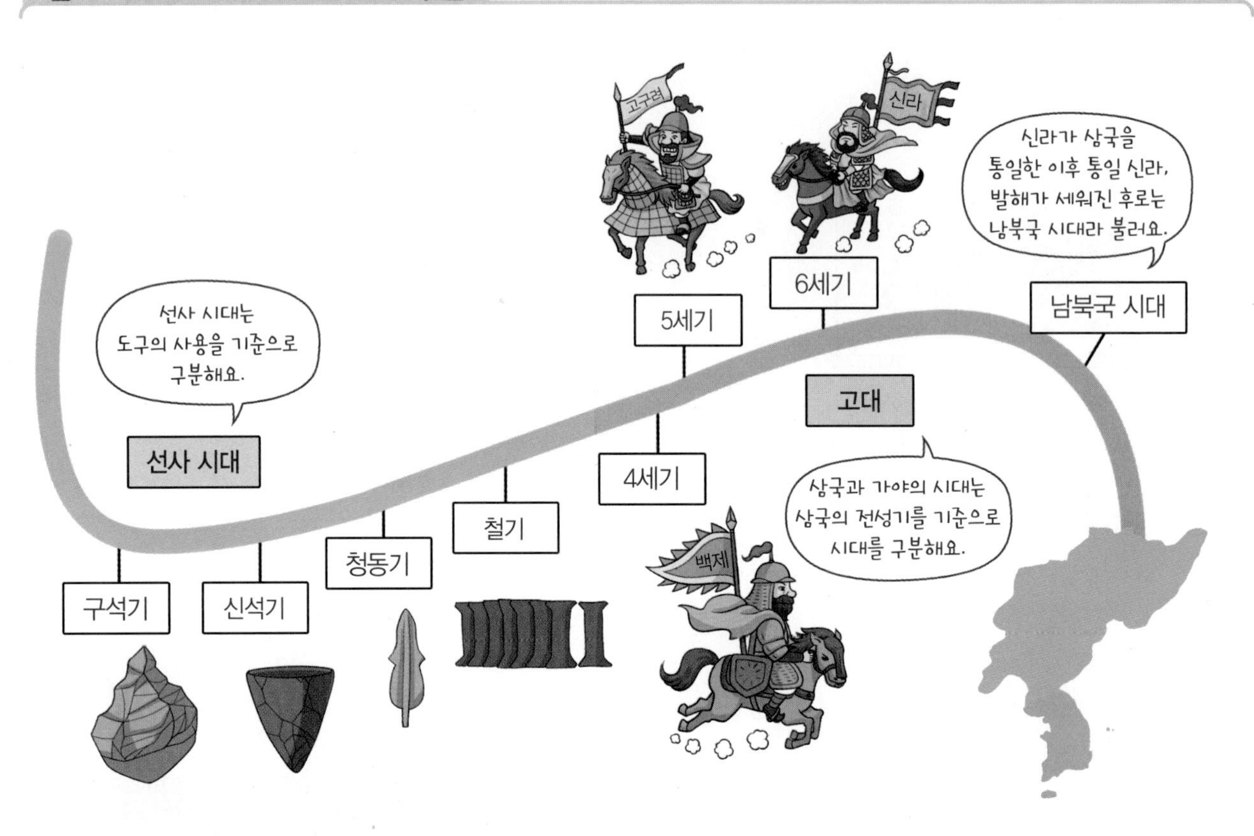

고려와 조선의 시대 구분

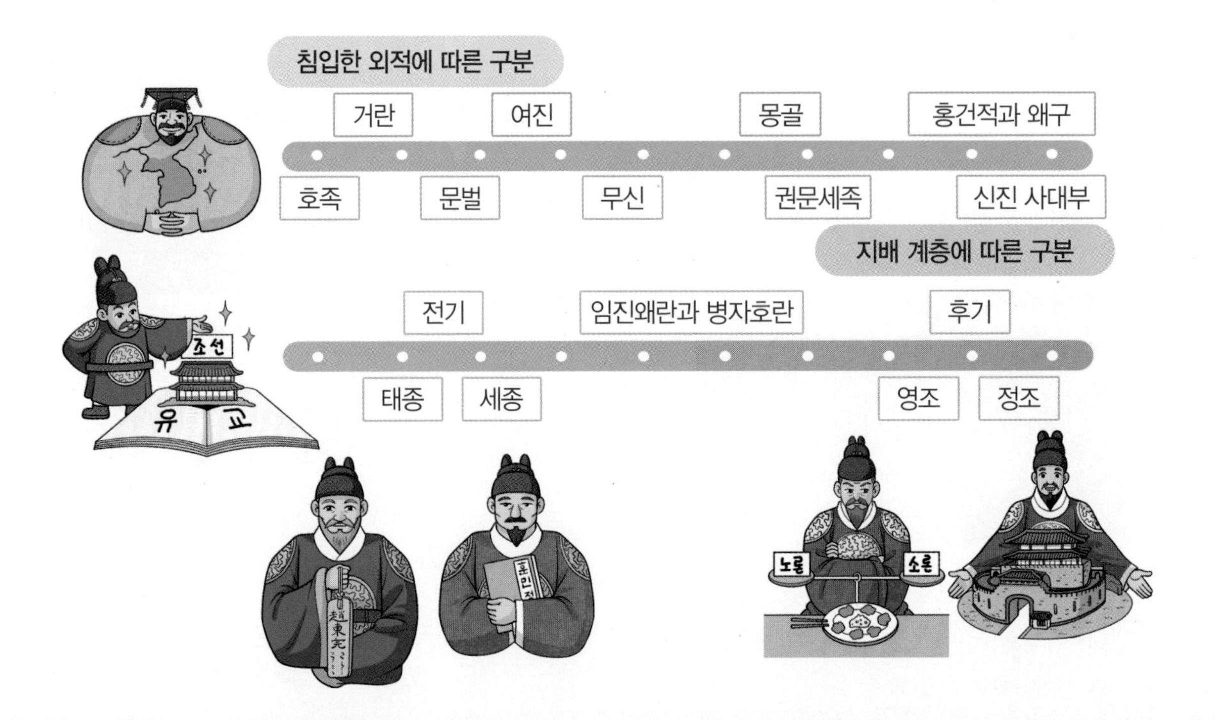

서구 열강의 접근과 조선의 대응

일제의 침략 확대와 국권 수호 운동

신유형·신경향 전략

1_ 전근대 사회의 이해

신유형 전략

01 선사 시대의 생활

(가) 시대의 생활 모습으로 옳은 것은?

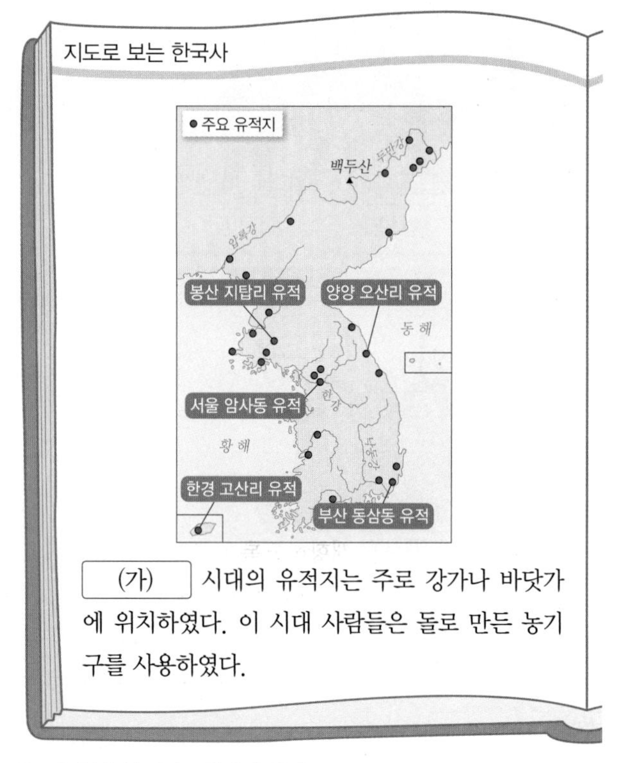

① 비파형 동검을 제작하였다.
② 식량을 찾아 이동 생활을 하였다.
③ 토기를 만들어 음식물을 저장하였다.
④ 정치적 권력을 가진 군장이 등장하였다.
⑤ 주먹도끼를 사용하여 풀과 나무뿌리를 캤다.

Tip

신석기 시대에는 주로 강가나 바닷가에 ❶ ______을 짓고 살았으며, 이 시대 사람들은 돌을 갈아 만든 간석기를 사용하였다. 또 이 시기에는 ❷ ______과 목축이 시작되어 식량을 생산하였다.

답 ❶ 움집 ❷ 농경

02 고려~조선의 대외 관계

(가)~(마)에 대한 설명으로 옳은 것은?

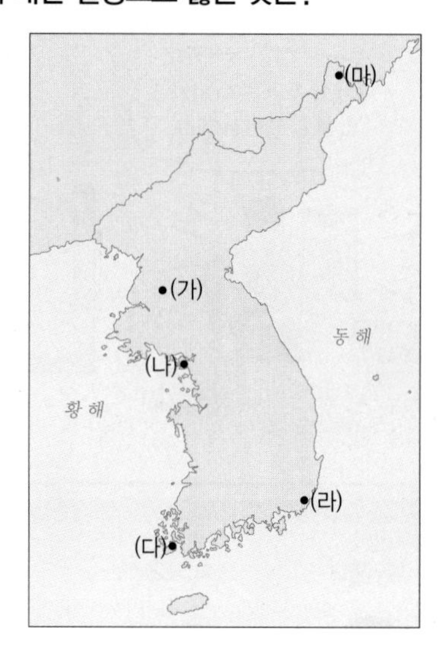

① (가)– 강감찬이 거란을 크게 무찌른 곳이다.
② (나)– 무신 정권이 몽골에 항쟁하기 위해 수도를 옮긴 곳이다.
③ (다)– 병자호란 때 인조가 마지막까지 항전한 곳이다.
④ (라)– 이순신이 이끄는 수군이 일본군을 크게 무찌른 곳이다.
⑤ (마)– 망이, 망소이가 지역민을 이끌고 봉기한 곳이다.

Tip

(가)는 고구려 장수왕이 수도를 옮긴 ❶ ______이다. (나)는 병인양요와 신미양요가 일어났던 강화도이다. (다)는 삼별초가 대몽 항쟁을 이어나갔던 진도이며, (라)는 일본과 제한적으로 교역이 허용되었던 3포 중 부산포가 설치된 곳이다. (마)는 조선 세종 때 여진을 정벌하고 새롭게 개척된 ❷ ______ 중 한 곳이다.

답 ❶ 평양 ❷ 4군 6진

2_ 근대 국민 국가 수립 운동

03 통상 수교 거부 정책과 양요의 발발

(가) 사건에 대한 탐구 활동으로 적절한 것만을 | 보기 |에서 고른 것은?

| 보기 |
ㄱ. 양헌수 부대의 활약 내용을 조사한다.
ㄴ. 제너럴셔먼호의 운항 경로를 찾아본다.
ㄷ. 외규장각 도서가 약탈된 배경을 알아본다.
ㄹ. 어재연 장군의 수자기가 반환된 과정을 조사한다.

① ㄱ, ㄴ ② ㄱ, ㄷ ③ ㄴ, ㄷ
④ ㄴ, ㄹ ⑤ ㄷ, ㄹ

Tip

프랑스는 흥선 대원군이 천주교 신자와 프랑스 선교사를 처형한 ❶ ______ 를 구실로 조선을 침략하였다. 이 당시 정족산성에서는 ❷ ______ 부대가 프랑스군에 맞서 승리를 거두었다.

답 ❶ 병인박해 ❷ 양헌수

04 일제의 국권 침탈

밑줄 친 '이 조약'에 대한 설명으로 옳은 것은?

① 대한 제국의 외교권을 박탈하였다.
② 부산 외에 2개 항구를 개항하도록 하였다.
③ 대한 제국의 군대를 강제 해산하도록 하였다.
④ 외교, 재정 분야에 외국인 고문을 두게 하였다.
⑤ 러일 전쟁에 필요한 요충지를 일본이 사용하게 하였다.

Tip

1905년 일본은 군대를 동원하여 황제와 대신들을 위협하고 ❶ ______ 의 체결을 강요하였다. 그리고 대한 제국의 ❷ ______ 을 박탈하고 통감부를 설치하여 내정 전반을 간섭하였다.

답 ❶ 을사늑약(제2차 한일 협약) ❷ 외교권

1_ 전근대 사회의 이해

신경향 전략

05 신라의 삼국 통일

다음 상황이 전개된 시기를 연표에서 옳게 고른 것은?

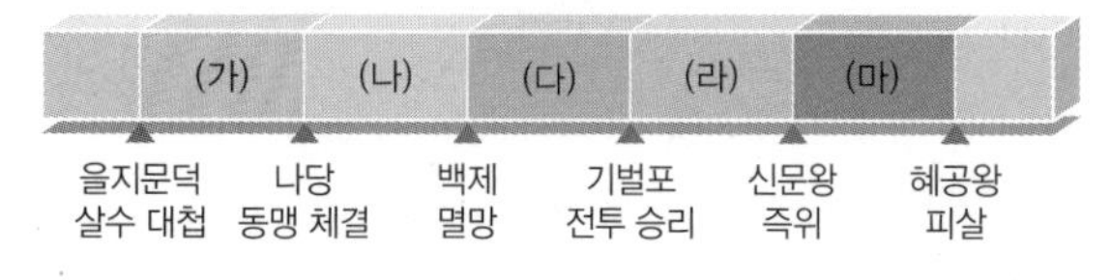

① (가) ② (나) ③ (다) ④ (라) ⑤ (마)

Tip

지도에 표시된 상황은 신라의 삼국 통일 과정 중 전개된 ❶ ____ 이다. 신라는 당과 동맹을 맺어 백제와 고구려를 멸망시켰다. 이후 당이 신라를 포함한 한반도 전체를 장악하려고 하자 ❷ ____ 과 기벌포에서 당을 물리치고 삼국 통일을 완성하였다.

답 ❶ 백제 부흥 운동 ❷ 매소성

06 원 간섭기

(가)에 들어갈 말로 가장 적절한 것은?

① 장보고가 청해진에서 활약하는 모습이요.
② 서희가 거란을 상대로 담판하는 모습이요.
③ 묘청이 서경에서 반란을 일으키는 모습이요.
④ 다루가치가 공물을 강제로 징발하는 모습이요.
⑤ 이성계가 위화도에서 군사를 되돌리는 모습이요.

Tip

(가)에 들어갈 내용은 원 간섭기 고려에서 볼 수 있는 모습이다. 이 시기 고려의 왕은 원의 ❶ ____ 와 결혼하였으며, 고려 왕실에서 사용하던 용어와 관제가 모두 제후국의 것으로 격하되었다. 또한 원은 일본 원정을 위해 설치하였던 ❷ ____ 을 통해 고려의 내정을 간섭하였다.

답 ❶ 공주 ❷ 정동행성

2_ 근대 국민 국가 수립 운동

07 통상 수교 거부 정책

(가) 국가에 대한 설명으로 옳은 것만을 보기 에서 고른 것은?

> (가) 사람들이 배 한 척을 이끌고 밀물을 타 대동강으로 들어왔지만, 썰물이 되어 움직이지 못하였다. 평안 감사 박규수가 상금을 걸고 그들을 붙잡을 수 있는 자를 구하자, 한 장교가 나섰다. 그는 조그만 고깃배를 모아 불을 지르고 일제히 활을 당기게 하였다.

보기
ㄱ. 청의 알선으로 조선과 수교하였다.
ㄴ. 일본과 가쓰라·태프트 밀약을 맺었다.
ㄷ. 러시아의 남하에 맞서 거문도를 점령하였다.
ㄹ. 조선을 침략하고 외규장각의 도서를 약탈하였다.

① ㄱ, ㄴ　② ㄱ, ㄷ　③ ㄴ, ㄷ
④ ㄴ, ㄹ　⑤ ㄷ, ㄹ

Tip

제너럴셔먼호 사건을 구실로 ❶ 은 조선을 침략하여 신미양요를 일으켰으나 이후 조선과 수호 통상 조약을 맺었다. 러일 전쟁 과정에서는 일본과 ❷ 을 맺어 일본의 한반도 지배를 인정하였다.

답 ❶ 미국 ❷ 가쓰라·태프트 밀약

08 경제적 구국 운동

(가) 운동에 대한 설명으로 옳은 것은?

① 독립문 건립에 영향을 주었다.
② 순종의 서거를 계기로 일어났다.
③ 삼정이정청이 설치되는 계기가 되었다.
④ 구식 군인에 대한 차별 대우가 배경이었다.
⑤ 대한매일신보 등 언론 기관의 지원을 받았다.

Tip

나랏빚을 갚아 국권을 회복하자는 ❶ 은 1907년 ❷ 에서 시작되어 전국으로 확산되었다. 곳곳에서 담배를 끊어 성금을 내자는 주장이 일어났고, 부녀자들은 비녀와 가락지를 팔아 성금을 냈다.

답 ❶ 국채 보상 운동 ❷ 대구

1·2등급 확보 전략 1회

빈출도 ● > ● > ●

1_ 전근대 한국사의 이해

01 다음 유물을 통해 알 수 있는 사실로 옳은 것은?

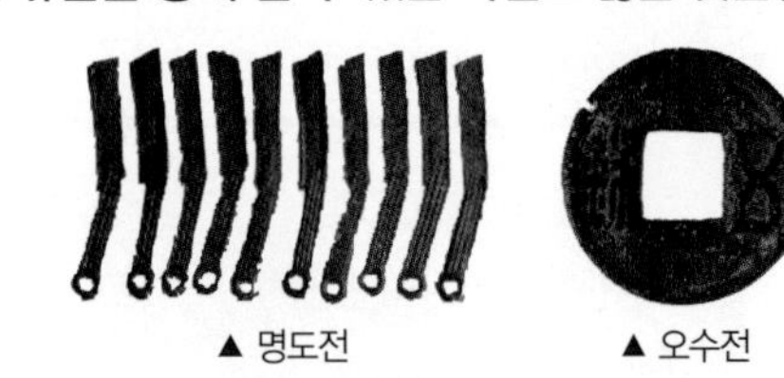
▲ 명도전 ▲ 오수전

① 빈부 격차가 발생하였다.
② 원시 신앙이 등장하였다.
③ 농경과 목축이 시작되었다.
④ 간빙기에 기온이 상승하였다.
⑤ 중국과 활발한 교류가 있었다.

02 (가) 국가에 대한 설명으로 옳은 것만을 〈보기〉에서 고른 것은?

보기
ㄱ. 12월에 제천 행사로 영고가 있었다.
ㄴ. 혼인 풍습으로 민며느리제가 있었다.
ㄷ. 제가가 별도로 다스리는 사출도가 있었다.
ㄹ. 제사장인 천군이 종교 의식을 주관하였다.

① ㄱ, ㄴ ② ㄱ, ㄷ ③ ㄴ, ㄷ
④ ㄴ, ㄹ ⑤ ㄷ, ㄹ

1등급 킬러

03 (가), (나) 시기 사이에 있었던 사실로 가장 적절한 것은?

(가) 수 양제가 부하 장수들에게 요동성을 우회하여 압록강으로 진격하게 하였다. …… 군사가 반쯤 살수를 건너려 할 때 아군이 뒤에서 후군을 공격하자, …… 처음 30만 5천 명이였는데, 지금 요동성에 돌아올 때에는 오직 2천 7백 명이였다.
(나) 당의 이근행이 군사 20만 명을 거느리고 매소성에 주둔하였다. 우리 군사가 이를 쳐서 쫓아 버리고 군마 3만여 필과 병장기를 노획하였다.

① 대조영이 발해를 건국하였다.
② 성왕이 사비로 수도를 옮겼다.
③ 김춘추가 나당 동맹을 체결하였다.
④ 장수왕이 중국 남북조와 교류하였다.
⑤ 내물왕이 마립간 칭호를 사용하였다.

04 밑줄 친 '이 국가'의 문화에 대한 설명으로 옳은 것은?

• **명칭:** 익산 미륵사지 석탑
• **소재:** 전라북도 익산시
7세기 이 국가의 무왕 대에 건립되었다. 한반도에서 현존하는 가장 오래되고 규모가 큰 석탑으로 목탑의 구조를 석탑으로 구현한 것이 특징이다.

① 수도에 태학을 세워 유교 경전과 역사서를 가르쳤다.
② 참선 수행을 통해 깨달음을 얻으려는 선종이 확산하였다.
③ 국학 학생들을 대상으로 독서삼품과를 실시하여 관리 선발에 활용하였다.
④ 산세나 지형적 요인이 인간의 길흉화복에 영향을 끼친다는 풍수지리설이 유행하였다.
⑤ 자연 속에서 살고 싶은 마음이나 신선들이 사는 이상 세계를 표현한 산수무늬 벽돌이 만들어졌다.

05 (가) 인물에 대한 설명으로 옳은 것은?

이 전역이 낭(郎), 불(佛) 양가 대 유가(儒家)의 싸움이며, …… 진취 사상 대 보수 사상의 싸움이니, 묘청은 곧 전자의 대표요, (가) 은/는 후자의 대표였던 것이다. …… (가) 이/가 패하고 묘청이 승리하였더라면 조선사가 독립적, 진취적 방면으로 진전하였을 것이니, 이 전역을 어찌 '일천년래 제일대사건'이라 하지 아니하랴. - 신채호, 『조선사 연구초』 -

① 천리장성을 축조하였다.
② 삼국사기를 편찬하였다.
③ 귀주에서 거란을 물리쳤다.
④ 별무반을 이끌고 여진을 정벌하였다.
⑤ 외교 담판으로 강동 6주를 획득하였다.

⁂ 1등급 킬러

06 다음 상황이 일어난 시기에 있었던 사실로 옳은 것은?

사노비 만적 등 6인이 북산에서 나무하다가 노비들을 불러 모의하였다. "무신의 난 이래로 공경대부가 천한 노예들 가운데서 많이 나왔다. 장수와 재상의 씨가 따로 있는 것이 아니다. 때가 오면 누구나 할 수 있는 것이다." -『고려사』-

① 신돈이 등용되었다.
② 과거제가 시작되었다.
③ 권문세족이 등장하였다.
④ 문벌이 고위 관직을 독점하였다.
⑤ 교정도감에서 국가의 주요 정책을 결정하였다.

07 다음 주장과 관련이 깊은 정치 세력에 대한 설명으로 옳은 것만을 보기 에서 고른 것은?

- 소격서는 상단에 노자를, 중단에 성신을, 하단에 염라를 제사드리며, 심지어 축문을 읽을 때에는 소격서에서 일하던 관리들이 임금의 이름을 큰 소리로 외치니, 무례하고 방자하기가 심합니다. 혁파하는 것이 마땅합니다.
- 지방에서는 감사와 수령이, 서울에서는 홍문관과 대간이 등용할 만한 사람을 천거하여, 대궐에 모아 놓고 친히 대책으로 시험한다면 인물을 많이 얻을 수 있을 것입니다. …… (이는) 현량과의 뜻을 이은 것입니다.

보기
ㄱ. 3사의 언관직에 주로 등용되었다.
ㄴ. 서원과 향약을 기반으로 성장하였다.
ㄷ. 양 난 이후 정계에 새롭게 진출하였다.
ㄹ. 공신 세력으로 정치적 실권을 장악하고 있었다.

① ㄱ, ㄴ ② ㄱ, ㄷ ③ ㄴ, ㄷ
④ ㄴ, ㄹ ⑤ ㄷ, ㄹ

08 임진왜란의 결과 (가), (나) 국가에 나타난 변화로 옳은 것은?

임진왜란은 조선에서 일어났으나 실제로는 조선, (가), (나) 3국의 전쟁이었다. 조선을 침략한 (나) 은/는 (가) 을/를 침공하기 위한 교통로를 빌린다는 명분으로 조선을 침략하였으며, (가) 은/는 대국으로서 조공국인 조선을 지원하고 (나) 의 침략을 막기 위한 목적으로 임진왜란에 참전하였다.

① (가)는 국력이 크게 강해졌다.
② 조선은 (가)에 통신사를 파견하였다.
③ 후금이 성장하여 (나)를 위협하였다.
④ (나)에서는 전국 시대가 전개되었다.
⑤ 조선에서 약탈한 문화를 바탕으로 (나)의 문화가 발전하였다.

2_ 근대 국민 국가 수립 운동

09 밑줄 친 '지난 해'에 있었던 사실로 옳은 것은?

> 우리는 본국의 명령을 받아 조선 국왕에게 이 편지를 보낸다. 지난 해 9월 평안도 대동강에서 본국의 선박이 불태워져 파괴되고 선원들이 몰살되었다는 소식을 듣고 경악을 금할 수 없었다. 그래서 본국의 아시아 함대 사령관이 본인에게 이 일을 직접 탐문해 보라는 명령을 내렸다. 만약 이들 선원 중 생존자가 있다면, 즉시 인도해 주기 바란다.

① 운요호가 강화도 일대를 공격하였다.
② 미군이 어재연 부대와 전투를 벌였다.
③ 프랑스군이 외규장각의 도서를 약탈하였다.
④ 흥선 대원군이 전국에 척화비를 건립하였다.
⑤ 독일 상인이 남연군 묘의 도굴을 시도하였다.

10 (가), (나) 국가에 대한 설명으로 옳은 것만을 보기 에서 고른 것은?

> 조선이라는 땅덩어리는 실로 아시아의 요충을 차지하고 있어 그 형세가 반드시 다툼을 불러올 것이다. 조선이 위태로우면 중동(中東)의 형세도 위급해진다. 따라서 (가) 이/가 강토를 공략하려 한다면 반드시 조선이 첫 번째 대상이 될 것이다. …… (가) 을/를 막을 수 있는 조선의 책략은 무엇인가? 오직 중국과 친하고 일본과 맺고 (나) 와/과 연합함으로써 자강을 도모하는 길뿐이다.
>
> – 김홍집, 『수신사 일기』 –

보기
ㄱ. (가)– 조선이 수교 이후 보빙사를 파견하였다.
ㄴ. (가)– 영국이 거문도를 불법 점령하는 데 영향을 주었다.
ㄷ. (나)– 일본과 포츠머스 조약을 체결하였다.
ㄹ. (나)– 제너럴셔먼호 사건을 구실로 조선을 침략하였다.

① ㄱ, ㄴ ② ㄱ, ㄷ ③ ㄴ, ㄷ
④ ㄴ, ㄹ ⑤ ㄷ, ㄹ

1등급 킬러

11 (가), (나) 주장이 등장한 시기 사이에 있었던 사실로 옳은 것은?

> (가) 오늘날 서양인의 침입을 당하여 국론이 화친과 전쟁으로 양분되어 있습니다. 그런데 서양인을 공격해야 한다는 주장은 내 나라 쪽 사람의 주장이고, 서양인과 화친해야 한다는 주장은 적국 쪽 사람의 주장입니다. – 이항로, 『화서집』 –
>
> (나) 미국은 우리가 본래 모르던 나라입니다. 잘 알지 못하는데 공연히 타인의 권유로 불러들였다가 그들이 재물을 요구하고 우리의 약점을 알아차려 어려운 청을 하거나 과도한 경우를 떠맡긴다면 장차 이에 어떻게 응할 것입니까.
>
> – 영남 만인소 –

① 조선이 일본과 강화도 조약을 체결하였다.
② 흥선 대원군이 프랑스 선교사를 처형하였다.
③ 별기군과의 차별 대우로 구식 군인이 봉기하였다.
④ 청의 알선으로 조미 수호 통상 조약이 체결되었다.
⑤ 삼정의 문란을 해소하기 위해 삼정이정청이 설치되었다.

12 (가), (나) 시기 사이에 있었던 사실로 옳은 것은?

> (가) 농민군은 정읍 황토현에서 관군에게 첫 승리를 거둔 후 빠른 속도로 북상하여 전라 감영이 있는 전주성을 점령하였다.
>
> (나) 농민군은 삼례에서 다시 봉기하였고, 그동안 종교 활동을 강조하며 봉기에 반대하였던 동학 지도부가 이끄는 북접도 논산에서 합류하였다.

① 을미사변이 일어났다.
② 일본군이 경복궁을 점령하였다.
③ 급진 개화파가 정변을 일으켰다.
④ 흥선 대원군이 청에 납치되었다.
⑤ 농민군이 우금치 전투에서 패배하였다.

1등급 킬러

13 다음 자료와 관련된 개혁의 주요 내용으로 옳은 것만을 | 보기 |에서 고른 것은?

1. 청에 의존하려는 마음을 버리고 자주독립하는 기초를 확고히 할 것.
4. 왕실 사무와 국정 사무를 나누어 서로 혼합하지 아니할 것.
5. 의정부와 각 아문의 직무 권한을 명확히 할 것.
7. 조세의 부과와 징수, 경비 지출은 모두 탁지아문이 관할할 것.
12. 장교를 교육하고 징병제를 실행하여 군제의 기초를 확정할 것.
14. 문벌에 구애받지 않고 사람을 쓰고, 세상에 퍼져 있는 선비를 두루 구해 인재의 등용을 넓힐 것.

| 보기 |

ㄱ. 궁내부를 설치하였다.
ㄴ. 8도를 23부로 개편하였다.
ㄷ. 건양 연호 사용을 결정하였다.
ㄹ. 한성 사범 학교 관제를 제정하였다.

① ㄱ, ㄴ ② ㄱ, ㄷ ③ ㄴ, ㄷ
④ ㄴ, ㄹ ⑤ ㄷ, ㄹ

14 밑줄 친 '이 단체'에 대한 설명으로 옳은 것은?

나는 이 단체가 언론의 자유를 인정하는 조칙을 획득했으며, 보통 선거에 의하여 입법부를 설립할 수 있는 일종의 국민 의회를 보장받는 데 실질적으로 성공했음을 보고한다. 이 단체는 정부에 의원의 반수(半數)를 그들이 지명하는 사람들로 구성하는 중추원 개편을 요구했으며, 앞으로 중추원의 활동을 정하는 규칙을 작성하는 일을 주도할 것으로 전망된다. – 주한 미국 공사관 보고 –

① 헌정 연구회를 계승하였다.
② 신흥 강습소를 설립하였다.
③ 공화 정체의 국가 건설을 주장하였다.
④ 황국 협회 등에 의해 강제로 해산되었다.
⑤ 안창호, 양기탁 등이 주도한 비밀 결사였다.

15 다음 문서가 발표된 배경으로 옳은 것은?

오호라 작년 10월에 저들이 한 행위는 만고에 일찍이 없던 일로서, 억압으로 한 조각의 종이에 조인하여 5백 년 전해 오던 종묘사직이 드디어 하룻밤에 망하였으니 …… 나라가 이와 같이 망해 갈진대 어찌 한번 싸우지 않을 수 있는가.

① 명성 황후가 시해되었다.
② 고종이 강제로 퇴위당하였다.
③ 을사늑약이 강제 체결되었다.
④ 대한 제국의 군대가 해산되었다.
⑤ 정부에 일본인 차관이 배치되었다.

16 (가) 단체에 대한 설명으로 옳은 것은?

이 단체의 이름은 무엇인가요?

힌트 1. 안창호, 양기탁 등이 주도하여 결성한 비밀 결사였다.
힌트 2. 국권 회복과 함께 공화 정체의 근대 국가 건설을 목표로 하였다.
힌트 3. 일제가 날조한 105인 사건으로 와해되었다.

정답: (가)

① 대한 자강회를 계승하였다.
② 고종의 강제 퇴위 반대 운동을 전개하였다.
③ 남만주 삼원보에 독립운동 기지를 건설하였다.
④ 일본의 황무지 개간권 요구 반대 운동을 펼쳤다.
⑤ 만민 공동회를 개최하여 러시아의 이권 침탈을 규탄하였다.

1·2등급 확보 전략 2회

빈출도 ● > ● > ●

1_ 전근대 한국사의 이해

01 다음과 같은 법을 만든 나라에 대한 설명으로 옳은 것은?

> 백성에게 금하는 법 8조가 있다. 사람을 죽인 자는 즉시 죽이고, 남에게 상처를 입힌 자는 곡식으로 갚는다. 도둑질한 자는 노비로 삼는다. 이를 용서받고자 하는 자는 한 사람마다 50만 전을 내야 한다. -「한서」-

① 정치와 종교가 분리된 사회였다.
② 한 무제의 침략으로 멸망하였다.
③ 왕 아래에 가축의 이름을 딴 부족장이 있었다.
④ 부여에서 남쪽으로 내려온 세력이 건국하였다.
⑤ 제가 회의에서 국가의 중요한 일을 결정하였다.

02 밑줄 친 '왕'의 업적으로 옳은 것은?

⁂ 1등급 킬러

> 왕이 태자와 함께 정예군 3만을 이끌고 고구려에 침입하여 평양성을 공격하였다. (고구려) 왕 사유가 필사적으로 항전하다가 화살에 맞아 죽었다. 왕이 군사를 이끌고 물러났다. -「삼국사기」,「백제 본기」-

① 22담로에 왕족을 파견하였다.
② 김씨 왕위 세습을 확립하였다.
③ 화랑도를 국가적 조직으로 개편하였다.
④ 마한을 정복하여 남해안까지 진출하였다.
⑤ 평양으로 천도하고 남진 정책을 추진하였다.

03 (가)에 들어갈 내용으로 적절한 것은?

① 평양으로 수도를 옮겼습니다.
② 6조 직계제를 시행하였습니다.
③ 사심관 제도를 실시하였습니다.
④ 전민변정도감을 설치하였습니다.
⑤ 9주 5소경 제도를 마련하였습니다.

04 (가) 국가에 대한 설명으로 옳은 것은?

① 이성계가 건국하였다.
② 전시과 제도가 시행되었다.
③ 고구려 계승 의식을 내세웠다.
④ 나당 연합군의 침략으로 멸망하였다.
⑤ 중앙 통치 제도로 2성 6부를 마련하였다.

05 밑줄 친 '이것'을 남긴 왕이 추진한 정책으로 옳은 것은?

> …… 나 또한 가난하고 평범한 집안에서 일어나 … 19년 만에 후삼국을 통일하였고, …… 다만 염려되는 것은 후사들이 기분 내키는 대로 욕심을 부려 기강을 무너뜨릴까 크게 근심스럽다. 이에 이것을 지어 후대의 왕들에게 전하고자 하니, 바라건대 아침 저녁으로 펼쳐 보아 귀감으로 삼을 지어다.
>
> **4조** 중국 제도와 풍속을 배워야 하지만, 반드시 똑같게 할 필요가 없다. 거란은 짐승 같은 나라이다. 본받지 마라.
>
> **5조** 서경은 우리나라 지맥의 근본이며 만대에 전할 땅이다. 반드시 3달마다 가서 100일 이상 머물도록 하라.
>
> –『고려사절요』–

① 국자감을 정비하였다.
② 과전법을 실시하였다.
③ 향리제를 마련하였다.
④ 발해 유민을 포용하였다.
⑤ 노비안검법을 실시하였다.

06 (가), (나) 시기 사이에 불교계에서 있었던 사실로 옳은 것은?

> (가) 문종의 왕자로서 승려가 된 의천은 천태종을 창시하고 교종의 입장에서 선종을 통합하였다.
> (나) 권문세족과 연결된 사원이 많은 토지와 노비를 소유하고 고리대 등을 이용하여 백성들을 괴롭히자 신진 사대부들이 이를 크게 비판하였다.

① 혜초가 왕오천축국전을 남겼다.
② 지방에 9산 선문이 성립하였다.
③ 의상이 화엄 사상을 정립하였다.
④ 지눌이 수선사 결사를 제창하였다.
⑤ 원효가 아미타 신앙을 전파하였다.

⁂ 1등급 킬러

07 밑줄 친 '왕'의 업적으로 옳은 것만을 보기에서 고른 것은?

보기
ㄱ. 속대전을 편찬하였다.
ㄴ. 초계문신제를 실시하였다.
ㄷ. 노비종모법을 시행하였다.
ㄹ. 육의전을 제외한 금난전권을 폐지하였다.

① ㄱ, ㄴ ② ㄱ, ㄷ ③ ㄴ, ㄷ
④ ㄴ, ㄹ ⑤ ㄷ, ㄹ

08 밑줄 친 '이 법'에 대한 설명으로 옳은 것은?

> 현물로 바칠 벌꿀 한 말의 값은 본래 목면 3필이지만, 모리배들은 이를 먼저 대납하고 4필 이상을 거두어 갑니다. 이런 폐단을 없애기 위해 이 법을 시행하면 부유한 양반 지주가 원망하고, 시행하지 않으면 가난한 농민이 원망한다는데, 농민의 원망이 훨씬 더 큽니다. 경기와 강원도에서 이미 시행하고 있으니, 충청과 호남 지역에서도 하루빨리 시행해야 합니다.
>
> –『효종실록』–

① 공인이 등장하는 배경이 되었다.
② 풍흉에 관계없이 세액을 고정하였다.
③ 부족분 보충을 위해 결작을 징수하였다.
④ 집집마다 지역 토산물을 납부하게 하였다.
⑤ 양인 1인당 1년에 군포를 1필만 징수하였다.

2_ 근대 국민 국가 수립 운동

09 (가) 시기에 일어난 사건으로 옳은 것은?

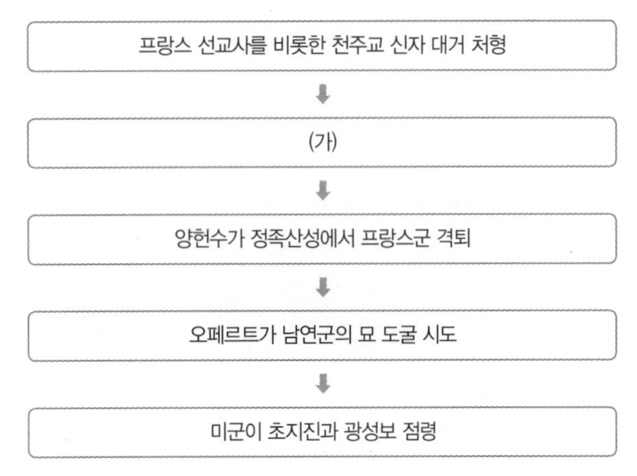

① 임술 농민 봉기 발생
② 운요호의 강화도 침입
③ 제너럴셔먼호의 통상 요구
④ 동학 농민군의 전주성 점령
⑤ 청과 일본의 톈진 조약 체결

10 밑줄 친 '이 사건'에 대한 설명으로 옳은 것은?

> 대저 이 사건은 불과 이틀 동안에 질풍 우뢰와 같은 민첩한 행동을 하여 지난 10년 동안 철옹성같이 견고하였던 민씨 정권의 무대를 소탕하고 대원군을 다시 집정하게 한 것으로 누구나 경탄할 일이다. 그러나 일대 난관의 일이 돌발하였으니, 그것은 청국의 개입이다.

① 조선책략의 유포에 대한 반발로 일어났다.
② 개화당 정부를 수립하고 개혁 정강을 발표하였다.
③ 일본 공사관에 경비병이 주둔하는 배경이 되었다.
④ 전라도 일대에 집강소를 설치하는 계기가 되었다.
⑤ 조선과 일본이 한성 조약을 체결하는 원인이 되었다.

11 밑줄 친 '이 사건'에 대한 설명으로 옳은 것은?

> 첫째, 임금을 위협한 것은 이치를 따른 것이 아니라 거스른 것이니 실패할 첫째 이유이다. 둘째, 외세를 믿고 의지하였으니 반드시 오래가지 못할 것이 실패할 둘째 이유이다. …… 이 사건은 반드시 실패할 터인데 도리어 스스로 깨닫지 못하고 있으니 어리석고 한스럽다.

① 제물포 조약이 체결되는 계기가 되었다.
② 우정총국 개국 축하연을 이용해 일어났다.
③ 강화도 조약 체결에 대한 반발로 일어났다.
④ 조청 상민 수륙 무역 장정의 체결을 가져왔다.
⑤ 구식 군인들이 차별 대우에 반발하여 일으켰다.

⁂ 1등급 킬러

12 자료의 사건이 일어난 시기를 연표에서 옳게 고른 것은?

> 일본 군사들이 대궐로 들어왔다. 이날 새벽에 일본군 2개 대대가 영추문으로 들어오자 시위 군사들이 총을 쏘면서 막았으나 임금이 중지하라고 명하였다. …… 일본 군사가 6월 21일 입궐하여 호위하였다. 이날 대원군이 명을 받고 입궐하여 개혁을 실시할 문제를 주관하였는데, 일본 공사 오토리 게이스케도 뒤에 입궐하였다.

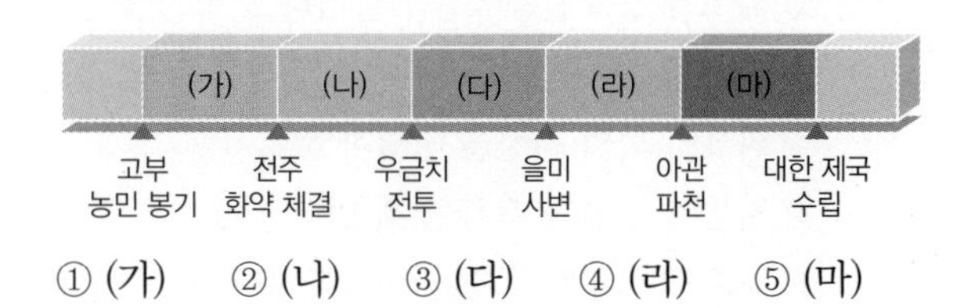

① (가) ② (나) ③ (다) ④ (라) ⑤ (마)

⁂ 1등급 킬러

13 (가), (나) 조약이 체결된 시기 사이에 있었던 사실로 옳은 것은?

> (가) **제2조** 일본국 정부는 한국과 타국 간에 현존하는 조약의 실행을 완수하는 임무를 담당하고, 한국 정부는 지금부터 일본국 정부의 중개를 거치지 않고서는 국제적 성질을 가진 어떤 조약이나 약속을 맺지 않을 것을 서로 약속한다.
>
> (나) **제2조** 한국 정부의 법령 제정 및 중요한 행정상의 처분은 미리 통감의 승인을 거칠 것.
> **제5조** 한국 정부는 통감이 추천한 일본인을 한국 관리로 임명할 것.

① 단발령 등을 계기로 의병이 일어났다.
② 군사권 총괄을 위해 원수부가 설치되었다.
③ 러시아가 일본의 한반도 지배를 인정하였다.
④ 13도 창의군이 서울 진공 작전을 추진하였다.
⑤ 이준, 이위종 등이 헤이그에 특사로 파견되었다.

14 밑줄 친 ㉠을 반박하기 위한 방안으로 적절한 것만을 | 보기 |에서 고른 것은?

> 한국은 역사적으로 독도의 존재를 파악하지 못하였다. 반면, 우리 일본이 그간 독도를 영유하였음은 명백하다. 특히 1905년 시마네현 고시 40호에는 ㉠ '독도는 주인 없는 땅이므로 일본 시마네현 소속의 도서로 편입시킨다.'라고 되어 있어 문헌상의 근거로 확실하다.

| 보기 |

ㄱ. 이범윤이 관리사로 파견된 지역을 찾아본다.
ㄴ. 이사부의 울릉도 정벌 관련 기록을 제시한다.
ㄷ. 안용복이 벌인 외교 활동의 성과를 보여 준다.
ㄹ. 일본의 남만주 철도 부설권 획득 과정을 정리한다.

① ㄱ, ㄴ ② ㄱ, ㄷ ③ ㄴ, ㄷ
④ ㄴ, ㄹ ⑤ ㄷ, ㄹ

15 다음 조약에 대한 설명으로 옳은 것은?

> **제9관** 입항하거나 출항하는 각 화물이 세관을 통과할 때는 응당 본 조약 세칙에 따라 관세를 납부해야 한다.
> **제37관** 만약 조선에 가뭄, 수해, 병란 등의 일이 있어 국내 식량 결핍을 우려하여 조선 정부가 잠정적으로 쌀의 수출을 금지하고자 할 때에는 반드시 먼저 1개월 전에 지방관이 일본 영사관에 통고해야 한다.

① 일본에 최혜국 대우를 규정하였다.
② 부산 외 2개 항구 개항을 포함하였다.
③ 국채 보상 운동이 일어나는 배경이 되었다.
④ 조청 상민 수륙 무역 장정 체결에 영향을 주었다.
⑤ 조선의 해안을 측량할 수 있는 권리를 인정하였다.

16 (가), (나) 신문에 대한 설명으로 옳은 것은?

> (가) 우리가 오늘 처음으로 출판하는데, 조선 속에 있는 내외국 인민에게 우리 주의를 미리 말씀하여 아시게 하노라. …… 모두 언문으로 쓰기는 남녀 상하귀천이 모두 보게 함이요, 또 구절의 띄어쓰기는 알아보기 쉽도록 함이라.
> – 1896. 4. 7. –
>
> (나) 이제 본사에서도 신문을 발간하려는 때를 맞아 국한문을 함께 쓰는 것은, 무엇보다도 대황제 폐하의 성칙(聖勅)을 따르기 위해서이며, 또한 옛글과 현재의 글을 함께 전하고 유생 등 많은 사람들에 읽히기 위함이다.
> – 1898. 9. 5. –

① (가)– 최초의 근대적 신문이다.
② (가)– 베델과 양기탁이 발행하였다.
③ (나)– 박문국에서 발행되었다.
④ (나)–「시일야방성대곡」을 게재하였다.
⑤ (가), (나)– 국채 보상 운동을 지원하였다.

memo
시
험
대
박

수능 개념+유형+실전 대비서

2022 신간

핵심 개념부터 실전까지, 고품격 수능 대비서

고등 수능전략

전과목 시리즈

book.chunjae.co.kr

교재 내용 문의 ··························· 교재 홈페이지 ▸ 고등 ▸ 교재상담
교재 내용 외 문의 ······················· 교재 홈페이지 ▸ 고객센터 ▸ 1:1문의
발간 후 발견되는 오류 ················ 교재 홈페이지 ▸ 고등 ▸ 학습지원 ▸ 학습자료실

수능공략 필승학습!
단기간에 끝장내자!

실전에강한
수능전략

BOOK 2

천재교육

실 전 에 강 한

수능전략

사탐영역 사회·문화

수능전략

사·회·탐·구·영·역

한국사

BOOK 2

이 책의 구성과 활용

본책인 BOOK 1과 BOOK2의 구성은 다음과 같습니다.

BOOK 1	BOOK 2	BOOK 3
1주, 2주	1주, 2주	정답과 해설

주 도입

본격적인 학습에 앞서, 재미있는 만화를 살펴보며 이번 주에 학습할 내용을 확인해 봅니다.

1일

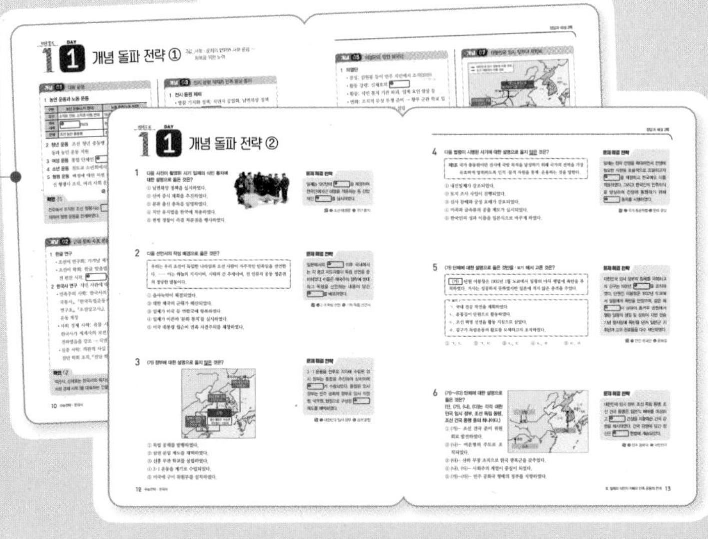

개념 돌파 전략

수능을 대비하기 위해 꼭 알아야 할 핵심 개념을 익힌 뒤, 간단한 문제를 풀며 개념을 잘 이해했는지 확인해 봅니다.

2일, 3일

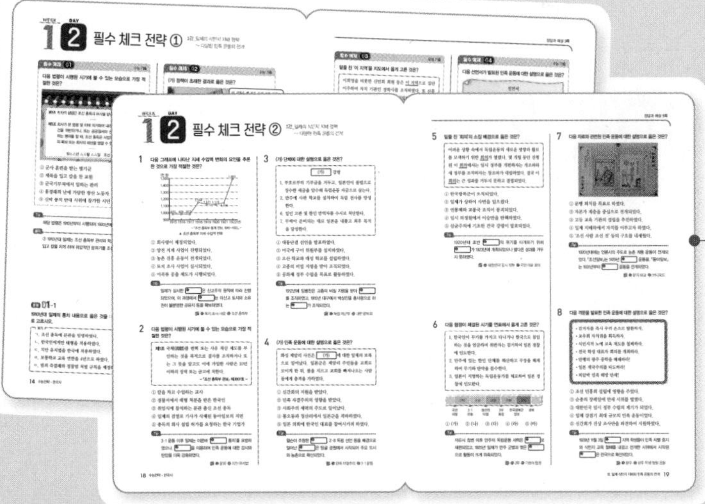

필수 체크 전략

기출문제에서 선별한 대표 유형 문제와 응용 문제를 함께 풀어 보며 문제에 접근하는 과정과 해결 전략을 체계적으로 익혀 봅니다.

부록 수능에 꼭 나오는 필수 유형 ZIP

본 책에서 다룬 대표 유형과 그 해결 전략을 집중적으로 연습할 수 있도록 권두 부록을 구성했습니다.
부록을 뜯으면 미니북으로 활용할 수 있습니다.

주 마무리 코너

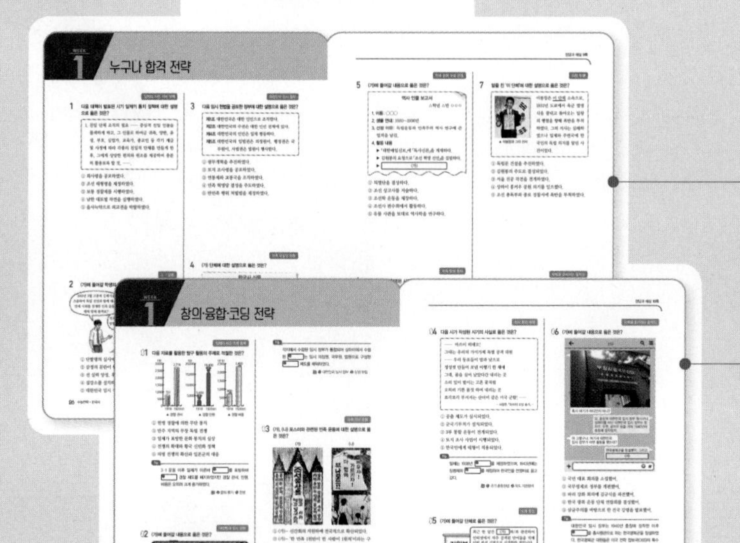

누구나 합격 전략
수능 유형에 맞춘 기초 연습 문제를 풀어 보며 학습에 대한 자신감을 높일 수 있습니다.

창의·융합·코딩 전략
수능에서 요구하는 융 · 복합적 사고력과 문제 해결력을 기를 수 있습니다.

권 마무리 코너

수능 마무리 전략
학습 내용을 이미지로 정리하여 앞에서 공부한 내용을 한눈에 파악할 수 있습니다.

신유형·신경향 전략
신유형·신경향 문제를 집중적으로 풀며 문제 적응력을 높일 수 있습니다.

1·2등급 확보 전략
실제 수능과 같이 구성한 모의고사를 풀며 고난도 문제에 대비할 수 있습니다.

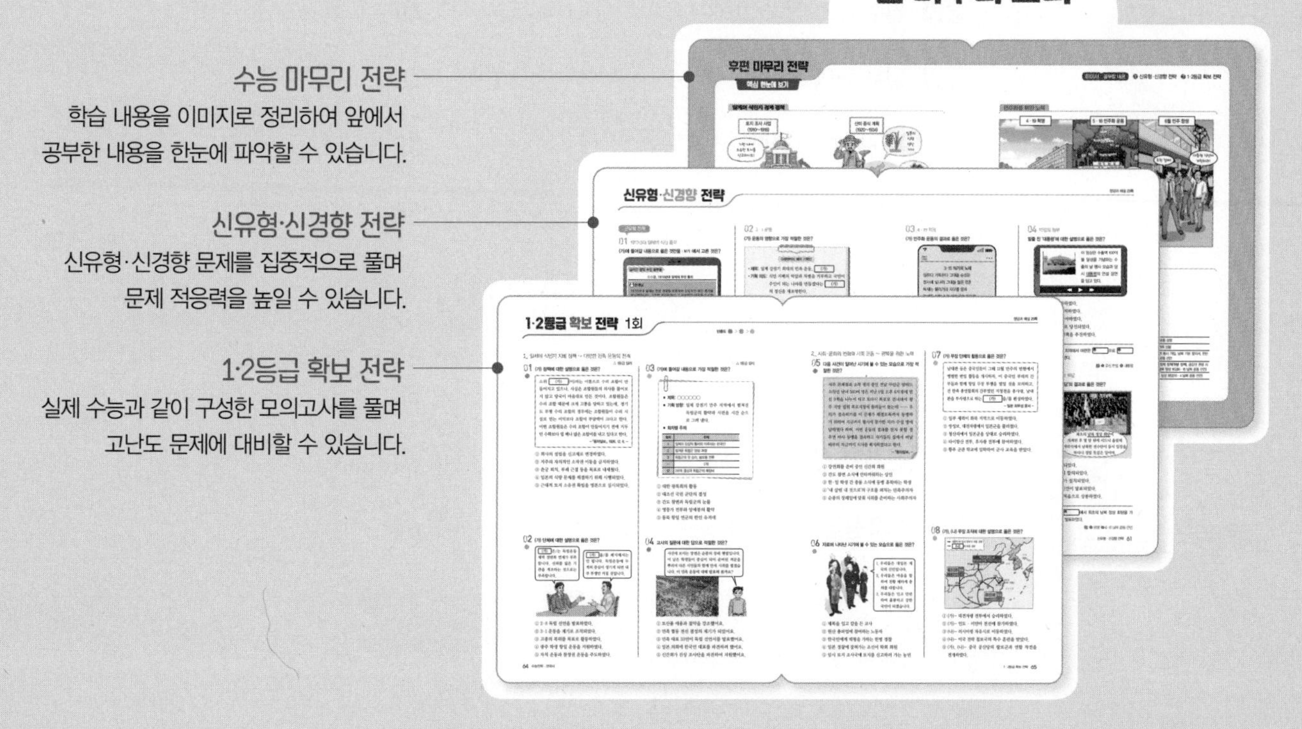

이 책의 차례

BOOK 1

BOOK 2

WEEK 1

Ⅲ. 일제 식민지 지배와 민족 운동의 전개

WEEK 2

Ⅳ. 대한민국의 발전

WEEK

1

Ⅲ. 일제 식민지 지배와 민족 운동의 전개

1강_일제의 식민지 지배 정책 ~ 다양한 민족 운동의 전개

학습할 내용 **1강** ❶ 일제의 통치 정책 ❷ 3 · 1 운동 ❸ 대한민국 임시 정부 ❹ 국내외 민족 운동
2강 ❶ 대중 · 문화 운동 ❷ 전시 동원 체제 ❸ 의열 투쟁과 한 · 중 연합 작전 ❹ 광복을 준비하는 움직임

2강_사회 · 문화의 변화와 사회 운동 ~ 광복을 위한 노력

WEEK 1 DAY 1

개념 돌파 전략 ①

1강_일제의 식민지 지배 정책 ~ 다양한 민족 운동의 전개

개념 01 1910년대 일제의 통치 방식

1 **조선 총독부** 식민 통치의 최고 기구, 입법·사법·행정·군사에 관한 모든 권한 행사

2 **무단 통치** 헌병 경찰 제도 시행, 한국인의 언론·출판·집회·결사의 자유 박탈, 조선 태형령 제정

3 **토지 조사 사업** 식민지 지배의 경제적 기반 확보를 위해 실시, ❶[ ] 방식으로 진행 → 미신고 토지, 국유지와 공유지 등은 조선 총독부가 차지

4 **회사령** 회사를 설립할 때 ❷[ ]의 허가를 받도록 함. → 한국인의 기업 설립 억제

답 ❶ 신고주의 ❷ 총독

확인 01

일제가 무단 통치 시기에 제정하여 한국인에게만 태형을 적용한 법은?

개념 02 1920년대 일제의 통치 방식

1 **민족 분열 통치** ❶[ ]을 계기로 변화
- 목적: 한국인의 반발 무마, 친일 세력 양성
- 내용: 일제가 문화 통치 표방

구분	표면적 내용	실제 내용
총독	문관 총독 임명 가능	임명된 적 없음.
경찰	❷[ ] 실시	경찰 관서와 인원, 비용 등 증가, 치안 유지법 제정(1925)
언론	한국인의 신문과 잡지 발행 허용	신문 검열 강화, 탄압
교육	제2차 조선 교육령 제정	학교 수 여전히 부족, 비용을 주민들이 부담

2 **산미 증식 계획**
- 목적: ❸[ ]의 식량 문제 해결
- 내용: 한국에서 쌀 생산을 늘려 일본으로 반출
- 결과: 조선의 식량 사정 악화, 몰락 농민 증가

3 **회사령 철폐** 일본 자본과 기업의 자유로운 한국 진출 가능, 일본 대기업의 한국 진출

답 ❶ 3·1 운동 ❷ 보통 경찰제 ❸ 일본

확인 02

일제는 1920년대 이른바 (무단 통치 , 문화 통치)를 내세워 한국인을 분열시키려 하였다.

개념 03 1910년대 국내외 독립운동

1 **국내**
- 독립 의군부: 임병찬이 고종의 밀지를 받아 조직
- 대한 광복회: ❶[ ] 수립 목표, 군대식 조직

2 **국외**
- 만주: ❷[ ] 학교 설립, 북로 군정서 조직 등
- 연해주: 권업회, 대한 광복군 정부 등 조직

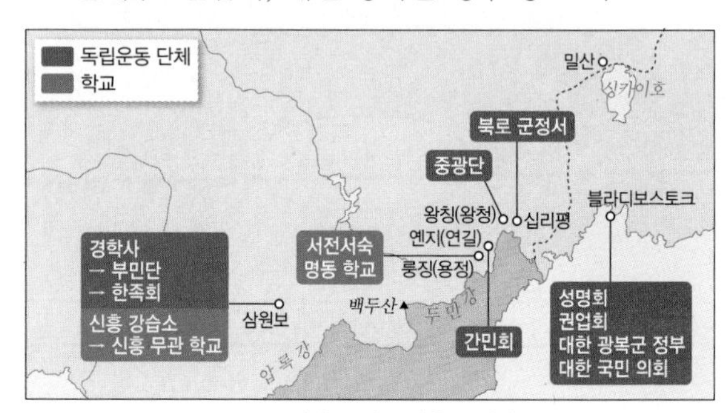

▲ 1910년대 국외 독립운동 기지

답 ❶ 공화정 ❷ 신흥 무관

확인 03

[ ]는 1910년대 임병찬이 고종의 밀지를 받아 조직한 비밀 결사 단체이다.

개념 04 3·1 운동

1 **배경**
- 국내: 일제의 무단 통치에 대한 반발, 고종의 서거
- 국외: 미국 윌슨 대통령의 ❶[ ] 주창, 2·8 독립 선언

2 **전개** 민족 대표 33인의 독립 선언서 발표, 탑골 공원에서 만세 시위 전개 → 주요 도시 및 농촌으로 확산 → 만주, 연해주, 미주 등에서 시위 전개

3 **의의 및 영향**
- 모든 계층이 참여한 최대 규모의 민족 운동
- 독립운동의 구심점 필요 → ❷[ ] 수립
- 일제가 통치 방식을 이른바 '문화 통치'로 전환
- 중국의 5·4 운동 등 아시아 민족 운동에 영향

답 ❶ 민족 자결주의 ❷ 대한민국 임시 정부

확인 04

3·1 운동은 일제가 한국인의 저항 의지를 목격하고 통치 방식을 (무단 통치 , 문화 통치)로 바꾸는 계기가 되었다.

개념 05 대한민국 임시 정부

1 **수립** 대한 국민 의회(연해주), 대한민국 임시 정부(상하이), ❶ [　　] (서울) 등이 통합되어 상하이에 수립 → 민주 공화제 정부, 삼권 분립 채택

2 **활동** 연통제(비밀 행정 조직)와 교통국(비밀 통신 기관) 운영, 독립 공채 발행, 미국에 ❷ [　　] 설치, 『한·일 관계 사료집』 간행 등

3 **국민 대표 회의(1923)**
- 배경: 연통제와 교통국 와해, 외교 활동 부진, 이승만의 위임 통치 청원에 대한 비판 고조
- 전개: 임시 정부의 새로운 방향 모색을 위해 개최 → 창조파와 ❸ [　　] 대립 → 회의 결렬
- 결과: 임시 정부 활동 침체, 국무령 중심 체제 전환

답 ❶ 한성 정부 ❷ 구미 위원부 ❸ 개조파

확인 05

임시 정부는 행정 조직인 [　　]와 통신 기관인 교통국을 운영하였다.

개념 06 1920년대 무장 독립 투쟁

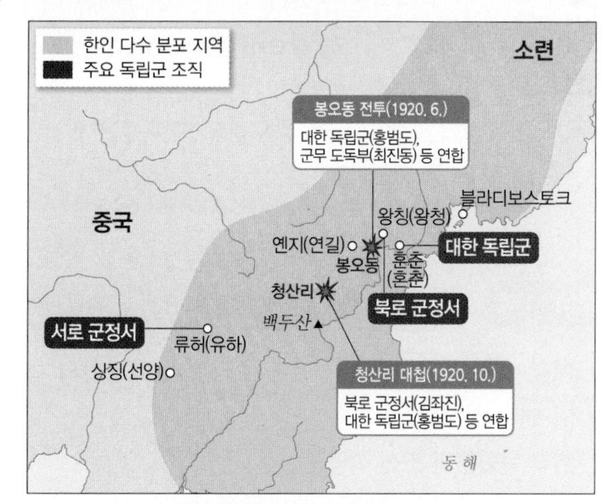

▲ 1920년대 무장 독립운동 단체

1 **독립군의 승리** 봉오동 전투, ❶ [　　] 대첩

2 **독립군의 시련** ❷ [　　] (1920) → 독립군 밀산 집결 후 러시아령 자유시로 이동 → 자유시 참변(1921)

3 **독립군의 재편** 3부(참의부, 정의부, ❸ [　　]) 성립 → 미쓰야 협정(1925) 체결 이후 통합 운동 전개

답 ❶ 청산리 ❷ 간도 참변 ❸ 신민부

확인 06

1925년 일제가 독립군 탄압을 위해 만주 군벌과 체결한 것은?

개념 07 실력 양성 운동

1 **물산 장려 운동**
- 배경: ❶ [　　] 폐지와 관세 철폐 움직임
- 전개: 조만식 등이 평양에서 조선 물산 장려회 조직 → 일본 상품 배격, 토산품 애용 주장 → 전국으로 확산 → 가격 상승, 일부 사회주의자들의 비난

2 **민립 대학 설립 운동**
- 배경: 제2차 조선 교육령 공포
- 전개: 조선 민립 대학 기성회 조직, 대학 설립을 위한 모금 운동 전개 → 총독부의 방해, 자연재해로 모금 활동 저조 → 일제가 ❷ [　　] 설립

3 **농촌 계몽 운동** 야학 설립, 강습회 개최, 문자 보급 운동(『조선일보』), ❸ [　　] 운동(『동아일보』)

답 ❶ 회사령 ❷ 경성 제국 대학 ❸ 브나로드

확인 07

'내 살림 내 것으로', '조선 사람 조선 것' 등의 구호를 앞세워 토산품 애용을 주장한 민족 운동은?

개념 08 민족 유일당 운동

1 **6·10 만세 운동(1926)** 순종의 장례일에 대규모 만세 시위 계획 → 사전 발각 → 학생 단체를 중심으로 시위 전개

2 **신간회(1927)**

구분	내용
배경	자치 운동 대두, 제1차 국공 합작, 정우회 선언
결성	❶ [　　] 민족주의 세력과 사회주의 세력 연합(1927), 각지에 지회 설치
활동	전국 순회강연, 사회 운동 지원, 광주 학생 항일 운동에 조사단 파견, 민중 대회 개최 시도
해소	일제의 탄압, 새 집행부의 타협적 합법 운동 추진, 코민테른의 노선 변화 → 사회주의자들의 주장으로 해소(1931)

3 **광주 학생 항일 운동(1929)** 일본인 남학생의 한국인 여학생 희롱 사건 → 한·일 학생 간 충돌 → 일본 경찰의 편파적 사건 처리 → 민족 차별과 식민지 차별 교육에 저항하며 시위 전개 → 전국과 국외로 확산, ❷ [　　] 이후 최대 규모의 항일 민족 운동

답 ❶ 비타협적 ❷ 3·1 운동

확인 08

(신간회 , 신민회)는 민족 유일당 운동의 결과로 1927년에 결성된 단체이다.

WEEK 1 DAY 1

개념 돌파 전략 ①

2강_사회 · 문화의 변화와 사회 운동 ~ 광복을 위한 노력

개념 01 대중 운동

1 농민 운동과 노동 운동

구분	농민 운동(소작 쟁의)	노동 운동(노동 쟁의)
요구	소작료 인하, 소작권 이동 반대	임금 인상, 노동 조건 개선
대표 사례	❶ (1923)	원산 총파업(1929)
단체	조선 농민 총동맹	조선 노동 총동맹

2 청년 운동 조선 청년 총동맹 조직(1924) → 노동 운동과 농민 운동 지원

3 여성 운동 통합 단체인 ❷ 결성(1927)

4 소년 운동 천도교 소년회에서 어린이날 제정

5 형평 운동 백정에 대한 차별 폐지 요구, 진주에서 조선 형평사 조직, 여러 사회 운동과 연대

답 ❶ 암태도 소작 쟁의 ❷ 근우회

확인 01

진주에서 조직된 조선 형평사는 [ ]에 대한 차별에 항의하여 형평 운동을 전개하였다.

개념 02 민족 문화 수호 운동

1 한글 연구

- 조선어 연구회: 가갸날 제정, 잡지 『한글』 간행
- 조선어 학회: 한글 맞춤법 통일안 제정, 우리말 사전 편찬 시작, ❶ (1942)으로 해산

2 한국사 연구 식민 사관에 대항

- 민족주의 사학: 한국사의 독자성 강조, 박은식(『한국통사』, 『한국독립운동지혈사』), 신채호(『조선사 연구초』, 『조선상고사』), 안재홍·정인보가 조선학 운동 제창
- 사회 경제 사학: 유물 사관에 바탕, ❷ 이 한국사가 세계사의 보편적인 발전 법칙에 따라 발전하였음을 강조 → 식민 사관의 정체성론 비판
- 실증 사학: 객관적 사실 강조, 이병도·손진태 등이 진단 학회 조직, 『진단 학보』 발행

답 ❶ 조선어 학회 사건 ❷ 백남운

확인 02

박은식, 신채호는 한국사의 독자성을 강조하는 (민족주의 사학 , 사회 경제 사학)을 대표하는 인물이다.

개념 03 전시 동원 체제와 민족 말살 통치

1 전시 동원 체제

- 병참 기지화 정책: 식민지 공업화, 남면북양 정책
- 자원 수탈: ❶ 제정(1938)

인력 수탈	징병제, 지원병제, 국민 징용령, 일본군 '위안부' 등
물자 수탈	미곡 · 금속류 공출 제도, 배급제 실시

2 민족 말살 통치 한국인의 민족의식을 말살하여 침략 전쟁에 동원하려는 목적

- 황국 신민화 정책: 일선동조론과 내선일체 강조, ❷ 암송과 창씨개명 강요
- 교육과 사상 통제: 한국어와 한국사 과목 폐지, 『동아일보』와 『조선일보』 폐간 등

1. 우리들은 대일본 제국의 신민입니다.
2. 우리들은 마음을 합하여 천황 폐하께 충의를 다합니다.
3. 우리들은 인고 단련하여 훌륭하고 강한 국민이 되겠습니다.

◀ 황국 신민 서사를 외우는 학생들

답 ❶ 국가 총동원법 ❷ 황국 신민 서사

확인 03

일제가 한국인의 민족의식을 말살하여 침략 전쟁에 동원하기 위해 시행한 통치는?

개념 04 1930년대 한 · 중 연합 작전

1 배경 ❶ (1931) 이후 중국인과 한국인의 항일 연합 전선 형성

2 한국 독립군과 조선 혁명군

- 한국 독립군(지청천): 북만주에서 쌍성보 전투와 대전자령 전투에서 승리
- 조선 혁명군(양세봉): 남만주에서 영릉가 전투와 ❷ 전투에서 승리

3 동북 항일 연군 사회주의자들의 유격대 규합

답 ❶ 만주 사변 ❷ 흥경성

확인 04

지청천이 이끈 [ ]은 중국 항일 무장 세력과 연합하여 쌍성보 전투와 대전자령 전투에서 일본군에 승리를 거두었다.

개념 05 의열단과 한인 애국단

1 의열단

- 결성: 김원봉 등이 만주 지린에서 조직(1919)
- 활동 강령: 신채호의 ❶ ______
- 활동: 식민 통치 기관 파괴, 일제 요인 암살 등
- 변화: 조직적 무장 투쟁 준비 → 황푸 군관 학교 입학, 조선 혁명 간부 학교 설립

2 한인 애국단

- 결성: ❷ ______가 대한민국 임시 정부의 침체를 극복하고자 상하이에서 조직(1931)
- 활동: 이봉창의 일왕 암살 시도, ❸ ______의 상하이 훙커우 공원 의거(1932) → 훙커우 공원 의거 이후 중국 국민당 정부의 임시 정부 적극 지원

답 ❶ 조선 혁명 선언 ❷ 김구 ❸ 윤봉길

확인 05

김원봉 등이 만주 지린에서 의열 투쟁을 위해 조직한 단체는?

개념 06 민족 혁명당과 조선 의용대

1 민족 혁명당

- 결성(1935): 김원봉의 ❶ ______을 중심으로 조소앙, 지청천 등 참여
- 변화: 조소앙, 지청천 등 민족주의 계열 이탈 → 조선 민족 전선 연맹 결성(1937)

2 조선 의용대

- 특징: 조선 민족 전선 연맹의 산하 무장 조직으로 ❷ ______의 지원을 받아 활동
- 활동: 일본군에 대한 심리전이나 포로 심문, 후방 공작 활동 전개

◀ 조선 의용대 창설 기념사진

답 ❶ 의열단 ❷ 중국 국민당

확인 06

1935년에 결성된 ______은 중국 관내 최대 규모의 통일 전선 정당이었다.

개념 07 대한민국 임시 정부의 재정비

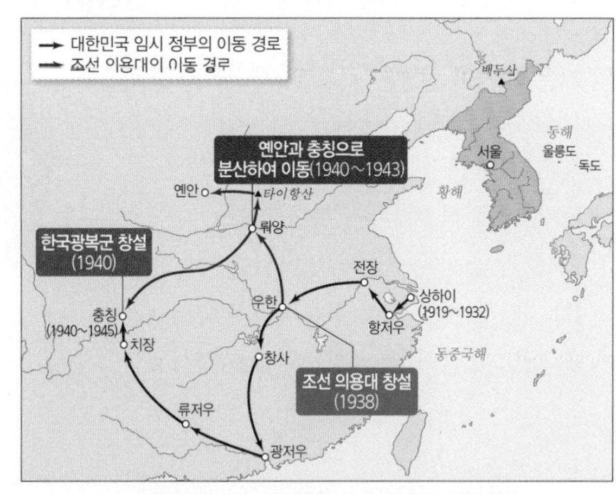

▲ 대한민국 임시 정부와 조선 의용대의 이동 경로

1 통일 정부 구성 충칭 정착 → 김구·조소앙 등이 참여하여 ❶ ______ 결성(1940) → 조선 민족 전선 연맹의 임시 정부 참여

2 한국광복군 대한민국 임시 정부의 정규군으로 창설(1940), ❷ ______의 일부 합류

답 ❶ 한국 독립당 ❷ 조선 의용대

확인 07

대한민국 임시 정부는 윤봉길의 거사 이후 상하이를 떠나 (옌안 , 충칭)에 정착하였다.

개념 08 광복을 준비하는 움직임

1 대한민국 임시 정부

- 대한민국 건국 강령 발표: 조소앙의 ❶ ______에 기초, 민주 공화국 건설 지향
- 한국광복군: 대일 선전 포고, 영국군의 요청으로 인도·미얀마 전선 파견, 미국 전략 첩보국(OSS)과 연계한 국내 진공 작전 계획

2 조선 독립 동맹

- 결성(1942): 김두봉 등 화북 지역 사회주의자 중심, 건국 강령 발표
- 활동: 산하의 조선 의용군이 항일 무장 투쟁 전개

3 조선 건국 동맹 국내에서 ❷ ______의 주도로 조직(1944), 건국 강령 발표

답 ❶ 삼균주의 ❷ 여운형

확인 08

대한민국 임시 정부, 조선 독립 동맹, 조선 건국 동맹은 모두 민주 공화국 건설을 주요 내용으로 한 ______을 발표하였다.

WEEK 1 DAY 1

개념 돌파 전략 ②

1 다음 사진이 촬영된 시기 일제의 식민 통치에 대한 설명으로 옳은 것은?

① 남면북양 정책을 실시하였다.
② 산미 증식 계획을 추진하였다.
③ 문관 출신 총독을 임명하였다.
④ 치안 유지법을 한국에 적용하였다.
⑤ 헌병 경찰이 즉결 처분권을 행사하였다.

문제 해결 전략

일제는 1912년에 ❶ [ ] 을 제정하여 한국인에게만 태형을 적용하는 등 강압적인 ❷ [ ] 를 실시하였다.

답 ❶ 조선 태형령 ❷ 무단 통치

2 다음 선언서의 작성 배경으로 옳은 것은?

> 우리는 우리 조선이 독립한 나라임과 조선 사람이 자주적인 민족임을 선언한다. …… 이는 하늘의 지시이며, 시대의 큰 추세이며, 전 인류의 공동 생존권의 정당한 발동이다.

① 을사늑약이 체결되었다.
② 대한 제국의 군대가 해산되었다.
③ 일제가 미국 등 연합국에 항복하였다.
④ 일제가 이른바 '문화 통치'를 실시하였다.
⑤ 미국 대통령 윌슨이 민족 자결주의를 제창하였다.

문제 해결 전략

일본에서의 ❶ [ ] 이후 국내에서는 각 종교 지도자들이 독립 선언을 준비하였다. 이들은 제국주의 침략에 반대하고 독립을 선언하는 내용이 담긴 ❷ [ ] 를 배포하였다.

답 ❶ 2·8 독립 선언 ❷ 기미 독립 선언서

3 (가) 정부에 대한 설명으로 옳지 않은 것은?

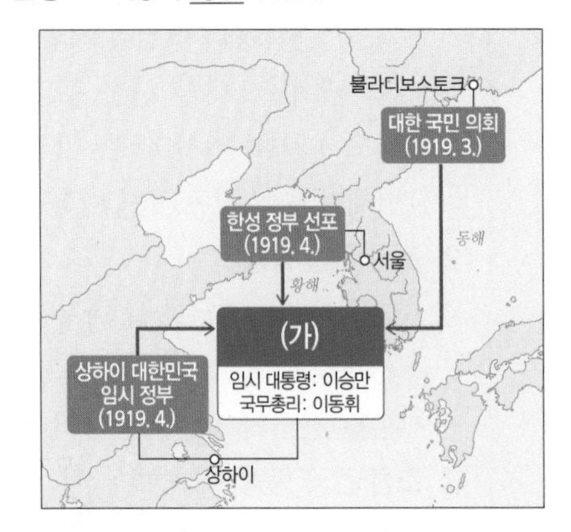

① 독립 공채를 발행하였다.
② 삼권 분립 제도를 채택하였다.
③ 신흥 무관 학교를 설립하였다.
④ 3·1 운동을 계기로 수립되었다.
⑤ 미국에 구미 위원부를 설치하였다.

문제 해결 전략

3·1 운동을 전후로 각지에 수립된 임시 정부는 통합을 추진하여 상하이에 ❶ [ ] 가 수립되었다. 통합된 임시 정부는 민주 공화제 정부로 임시 의정원, 국무원, 법원으로 구성된 ❷ [ ] 제도를 채택하였다.

답 ❶ 대한민국 임시 정부 ❷ 삼권 분립

4 다음 법령이 시행된 시기에 대한 설명으로 옳지 않은 것은?

> **제1조** 국가 총동원이란 전시에 국방 목적을 달성하기 위해 국가의 전력을 가장 유효하게 발휘하도록 인적·물적 자원을 통제·운용하는 것을 말한다.

① 내선일체가 강조되었다.
② 토지 조사 사업이 진행되었다.
③ 신사 참배와 궁성 요배가 강요되었다.
④ 미곡과 금속류의 공출 제도가 실시되었다.
⑤ 한국인의 성과 이름을 일본식으로 바꾸게 하였다.

문제 해결 전략

일제는 침략 전쟁을 확대하면서 전쟁에 필요한 자원을 효율적으로 조달하고자 ❶ ______ 을 제정하고 한국에도 이를 적용하였다. 그리고 한국인의 민족의식을 말살하여 전쟁에 동원하기 위해 ❷ ______ 통치를 시행하였다.

답 ❶ 국가 총동원법 ❷ 민족 말살

5 (가) 단체에 대한 설명으로 옳은 것만을 보기 에서 고른 것은?

> (가) 단원 이봉창은 1932년 1월 도쿄에서 일왕의 마차 행렬에 폭탄을 투척하였다. 거사는 성공하지 못하였지만 일본에 적지 않은 충격을 주었다.

보기
ㄱ. 국내 진공 작전을 계획하였다.
ㄴ. 윤봉길이 단원으로 활동하였다.
ㄷ. 조선 혁명 선언을 활동 지침으로 삼았다.
ㄹ. 김구가 독립운동의 활로를 모색하고자 조직하였다.

① ㄱ, ㄴ ② ㄱ, ㄷ ③ ㄴ, ㄷ ④ ㄴ, ㄹ ⑤ ㄷ, ㄹ

문제 해결 전략

대한민국 임시 정부의 침체를 극복하고자 김구는 1931년 ❶ ______ 을 조직하였다. 단원인 이봉창은 1932년 도쿄에서 일왕에게 폭탄을 던졌으며, 같은 해 ❷ ______ 이 상하이 훙커우 공원에서 열린 일왕의 생일 및 상하이 사변 전승 기념 행사장에 폭탄을 던져 일본군 지휘관과 고위 관료들을 다수 처단하였다.

답 ❶ 한인 애국단 ❷ 윤봉길

6 (가)~(다) 단체에 대한 설명으로 옳은 것은? (단, (가), (나), (다)는 각각 대한민국 임시 정부, 조선 독립 동맹, 조선 건국 동맹 중의 하나이다.)

① (가)– 조선 건국 준비 위원회로 발전하였다.
② (나)– 여운형의 주도로 조직되었다.
③ (다)– 산하 무장 조직으로 한국광복군을 갖추었다.
④ (나), (다)– 사회주의 계열이 중심이 되었다.
⑤ (가)~(다)– 민주 공화국 형태의 정부를 지향하였다.

문제 해결 전략

대한민국 임시 정부, 조선 독립 동맹, 조선 건국 동맹은 일본의 패배를 예상하고 ❶ ______ 건설을 지향하는 건국 강령을 제시하였다. 건국 강령에 담긴 정신은 ❷ ______ 헌법에 계승되었다.

답 ❶ 민주 공화국 ❷ 대한민국

필수 체크 전략 ①

1강_일제의 식민지 지배 정책 ~ 다양한 민족 운동의 전개

필수 예제 01

수능 기출

다음 법령이 시행된 시기에 볼 수 있는 모습으로 가장 적절한 것은?

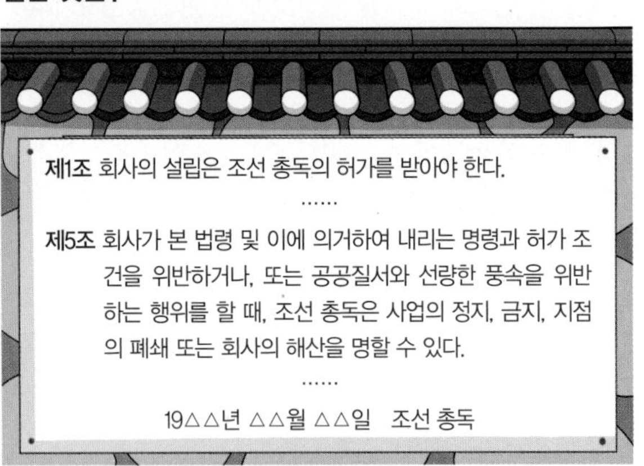

제1조 회사의 설립은 조선 총독의 허가를 받아야 한다.

……

제5조 회사가 본 법령 및 이에 의거하여 내리는 명령과 허가 조건을 위반하거나, 또는 공공질서와 선량한 풍속을 위반하는 행위를 할 때, 조선 총독은 사업의 정지, 금지, 지점의 폐쇄 또는 회사의 해산을 명할 수 있다.

……

19△△년 △△월 △△일 조선 총독

① 군사 훈련을 받는 별기군
② 제복을 입고 칼을 찬 교원
③ 군국기무처에서 일하는 관리
④ 홍경래의 난에 가담한 광산 노동자
⑤ 신탁 통치 반대 시위에 참가한 시민

Tip

해당 법령은 1910년부터 시행되어 1920년에 폐지된 회사령이다.

풀이

② 1910년대 일제는 조선 총독부 관리와 학교 교사들에게 제복을 입고 칼을 차게 하여 위압적인 분위기를 조성하였다. 답 ②

필수 예제 02

수능 기출

(가) 정책이 초래한 결과로 옳은 것은?

이 건물은 옛 익옥 수리 조합 사무소로 일제에 의한 수탈의 역사를 보여 줍니다. 제1차 세계 대전 이후 일제는 자국의 식량 부족 문제를 해결하기 위해, 식민지 조선에서 경지 정리와 개간, 벼 품종 개량, 대규모 수리 조합 창설 등을 추진하는 (가) 을/를 실시하였습니다. 익옥 수리 조합도 이 수탈 정책에 적극 참여하였습니다.

① 메가타의 주도로 화폐 정리 사업이 시행되었다.
② 회사 설립을 허가제로 규정한 회사령이 공포되었다.
③ 육의전을 제외한 시전 상인의 독점 판매권이 폐지되었다.
④ 한국인의 식량 사정 악화로 다량의 만주산 잡곡이 수입되었다.
⑤ 곡물 유출을 막기 위해 함경도 등지에서 방곡령이 선포되었다.

Tip

(가)는 일제가 1920년부터 자국의 식량 부족 문제를 해결하기 위해 시행한 산미 증식 계획이다.

풀이

④ 산미 증식 계획으로 쌀 생산량이 증가하였으나 일제가 계획한 만큼 늘지는 않았다. 그러나 일본으로의 쌀 반출은 예정대로 진행되어 한국인의 식량 사정은 악화되었다. 이에 부족한 식량을 보충하기 위해 만주에서 잡곡류가 수입되었다.

답 ④

응용 01-1

1910년대 일제의 통치 내용으로 옳은 것을 보기 에서 있는 대로 고르시오.

보기

ㄱ. 조선 총독에 문관을 임명하였다.
ㄴ. 한국인에게만 태형을 적용하였다.
ㄷ. 치안 유지법을 한국에 적용하였다.
ㄹ. 보통학교 교육 연한을 4년으로 하였다.
ㅁ. 범죄 즉결례와 경찰범 처벌 규칙을 제정하였다.

응용 02-1

산미 증식 계획의 실시 결과로 적절한 것을 보기 에서 있는 대로 고르시오.

보기

ㄱ. 지주의 경제적 이익이 증가하였다.
ㄴ. 농민의 관습적 경작권이 부정되었다.
ㄷ. 소작농의 경제적 부담이 증가하였다.
ㄹ. 조선 총독부의 소유지가 크게 늘었다.
ㅁ. 한국인의 1인당 쌀 소비량이 감소하였다.

필수 예제 03

모평 기출

밑줄 친 '이 지역'을 지도에서 옳게 고른 것은?

이회영을 비롯한 신민회 회원 등은 이 지역으로 집단 이주하여 자치 기관인 경학사를 조직하였다. 또 신흥 강습소(이후 신흥 무관 학교)를 설립하여 독립군 간부를 양성하였고, 독립 전쟁을 일으켜 국권을 회복하고자 하였다.

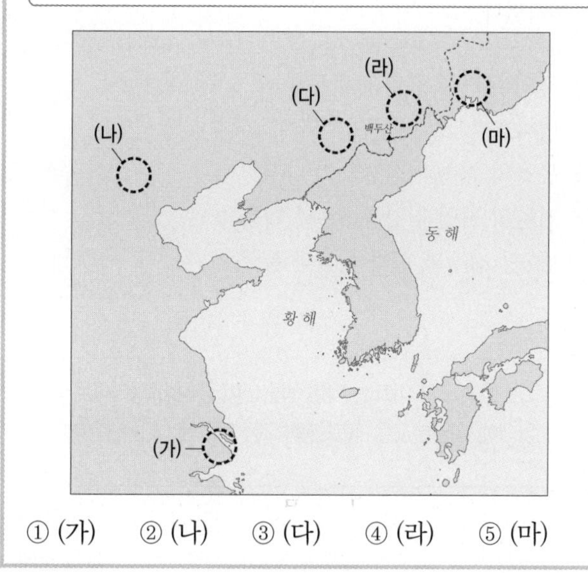

① (가) ② (나) ③ (다) ④ (라) ⑤ (마)

Tip

신민회 회원들이 이주하여 경학사를 조직하고 신흥 강습소를 설립하는 등 활동을 벌인 '이 지역'은 서간도 지역(남만주 삼원보)이다.

풀이

① (가)는 상하이, ② (나)는 베이징, ③ (다)는 서간도, ④ (라)는 북간도, ⑤ (마)는 연해주이다.

답 ③

필수 예제 04

수능 기출

다음 선언서가 발표된 민족 운동에 대한 설명으로 옳은 것은?

선언서

우리는 이제 우리 조선이 독립국임과 조선인이 자주민임을 선언하노라.

……

공약 3장

하나. 오늘 우리의 거사는 정의, 인도, 생존, 존엄을 위한 민족적 요구이니, 오직 자유적 정신을 발휘할 것이요, 결코 배타적 감정에 매몰되지 말라.

하나. 최후의 한 사람까지, 최후의 일각까지 민족의 정당한 의사를 쾌히 발표하라.

하나. 모든 행동은 무엇보다 질서를 존중하여, 우리의 주장과 태도를 어디까지든지 광명정대하게 하라.

기미년 3월

조선 민족 대표 33인

① 좌우 합작 위원회가 주도하였다.

② 수신사를 파견하는 계기가 되었다.

③ 집강소를 통해 폐정 개혁을 추진하였다.

④ 3·15 부정 선거에 항의하여 발생하였다.

⑤ 대한민국 임시 정부 수립에 영향을 끼쳤다.

Tip

제시된 선언서는 1919년(기미년) 3월 1일 민족 대표 33인이 발표한 독립 선언서로, 3·1 운동 당시 발표되었다.

풀이

⑤ 3·1 운동 이후 민족 운동을 이끌 수 있는 통일된 지도부의 필요성이 제기되어 각지에서 수립된 임시 정부가 통합하여 대한민국 임시 정부가 수립되었다.

답 ⑤

응용 03-1

1910년대 독립운동 단체와 창립 지역을 옳게 연결한 것을 보기에서 있는 대로 고르시오.

보기

ㄱ. 북로 군정서- 서간도

ㄴ. 신한 청년당- 상하이

ㄷ. 대한 국민 의회- 연해주

ㄹ. 대한 광복회- 대구(국내)

ㅁ. 대한 광복군 정부- 북간도

응용 04-1

3·1 운동의 배경으로 적절한 것을 보기에서 있는 대로 고르시오.

보기

ㄱ. 대한민국 임시 정부의 수립

ㄴ. 일제의 이른바 '문화 통치' 실시

ㄷ. 미국 대통령 윌슨의 민족 자결주의 주창

ㄹ. 2월 8일 도쿄 한인 유학생들의 독립 선언

필수 예제 05 수능 기출

(가)에 대한 설명으로 옳은 것은?

자료는 상하이에서 수립된 (가) 의 기관지인 『독립신문』으로, 국내외의 독립운동 소식을 알리기 위해 간행되었다. 『독립신문』은 중국과 미주 지역 등 해외의 한인 동포들뿐만 아니라, (가) 의 연통제와 교통국을 통해 국내에도 배포되었다.

① 장용영을 창설하였다.
② 원산 학사를 설립하였다.
③ 홍범 14조를 반포하였다.
④ 구미 위원부를 설치하였다.
⑤ 정우회 선언을 발표하였다.

Tip

기관지로 『독립신문』을 발행하고 연통제와 교통국을 운영한 (가)는 대한민국 임시 정부이다.

풀이

④ 대한민국 임시 정부는 미국에 구미 위원부를 설치하여 외교 활동을 펼쳤다. ① 조선 정조가 왕권 강화를 위해 창설하였다. ② 1883년 함경도 주민들이 설립한 근대 교육 기관이다. ③ 제2차 갑오개혁 당시 발표되었다. ⑤ 1926년 사회주의 단체인 정우회가 발표하여 신간회 결성의 계기가 되었다. 답 ④

응용 05-1

(가)의 활동으로 옳지 않은 것은?

▲ 독립 공채

(가) 은/는 독립운동에 필요한 자금을 확보하기 위해 국외 한인을 대상으로 독립 공채를 발행하였으며, 한인들은 이에 적극 호응하였다.

① 독립 청원서 제출
② 육군 주만 참의부 편성
③ 한·일 관계 사료집 발행
④ 연통제·교통국 조직 운영
⑤ 조선 혁명 간부 학교 설립

필수 예제 06 수능 기출

다음 자료를 활용한 탐구 주제로 가장 적절한 것은?

적군은 우리 군 병력이 막강한 것을 알지 못하고 봉오동 골짜기 안으로 깊숙이 들어왔다. 이에 사령부장 홍범도가 공격 명령의 신호 총성을 울리었다. 매복해 있던 우리 군이 3면에서 정확히 조준을 하고 있다가 맹렬한 집중 사격을 가하니 적은 많은 사상자를 내고 후퇴하였다.

① 국외 무장 독립군의 활동
② 병자호란과 북벌론의 대두
③ 몽골의 침략과 삼별초의 항쟁
④ 거란의 침입과 강동 6주의 획득
⑤ 나·당 전쟁과 신라의 삼국 통일

Tip

자료는 홍범도가 이끄는 대한 독립군이 중심이 되어 만주의 봉오동 일대에서 일본군을 격퇴한 봉오동 전투에 대한 내용이다.

풀이

① 1920년대 만주 지역에서는 한인 독립군 부대가 일본군을 상대로 무장 투쟁을 전개하였으며 봉오동 전투, 청산리 대첩 등에서 큰 성과를 거두었다. 답 ①

응용 06-1

(가)~(마) 사건을 일어난 순서대로 배열하시오.

(가) 러시아로 이동한 독립군 부대가 자유시에서 큰 피해를 당하였다.
(나) 북만주 밀산에서 서일을 총재로 한 대한 독립 군단이 결성되었다.
(다) 일제가 중국 마적을 매수하여 훈춘의 일본 영사관을 공격하게 하였다.
(라) 만주 지역에서 참의부, 정의부, 신민부 등 세 개의 독립군 정부가 성립하였다.
(마) 북로 군정서를 포함한 독립군 연합 부대가 청산리 일대에서 일본군에 큰 승리를 거두었다.

필수 예제 07

모평 기출

(가)에 들어갈 내용으로 적절한 것은?

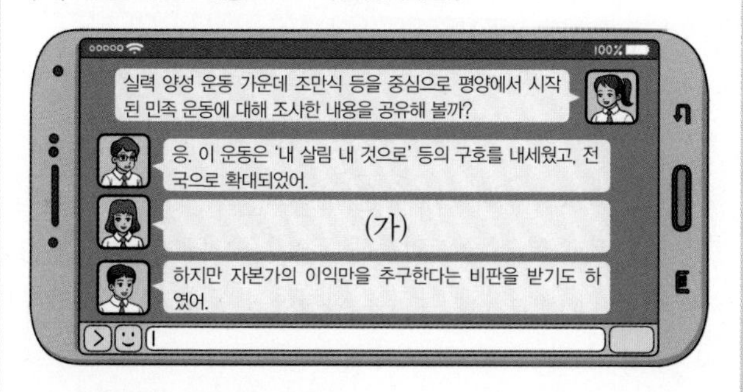

① 균역법을 제정하였어.
② 삼정이정청을 설치하였어.
③ 토산품 애용을 강조하였어.
④ 경부 고속 국도가 개통되었어.
⑤ 경제 협력 개발 기구[OECD]에 가입하였어.

Tip

물산 장려 운동은 1920년 평양에서 조만식을 중심으로 시작되었고, 1923년 서울에서 조선 물산 장려회가 조직되며 전국적으로 확산되었다.

풀이

③ 물산 장려 운동은 1920년대 회사령 폐지와 관세 철폐 움직임에 위기의식을 느낀 한국인 자본가를 중심으로 전개되어 '내 살림 내 것으로', '조선 사람 조선 것' 등의 구호를 내걸고 토산품 애용을 강조하였다.

답 ③

응용 07-1

물산 장려 운동에 대한 설명으로 옳은 것을 보기 에서 있는 대로 고르시오.

보기
ㄱ. 일부 사회주의자에게 비난을 받았다.
ㄴ. 국산품 가격을 하락시키는 효과가 있었다.
ㄷ. 한국인 자본을 보호·육성하고자 하였다.
ㄹ. 각지에 자작회, 토산 장려회 등 단체가 조직되었다.
ㅁ. '한 민족 1천만이 한 사람이 1원씩'이라는 구호를 내걸었다.

필수 예제 08

수능 기출

(가), (나) 시기 사이에 있었던 사실로 옳은 것은?

(가) 순종의 서거를 계기로 민족주의 계열과 사회주의 계열은 학생들과 함께 만세 시위를 준비하였다. 이 계획은 일제에 의해 사전에 발각되었지만, 학생들은 예정대로 6월 10일에 만세 시위를 전개하였다.
(나) 1929년 10월 말 나주역에서 발생한 한국인 학생과 일본인 학생의 충돌에 대해 경찰은 일본인 학생을 일방적으로 두둔하였다. 이러한 민족 차별에 분노한 광주 지역 학생들은 11월 3일 식민지 교육 제도 철폐 등을 요구하며 대규모 항일 시위를 전개하였다.

① 신간회가 결성되었다.
② 자유시 참변이 일어났다.
③ 남북 협상이 추진되었다.
④ 육영 공원이 설립되었다.
⑤ 군국기무처가 설치되었다.

Tip

(가)는 1926년에 일어난 6·10 만세 운동이고, (나)는 1929년에 일어난 광주 학생 항일 운동이다.

풀이

① 6·10 만세 운동을 준비하면서 비타협적 민족주의 세력과 사회주의 세력의 연대가 이루어졌고, 이는 1927년 신간회 창립으로 이어졌다. ② 1921년, ③ 1948년, ④ 1886년, ⑤ 1894년의 일이다.

답 ①

응용 08-1

다음 강령을 내세운 단체의 창립 배경으로 옳은 것을 보기 에서 있는 대로 고르시오.

• 우리는 정치적·경제적 각성을 촉진함.
• 우리는 단결을 공고히 함.
• 우리는 기회주의를 일체 부인함.

보기
ㄱ. 자치 운동이 대두되었다.
ㄴ. 정우회 선언이 발표되었다.
ㄷ. 치안 유지법이 시행되었다.
ㄹ. 광주 학생 항일 운동이 일어났다.

필수 체크 전략 ②

1강_일제의 식민지 지배 정책 ~ 다양한 민족 운동의 전개

1 다음 그래프에 나타난 지세 수입액 변화의 요인을 추론한 것으로 가장 적절한 것은?

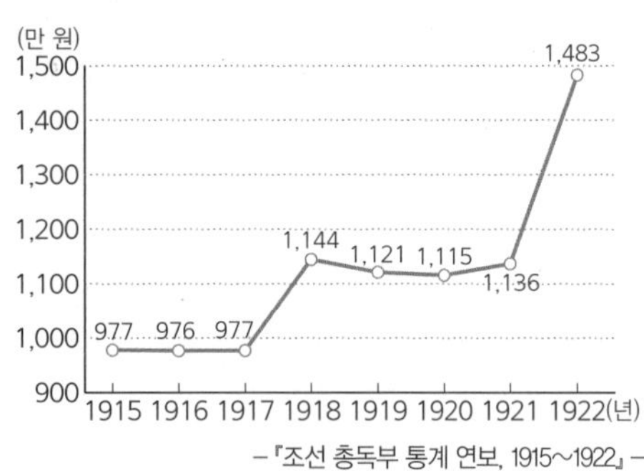

–『조선 총독부 통계 연보, 1915~1922』–

▲ 조선 총독부 지세 수입액 변화

① 회사령이 제정되었다.
② 양전 지계 사업이 진행되었다.
③ 농촌 진흥 운동이 전개되었다.
④ 토지 조사 사업이 실시되었다.
⑤ 미곡류 공출 제도가 시행되었다.

Tip

일제가 실시한 ❶ [ ]은 신고주의 원칙에 따라 진행되었으며, 이 과정에서 ❷ [ ]는 미신고 토지와 소유권이 불분명한 공유지 등을 확보하였다.

답 ❶ 토지 조사 사업 ❷ 조선 총독부

2 다음 법령이 시행된 시기에 볼 수 있는 모습으로 가장 적절한 것은?

> **제1조** 국체(國體)를 변혁 또는 사유 재산 제도를 부인하는 것을 목적으로 결사를 조직하거나 또는 그 뜻을 알고도 이에 가입한 사람은 10년 이하의 징역 또는 금고에 처한다.
>
> –『조선 총독부 관보』 제3807호 –

① 칼을 차고 수업하는 교사
② 경찰서에서 태형 처분을 받은 한국인
③ 취임식에 참석하는 문관 출신 조선 총독
④ 일제의 검열로 기사가 삭제된 동아일보의 지면
⑤ 총독의 회사 설립 허가를 요청하는 한국 기업가

Tip

3·1 운동 이후 일제는 이른바 '❶ [ ] 통치'를 표방하였으나, ❷ [ ]을 이용하여 민족 운동에 대한 감시와 탄압을 더욱 강화하였다.

답 ❶ 문화 ❷ 치안 유지법

3 (가) 단체에 대한 설명으로 옳은 것은?

> (가) 강령
>
> 1. 부호로부터 기부금을 거두고, 일본인이 불법으로 징수한 세금을 압수해 독립운동 자금으로 삼는다.
> 2. 만주에 사관 학교를 설치하여 독립 전사를 양성한다.
> 6. 일인 고관 및 한인 반역자를 수시로 처단한다.
> 7. 무력이 준비되는 대로 일본을 내쫓고 최후 목적을 달성한다.

① 대동단결 선언을 발표하였다.
② 미국에 구미 위원부를 설치하였다.
③ 오산 학교와 대성 학교를 설립하였다.
④ 고종의 비밀 지령을 받아 조직되었다.
⑤ 공화제 정부 수립을 목표로 활동하였다.

Tip

1912년에 임병찬은 고종의 비밀 지령을 받아 ❶ [ ]를 조직하였고, 1915년 대구에서 박상진을 총사령으로 하는 ❷ [ ]가 조직되었다.

답 ❶ 독립 의군부 ❷ 대한 광복회

4 (가) 민족 운동에 대한 설명으로 옳은 것은?

> 화성 제암리 사건은 (가) 에 대한 일제의 보복으로 일어났다. 일본군은 제암리 주민들을 교회로 모이게 한 뒤, 불을 지르고 교회를 빠져나오는 사람들에게 총격을 가하였다.

① 신간회의 지원을 받았다.
② 민족 자결주의의 영향을 받았다.
③ 사회주의 세력의 주도로 일어났다.
④ 봉오동과 청산리에서 일본군을 격파하였다.
⑤ 일본 의회에 한국인 대표를 참여시키려 하였다.

Tip

윌슨이 주창한 ❶ [ ], 2·8 독립 선언 등을 배경으로 일어난 ❷ [ ]은 탑골 공원에서 시작되어 주요 도시와 농촌으로 확산되었다.

답 ❶ 민족 자결주의 ❷ 3·1 운동

5 밑줄 친 '회의'의 소집 배경으로 옳은 것은?

어려운 상황 속에서 독립운동의 새로운 방향과 활로를 모색하기 위한 회의가 열렸나. 몇 개월 동안 진행된 이 회의에서는 임시 정부를 개편하자는 개조파와 새 정부를 조직하자는 창조파가 대립하였다. 결국 이 회의는 큰 성과를 거두지 못하고 결렬되었다.

① 한국광복군이 조직되었다.
② 일제가 상하이 사변을 일으켰다.
③ 연통제와 교통국 조직이 붕괴되었다.
④ 임시 의정원에서 이승만을 탄핵하였다.
⑤ 삼균주의에 기초한 건국 강령이 발표되었다.

Tip

1920년대 초반 ❶ [ ] 의 위기를 타개하기 위해 ❷ [ ] 가 1923년에 개최되었으나 별다른 성과를 거두지 못하였다. 답 ❶ 대한민국 임시 정부 ❷ 국민 대표 회의

6 다음 협정이 체결된 시기를 연표에서 옳게 고른 것은?

1. 한국인이 무기를 가지고 다니거나 한국으로 침입하는 것을 엄금하며 위반자는 검거하여 일본 경찰에 인도한다.
2. 만주에 있는 한인 단체를 해산하고 무장을 해제하며 무기와 탄약을 몰수한다.
3. 일본이 지명하는 독립운동가를 체포하여 일본 경찰에 인도한다.

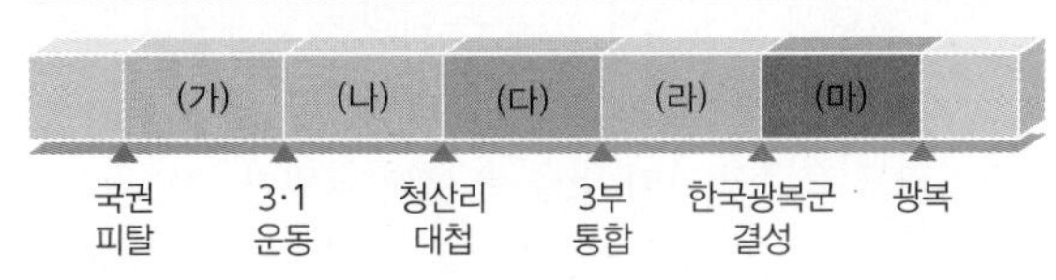

① (가) ② (나) ③ (다) ④ (라) ⑤ (마)

Tip

자유시 참변 이후 만주의 독립운동 세력은 ❶ [ ] 로 재편되었고, 1925년 일제가 만주 군벌과 맺은 ❷ [ ] 으로 활동이 크게 위축되었다. 답 ❶ 3부 ❷ 미쓰야 협정

7 다음 자료와 관련된 민족 운동에 대한 설명으로 옳은 것은?

① 문맹 퇴치를 목표로 하였다.
② 자본가 계층을 중심으로 전개되었다.
③ 고등 교육 기관의 설립을 추진하였다.
④ 일제 지배하에서 자치를 이루고자 하였다.
⑤ '조선 사람 조선 것' 등의 구호를 내세웠다.

Tip

1920년대에는 언론사의 주도로 농촌 계몽 운동이 전개되었다. 『조선일보』는 1929년 ❶ [ ] 운동을, 『동아일보』는 1931년부터 ❷ [ ] 운동을 전개하였다.

답 ❶ 문자 보급 ❷ 브나로드

8 다음 격문을 발표한 민족 운동에 대한 설명으로 옳은 것은?

- 검거자를 즉시 우리 손으로 탈환하자.
- 교우회 자치권을 획득하자.
- 식민지적 노예 교육 제도를 철폐하라.
- 전국 학생 대표자 회의를 개최하라.
- 만행의 광주 중학을 폐쇄하라!
- 일본 제국주의를 타도하라!
- 피압박 민족 해방 만세!

① 조선 민흥회 설립에 영향을 주었다.
② 순종의 장례일에 만세 시위를 벌였다.
③ 대한민국 임시 정부 수립의 계기가 되었다.
④ 일제 강점기 최대 규모의 민족 운동이었다.
⑤ 신간회가 진상 조사단을 파견하여 지원하였다.

Tip

1929년 11월 3일 ❶ [ ] 지역 학생들이 민족 차별 중지와 식민지 교육 철폐를 내걸고 전개한 시위에서 시작된 ❷ [ ] 은 전국으로 확산되었다.

답 ❶ 광주 ❷ 광주 학생 항일 운동

필수 체크 전략 ①

2강_사회 · 문화의 변화와 사회 운동 ~ 광복을 위한 노력

필수 예제 01

수능 기출

다음 자료를 활용한 탐구 활동으로 가장 적절한 것은?

> 조선 여성 운동은 세계 사정에 의하여, 또 조선 여성의 성숙도에 의하여 바야흐로 중대한 단계로 진전하였다. 부분 부분으로 분산되었던 운동이 전 조선적 협동 전선으로 조직된다. …… 이 단계에서는 모든 분열 정신을 극복하고 우리의 협동 전선으로 하여금 더욱더욱 공고하게 하는 것이 조선 여성의 의무이다.
>
> –『근우』 창간호 –

① 금난전권의 폐지 목적을 알아본다.
② 삼정이정청의 설치 배경을 살펴본다.
③ 조사 시찰단의 활동 내용을 분석한다.
④ 새마을 운동의 전개 과정을 정리한다.
⑤ 여성계의 민족 유일당 운동을 조사한다.

Tip

1927년 신간회 결성 이후 여성 운동 분야에서도 민족주의 계열과 사회주의 계열이 통합된 근우회가 결성되었다.

풀이

⑤ 근우회는 여성계의 민족 유일당 운동 단체로 결성되었다.

답 ⑤

응용 01-1

다음 포스터와 관련된 운동에 대한 설명으로 옳은 것을 보기에서 있는 대로 고르시오.

보기

ㄱ. 민족 유일당 운동으로 전개되었다.
ㄴ. 다른 사회 운동 세력과 연대하였다.
ㄷ. 진주에서 조선 형평사가 조직되었다.
ㄹ. 백정에 대한 차별 철폐를 주장하였다.

필수 예제 02

모평 기출

(가)에 들어갈 내용으로 옳은 것은?

> **한국사 인물 열전 기획안**
>
> • **제목:** 민족의 독립을 위하여 헌신한 단재 ○○○
> • **기획 의도:** 독립운동과 역사 연구에 큰 업적을 남긴 ○○○의 활동을 조명한다.
> • **내용 요소**
> –『대한매일신보』에 「독사신론」을 게재하다.
> – (가)
> –『조선 상고사』를 지어 고대사 연구를 심화시키다.

① 교정도감을 설치하다.
② 인왕제색도를 그리다.
③ 대동여지도를 제작하다.
④ 조선 건국 동맹을 이끌다.
⑤ 조선 혁명 선언을 집필하다.

Tip

기획안에서 다루고 있는 인물은 단재 신채호이다.

풀이

⑤ 신채호는 민중의 직접 혁명과 폭력 투쟁의 필요성을 강조한 「조선 혁명 선언」을 집필하였다. ① 고려 최충헌, ② 조선 후기 정선, ③ 조선 후기 김정호, ④ 일제 강점기 여운형과 관련된 내용이다.

답 ⑤

응용 02-1

다음 글을 저술한 인물에 대한 설명으로 옳은 것을 보기에서 있는 대로 고르시오.

> 옛사람이 이르기를, 나라는 없어질 수 있으나 역사는 없어질 수 없다고 하였으니, 그것은 나라는 형체이고 역사는 정신이기 때문이다. 이제 나라의 형체는 허물어졌으나, 정신만이라도 오로지 남아 있을 수 없단 말인가.

보기

ㄱ. 조선학 운동을 제창하였다.
ㄴ. 유물 사관에 바탕을 두었다.
ㄷ. 한국독립운동지혈사를 저술하였다.
ㄹ. 독립운동의 일환으로 역사를 연구하였다.

필수 예제 03 수능 기출

밑줄 친 '시기'에 일제가 실시한 정책으로 옳은 것은?

이 자료에는 중일 전쟁 이후 국가 총동원법이 시행된 시기에 일제에게 수탈당한 사람들의 슬픔과 분노가 담겨 있습니다.

신고산이 우루루 화물차 가는 소리에
지원병 보낸 어머니 가슴만 쥐어뜯고요
어랑어랑 어허야
양곡 배급 적어서 콩깻묵만 먹고 사누나
……
금붙이 쇠붙이 밥그릇마저 모조리 긁어 갔고요
어랑어랑 어허야
이름 석 자 잃고서 족보만 들고 우누나

① 녹읍을 폐지하였다.
② 영정법을 시행하였다.
③ 홍범 14조를 반포하였다.
④ 9주 5소경 제도를 정비하였다.
⑤ 황국 신민 서사 암송을 강요하였다.

Tip

중일 전쟁 이후 국가 총동원법이 시행된 시기는 1938년 이후로, 일제가 황국 신민화 정책을 실시한 시기이다.

풀이

⑤ 중일 전쟁 발발 이후 일제는 한국인을 전쟁에 동원하기 위해 황국 신민화 정책을 추진하여 황국 신민 서사의 암송과 신사 참배, 궁성 요배 등을 강요하였다. 답 ⑤

응용 03-1

다음 정책이 추진되던 시기에 볼 수 있는 모습으로 적절한 것을 보기 에서 있는 대로 고르시오.

1. 일본식으로 성명을 고치지 않은 사람은 자제를 학교에 입학시킬 수 없다.
2. 일본인 교사는 아동을 이유 없이 구타해 아동이 부모에게 애원해 일본식 성명으로 고치게 한다.

보기
ㄱ. 6·10 만세 운동에 참여하는 학생
ㄴ. 가정의 놋그릇을 공출해 가는 관리
ㄷ. 조선 신궁에 강제로 참배하는 학생들
ㄹ. 한국인에게 즉결 처분을 내리는 헌병 경찰

필수 예제 04 모평 기출

(가) 단체에 대한 설명으로 옳은 것은?

3부는 항일 무장 투쟁을 효율적으로 전개할 목적으로 1920년대 후반부터 통합 운동을 전개하였다. 그 결과, 남만주의 국민부와 북만주의 혁신 의회로 통합되었다. 국민부는 조선 혁명당을 조직하고 그 산하에 무장 부대인 (가) 을/를 결성하여 무장 투쟁을 전개하였다.

① 서울 진공 작전을 전개하였다.
② 조선 혁명 선언을 발표하였다.
③ 105인 사건으로 시련을 겪었다.
④ 영릉가 전투와 흥경성 전투를 승리로 이끌었다.
⑤ 인도와 미얀마 전선에서 영국군과 협동 작전을 전개하였다.

Tip

국민부 산하의 무장 조직은 조선 혁명군이다.

풀이

④ 조선 혁명군은 양세봉의 지휘하에 중국의 항일 무장 세력과 연합하여 영릉가, 흥경성 전투에서 일본군에 승리하였다. ① 정미의병 당시 결성된 13도 창의군, ② 신채호, ③ 신민회, ⑤ 한국광복군에 대한 설명이다. 답 ④

응용 04-1

(가), (나) 독립군에 대한 설명으로 옳은 것을 보기 에서 있는 대로 고르시오.

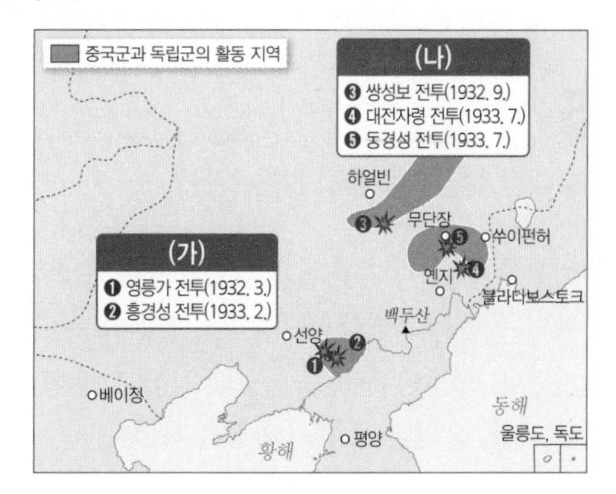

보기
ㄱ. (가)– 봉오동 전투에 참여하였다.
ㄴ. (나)– 지청천이 이끌었던 부대이다.
ㄷ. (나)– 간도 참변 이후 러시아로 이동하였다.
ㄹ. (가), (나)– 한·중 연합 작전을 전개하였다.

필수 예제 05

수능 기출

(가) 단체에 대한 설명으로 옳은 것은?

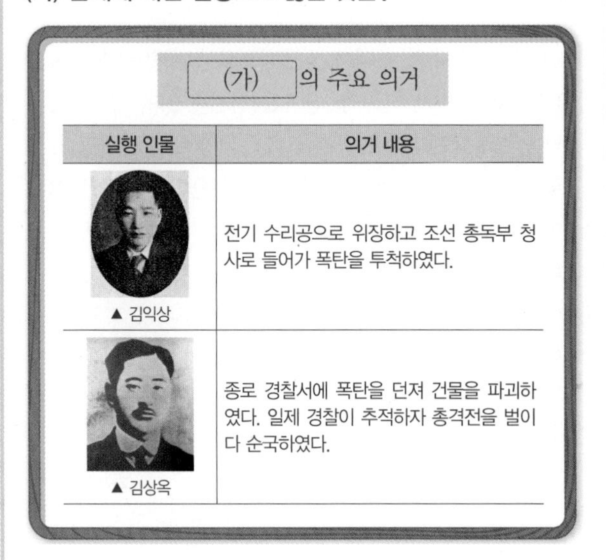

(가) 의 주요 의거

실행 인물	의거 내용
▲ 김익상	전기 수리공으로 위장하고 조선 총독부 청사로 들어가 폭탄을 투척하였다.
▲ 김상옥	종로 경찰서에 폭탄을 던져 건물을 파괴하였다. 일제 경찰이 추적하자 총격전을 벌이다 순국하였다.

① 임오군란에 가담하였다.
② 교조 신원 운동을 전개하였다.
③ 김원봉을 중심으로 결성되었다.
④ 오산 학교와 대성 학교를 설립하였다.
⑤ 고종 강제 퇴위 반대 운동을 주도하였다.

Tip

김익상, 김상옥이 활동한 (가) 단체는 의열단이다.

풀이

③ 1919년 만주 지린에서 김원봉 등의 주도로 조직된 의열단은 일제의 식민 통치 기관을 파괴하고 조선 총독부의 고위 관리나 친일파를 처단하는 의열 투쟁을 전개하였다. ① 구식 군인과 한성의 하층민, ② 동학교도, ④ 신민회, ⑤ 대한 자강회에 대한 설명이다.

답 ③

필수 예제 06

수능 기출

밑줄 친 '사건'을 주도한 단체에 대한 설명으로 옳은 것은?

> 우리 프랑스는 지난 10여 년 동안 김구를 보호하여 왔습니다. 그러나 이번에 김구가 단원을 보내서 일왕에게 폭탄을 던진 사건을 빌미로 일본은 우리에게 김구를 체포해 넘기라고 요구할 것입니다. 따라서 우리 프랑스가 일본과 전쟁을 결심하지 않는 한 김구를 보호하는 것은 어렵습니다.
>
> –『백범일지』–

① 예송을 전개하였다.
② 한성순보를 발행하였다.
③ 관민 공동회를 개최하였다.
④ 윤봉길이 단원으로 활동하였다.
⑤ 청의 선진 문물 수용을 주장하였다.

Tip

밑줄 친 '사건'은 1932년 이봉창이 도쿄에서 일왕의 마차에 폭탄을 투척한 일이며, 이를 주도한 단체는 김구가 조직한 한인 애국단이다.

풀이

④ 한인 애국단 단원인 윤봉길은 1932년 상하이 훙커우 공원에서 열린 일왕 생일 및 상하이 사변 승리 축하 기념식 행사장에서 폭탄을 투척하여 일본 고위 관료와 군 지휘관 다수를 살상하였다.

답 ④

응용 05-1

(가) 단체에 대한 설명으로 옳지 않은 것은?

> 약산 김원봉은 경남 밀양 출신으로, 3·1 운동의 소식을 듣고 만주에서 폭탄 제조법을 배우는 등 일제와의 무장 투쟁을 준비하였다. 1919년부터는 (가) 의 단장으로 식민 지배 기관 폭파, 요인 암살 등의 활동을 하였다.

① 청산리 대첩을 승리로 이끌었다.
② 민족 혁명당의 결성에 참여하였다.
③ 조선 혁명 선언을 행동 강령으로 삼았다.
④ 조선 총독부와 종로 경찰서 등을 공격하였다.
⑤ 황푸 군관 학교에 입학하여 군사 훈련을 받았다.

응용 06-1

밑줄 친 '의거'의 결과로 옳은 것은?

> 1932년 4월 29일, 한인 애국단의 윤봉길이 상하이 훙커우 공원에서 열린 일왕의 생일과 상하이 사변 승리 기념식에서 단상에 폭탄을 던져 일본군 장성과 고관 다수를 처단하는 의거를 일으켰다.

① 국내에서 신간회가 창립되었다.
② 대한민국 임시 정부가 수립되었다.
③ 신채호가 조선 혁명 선언을 작성하였다.
④ 일제의 통치 방식이 문화 통치로 변화하였다.
⑤ 중국 국민당 정부가 한국의 독립운동을 적극 지원하였다.

필수 예제 07

학평 기출

(가) 군사 조직에 대한 설명으로 옳은 것은?

> 중일 전쟁 발발 이후 김원봉이 이끄는 민족 혁명당의 주도로 중국 관내 최초의 한인 무장 부대인 [(가)]이/가 조직되었다. [(가)]은/는 중국 국민당 정부의 지원을 받으며, 일본군에 대한 심리전이나 후방 공작 활동을 전개하여 많은 성과를 올렸다.

① 자유시 참변으로 타격을 받았다.
② 황룡촌 전투에서 승리를 거두었다.
③ 미쓰야 협정으로 활동이 위축되었다.
④ 한국광복군에 일부 병력이 합류하였다.
⑤ 문수산성에서 프랑스 군대를 격파하였다.

Tip

중국 관내 최초의 한인 무장 부대는 조선 의용대이다.

풀이

④ 조선 의용대의 일부 대원은 더욱 적극적인 무장 투쟁을 펼치고자 중국 공산당의 근거지인 화북 지방으로 이동하였고, 그렇지 않은 대원들은 충칭으로 이동하여 한국광복군에 합류하였다. ① 대한 독립 군단, ② 동학 농민군, ③ 1925년 이후 만주 일대의 독립군, ⑤ 병인양요(1866) 당시 조선군과 관련된 설명이다.

답 ④

응용 07-1

(가)에 들어갈 내용으로 옳은 것을 | 보기 |에서 있는 대로 고르시오.

> 〈○○ ○○당〉
> • **결성**: 1935년 중국 난징
> • **참여 단체**: 의열단, 조선 혁명당, 한국 독립당 등
> • **강령**: 민주 공화국 수립, 토지의 국유화 등
> • **특징 및 활동**
> – [(가)]
> – 조선 민족 전선 연맹 결성(1937)

| 보기 |

ㄱ. 중일 전쟁 발발 이후 충칭에 정착
ㄴ. 중국 관내 최대 규모의 통일 전선 정당
ㄷ. 내부 갈등으로 일부 민족주의 세력 탈당
ㄹ. 대한민국 임시 정부의 중심 세력이 참여

필수 예제 08

수능 기출

밑줄 친 '우리 군대'에 대한 설명으로 옳은 것은?

> 우리들의 염원인 우리 조국 삼천리 강토에의 진주(進駐)를 실현코자 국내 진공 작전을 계획하였으니, 당시 주중 미군 현지 사령관의 원조를 받아 <u>우리 군대</u>의 일부 대원을 선발하여 특수 비밀 훈련이 시작되었던 것이다. …… 우리와 미국 사이에 군사 협의를 통해 미국은 제1차로 특수 훈련을 받고 있는 우리 대원들을 산둥에서 미국 잠수함으로 국내에 잠입시켜 중요 지점을 파괴 또는 점령케 하는 동시에, 때를 잃지 않고 비행기와 선박으로 진주군을 상륙시켜 점령할 계획이었다.

① 양세봉의 지휘하에 활동하였다.
② 대한민국 임시 정부가 창설하였다.
③ 쌍성보 전투에서 일본군을 무찔렀다.
④ 옌안에서 중국 공산당과 연합하였다.
⑤ 봉오동에서 일본군에 대승을 거두었다.

Tip

자료는 미군의 특수 훈련을 받고 국내 진공 작전을 계획하는 모습으로, 밑줄 친 '우리 군대'는 한국광복군이다.

풀이

② 한국광복군은 1940년 대한민국 임시 정부의 군대로 창설되었으며, 태평양 전쟁 발발 이후 연합군의 일원으로 참전하였다.
① 조선 혁명군, ③ 한국 독립군, ④ 조선 의용군, ⑤ 대한 독립군 등 연합 부대의 활동 내용이다.

답 ②

응용 08-1

(가) 군사 조직에 대한 설명으로 옳은 것을 | 보기 |에서 있는 대로 고르시오.

> 우리는 대한민국 임시 정부 산하 [(가)] 총사령부 성립 의식을 거행하였다. 이로써 전투 역량이 더욱 발휘되고, 작전 지휘가 좀 더 민첩한 군사 조직이 마련된 것이다.

| 보기 |

ㄱ. 인도·미얀마 전선에서 활약하였다.
ㄴ. 미군과 연계하여 국내 진공 작전을 계획하였다.
ㄷ. 중국 공산당의 팔로군과 연합 작전을 전개하였다.
ㄹ. 조선 의용대의 일부가 합류하여 전투력이 강화되었다.

WEEK 1 DAY 3

필수 체크 전략 ②

2강_사회 · 문화의 변화와 사회 운동 ~ 광복을 위한 노력

1 다음 사회 운동에 대한 설명으로 옳은 것은?

> 1929년 1월, 원산의 한 석유 회사 노동자들이 일본인 현장 감독이 한국인 노동자를 구타한 사건에 항의하며 파업에 들어갔다. 회사 측은 파업에 강경하게 대응하였고, 이에 원산 지역 노동자들은 총파업으로 맞섰다. 전국 각지에서 노동자들의 파업을 돕고자 성금과 식량을 보내왔다.

① 민족 개조론의 영향을 받았다.
② 일제의 남면북양 정책에 반대하였다.
③ 조선 노동 총동맹 결성의 계기가 되었다.
④ 일제 식민 통치에 반대하는 정치적 성격을 띠었다.
⑤ '토지는 밭갈이하는 농민에게' 등의 구호를 내걸었다.

Tip
일제 강점기 농민 운동의 대표 사례로는 1923년에 일어난 ❶ [ ] 가 있으며, 노동 운동의 대표 사례로는 1929년에 일어난 ❷ [ ] 이 있다.

답 ❶ 암태도 소작 쟁의 ❷ 원산 총파업

2 (가) 단체에 대한 설명으로 옳은 것은?

> (가) 은/는 우리말 사전 편찬을 시도하였으나, 일제의 탄압으로 해산되면서 편찬 작업이 중단되었다. 광복 후 서울역 창고에서 발견된 원고를 바탕으로 『조선말 큰사전』이 편찬되었고, 『큰사전』으로 이름을 바꿔 1957년에 5권으로 완간되었다.

① 가갸날을 제정하였다.
② 잡지 한글을 창간하였다.
③ 조선학 운동을 전개하였다.
④ 주시경의 주도로 결성되었다.
⑤ 한글 맞춤법 통일안을 제정하였다.

Tip
일제의 일본어 보급 정책에 맞서기 위해 1921년 주시경의 제자들이 중심이 되어 ❶ [ ] 를 조직하였으며, 이 단체는 ❷ [ ] 로 확대 개편되었다.

답 ❶ 조선어 연구회 ❷ 조선어 학회

3 다음 법령이 시행된 시기에 볼 수 있는 모습으로 가장 적절한 것은?

> **제1조** 치안 유지법의 죄를 범하여 형에 처하여진 자가 집행을 종료하여 석방되는 경우에 석방 후 다시 동법의 죄를 범할 우려가 현저한 때에는 재판소는 검사의 청구에 의하여 본인을 예방 구금에 부친다는 취지를 명할 수 있다.

① 국민학교로 등교하는 학생
② 브나로드 운동에 참여하는 청년
③ 105인 사건으로 연행되는 애국지사
④ 조선일보의 기사를 읽고 있는 지식인
⑤ 신간회 창립 행사에 참여하는 사회주의자

Tip
일제는 한국인의 ❶ [ ] 을 말살시키고자 우리말 사용을 금지하고 조선 사상범 보호 관찰령 등을 통해 ❷ [ ] 세력에 대한 감시와 탄압을 강화하였다.

답 ❶ 민족의식 ❷ 독립운동

4 (가)에 들어갈 내용으로 옳은 것은?

> • 이름: ○○○(1896~1934)
> • 주요 행적
> – 3·1 운동 직후 천마산대에 입대
> – 조선 혁명군 총사령으로 한·중 연합군 편성
> – (가)
> – 1934년 9월 일본군과의 전투 중 전사

① 조국 광복회 결성
② 러시아령 자유시로 이동
③ 대한민국 임시 정부로 합류
④ 영릉가, 흥경성 전투에서 승리
⑤ 동북 항일 연군에서 유격대 활동

Tip
만주 사변 이후 남만주 지역에서는 ❶ [ ] 이, 북만주에서는 ❷ [ ] 이 중국의 항일 무장 세력과 연합하여 한·중 연합 작전을 전개하였다.

답 ❶ 조선 혁명군 ❷ 한국 독립군

5 (가) 단체에 대한 설명으로 옳은 것은?

> **한국사 신문** ○○○○년 ○월 ○일
>
> **동양 척식 주식회사에 폭탄 투척 사건!**
>
> 지난 ○○일, 조선 청년 나석주가 조선 식산 은행과 동양 척식 주식회사에 폭탄을 투척, 폭탄은 불발하였으나 소지한 권총으로 일본인을 사살하였다. 경찰의 추격이 이어지자 청년은 자결을 시도하였으며, 이송 중 자신의 이름과 (가) 의 단원임을 밝히고 숨졌다.

① 조선 혁명 간부 학교를 설립하였다.
② 코민테른의 노선 변화에 따라 해소되었다.
③ 민족 유일당 운동의 일환으로 결성되었다.
④ 한국 광복 운동 단체 연합회에 참여하였다.
⑤ 대한민국 임시 정부의 침체 극복을 위해 조직되었다.

Tip

의열단의 단원들은 1920년대 후반부터는 개별적 의열 투쟁에 한계를 느끼고 ❶ ______ 에 입학하여 체계적인 군사 훈련과 간부 교육을 받았고, ❷ ______ 를 설립하여 운영하였다.

답 ❶ 황푸 군관 학교 ❷ 조선 혁명 간부 학교

6 다음 사건이 있었던 시기를 연표에서 옳게 고른 것은?

> 4월 29일 아침, 윤봉길은 자신의 시계를 김구에게 건네며 말하였다. "제 시계는 어제 선서식 후 6원을 주고 산 것인데, 선생님의 시계는 2원짜리입니다. 저는 이제 1시간 밖에 더 소용이 없습니다." 두 사람은 시계를 맞바꿨다.

	(가)		(나)		(다)		(라)		(마)	
3·1 운동		대한민국 임시 정부 수립		국민 대표 회의		광주 학생 항일 운동		한국광복군 창설		광복

① (가) ② (나) ③ (다) ④ (라) ⑤ (마)

Tip

한인 애국단 단원인 ❶ ______ 은 도쿄에서 일왕에게 폭탄을 투척하였고, ❷ ______ 은 상하이 훙커우 공원에서 일본군 지휘관과 고위 관료를 다수 처단하였다.

답 ❶ 이봉창 ❷ 윤봉길

7 다음 포고문을 발표한 단체에 대한 설명으로 옳은 것은?

> 우리는 삼천만 한인과 정부를 대표하여 삼가 중국, 영국, 미국 등 기타 여러 나라가 일본에 전쟁을 선포한 것이 일본을 격패(擊敗)하게 하고 동아시아를 재건하는 가장 유효한 수단이 됨을 축하하며, 이에 특히 다음과 같이 성명하노라.
> 1. 한국 전 인민은 현재 이미 반침략 전선에 참가하였으니 한 개의 전투 단위로서 선전한다.

① 김두봉을 위원장으로 선출하였다.
② 해방 이후 건국 준비 위원회로 발전하였다.
③ 삼균주의에 기초한 건국 강령을 발표하였다.
④ 일본군의 대공세로 소련 지역으로 이동하였다.
⑤ 산하 무장 조직으로 조선 의용대를 창설하였다.

Tip

대한민국 임시 정부는 1940년 ❶ ______ 에 자리를 잡았고, ❷ ______ 이 일어나자 정식으로 대일 선전 포고를 하였다.

답 ❶ 충칭 ❷ 태평양 전쟁

8 다음 강령을 발표한 단체에 대한 설명으로 옳은 것은?

> 1. 각인 각파를 대동단결하여 거국일치로 일본 제국주의의 제 세력을 구축하고 조선 민족의 자유와 독립을 회복할 것.
> 2. 반추축 제국과 협력하여 대일 연합 전선을 형성하고 조선의 완전한 독립을 저해하는 일체 반동 세력을 박멸할 것.
> 3. 건설 부면에서 일체 시위(施爲)를 민주주의적 원칙에 의거하고, 특히 노농 대중의 해방에 치중할 것.

① 3부 통합 운동으로 결성되었다.
② 광주 학생 항일 운동을 지원하였다.
③ 여운형을 중심으로 국내에서 조직되었다.
④ 조선 민족 전선 연맹의 결성에 참여하였다.
⑤ 타이항산 전투와 후자좡 전투 등에 참여하였다.

Tip

1944년 국내에서 활동하던 여운형은 ❶ ______ 을 비밀리에 조직하고 민주주의 원칙에 바탕을 둔 국가를 건설하여 노농 대중을 해방하겠다는 ❷ ______ 을 발표하였다.

답 ❶ 조선 건국 동맹 ❷ 건국 강령

WEEK 1

누구나 합격 전략

일제의 식민 지배 정책

1 다음 대책이 발표된 시기 일제의 통치 정책에 대한 설명으로 옳은 것은?

> 1. 친일 단체 조직의 필요 …… 중심적 친일 인물을 물색하게 하고, 그 인물로 하여금 귀족, 양반, 유생, 부호, 실업가, 교육가, 종교인 등 각기 계급 및 사정에 따라 각종의 친일적 단체를 만들게 한 후, 그에게 상당한 편의와 원조를 제공하여 충분히 활용토록 할 것. …….

① 회사령을 공포하였다.
② 조선 태형령을 제정하였다.
③ 보통 경찰제를 시행하였다.
④ 남한 대토벌 작전을 실행하였다.
⑤ 을사늑약으로 외교권을 박탈하였다.

3·1운동

2 (가)에 들어갈 학생의 답변으로 적절한 것은?

① 단발령의 실시에 반대했어요.
② 삼정의 문란이 원인이 되었어요.
③ 선 실력 양성, 후 독립을 내세웠어요.
④ 집강소를 설치하여 폐정 개혁을 실시했어요.
⑤ 대한민국 임시 정부 수립에 영향을 끼쳤어요.

대한민국 임시 정부

3 다음 임시 헌법을 공포한 정부에 대한 설명으로 옳은 것은?

> **제1조** 대한민국은 대한 인민으로 조직한다.
> **제2조** 대한민국의 주권은 대한 인민 전체에 있다.
> **제4조** 대한민국의 인민은 일체 평등하다.
> **제5조** 대한민국의 입법권은 의정원이, 행정권은 국무원이, 사법권은 법원이 행사한다.

① 광무개혁을 추진하였다.
② 토지 조사령을 공포하였다.
③ 연통제와 교통국을 조직하였다.
④ 민족 혁명당 결성을 주도하였다.
⑤ 반민족 행위 처벌법을 제정하였다.

민족 유일당 운동

4 (가) 단체에 대한 설명으로 옳은 것은?

> **한국사 신문**
>
> 19△△년 △월 △일
>
> (가), 창립 총회 개최
>
> 지난 ○○일, (가) 의 창립 총회가 개최되었다. 비타협적 민족주의자와 사회주의자의 협동 전선으로 조직된 (가) 은/는 아래의 3대 강령을 발표한 바 있다.
> • 우리는 정치적·경제적 각성을 촉진함.
> • 우리는 단결을 공고히 함.
> • 우리는 기회주의를 일체 부인함.

① 6·10 만세 운동을 주도하였다.
② 정우회 선언을 계기로 결성되었다.
③ 대성 학교와 오산 학교를 설립하였다.
④ 백정에 대한 차별을 철폐하고자 하였다.
⑤ 일제의 지배를 인정하고 자치 운동을 벌였다.

민족 문화 수호 운동

5 (가)에 들어갈 내용으로 옳은 것은?

역사 인물 보고서

△학년 △반 ○○○

1. 이름: ○○○
2. 생몰 연대: 1880~1936년
3. 선정 이유: 독립운동과 민족주의 역사 연구에 큰 업적을 남김.
4. 활동 내용
   - ▶『대한매일신보』에 「독사신론」을 게재하다.
   - ▶ 김원봉의 요청으로 「조선 혁명 선언」을 집필하다.
   - ▶ (가)

① 의열단을 결성하다.
② 조선 상고사를 저술하다.
③ 조선학 운동을 제창하다.
④ 조선사 편수회에서 활동하다.
⑤ 유물 사관을 토대로 역사학을 연구하다.

민족 말살 통치

6 다음 사진이 촬영된 시기에 볼 수 있는 모습으로 가장 적절한 것은?

▲ 금속류 공출

① 황국 신민 서사를 암송하는 학생
② 화폐 정리 사업으로 피해를 본 상인
③ 105인 사건으로 체포되는 신민회 회원
④ 한국인에게 태형을 집행하는 헌병 경찰
⑤ 국채 보상 운동의 모금에 참여하는 농민

의열 투쟁

7 밑줄 친 '이 단체'에 대한 설명으로 옳은 것은?

▲ 이봉창과 그의 선서

이봉창은 이 단체 소속으로, 1932년 도쿄에서 육군 열병식을 끝내고 돌아오는 일왕의 행렬을 향해 폭탄을 투척하였다. 그의 거사는 실패하였으나 일제와 주변국에 한국인의 독립 의지를 알린 사건이었다.

① 독립문 건설을 추진하였다.
② 김원봉의 주도로 결성되었다.
③ 서울 진공 작전을 전개하였다.
④ 상하이 훙커우 공원 의거를 일으켰다.
⑤ 조선 총독부와 종로 경찰서에 폭탄을 투척하였다.

광복을 준비하는 움직임

8 다음 자료를 활용한 탐구 활동의 주제로 적절한 것은?

드디어 3개월간의 제1기생 50명의 OSS 특수 공작 훈련이 끝났다. 나는 무전 기술 등의 시험에서 괜찮은 성적을 받았고 국내로 침투하여 모든 공작을 훌륭하게 수행할 수 있는 자신을 얻었다. …… 제1기생 훈련이 성공적으로 끝나자 우리는 말할 것도 없고 미군도 대만족하여 즉각 국내로 침투시킬 계획을 작성하였다.

① 북로 군정서와 청산리 대첩
② 6·25 전쟁과 인천 상륙 작전
③ 한국광복군의 국내 진공 작전
④ 조선 독립 동맹과 조선 의용군
⑤ 조선 혁명군의 한·중 연합 작전

일제의 식민 지배 정책

01 다음 자료를 활용한 탐구 활동의 주제로 적절한 것은?

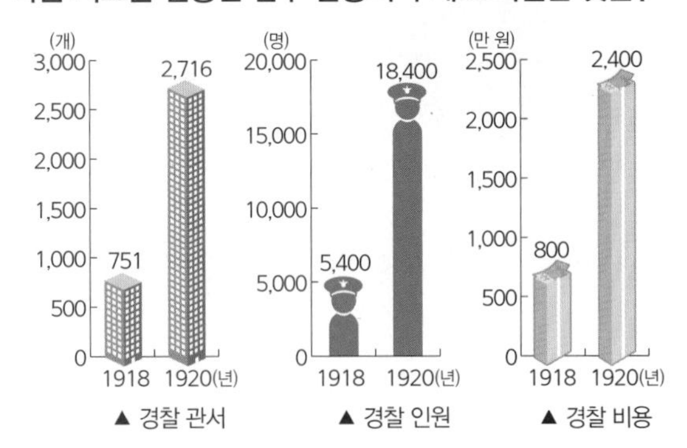

① 헌병 경찰에 의한 무단 통치
② 만주 지역의 무장 독립 전쟁
③ 일제가 표방한 문화 통치의 실상
④ 전쟁의 확대와 황국 신민화 정책
⑤ 의병 전쟁의 확산과 일본군의 대응

Tip

3·1 운동 이후 일제가 이른바 ❶ [ ]를 표방하며 ❷ [ ] 경찰 제도를 폐지하였지만 경찰 관서, 인원, 비용은 오히려 크게 증가하였다.

답 ❶ 문화 통치 ❷ 헌병

대한민국 임시 정부

02 (가)에 들어갈 내용으로 옳은 것은?

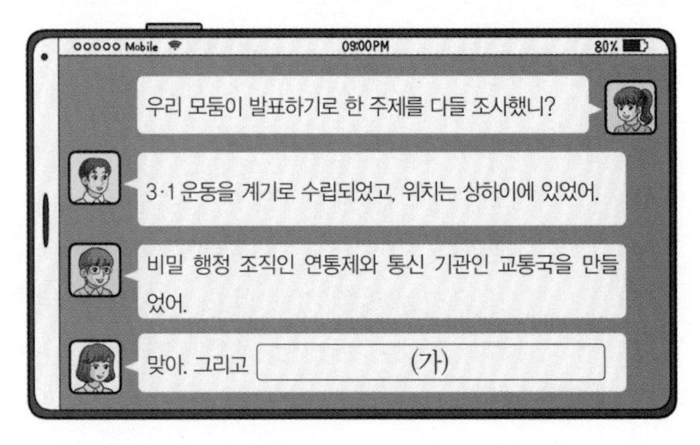

① 갑오개혁을 단행했어.
② 봉오동 전투에 참여했어.
③ 미국에 구미 위원부를 설치했어.
④ 광주 학생 항일 운동을 지원했어.
⑤ 자치 운동과 참정권 운동을 전개했어.

Tip

각지에서 수립된 임시 정부가 통합되어 상하이에서 수립된 ❶ [ ]는 임시 의정원, 국무원, 법원으로 구성된 ❷ [ ] 제도를 채택하였다.

답 ❶ 대한민국 임시 정부 ❷ 삼권 분립

실력 양성 운동

03 (가), (나) 포스터와 관련된 민족 운동에 대한 설명으로 옳은 것은?

(가)

(나)

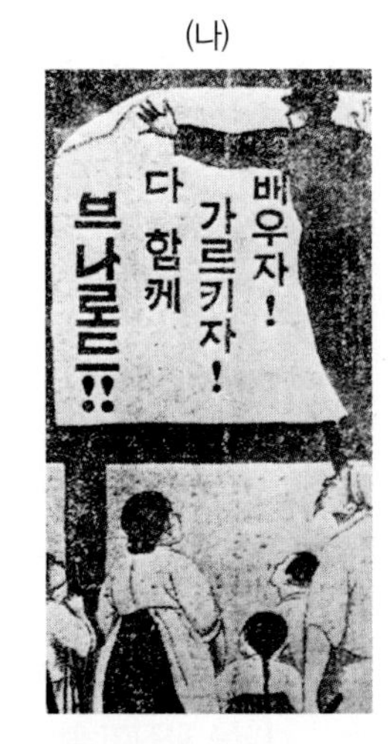

① (가)– 신간회의 지원하에 전국적으로 확산되었다.
② (가)– '한민족 1천만이 한 사람이 1원씩'이라는 구호를 내걸었다.
③ (나)– 한국인의 일본 의회 선거 참여를 청원하였다.
④ (나)– 학생과 청년들이 농촌에서 계몽 운동을 전개하였다.
⑤ (가), (나)– 종로 경찰서 등 일제의 식민 통치 기관을 공격하였다.

Tip

토산품 애용을 강조한 물산 장려 운동은 1920년 8월 평양에서 조만식 등이 ❶ [ ]를 조직하면서 시작되었다. 한편 1920년대 후반부터는 언론사의 주도로 농촌 계몽 운동이 전개되었다. 『조선일보』는 문자 보급 운동을, 『동아일보』는 ❷ [ ]을 전개하였다.

답 ❶ 조선 물산 장려회 ❷ 브나로드 운동

전시 동원 체제

04 다음 시가 작성된 시기의 사실로 옳은 것은?

> …… 마쓰이 히데오!
> 그대는 우리의 가미가제 특별 공격 대원
> …… 우리 동포들이 밤과 낮으로
> 정성껏 만들어 보낸 비행기 한 채에
> 그대, 몸을 실어 날았다간 내리는 곳
> 소리 있이 벌이는 고흔 꽃처럼
> 오히려 기쁜 몸짓 하며 내리는 곳
> 쪼각쪼각 부서지는 산더미 같은 미국 군함! ……
>
> – 서정주, 「마쓰이 오장 송가」 –

① 공출 제도가 실시되었다.
② 군국기무처가 설치되었다.
③ 3부 통합 운동이 전개되었다.
④ 토지 조사 사업이 시행되었다.
⑤ 한국인에게 태형이 적용되었다.

Tip

일제는 1938년 ❶ [　　] 을 제정하였으며, 1943년에는 징병제와 ❷ [　　] 를 제정하여 한국인을 전쟁터로 끌고 갔다.

답 ❶ 국가 총동원법 ❷ 학도 지원병제

의열 투쟁

05 (가)에 들어갈 단체로 옳은 것은?

① 신간회　② 의열단　③ 대한 광복회
④ 조선 의용대　⑤ 한인 애국단

Tip

신채호는 김원봉의 요청으로 ❶ [　　] 을 집필하였으며, 이는 ❷ [　　] 의 행동 지침이 되었다.

답 ❶ 「조선 혁명 선언」 ❷ 의열단

광복을 준비하는 움직임

06 (가)에 들어갈 내용으로 옳은 것은?

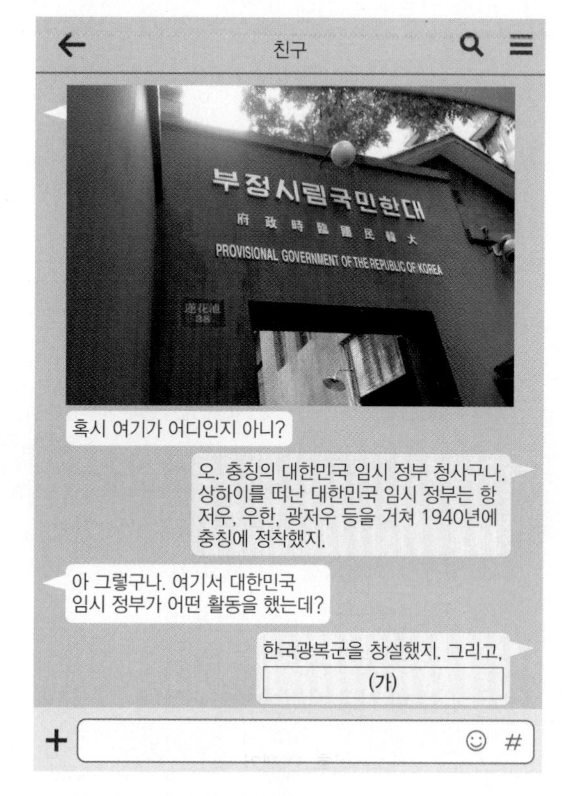

① 국민 대표 회의를 소집했어.
② 국무령제로 정부를 개편했어.
③ 파리 강화 회의에 김규식을 파견했어.
④ 한국 광복 운동 단체 연합회를 결성했어.
⑤ 삼균주의를 바탕으로 한 건국 강령을 발표했어.

Tip

대한민국 임시 정부는 1940년 충칭에 정착한 이후 ❶ [　　] 을 총사령관으로 하는 한국광복군을 창설하였다. 한국광복군 대원들은 미국 전략 첩보국(OSS)의 특수 훈련을 받고 ❷ [　　] 을 계획하였으나 일본의 항복으로 실행하지는 못하였다.

답 ❶ 지청천 ❷ 국내 진공 작전

일제의 경제 정책

07 다음 자료에 나타난 변화의 요인을 적절하게 추론한 것은?

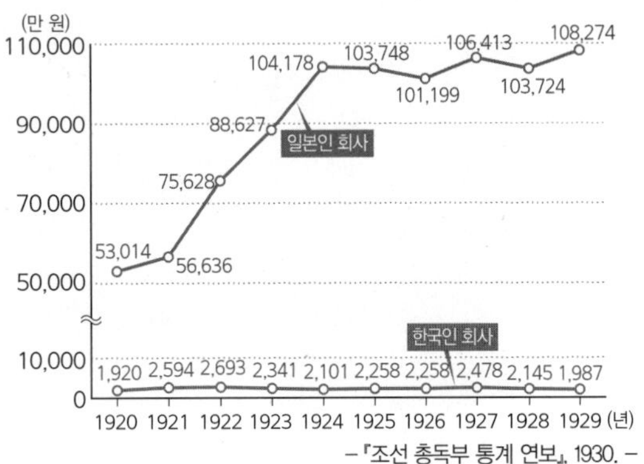

–『조선 총독부 통계 연보』, 1930. –

※ 일본인 회사의 자본금: 한국에 거점을 둔 일본인 회사와 일본 회사의 한국 지점 자본금을 모두 합친 수치임.

▲ 한국 내 일본인 회사와 한국인 회사의 자본금

① 일제가 회사령을 폐지하였다.
② 물산 장려 운동이 전개되었다.
③ 한국 내 수리 조합이 늘어났다.
④ 일본 내 식량 사정이 악화되었다.
⑤ 노동 쟁의 발생 건수가 증가하였다.

Tip

1920년 일제는 회사 설립을 허가제에서 ❶ [   ]로 바꾸었으나, 한국인 회사가 차지하는 자본금 비중은 미미하였다. 1923년에는 ❷ [   ]가 폐지되어 한국인 회사의 사정은 더욱 어려워졌다.

답 ❶ 신고제 ❷ 관세

1910년대 국내 독립운동

08 (가)에 들어갈 질문으로 적절한 것은?

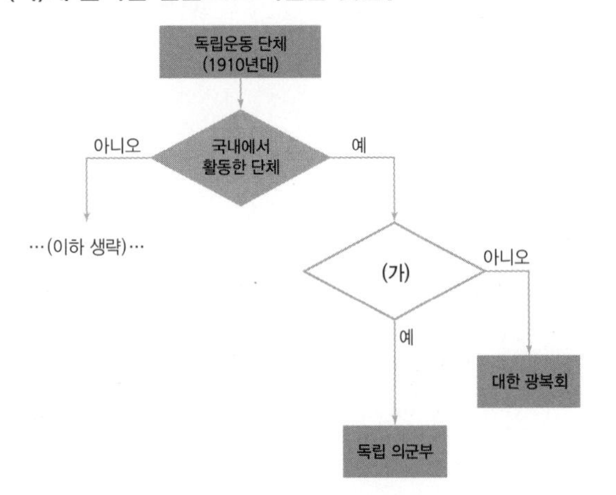

① 평양에서 설립되었는가?
② 복벽주의를 추구하였는가?
③ 공화제 수립을 목표로 하였는가?
④ 국외에 독립운동 기지를 건설하였는가?
⑤ 민족 자결주의의 영향을 받아 조직되었는가?

Tip

임병찬은 고종의 비밀 지령을 받아 ❶ [   ]를 조직하여 일본 정부의 총리대신과 조선 총독에게 ❷ [   ]를 보내려고 계획하였다.

답 ❶ 독립 의군부 ❷ 국권 반환 요구서

국외 무장 독립운동

09 (가)에 들어갈 대사로 가장 적절한 것은?

S#14 봉오동

해설: 숲길 사이에 독립군이 매복하고 일본군이 오기를 기다리고 있다.

독립군 1: 적들이 나타났다.

독립군 2: 어서 장군께 알리게!

독립군 1: (주먹을 불끈 쥐며) 우리가 반드시 승리할 것이네.

독립군 2: 그래. [(가)]

① 한국광복군의 이름을 알릴 시간이네.
② 북로 군정서군의 지원을 받으니 든든하군.
③ 중국인 부대와 함께 싸우니 우리가 유리해.
④ 지난 번 청산리에서도 우리가 이겼지 않았나.
⑤ 홍범도 장군께서 지휘하고 계시니 믿음직스럽네.

Tip

1920년 6월에 펼쳐진 봉오동 전투에서는 ❶ [   ]의 대한 독립군과 최진동의 ❷ [   ] 등 독립군 부대가 연합하여 일본군을 격파하였다.

답 ❶ 홍범도 ❷ 군무 도독부

1920년대 국내 민족 운동

10 밑줄 친 '항일 운동'에 대한 설명으로 옳은 것은?

학생 독립운동 기념일

요약 학생들의 독립운동 정신을 계승하여 애국심을 드높이기 위해 정한 기념일

날짜 매년 11월 3일

이 날은 일제 강점기인 1929년 광주 지역 학생들이 민족 차별과 식민지 교육에 반발하여 일으킨 항일 운동을 기념하는 날이다. 1953년 국회에서 '학생의 날'이라는 이름으로 처음 정부 기념일이 되었으며, 한 차례 폐지와 부활을 거쳐 2006년에는 '학생 독립 운동 기념일'로 명칭이 변경되었다.

① 순종의 장례일에 일어났다.
② 혁명적 농민 조합을 만들었다.
③ '선 실력 양성, 후 독립'을 내세웠다.
④ 신간회가 진상 조사단을 파견하였다.
⑤ 중국의 5·4 운동 등에 영향을 주었다.

Tip

1929년 일어난 ❶ ( ) 은 광주 지역의 학생 비밀 결사인 성진회와 여러 독서회가 시위를 주도하였으며, 전국적으로 확산되어 ❷ ( ) 이후 최대 규모의 항일 민족 운동으로 발전하였다.

답 ❶ 광주 학생 항일 운동 ❷ 3·1운동

사회 모습의 변화

11 다음 자료에 나타난 시기 사회 변화에 대한 설명으로 옳지 않은 것은?

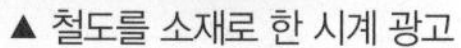
▲ 철도를 소재로 한 시계 광고

▲ 모던 걸과 모던 보이

① X자형 간선 철도망이 완성되었다.
② 근대적 시간관념이 정착되어 갔다.
③ 프로 야구와 프로 축구가 출범하였다.
④ 사의 찬미 등 대중가요가 유행하였다.
⑤ 토월회가 조직되어 순회 공연을 펼쳤다.

Tip

일제 강점기 근대 문물의 유입은 시간과 ❶ ( ) 에 대한 의식을 바꿔 놓았고, ❷ ( ) 생활에도 변화를 일으켰다.

답 ❶ 공간 ❷ 의식주

1930년대 국외 독립운동

12 (가)에 들어갈 단체로 옳은 것은?

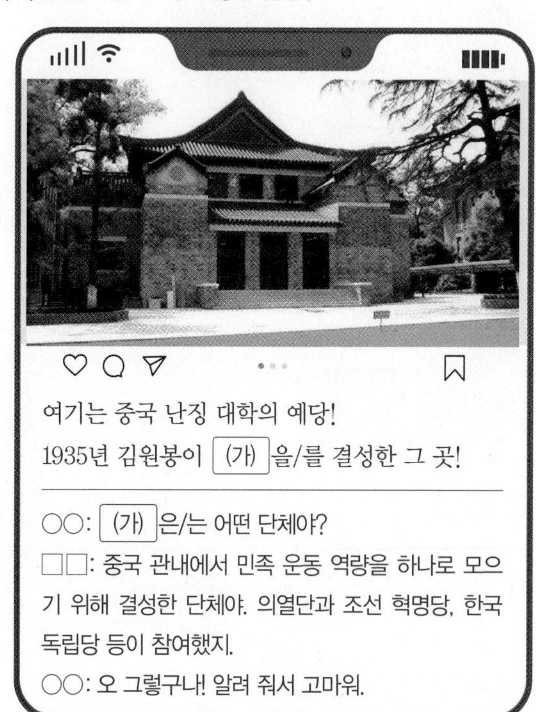

여기는 중국 난징 대학의 예당!
1935년 김원봉이 (가) 을/를 결성한 그 곳!

○○: (가) 은/는 어떤 단체야?
□□: 중국 관내에서 민족 운동 역량을 하나로 모으기 위해 결성한 단체야. 의열단과 조선 혁명당, 한국 독립당 등이 참여했지.
○○: 오 그렇구나! 알려 줘서 고마워.

① 신간회
② 한국 국민당
③ 조선 민흥회
④ 민족 혁명당
⑤ 한국 광복 운동 단체 연합회

Tip

김원봉의 ❶ ( ) 이 중심이 되고 조소앙, 지청천 등이 참여하여 중국 난징에서 ❷ ( ) 이 결성되었다.

답 ❶ 의열단 ❷ 민족 혁명당

WEEK

2 Ⅳ. 대한민국의 발전

3강_8 · 15 광복과 통일 정부 수립을 위한 노력 ~ 4 · 19 혁명과 민주화를 위한 노력

학습할 내용 **3강** ❶ 통일 정부 수립 노력 ❷ 대한민국 정부 수립 ❸ 6 · 25 전쟁 ❹ 4 · 19 혁명
4강 ❶ 민주주의의 발전 ❷ 산업화와 경제 성장 ❸ 통일을 위한 노력

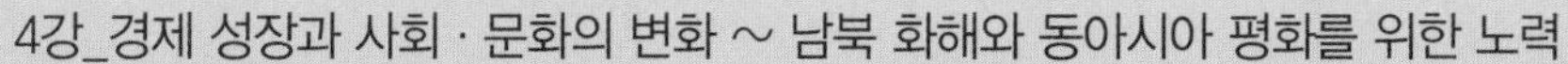

4강_경제 성장과 사회 · 문화의 변화 ~ 남북 화해와 동아시아 평화를 위한 노력

WEEK 2 DAY 1

개념 돌파 전략 ①

3강_8·15 광복과 통일 정부 수립을 위한 노력 ~ 4·19 혁명과 민주화를 위한 노력

개념 01 8·15 광복과 미·소 양군의 진주

1 **8·15 광복** 일제의 항복으로 광복을 맞이함.

2 **조선 건국 준비 위원회** 광복 직후 여운형, 안재홍 등이 ❶ [ ]을 바탕으로 조직 → 전국 각지에 지부 조직, 치안 유지와 행정 업무 담당, 조선 인민 공화국 수립 선포

3 **국토의 분단과 군정 실시**
- 국토 분단: 북위 ❷ [ ]을 경계로 미국과 소련이 각각 남과 북을 분할 점령
- 군정 실시: 남한(미군의 직접 통치), 북한(소련군의 간접 통치)

답 ❶ 조선 건국 동맹 ❷ 38도선

확인 01

광복 직후 여운형, 안재홍 등이 국내에서 조직한 단체는?

개념 02 새로운 국가 건설을 둘러싼 갈등

1 **모스크바 3국 외상 회의**
- 결정 사항: 한반도에 민주주의 임시 정부 수립, 미소 공동 위원회 개최, 최대 5년간 4개국에 의한 ❶ [ ] 등
- 국내 대응: 우익은 ❷ [ ] 운동 전개, 좌익은 총체적 지지로 입장 변화

2 **미소 공동 위원회** 참여 정당과 사회단체 구성에 대한 대립으로 1, 2차 모두 결렬 → 미국이 한반도 문제를 유엔에 이관

3 **좌우 합작 운동**

배경	제1차 미소 공동 위원회 결렬, 이승만의 ❸ [ ] 발언
전개	여운형, 김규식 등 중도 세력이 좌우 합작 위원회 조직, 좌우 합작 7원칙 발표
결과	미군정의 지원 철회, 좌우익 세력 모두 외면, 제2차 미소 공동 위원회 결렬, 여운형 암살 등으로 중단

답 ❶ 신탁 통치 ❷ 반탁 ❸ 정읍

확인 02

(미소 공동 위원회 , 모스크바 3국 외상 회의)가 결렬되자 미국은 한반도 문제를 유엔에 이관하였다.

개념 03 단독 정부 수립 반대 움직임

1 **남북 협상**
- 배경: ❶ [ ]에서 인구 비례에 따른 총선거 실시 결의 → 소련의 유엔 한국 임시 위원단 입북 거부 → 유엔 소총회에서 선거 가능한 지역의 총선거 결의
- 전개: 김구와 김규식 등이 남북 협상 추진 → 평양 방문, 단독 정부 수립 반대 내용이 담긴 공동 성명서 발표

2 **제주 4·3 사건** 제주도 남로당(남조선 노동당) 세력과 일부 주민이 ❷ [ ]에 반대하며 무장 봉기 → 진압 과정에서 수만 명의 제주도민 희생

3 **여수·순천 10·19 사건** 제주도에 파견되려던 여수 주둔 국군 부대가 출동 명령을 거부하고 봉기 → 진압 과정에서 민간인 희생

답 ❶ 유엔 총회 ❷ 남한 단독 선거

확인 03

김구와 김규식 등은 북측에 남북 정치 회담을 제안하고 평양을 방문하여 [ ]을 추진하였다.

개념 04 대한민국 정부 수립

1 **5·10 총선거** 유엔 한국 임시 위원단의 감시 아래 남한에서 시행, 우리나라 최초의 민주주의 보통 선거 → 제헌 국회 의원 선출

2 **대한민국 정부 수립**
- 제헌 국회: 국호를 '대한민국'으로 결정, ❶ [ ]를 핵심으로 하는 제헌 헌법 공포
- 정부 수립: 제헌 헌법에 따라 ❷ [ ]을 대통령으로 선출 → 초대 내각 구성 → 대한민국 정부 수립 선포(1948. 8. 15.)

답 ❶ 민주 공화제 ❷ 이승만

확인 04

직접, 평등, 비밀, 보통 원칙에 따라 치러진 우리나라 최초의 민주 선거는?

개념 05 농지 개혁과 친일파 청산 노력

1 **농지 개혁** 농지 개혁법 제정(1949) → 가구당 농지 소유 상한을 3정보로 제한, 3정보 이상의 토지는 정부가 ❶ [　　] ·유상 분배 → 지주제 해체, 자영농 증가

2 **친일파 청산을 위한 노력**
- 전개: 반민족 행위 처벌법(반민법) 제정(1948), 반민족 행위 특별 조사 위원회(반민 특위) 구성 → 주요 친일파 조사, 기소 → 친일 경찰의 반민 특위 습격, 정부의 반민 특위 해산 요구, 반민법 공소 시효 단축 → 반민 특위 해체
- 한계: ❷ [　　] 정부의 소극적 태도, 친일 세력의 방해로 성과를 거두지 못함.

답 ❶ 유상 매수 ❷ 이승만

확인 05

반민족 행위 처벌법에 따라 구성되어 주요 친일파를 조사하고 기소한 단체는?

개념 06 6·25 전쟁

1 **배경** 38도선 일대의 남북한 소규모 군사 충돌, 미국의 ❶ [　　] 발표, 북한의 전쟁 준비 등

2 **전개** 북한의 남침 → 서울 함락 → 국군이 낙동강 유역까지 후퇴 → 국군과 유엔군의 ❷ [　　] 전개 → 서울을 수복하고 압록강까지 진격 → 중국군의 개입 → 1·4 후퇴 → 38도선 부근에서 전선 교착, 정전 협상 시작 → 정전 협정 체결

3 **피해와 영향**
- 피해: 수백만 명의 군인과 민간인 희생, 전쟁고아와 이산가족 발생, 사회 기반 시설 파괴
- 영향: 남북 분단의 고착화, 이념 대립 심화, 남북한에서 각각 독재 체제 강화, ❸ [　　] 체결로 한국에 미군 주둔, 중국의 북한에 대한 영향력 증가, 일본의 경제 성장

답 ❶ 애치슨 선언 ❷ 인천 상륙 작전 ❸ 한미 상호 방위 조약

확인 06

압록강까지 진격했던 국군과 유엔군은 [　　]의 개입으로 서울을 다시 빼앗기고 평택 인근까지 후퇴하였다.

개념 07 이승만 정부의 독재와 원조 경제

1 **발췌 개헌(1952)** 제2대 국회 의원 선거 결과 국회 내 이승만 지지 세력 급감 → 대통령 ❶ [　　]를 골자로 하는 개헌안 통과

2 **사사오입 개헌(1954)** 이승만 대통령의 장기 집권을 위해 개헌 당시 대통령에 한해 ❷ [　　] 철폐 개헌안 상정 → 부결 → 자유당이 사사오입의 논리를 내세워 통과 선포

3 **원조 경제**
- 배경: 6·25 전쟁 직후 미국의 경제 원조
- 성과: 식량 문제 해결, ❸ [　　](면방직, 제분, 제당) 발달
- 한계: 국내 농산물 가격 하락, 미국의 원조 감소와 유상 차관으로 지원 방식이 바뀌면서 경제 침체

답 ❶ 직선제 ❷ 중임 제한 ❸ 삼백 산업

확인 07

이승만 정부는 6·25 전쟁 중에 대통령 직선제를 중심으로 하는 [　　]을 가결하였다.

개념 08 4·19 혁명(1960)

1 **배경** ❶ [　　](이승만 정부가 이승만과 이기붕을 대통령과 부통령으로 당선시키기 위해 부정 자행)

2 **전개** 부정 선거 규탄 시위 → 마산 시위 중 실종된 ❷ [　　] 학생 시신 발견 → 시위의 전국 확산 → 비상계엄 선포 → 대학교수단의 시국 선언문 발표 → 이승만 대통령 하야 성명 발표

3 **결과** 내각 책임제와 양원제 국회 구성 개헌 → 장면 정부 출범

◀ 계엄군의 탱크에 오른 시민들

답 ❶ 3·15 부정 선거 ❷ 김주열

확인 08

3·15 부정 선거를 배경으로 일어난 민주화 운동은?

WEEK 2 DAY 1

개념 돌파 전략 ①

4강_경제 성장과 사회 · 문화의 변화 ~ 남북 화해와 동아시아 평화를 위한 노력

개념 01 박정희 정부

1 **5·16 군사 정변(1961)** 박정희를 비롯한 군인들이 정변을 일으켜 정권 장악, 군정 실시(국가 재건 최고 회의 설치) → 민주 공화당 조직, 헌법 개정 → 박정희가 대통령에 당선

2 **박정희 정부의 주요 활동**

- 한·일 국교 정상화(1965): 한·미·일 안보 체제 강화를 위한 미국의 요구, 경제 개발 자금 필요 → 김종필과 오히라의 비밀 회담 → 6·3 시위 전개 → 계엄령 선포와 시위 진압, ❶ [ ](한일 기본 조약) 체결

▲ 한 · 일 회담 반대 시위

▲ 베트남 전쟁 파병

- 베트남 전쟁 파병: 미국의 요청, 브라운 각서 체결 → 1960~1970년대 대규모 병력 파병 → 미국의 자원과 자금 확보, 수출 증가, 베트남 민간인 희생, 고엽제 피해 문제 등 발생
- 3선 개헌(1969) 박정희 재선 성공: 북한의 도발 → 국가 안보 강화와 경제 개발을 명분으로 3선 개헌안 통과 → 대통령의 3회 연임 허용
- 유신 체제 성립(1972)

배경	냉전 체제 완화, 경제 침체로 인한 국민 불안 등
전개	비상계엄 선포, 국회 해산 → 비상 국무 회의에서 유신 헌법 예고 → 국민 투표로 확정
주요 내용	• 대통령 간선제 → ❷ [ ]에서 임기 6년 대통령 선출 • 대통령의 중임 제한 철폐 • 대통령에게 긴급 조치권, 국회 해산권, 통일 주체 국민 회의 의원 1/3 추천 권한 부여
저항	• 개헌 청원 1백만 인 서명 운동, 3 · 1 민주 구국 선언 발표, YH 무역 사건 • ❸ [ ] 발생 → 시위 진압 대책을 두고 내부 대립 → 10 · 26 사태(1979)

답 ❶ 한일 협정 ❷ 통일 주체 국민 회의 ❸ 부·마 민주화 운동

확인 01

박정희를 비롯한 군인들은 (4 · 19 혁명 , 5 · 16 군사 정변)으로 정권을 장악하였다.

개념 02 5 · 18 민주화 운동(1980)

1 **배경** ❶ [ ](1979)로 전두환을 비롯한 신군부 세력이 정권 장악, 서울의 봄(1980) 이후 비상계엄 전국 확대

2 **전개** 광주 학생과 시민들이 신군부 세력 퇴진과 계엄령 철회를 요구하며 시위 전개 → 계엄군의 발포와 폭력적 진압 → 학생과 시민들이 ❷ [ ] 조직, 광주 시민들은 자치적으로 치안과 질서 유지 → 계엄군의 무력 진압

3 **영향** 1980년대 민주화 운동의 밑거름, 반미 운동의 배경, 아시아 여러 나라의 민주화 운동에 영향

답 ❶ 12·12 사태 ❷ 시민군

확인 02

신군부 퇴진과 계엄령 철회를 요구하는 민주화 운동이 일어난 지역은?

개념 03 6월 민주 항쟁(1987)

1 **전두환 정부** 대통령 7년 단임제·간선제 개헌, 강압 정책(언론 통폐합, 삼청 교육대 설치 등), 유화 정책(야간 통행금지 해제, ❶ [ ] 자유화 등)

2 **6월 민주 항쟁**

- 배경: 대통령 직선제 요구 확산, 전두환 정부의 ❷ [ ] 발표, 박종철 고문치사 사건 축소·은폐 시도 발각
- 전개: 호헌 반대 시위, 민주 헌법 쟁취 국민운동 본부 조직 → 이한열 학생의 최루탄 피격 → 6·10 국민 대회 개최, 시위 확산
- 결과: 당시 여당의 대통령 후보였던 노태우가 ❸ [ ] 발표 → 5년 단임의 대통령 직선제 개헌

답 ❶ 해외여행 ❷ 4·13 호헌 조치 ❸ 6·29 민주화 선언

확인 03

1987년에 일어난 [ ]은 각계각층의 시민이 참여하여 민주화가 진전하는 토대가 되었다.

개념 04 직선제 개헌 후 정부

1 **노태우 정부** 서울 올림픽 개최(1988), 여소야대 정국 극복을 위한 3당 합당, 북방 외교 추진

2 **김영삼 정부**

정치	'역사 바로 세우기' 추진(조선 총독부 건물 폭파, 전두환 · 노태우 구속 등), 지방 자치제 전면 실시
경제	❶ [　　　] 전면 시행, 경제 협력 개발 기구[OECD] 가입, 임기 말 외환 위기로 국제 통화 기금[IMF] 구제 금융 신청

3 **김대중 정부** 평화적인 ❷ [　　　]로 성립, 기업의 구조 조정, 금 모으기 운동 등을 통해 국제 통화 기금[IMF] 의 지원금 조기 상환

답 ❶ 금융 실명제 ❷ 여야 정권 교체

확인 04

(노태우 , 김영삼) 정부는 북방 외교를 추진하여 소련, 중국 등 사회주의 국가들과 수교하였다.

개념 05 산업화와 경제 성장

1 **경제 개발 5개년 계획 추진** ❶ [　　　] 정부 시기 계획 수립, 박정희 정부 시기 추진

- 제1, 2차 경제 개발 5개년 계획(1962~1971): 경공업 육성, 경부 고속 국도 개통(1970)
- 제3, 4차 경제 개발 5개년 계획(1972~1981): 중화학 공업 육성, 수출액 100억 달러 달성(1977), 제1, 2차 ❷ [　　　]으로 위기

2 **3저 호황** 1980년대 중반 저금리, 저유가, 저달러에 힘입어 지속적인 경제 성장

3 **새마을 운동** 박정희 정부 주도로 농촌의 환경 개선과 소득 증대를 목표로 추진, 근면·자조·협동 강조, 전국적인 의식 개혁 운동으로 확대

4 **노동 문제** 저임금, 장시간 노동 등 열악한 노동 환경 개선 요구 → ❸ [　　　] 분신 사건(1970) 이후 노동 운동 본격화

답 ❶ 장면 ❷ 석유 파동 ❸ 전태일

확인 05

제1, 2차 경제 개발 5개년 계획은 섬유, 가발 등 [　　　] 육성을 중심으로 추진되었다.

개념 06 통일을 위한 노력

1 **박정희 정부** 7·4 남북 공동 성명(자주·평화·민족 대단결의 원칙에 합의)

2 **전두환 정부** 남북 이산가족 고향 방문

3 **노태우 정부** 남북한 ❶ [　　　] 동시 가입(1991), 남북 사이의 화해와 불가침 및 교류· 협력에 관한 합의서(남북 기본 합의서) 채택(1991), 한반도 비핵화 공동 선언 합의(1992)

4 **김대중 정부** 대북 화해 협력 정책(❷ [　　　]) 추진, 금강산 관광 사업 시작(1998), 제1차 남북 정상 회담(6·15 남북 공동 선언 발표, 2000), ❸ [　　　] 조성 합의, 이산가족 상봉 등 교류 확대

〈6·15 남북 공동 선언〉

1. 남과 북은 나라의 통일 문제를 그 주인인 우리 민족끼리 힘을 합쳐 자주적으로 해결해 나가기로 하였다.
2. 남과 북은 나라의 통일을 위한 남측의 연합제 안과 북측의 낮은 연방제 안이 서로 공통성이 있다고 인정하고 앞으로 이 방향에서 통일을 지향해 나가기로 하였다.
4. 남과 북은 경제 협력을 통하여 민족 경제를 균형적으로 발전시키고 사회·문화·체육·보건·환경 등 제반 분야의 협력과 교류를 활성화하여 서로의 신뢰를 다져 나가기로 하였다.

– 『대한민국 관보』 제14546호, 2000. 7. 5. –

5 **노무현 정부** 제2차 남북 정상 회담(10·4 남북 공동 선언 채택, 2007)

▲ 남북 철도 열차 시험 운행(2007)

6 **이명박, 박근혜 정부** 북한의 핵 실험 등으로 인한 남북 관계 냉각

7 **문재인 정부** 제3차 남북 정상 회담(4·27 판문점 선언 발표)

답 ❶ 유엔 ❷ 햇볕 정책 ❸ 개성 공단

확인 06

대북 화해 협력 정책을 바탕으로 최초로 남북 정상 회담을 평양에서 가진 대통령은?

개념 돌파 전략 ②

1 (가) 국회에 대한 설명으로 옳은 것은?

① 헌의 6조를 결의하였다.
② 좌우 합작 7원칙에 합의하였다.
③ 5·10 총선거를 통해 구성되었다.
④ 조선 인민 공화국 수립을 선포하였다.
⑤ 국회 의원 중 일부가 대통령의 추천으로 구성되었다.

문제 해결 전략

우리나라 역사상 최초의 민주주의 보통 선거에 따라 ❶ ______가 구성되었다. 당시 2년 임기의 국회 의원들은 국호를 '대한민국'으로 결정하고 제헌 헌법을 제정하였으며, ❷ ______을 대통령으로 선출하였다.

답 ❶ 제헌 국회 ❷ 이승만

2 밑줄 친 '전쟁' 중에 있었던 사실로 옳은 것은?

> 미국과 중국·북한 사이에 정전 협정이 체결되었다. 이로써 참담했던 <u>전쟁</u>은 3년 1개월 만에 종전이 아닌 휴전으로 매듭지어졌고, 군사 정전 위원회와 중립국 감시원단이 설치되었다.

① 간도 참변이 발생하였다.
② 국가 총동원법이 제정되었다.
③ 인천 상륙 작전이 전개되었다.
④ 7·4 남북 공동 성명이 발표되었다.
⑤ 일본이 독도를 불법적으로 자국 영토에 편입하였다.

문제 해결 전략

1953년 7월 27일 정전 협정이 체결되면서 6·25 전쟁이 막을 내렸다. 북한의 ❶ ______으로 시작된 6·25 전쟁에서 국군과 유엔군은 ❷ ______을 성공시켜 서울을 수복하였다.

답 ❶ 남침 ❷ 인천 상륙 작전

3 다음 선언문이 발표된 민주화 운동에 대한 설명으로 옳은 것은?

> 1. 마산, 서울 기타 각지의 학생 데모는 주권을 빼앗긴 국민의 울분을 대신하여 궐기한 학생들의 순수한 정의감의 발로이며 부정과 불의에 항거하는 민족 정기의 표현이다.
> 5. 3·15 선거는 불법 선거이다. 공명 선거에 의하여 정·부통령 선거를 다시 실시하라.

① 유신 체제에 저항하여 일어났다.
② 신군부 세력의 퇴진을 요구하였다.
③ 학생과 시민들이 시민군을 조직하였다.
④ 이승만 대통령이 하야하는 계기가 되었다.
⑤ 6·29 민주화 선언이 발표되는 결과를 낳았다.

문제 해결 전략

1960년 ❶ ______에 저항하여 마산과 서울을 비롯하여 전국으로 시위가 확산되고 대학교수단이 시국 선언에 나서자 결국 ❷ ______이 대통령직에서 물러나고 내각 책임제와 양원제 개헌이 이루어졌다.

답 ❶ 3·15 부정 선거 ❷ 이승만

4 다음 궐기문이 발표된 민주화 운동의 배경으로 가장 적절한 것은?

> 우리는 왜 총을 들 수밖에 없는가? 먼저 이 고장과 민주주의를 수호하기 위해 피를 흘리며 싸우다 목숨을 바친 시민, 학생들의 명복을 빕니다. …… 낭국은 18일 오후부터 공수 부대를 대량 투입하여 시내 곳곳에서 학생, 젊은이들에게 무차별 살상을 자행하였으니! …… 시민 여러분! 우리 시민군은 온갖 방해에도 불구하고 여러분의 안전을 끝까지 지킬 것입니다. 또한 협상이 올바른 방향으로 진행되면 즉각 총을 놓겠습니다.

① 사사오입 개헌이 통과되었다.
② 4·13 호헌 조치가 발표되었다.
③ 굴욕적인 한·일 회담이 진행되었다.
④ 박종철 고문치사 사건이 발생하였다.
⑤ 신군부가 계엄령을 전국으로 확대하였다.

문제 해결 전략

광주에서 학생과 시민들의 시위가 일어나자 ❶ [   ]는 공수 부대를 투입해 시위를 무력으로 진압하였다. 이에 분노한 시위대는 ❷ [   ]을 조직하고 계엄군에 맞섰다.

답 ❶ 신군부 ❷ 시민군

5 (가)에 들어갈 내용으로 옳은 것은?

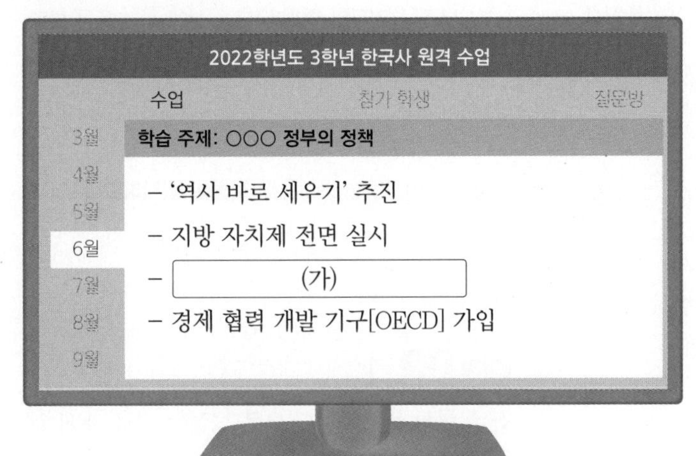

① 농지 개혁법 제정
② 금융 실명제 전면 시행
③ 남북한 유엔 동시 가입
④ 7·4 남북 공동 성명 발표
⑤ 여소야대 정국 극복을 위한 3당 합당

문제 해결 전략

김영삼 정부는 사회 정의 실현과 경제 활성화를 내세우며 ❶ [   ]를 단행하였고, 경제 협력 개발 기구[OECD]에 가입하였다. 그러나 임기 말 ❷ [   ]로 국제 통화 기금[IMF]에 구제 금융을 신청하였다.

답 ❶ 금융 실명제 ❷ 외환 위기

WEEK 2 DAY 2

필수 체크 전략 ①

3강_8 · 15 광복과 통일 정부 수립을 위한 노력 ~ 4 · 19 혁명과 민주화를 위한 노력

필수 예제 01

수능 기출

(가) 회의에 대한 설명으로 옳은 것은?

> 당신의 의무와 권리! 지금 말씀하십시오.
> (가) 의 결정 사항에 따라 설치된 미소 공동 위원회에서 질문서를 준비하였습니다. 이 질문서에 대한 대답은 장차 수립될 민주주의 임시 정부의 성격 등을 결정하는 데 중요합니다. 지금 소속 정당이나 사회단체의 본부를 통하여 당신이 어떠한 정부를 원하는지 말씀하십시오.

① 헌의 6조가 채택되었다.
② 개성 공단 조성이 합의되었다.
③ 한반도 신탁 통치 실시 문제가 논의되었다.
④ 이상설, 이준, 이위종이 특사로 파견되었다.
⑤ 창조파와 개조파의 대립 등으로 결렬되었다.

Tip

1945년 12월 모스크바에서 미국, 소련, 영국의 외무 장관이 모여 한국의 독립 문제를 논의하였다.

풀이

(가) 회의는 모스크바 3국 외상 회의이다. ③ 모스크바 3국 회상 회의에서는 한반도에 민주주의 임시 정부를 수립할 것과 이를 위한 미소 공동 위원회 설치, 최고 5년간 4개국에 의한 신탁 통치가 합의되었다.

답 ③

응용 01-1

(가) 위원회에 대한 설명으로 옳은 것은?

> 1. 조선을 독립 국가로 재건하고 민주주의적으로 발전시키기 위하여 임시 조선 민주주의 정부를 수립한다.
> 3. (가) 은/는 조선 임시 정부와 협의하여 최고 5년간의 신탁 통치 방안을 마련한다.

① 좌우 합작 7원칙에 합의하였다.
② 창조파와 개조파로 나뉘어 갈등하였다.
③ 고종 강제 퇴위 반대 운동을 전개하였다.
④ 인구 비례에 입각한 총선거를 결정하였다.
⑤ 협의 대상을 둘러싸고 대립하다 결렬되었다.

필수 예제 02

수능 기출

(가)에 들어갈 내용으로 옳은 것은?

> **역사 인물 보고서**
>
> 1. 이름: □□□
> 2. 선정 이유: 독립운동에 헌신하였으며, 광복 이후 통일 정부 수립을 위해 많은 노력을 기울임.
> 3. 주요 약력
> • 1919년: 파리 강화 회의에 파견되어 독립 청원서를 제출하다.
> • 1935년: 김원봉의 주도로 결성된 민족 혁명당에 참여하다.
> • 1946년: (가)
> • 1948년: 김구와 함께 평양에서 개최된 남북 협상에 참가하다.

① 갑신정변을 주도하다.
② 조선 혁명 선언을 작성하다.
③ 좌우 합작 운동에 앞장서다.
④ 홍커우 공원에서 의거를 일으키다.
⑤ 대한민국 초대 대통령으로 선출되다.

Tip

파리 강화 회의 파견, 민족 혁명당 참여, 대한민국 임시 정부의 부주석, 김구와 함께 남북 협상에 참가 등을 통해 김규식을 다룬 보고서임을 알 수 있다.

풀이

③ 김규식은 1946년에 제1차 미소 공동 위원회가 결렬되자 여운형과 함께 좌우 합작 운동을 전개하였다.

답 ③

응용 02-1

좌우 합작 운동의 배경으로 적절한 것을 보기에서 있는 대로 고르시오.

> 보기
> ㄱ. 남북 협상이 추진되었다.
> ㄴ. 단독 정부 수립론이 대두하였다.
> ㄷ. 유엔 한국 임시 위원단이 내한하였다.
> ㄹ. 제1차 미소 공동 위원회가 결렬되었다.

필수 예제 03 모평 기출

밑줄 친 '국회'에 대한 설명으로 옳은 것은?

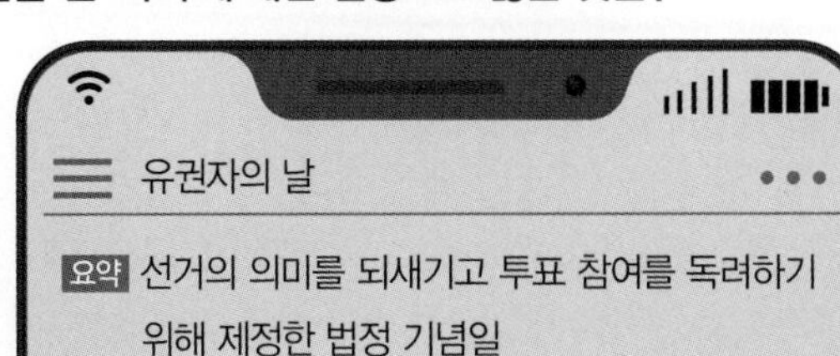

유권자의 날

요약 선거의 의미를 되새기고 투표 참여를 독려하기 위해 제정한 법정 기념일

날짜 매년 5월 10일

이날은 우리나라 역사상 최초로 실시된 보통 선거를 기념하기 위해 지정되었다. 이 선거는 유엔 한국 임시 위원단이 참관한 가운데 시행되었으며, 제주도 2곳의 선거구를 제외하고 총 198명의 국회 의원이 선출되었다. 당시 선거에서는 문맹자가 많아 후보자의 기호를 막대기 개수로 표기하기도 하였다. 이 선거로 구성된 국회는 2년 동안 활동하였다.

① 회사령을 폐지하였다.
② 헌의 6조를 채택하였다.
③ 대한국 국제를 반포하였다.
④ 국가 총동원법을 선포하였다.
⑤ 반민족 행위 처벌법을 제정하였다.

Tip

5월 10일이라는 날짜, 우리나라 역사상 최초의 보통 선거라는 점, 유엔 한국 임시 위원단이 참관하여 치러졌다는 점 등의 내용을 통해 해당 선거는 1948년에 이루어진 5·10 총선거임을 알 수 있다.

풀이

5·10 총선거로 구성된 밑줄 친 '국회'는 제헌 국회이다. ⑤ 제헌 국회는 2년간의 임기 동안 친일파 청산을 위한 반민족 행위 처벌법(1948)과 농지 개혁법(1949) 등을 제정하였다. 답 ⑤

응용 03-1

다음 헌법을 제정한 국회에 대한 설명으로 옳은 것은?

제1조 대한민국은 민주 공화국이다.
제2조 대한민국의 주권은 국민에게 있고 모든 권력은 국민으로부터 나온다.
제4조 대한민국의 영토는 한반도와 그 부속 도서로 한다.
제5조 대한민국은 정치, 경제, 사회, 문화의 영역에서 각인의 자유, 평등, 창의를 존중하고, 공공복리의 향상을 위하여 이를 보호하고 조정하는 의무를 진다.

– 제헌 헌법 –

① 농지 개혁법을 제정하였다.
② 관민 공동회를 개최하였다.
③ 통리기무아문을 설치하였다.
④ 김구를 주석으로 선출하였다.
⑤ 경제 개발 5개년 계획을 수립하였다.

응용 03-2

밑줄 친 '국회'에 대한 설명으로 옳은 것을 보기 에서 있는 대로 고르시오.

국회에서 농지 개혁법이 통과되자 정부는 이에 따라 유상 매입, 유상 분배 방식으로 농지 개혁을 추진하였다. 위 사진은 농지 개혁이 추진될 당시 정부에서 지주에게 발행한 지가 증권으로 보상 기간, 지급액, 지급 기일, 지급 장소 등이 기재되어 있다.

보기

ㄱ. 발췌 개헌안을 통과시켰다.
ㄴ. 이승만을 대통령으로 선출하였다.
ㄷ. 반민족 행위 처벌법을 제정하였다.
ㄹ. 국가 재건 최고 회의를 구성하였다.
ㅁ. 내각 책임제를 골자로 한 헌법을 제정하였다.

필수 체크 전략 ①

필수 예제 04
모평 기출

(가)에 들어갈 내용으로 옳은 것은?

다큐멘터리 제작 기획안

◈ **프로그램명**: 격동의 시대, 1945~1948년

◈ **기획 의도**: 광복 이후 3년간 있었던 주요 사건들을 시간 순으로 알아보고, 대한민국 정부 수립의 의미를 생각해 본다.

◈ **회차별 제목**
- 제1부: 8·15 광복을 맞이하다.
- 제2부: 모스크바 3국 외상 회의가 개최되다.
- 제3부: 남북 협상이 진행되다.
- 제4부: (가)
- 제5부: 대한민국 정부가 수립되다.

① 제너럴셔먼호 사건이 일어나다.
② 서울 올림픽 대회가 개최되다.
③ 5·10 총선거가 실시되다.
④ 홍범 14조가 반포되다.
⑤ 임오군란이 발생하다.

Tip

회차별 제목에 나타난 사건들은 3년간 일어난 사건들이 시간 흐름대로 나열되어 있다.

풀이

③ 1948년 김구와 김규식이 남북 협상을 주도하였으나, 결국 유엔의 결의에 따라 5·10 총선거가 실시되었다. 그 결과 제헌 국회가 구성되고 대한민국 정부가 수립되었다. 답 ③

필수 예제 05
수능 기출

(가)에 들어갈 내용으로 옳은 것은?

① 신미양요와 어재연의 항전
② 인천 상륙 작전과 서울 수복
③ 5·10 총선거와 제헌 국회 구성
④ 운요호 사건과 강화도 조약 체결
⑤ 한인 애국단 결성과 윤봉길 의거

Tip

6·25 전쟁 초기 낙동강 방어선까지 밀린 국군은 유엔군의 참전 이후 유엔군과 함께 인천 상륙 작전을 성공시켜 서울을 수복하였다. 그러나 중국군의 개입으로 1·4 후퇴가 이루어졌다.

풀이

① 신미양요는 1871년, ③ 5·10 총선거는 1948년, ④ 운요호 사건은 1875년, 강화도 조약 체결은 1876년, ⑤ 한인 애국단 결성은 1931년, 윤봉길 의거는 1932년이다. 답 ②

응용 04-1

5·10 총선거에 대한 설명으로 옳은 것을 보기에서 있는 대로 고르시오.

보기
ㄱ. 1948년에 시행되었다.
ㄴ. 4·19 혁명의 배경이 되었다.
ㄷ. 제헌 국회 의원을 선출하였다.
ㄹ. 이승만 정부 시기에 실시되었다.
ㅁ. 모스크바 3국 외상 회의의 결정 사항이었다.

응용 05-1

(가), (나) 시기 사이에 발생한 사건으로 옳은 것은?

(가) 인천 상륙 작전 → (나) 1·4 후퇴

① 북한군의 남침
② 중국군의 참전
③ 정전 협정 체결
④ 애치슨 선언 발표
⑤ 제2차 미소 공동 위원회 결렬

필수 예제 06 학평 기출

(가), (나) 사이 시기에 있었던 사실로 옳은 것은?

(가) 제헌 국회 의원을 선출하기 위한 선거가 5월 10일 오전 7시부터 유엔 한국 임시 위원단의 감시하에 남한 전역에서 시작되었다. 수백 만의 남녀 유권자는 국회 의원을 선출하기 위해 투표장으로 향하였다.
(나) 지난 11월 27일 부결되었던 헌법 개정안이 정족수 계산 착오를 이유로 부결이 취소되었다. 정부는 야당의 반대에도 불구하고 사사오입의 논리를 내세워 "재적 의원 3분의 2는 135이므로 이번 개헌안은 통과된 것이다."라고 발표하였다.

① 발췌 개헌이 단행되었다.
② 한일 협정이 체결되었다.
③ 부·마 민주 항쟁이 일어났다.
④ 조선 건국 준비 위원회가 결성되었다.
⑤ 제1차 미소 공동 위원회가 개최되었다.

Tip

제헌 국회 의원을 선출하기 위한 선거가 유엔 한국 임시 위원단의 감시하에 시작되었다는 점을 통해 (가)는 1948년 5·10 총선거 시기임을, 사사오입의 논리를 내세워 개헌안 통과를 발표하였다는 내용을 통해 (나)는 1954년에 추진된 사사오입 개헌 시기임을 알 수 있다.

풀이

① 6·25 전쟁이 진행 중인 1952년 이승만 정부는 대통령 직선제 등을 주요 내용으로 하는 발췌 개헌을 단행하였다. 답 ①

응용 06-1

(가) 시기에 있었던 사실로 옳은 것은?

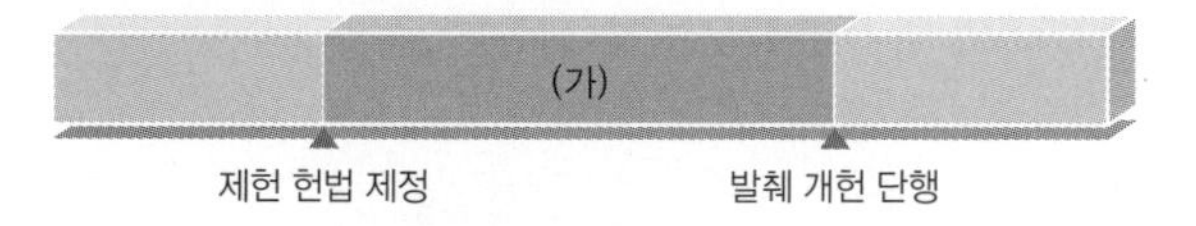

① 5·10 총선거가 진행되었다.
② 사사오입 개헌이 단행되었다.
③ 7·4 남북 공동 성명이 발표되었다.
④ 이승만이 대통령직에서 하야하였다.
⑤ 북한군의 남침으로 전쟁이 시작되었다.

필수 예제 07 수능 기출

(가) 민주화 운동에 대한 설명으로 옳은 것은?

① 급진 개화파가 일으켰다.
② 조선 형평사가 주도하였다.
③ 대통령 직선제 개헌을 이끌어 냈다.
④ 신군부 세력의 권력 장악에 반대하였다.
⑤ 3·15 부정 선거에 항의하여 발생하였다.

Tip

대학교수단이 이승만 대통령의 퇴진을 요구하였다는 내용을 통해 (가) 민주화 운동은 4·19 혁명임을 알 수 있다.

풀이

⑤ 1960년 정·부통령 선거에서 이승만과 이기붕을 당선시키기 위해 부정 선거가 자행되자, 이를 규탄하며 4·19 혁명이 일어났다.

답 ⑤

응용 07-1

다음 상황을 배경으로 일어난 민주화 운동에 대한 설명으로 옳은 것을 | 보기 |에서 있는 대로 고르시오.

…… 선거법을 무시하고 소위 4할 사전 투표, 3인조 9인조의 공개 투표, 민주당 측 참관인 강제 축출 등 민주사상 유례없는 강압적인 부정 선거를 감행하게 된 것이다. …… 오히려 애국적인 의거 학생들을 폭도로 몰아 경찰은 이에 대하여 무참하게도 총구를 어린 가슴에 겨누어 총격을 가하여 김주열 소년 외 16명의 살상을 내는 등 순결한 학생의 고귀한 피와 눈물로서 그 시정을 절규하였음에도 불구하고 ……

| 보기 |
ㄱ. 4·13 호헌 조치에 반대하였다.
ㄴ. 내각 책임제 개헌을 이끌어 냈다.
ㄷ. 유신 체제에 저항하여 발생하였다.
ㄹ. 계엄군에 의해 무력으로 진압되었다.

WEEK 2 DAY 2

필수 체크 전략 ②

3강_8·15 광복과 통일 정부 수립을 위한 노력 ~ 4·19 혁명과 민주화를 위한 노력

1 (가) 회의에 대한 설명으로 옳은 것은?

> 하지 중장 및 기타 여러분!
> (가) 의 역사적 결정을 실현할 미소 공동 위원회의 과업은 민주주의적 조선 임시 정부를 수립하는 것이며, 이는 (가) 의 결정을 지지하는 각 민주주의적 정당과 사회단체를 토대로 해야 합니다.

① 김구와 김규식이 참석하였다.
② 좌우 합작 7원칙에 합의하였다.
③ 한미 상호 방위 조약을 체결하였다.
④ 최대 5년간의 신탁 통치를 결정하였다.
⑤ 가능한 지역에 대한 총선거를 결정하였다.

Tip

1945년 모스크바에서 열린 ❶ [ ] 에서 미소 공동 위원회 설치, 최고 5년 기한으로 4개국에 의한 한반도 ❷ [ ] 가 결정되었다.

답 ❶ 모스크바 3국 외상 회의 ❷ 신탁 통치

2 (가)에 들어갈 내용으로 옳은 것은?

한국사 인물 카드

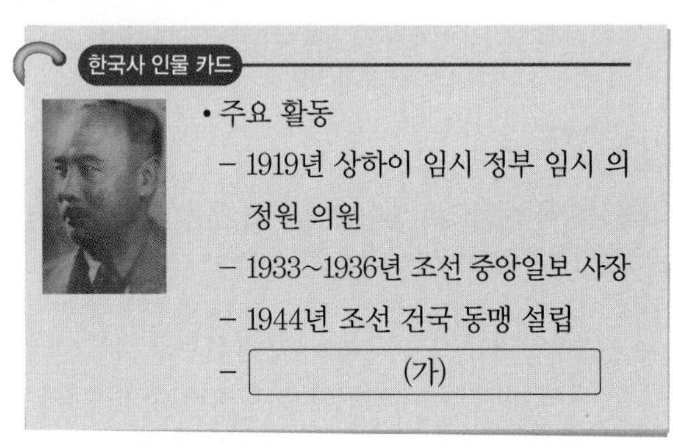

- 주요 활동
  - 1919년 상하이 임시 정부 임시 의정원 의원
  - 1933~1936년 조선 중앙일보 사장
  - 1944년 조선 건국 동맹 설립
  - (가)

① 1946년 정읍 발언
② 1948년 제헌 국회 의원
③ 1948년 남북 협상 참여
④ 1947년 좌우 합작 위원회 위원
⑤ 1945년 독립 촉성 중앙 협의회 조직

Tip

여운형은 일본의 패망 직후 좌우 합작 단체인 ❶ [ ] 를 결성하였으며, 김규식과 함께 ❷ [ ] 을 벌이던 중 암살되었다.

답 ❶ 조선 건국 준비 위원회 ❷ 좌우 합작 운동

3 (가)에 들어갈 내용으로 옳은 것은?

> 4월 19일 평양의 모란봉 극장에서 남측의 240명을 포함해 총 700여 명에 달하는 인원이 모인 회의가 진행되었다. 뒤늦게 회의에 합류한 김구, 김규식은 김일성, 김두봉과 26~30일 사이에 남북 요인 회담을 개최하였으며, 4월 30일 전조선 정당 사회단체 지도자 협의회라는 이름으로 공동 성명이 발표되었다. 성명에는 (가) 등의 내용이 포함되었다.

① 군사 분계선 설정
② 대통령 직선제 도입
③ 한반도 문제의 유엔 상정
④ 남한만의 단독 선거 반대
⑤ 신탁 통치 결정의 총체적 지지

Tip

김구, 김규식의 ❶ [ ] 방문으로 1948년 ❷ [ ] 이 진행되었으며 단독 정부 수립 반대, 미·소 양군 철수 요구 등을 담은 공동 성명이 채택되었다.

답 ❶ 평양 ❷ 남북 협상

4 밑줄 친 '국회'에 대한 설명으로 옳은 것은?

> 국회에서 정한 반민족 행위 처벌법에 따라 반민족 행위 특별 조사 위원회(이하 반민 특위)가 발족하였다. 반민 특위는 일제 강점기 반민족 행위를 한 자를 체포하고 조사하였다.

① 대한국 국제를 공포하였다.
② 6년 임기의 대통령을 선출하였다.
③ 임기 2년의 의원으로 구성되었다.
④ 민의원과 참의원으로 구성되었다.
⑤ 대통령 직선제 헌법을 제정하였다.

Tip

우리나라 최초의 민주주의 보통 선거인 ❶ [ ] 를 통해 구성된 ❷ [ ] 는 반민족 행위 처벌법과 농지 개혁법 등을 제정하였다.

답 ❶ 5·10 총선거 ❷ 제헌 국회

5 다음 개헌안에 대한 설명으로 옳은 것은?

제55조 대통령과 부통령의 임기는 4년으로 한다. 단, 재선에 의하여 1차 중임할 수 있다. 대통령이 궐위된 때에는 부통령이 대통령이 되고 잔임 기간 중 재임한다.

부칙 이 헌법 공포 당시의 대통령에 대하여는 제55조 제1항 단서의 제한을 적용하지 아니한다.

① 6·25 전쟁 중에 국회에 상정되었다.
② 사사오입 논리를 이용해 통과되었다.
③ 6·29 민주화 선언에 따라 마련되었다.
④ 대통령에게 긴급 조치 발동권이 부여되었다.
⑤ 통일 주체 국민 회의에서 대통령을 선출하였다.

Tip
헌법 공포 당시 대통령에 한해 ❶ [ ] 제한을 적용하지 않는다는 내용을 포함한 개헌안은 국회에서 부결되었지만 자유당은 ❷ [ ]의 논리를 내세워 통과되었다고 선포하였다.

답 ❶ 중임 ❷ 사사오입

6 (가), (나) 시기 사이에 있었던 사실로 옳은 것은?

(가)

한국사 신문

5·10 총선거 실시
우리나라 최초의 민주주의 보통 선거인 5·10 총선거가 치러져 제1대 국회인 제헌 국회가 구성되었다.

(나)

한국사 신문

북한군이 남침하다
6월 25일 새벽 북한군은 38도선을 넘어 공격을 감행하였다. 이는 선전포고나 사전 예고 없이 이루어진 것이었다.

보기
ㄱ. 발췌 개헌안이 통과되었다.
ㄴ. 농지 개혁법이 제정되었다.
ㄷ. 반민족 행위 처벌법이 마련되었다.
ㄹ. 내각 책임제와 양원제 개헌이 이루어졌다.

① ㄱ, ㄴ ② ㄱ, ㄷ ③ ㄴ, ㄷ
④ ㄴ, ㄹ ⑤ ㄷ, ㄹ

Tip
5·10 총선거로 탄생한 ❶ [ ]는 국호를 대한민국으로 결정하고 이승만을 대통령으로 선출하였다. 북한군의 남침으로 일어난 ❷ [ ]은 1950년에 발발하였다.

답 ❶ 제헌 국회 ❷ 6·25 전쟁

7 (가), (나) 시기 사이에 발생한 사건으로 옳은 것은?

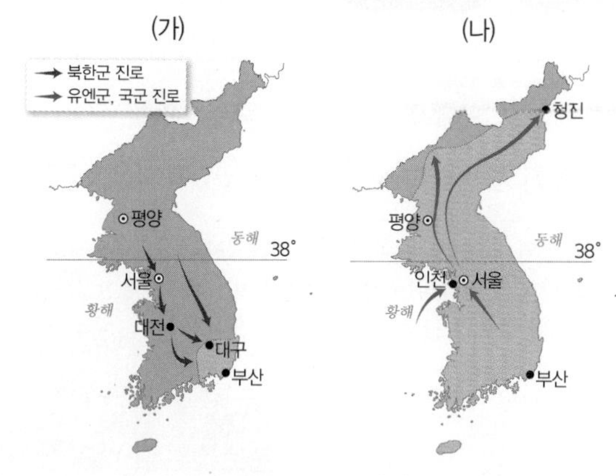

① 1·4 후퇴가 이루어졌다.
② 정전 협정이 체결되었다.
③ 5·10 총선거가 실시되었다.
④ 인천 상륙 작전이 전개되었다.
⑤ 7·4 남북 공동 성명이 발표되었다.

Tip
(가)는 남침을 감행한 북한군이 ❶ [ ]까지 진출한 시기를, (나)는 ❷ [ ]의 성공으로 국군과 유엔군이 압록강까지 진출한 시기를 나타내고 있다.

답 ❶ 낙동강 ❷ 인천 상륙 작전

8 다음이 발표된 민주화 운동에 대한 설명으로 옳은 것은?

…… 몽매한 무지와 편협 그리고 집권과 데모의 제지, 학생 살해, 재집권을 위한 독단적인 개헌과 부정 선거 등은 이 나라를 말살하는 행위인 것이며, …… 우리는 다음의 몇 사항을 엄숙히 결의하는 바이다.
1. 부정 공개 투표의 창안 집단을 법으로 처벌하라.
……
1. 정부는 마산 사건의 전 책임을 지라.

① 대통령 직선제 개헌을 주장하였다.
② 이승만 대통령의 하야를 이끌어 냈다.
③ 남한만의 단독 정부 수립에 반대하였다.
④ 박종철 고문치사 사건이 시위를 격화시켰다.
⑤ 신군부 세력의 계엄령 확대에 저항하여 일어났다.

Tip
3·15 부정 선거에 반발하여 일어난 ❶ [ ] 결과 ❷ [ ] 대통령이 하야하고 개헌이 이루어졌다.

답 ❶ 4·19 혁명 ❷ 이승만

필수 체크 전략 ①

4강_경제 성장과 사회 · 문화의 변화 ~ 남북 화해와 동아시아 평화를 위한 노력

필수 예제 01

학평 기출

밑줄 친 '새 헌법'이 적용된 시기에 있었던 사실로 옳은 것은?

국력의 조직화, 한국적 민주주의의 토착화로 집약되는 유신 과업은 이제 새 헌법의 공포와 함께 본격적으로 추진될 출발점에 서 있다.

① 아관 파천이 일어났다.
② 브나로드 운동이 전개되었다.
③ 부·마 민주 항쟁이 발생하였다.
④ 6·15 남북 공동 선언이 발표되었다.
⑤ 국제 통화 기금[IMF]의 금융 지원을 받았다.

Tip

한국적 민주주의의 토착화, 유신 과업이 새 헌법의 공포와 함께 추진된다는 등의 내용을 통해 밑줄 친 '새 헌법'은 유신 헌법임을 알 수 있다.

풀이

1979년 부산과 마산의 학생과 시민들은 유신 체제에 반대하며 부·마 민주 항쟁을 전개하였다. 답 ③

응용 01-1

밑줄 친 '헌법'의 내용으로 옳은 것을 | 보기 |에서 있는 대로 고르시오.

…… 다음과 같은 약 2개월간의 헌법 일부 조항의 효력을 중지시키는 비상조치를 국민 앞에 선포하는 바입니다.
1. 1972년 10월 17일 19시를 기하여 국회를 해산하고 정당 및 정치 활동의 중지 등 현행 헌법의 일부 조항 효력을 중지시킨다.
4. 헌법 개정안이 확정되면 개정된 헌법 절차에 따라 늦어도 금년 연말 이전에 헌정 질서를 정상화시킨다.

| 보기 |
ㄱ. 내각 책임제를 규정하였다.
ㄴ. 대통령의 임기를 6년으로 하였다.
ㄷ. 대통령의 연임을 3회까지 허용하였다.
ㄹ. 대통령에게 긴급 조치권이 부여되었다.

필수 예제 02

수능 기출

다음 민주화 운동이 전개된 시기를 연표에서 옳게 고른 것은?

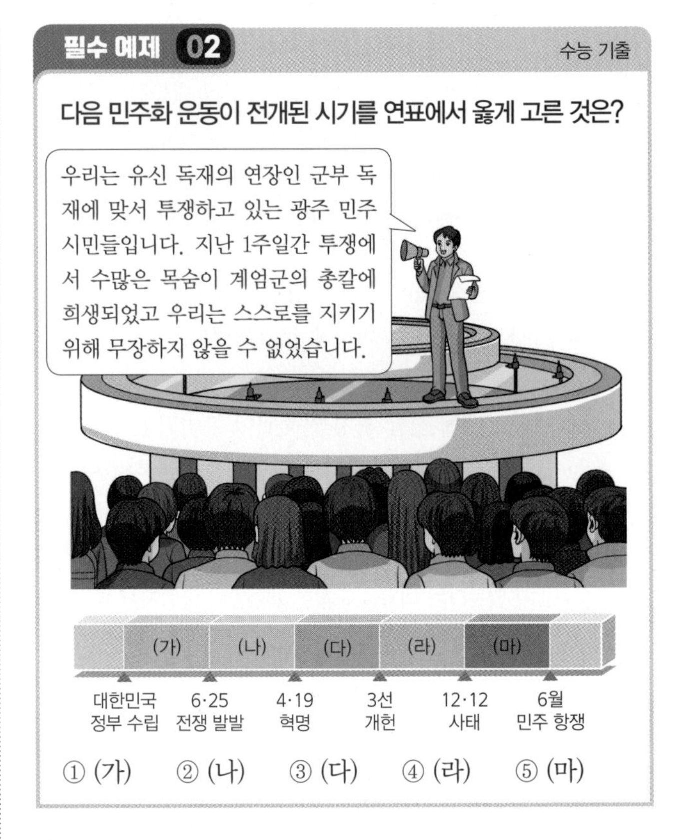

(가) (나) (다) (라) (마)
대한민국 정부 수립 | 6·25 전쟁 발발 | 4·19 혁명 | 3선 개헌 | 12·12 사태 | 6월 민주 항쟁

① (가) ② (나) ③ (다) ④ (라) ⑤ (마)

Tip

유신 독재의 연장인 군부 독재 시기인 점, 광주 민주 시민들이 맞서고 있는 점, 수많은 목숨이 계엄군에 의해 희생되었다는 점 등을 통해 자료의 민주화 운동은 5·18 민주화 운동임을 알 수 있다.

풀이

5·18 민주화 운동은 1979년 12·12 사태로 전두환, 노태우 등 신군부 세력이 정권을 잡고 계엄령을 전국으로 확대하자, 1980년에 신군부의 퇴진과 계엄령 철회를 요구하며 발생하였다. 답 ⑤

응용 02-1

(가) 민주화 운동에 대한 설명으로 옳은 것은?

기자: 이번 영화의 소재가 된 사건을 소개해 주시죠.
감독: 네. 이번 영화는 (가) 당시 계엄군의 진압에 저항한 광주 시민과 학생들의 무너진 일상과 아픔을 조명하고자 했습니다.

① 유신 헌법 폐지를 주장하였다.
② 대통령이 하야하는 계기가 되었다.
③ 신군부 세력의 퇴진을 요구하였다.
④ 굴욕적인 한일 회담에 반대하였다.
⑤ 6·10 국민 대회를 통해 격화되었다.

필수 예제 03

모평 기출

다음 뉴스 내용을 활용한 탐구 활동으로 가장 적절한 것은?

① 6월 민주 항쟁의 배경을 조사한다.
② 조선 혁명 선언의 내용을 분석한다.
③ 브나로드 운동의 전개 과정을 파악한다.
④ 광주 학생 항일 운동의 계기를 살펴본다.
⑤ 모스크바 3국 외상 회의의 결정 내용을 찾아본다.

Tip

박종철 고문치사 사건을 전두환 정부가 축소, 은폐하려던 사실이 밝혀지면서 시민들의 분노가 폭발하였다.

풀이

박종철 고문치사 사건과 전두환 정부의 4·13 호헌 조치 발표 등을 배경으로 6월 민주 항쟁이 전개되었다. 답 ①

응용 03-1

다음 결의문이 작성된 민주화 운동에 대한 설명으로 옳은 것은?

> 우리는 국민들의 민주화에 대한 열망을 일방적으로 짓밟고, 정치 군부 세력의 몇몇 핵심자들끼리 독재 권력을 무슨 사유물인 것처럼 주고받으려는 음모에서 비롯된 이른바 4·13 호헌 성명이 무효임을 선언하며, …… 범국민적 운동을 한층 가열화할 것임을 결의한다.

① 단독 정부 수립에 반대하였다.
② 외환 위기 속에서 전개되었다.
③ 계엄군이 무력으로 진압하였다.
④ 대통령 직선제 개헌을 이끌어 냈다.
⑤ 3·15 부정 선거에 저항하여 발생하였다.

필수 예제 04

수능 기출

다음 가상 대화에 나타난 시기의 정부가 시행한 경제 정책으로 옳은 것은?

① 남북 협력 사업으로 개성 공단 조성
② 경제 협력 개발 기구[OECD] 가입
③ 미국과 자유 무역 협정[FTA] 체결
④ 경제 개발 5개년 계획 추진
⑤ 금융 실명제 실시

Tip

경부 고속 국도 개통과 전태일 분신 사건은 박정희 정부 시기에 일어났다.

풀이

박정희 정부는 경제 개발 5개년 계획을 추진하였다. 답 ④

응용 04-1

다음 사건이 발생한 정부 시기에 일어난 일로 옳은 것을 |보기|에서 있는 대로 고르시오.

> 13일 낮 1시 35분경 처우 개선을 위해 투쟁해 오던 서울 중구 을지로 6가 평화·통일·동화 상가 등의 피복 제조 종업원 8천여 명의 친목 단체인 삼동회 회장 전태일 씨(23, 재단사)는 회원 10여 명과 함께 업주들의 불성실한 태도에 항의, 국민 은행 평화 지점 앞에서 농성을 벌이다, "근로 기준법을 지켜 주고 내 죽음을 헛되이 하지 말라."라는 유언을 남기고 분신을 기도, 이날 밤 10시경 숨졌다.
>
> -『동아일보』-

보기

ㄱ. 100억 달러 수출을 달성하였다.
ㄴ. 베트남 전쟁 특수로 경제가 고도성장하였다.
ㄷ. 3저 호황을 배경으로 경제 발전을 이루었다.
ㄹ. 원조 물자를 바탕으로 삼백 산업이 발달하였다.

필수 체크 전략 ①

필수 예제 05

학평 기출

(가) 정부 시기에 있었던 사실로 옳은 것은?

〈한국사 수행 평가 보고서〉

(가) 정부의 '역사 바로 세우기' 사례 조사

3학년 △반 ○○○

1. 조선 총독부 청사 철거

조선 총독부의 청사는 광복 이후에 정부 종합 청사, 국립 중앙 박물관 등으로 사용되다가, 일제 식민 잔재의 청산을 위해 1996년에 완전히 철거되었다. 아래는 철거 전후의 사진이다.

2. 전두환, 노태우 두 전직 대통령을 반란 및 내란죄로 처벌

① 금융 실명제가 실시되었다.
② 동양 척식 주식회사가 설립되었다.
③ 6·15 남북 공동 선언이 발표되었다.
④ 한미 상호 방위 조약이 체결되었다.
⑤ 제1차 경제 개발 5개년 계획이 추진되었다.

Tip

'역사 바로 세우기'는 김영삼 정부 시기에 전개되었다.

풀이

김영삼 정부는 사회 정의 실현과 경제 활성화를 내세우며 금융 실명제와 부동산 실명제를 단행하고, 공직자 재산 공개를 실시하였다.

답 ①

응용 05-1

김영삼 정부 시기에 일어난 사건으로 옳은 것을 | 보기 |에서 있는 대로 고르시오.

보기

ㄱ. 6·3 시위가 일어났다.
ㄴ. 서울 올림픽이 개최되었다.
ㄷ. 남북 정상 회담이 성사되었다.
ㄹ. 지방 자치제가 전면 실시되었다.
ㅁ. 국제 통화 기금[IMF]에 구제 금융 지원을 요청하였다.

필수 예제 06

모평 기출

밑줄 친 '이 성명'이 발표된 시기를 연표에서 옳게 고른 것은?

이 성명은 남북한이 처음으로 통일의 원칙에 합의한 것이다. 쌍방이 발표한 조국 통일의 3대 원칙은 다음과 같다.

첫째, 통일은 외세에 의존하거나 외세의 간섭을 받음이 없이 자주적으로 해결하여야 한다.

둘째, 통일은 서로 상대방을 반대하는 무력행사에 의거하지 않고 평화적 방법으로 실현하여야 한다.

셋째, 사상과 이념, 제도의 차이를 초월하여 우선 하나의 민족으로서 민족적 대단결을 도모하여야 한다.

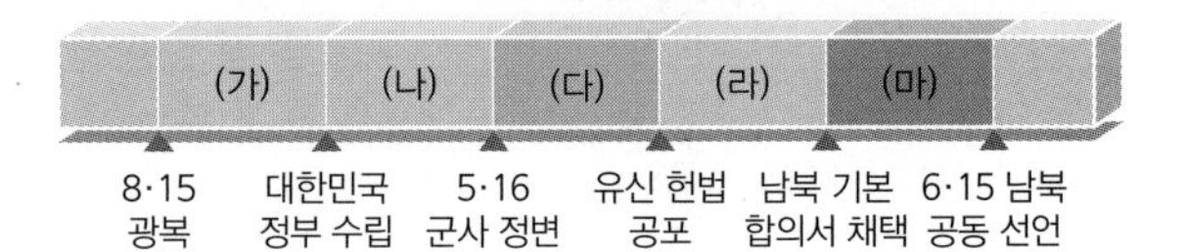

① (가) ② (나) ③ (다) ④ (라) ⑤ (마)

Tip

자주, 평화, 민족적 대단결의 원칙을 통해 밑줄 친 '이 성명'은 7·4 남북 공동 성명임을 알 수 있다.

풀이

박정희 정부 시기인 1972년 7·4 남북 공동 성명이 발표되었으며, 1979년 10월에 유신 헌법이 공포되었다.

답 ③

응용 06-1

밑줄 친 '공동 성명'에 대한 설명으로 옳은 것을 | 보기 |에서 있는 대로 고르시오.

이번 공동 성명은 남북한이 최초로 통일에 관한 사항을 합의하였다는 의의가 있습니다. 이후락 중앙정보부장의 발표 내용을 들어 보시겠습니다.

보기

ㄱ. 두 차례 석유 파동이 배경이 되었다.
ㄴ. 남북한 유엔 동시 가입 직후에 합의되었다.
ㄷ. 제1차 남북 정상 회담의 결과로 발표되었다.
ㄹ. 자주, 평화, 민족적 대단결의 원칙이 제시되었다.

필수 예제 07

학평 기출

다음 연설이 행해진 정부 시기에 있었던 사실로 옳은 것은?

> 저는 3년 전 바로 이 자리에서 온 세계의 젊은이들이 화합의 한마당을 이룬 서울 올림픽의 신선한 감명을 전했습니다. 그로부터 세계는 혁명적인 변화를 거듭했습니다. 오늘 제가 이 연단에 회원국의 대통령으로서 다시 서게 된 사실도 역사의 새로운 물결을 반영하는 것입니다. …… 이번에 남북한의 유엔 동시 가입은 분단 이후 남북한 관계의 가장 획기적인 전환입니다.

① 치안 유지법이 제정되었다.
② 5·18 민주화 운동이 일어났다.
③ 남북 기본 합의서가 채택되었다.
④ 6·15 남북 공동 선언이 발표되었다.
⑤ 반민족 행위 특별 조사 위원회가 조직되었다.

Tip

3년 전에 서울 올림픽이 개최되었다는 점을 통해 연설이 이루어진 시기는 1991년임을 알 수 있다. 1991년 당시 대통령은 노태우이다.

풀이

노태우 정부 시기에 남북 기본 합의서(남북 사이의 화해와 불가침 및 교류·협력에 관한 합의서)가 채택되었다.

답 ③

응용 07-1

밑줄 친 '이 정부' 시기에 있었던 사실로 옳은 것을 | 보기 |에서 있는 대로 고르시오.

그림은 <u>이 정부</u> 시기 국제 연합(UN) 가입을 기념하여 발행한 우표이다. 당시 남북한이 함께 국제 연합에 가입한 것을 나타내듯 한반도가 그려져 있다.

| 보기 |

ㄱ. 소련, 중국과 수교하였다.
ㄴ. 제1차 남북 정상 회담이 개최되었다.
ㄷ. 제3차 경제 개발 계획이 실시되었다.
ㄹ. 여소야대 정국 극복을 위한 3당 합당이 이루어졌다.

필수 예제 08

모평 기출

(가) 회담의 결과로 옳은 것은?

그림과 숫자로 보는 (가)

분단 이후 처음으로, 2000년에 남과 북의 정상이 만났습니다.

두 정상은 평화 통일을 염원하며 3일간 평양에서 회담을 진행하였습니다.

5개 항으로 합의를 이끌어 낸 이 회담은 남북 화해와 협력의 계기가 되었습니다.

① 유신 헌법이 공포되었다.
② 백두산정계비가 건립되었다.
③ 통리기무아문이 설치되었다.
④ 의정부 서사제가 실시되었다.
⑤ 6·15 남북 공동 선언이 발표되었다.

Tip

2000년에 남북한 정상이 최초로 평양에서 만나 5개 항의 합의를 이끌어 냈다는 내용 등을 통해 (가) 회담은 제1차 남북 정상 회담임을 알 수 있다.

풀이

제1차 남북 정상 회담 결과 ⑤ 6·15 남북 공동 선언이 발표되었으며, 이를 토대로 개성 공단 조성, 이산가족 상봉 등이 이루어졌다.

답 ⑤

응용 08-1

다음 상황이 나타나게 된 배경으로 가장 적절한 것은?

> ○○그룹과 북한은 개성에 대단위 공업 단지와 수출 공단을 건설하기로 약속하였다. 이 공단에 들어서는 남한의 기업들은 초기에 수만 명의 북한 주민들을 고용하고 차츰 수십만 명까지 늘려 가기로 되어 있었다.

① 남북 조절 위원회가 설치되었다.
② 남북 기본 합의서가 채택되었다.
③ 한일 국교 정상화가 이루어졌다.
④ 북한이 핵 확산 금지 조약을 탈퇴하였다.
⑤ 남북이 6·15 남북 공동 선언에 합의하였다.

필수 체크 전략 ②

4강_경제 성장과 사회 · 문화의 변화 ~ 남북 화해와 동아시아 평화를 위한 노력

1 (가) 헌법에 대한 설명으로 옳은 것은?

> 청년 학도여, 지금 너희들은 어디서 무엇을 하고 있는가. 우리의 조국은 심술궂은 독재자에 의해 고문받고 있는데도 과연 좌시할 수 있겠는가. …… 소위 (가) 을/를 보라. 그것은 법이 아니다. 그것은 국민을 위한 법이라기보다는 한 개인의 무도한 정치욕을 충족시키는 도구에 지나지 않는다. ……
>
> 〈개혁안〉
> 1. (가) 철폐
> 2. 안정 성장 정책과 공평한 소득 분배
> 3. 학원 사찰 중지
> 4. 학도 호국단 폐지
> 5. 언론·집회·결사의 완전한 자유와 보장
> 6. YH 무역 사건에서와 같은 반윤리적 기업주 엄단
> 7. 전 국민에 대한 정치적 보복 중지

보기
ㄱ. 대통령 직선제를 규정하였다.
ㄴ. 비상 국무 회의에서 마련되었다.
ㄷ. 대통령은 5년 임기의 단임이었다.
ㄹ. 대통령이 국회 의원의 3분의 1을 추천하였다.

① ㄱ, ㄴ ② ㄱ, ㄷ ③ ㄴ, ㄷ
④ ㄴ, ㄹ ⑤ ㄷ, ㄹ

Tip
1972년에 성립된 유신 체제는 ❶ [ ] 무역 사건과 김영삼 국회 의원직 제명 등으로 ❷ [ ]이 발생한 가운데 10·26 사태가 일어나 무너졌다.

답 ❶ YH ❷ 부·마 민주 항쟁

2 밑줄 친 '피고인들'에 대한 설명으로 옳은 것은?

> 피고인들이 국헌을 문란할 목적으로 시국 수습 방안의 실행을 모의할 당시 그 실행에 대한 국민들의 큰 반발과 저항을 예상하고, 이에 대비하여 '강력한 타격'의 방법으로 시위를 진압하도록 평소에 훈련된 공수 부대 투입을 계획한 후, 이에 따라 광주에 투입된 공수 부대원들이 시위를 진압하는 과정에서 진압봉이나 총 개머리판으로 시위자들을 가격하는 등으로 시위자에게 부상을 입히고 ……
>
> – 대법원 1997. 4. 17. 선고 –

① 한일 협정을 체결하였다.
② 3·15 부정 선거를 자행하였다.
③ 역사 바로 세우기를 추진하였다.
④ 12·12 사태로 정권을 장악하였다.
⑤ 여수·순천 10·19 사건을 주도하였다.

Tip
자료에는 1980년에 일어난 ❶ [ ]에 대한 내용이 나타나 있다. 밑줄 친 '피고인들'은 이를 무력으로 진압한 ❷ [ ] 세력이다.

답 ❶ 5·18 민주화 운동 ❷ 신군부

3 (가)에 들어갈 내용으로 가장 적절한 것은?

① 유신 헌법 철폐하라!
② 3·15 부정 선거 진상 조사!
③ 남한의 단독 선거 결사 반대!
④ 굴욕적인 한일 회담 중단하라!
⑤ 대통령 직선제 개헌을 시행하라!

Tip
대통령 ❶ [ ] 개헌 요구가 확산되는 가운데 전두환 정부가 ❷ [ ]를 발표하자 이에 반대하는 시위가 확산되었다.

답 ❶ 직선제 ❷ 4·13 호헌 조치

4 다음 사건이 발생하였을 당시 볼 수 있는 모습으로 가장 적절한 것은?

> 7월 7
>
> [오늘의 역사]
>
> **경부 고속 국도가 개통되다**
>
> 단군 이래 최대 토목 공사라 불린 경부 고속 국도 개통은 1968년 2월 1일에 착공하여 1970년 7월 7일에 준공되기까지 연인원 약 900만 명이 투입된 대공사였다. 경부 고속 국도 건설로 전국은 1일 생활권 시대에 들어섰고, 산업 발전이 가속화되었다.

① 유신 헌법에 반대하는 시위대
② 베트남 전쟁에 파병되는 군인
③ 금강산을 방문하는 남한 관광객
④ 서울 올림픽에 출전하는 운동 선수
⑤ 정상 회담을 위해 평양을 방문하는 대통령

Tip
박정희 정부는 제2차 ❶ [　　] 을 추진하여 ❷ [　　] 를 개통하는 등 사회 간접 자본을 확충하였다.

답 ❶ 경제 개발 5개년 계획 ❷ 경부 고속 국도

5 (가)에 들어갈 내용으로 옳은 것은?

> **한국사 수행 평가**
> • 주제: ○○○ 정부 시기 정치·경제 상황
> • 모둠별 발표 주제:
> – 1모둠: 서울 올림픽 개최
> – 2모둠: 5공 비리 청문회 개최
> – 3모둠: (가)

① 경부 고속 국도 개통
② 6·29 민주화 선언 발표
③ 제1차 남북 정상 회담 개최
④ 경제 협력 개발 기구[OECD] 가입
⑤ 여소야대 정국 극복을 위한 3당 합당

Tip
대통령 직선제 개헌 이후 출범한 ❶ [　　] 정부는 이듬해 총선에서 여소야대 국회가 구성되자 ❷ [　　] 을 통해 정국 운영의 주도권을 쥐려고 하였다.

답 ❶ 노태우 ❷ 3당 합당

6 밑줄 친 '이 정부' 시기에 일어난 사실로 옳은 것은?

① 역사 바로 세우기가 추진되었다.
② 남북 기본 합의서가 발표되었다.
③ 7·4 남북 공동 성명이 발표되었다.
④ 남북 이산가족 고향 방문단을 교환하였다.
⑤ 여야 간에 평화적인 정권 교체가 이루어졌다.

Tip
전두환 정부는 불량배 소탕을 빌미로 ❶ [　　] 를 운영하고 민주화 운동을 탄압하는가 하면 유화책으로 두발과 교복 자율화, ❷ [　　] 자유화 등을 추진하였다.

답 ❶ 삼청 교육대 ❷ 해외여행

7 (가) 정부 시기의 통일 노력으로 옳은 것은?

사진으로 보는 (가) 정부

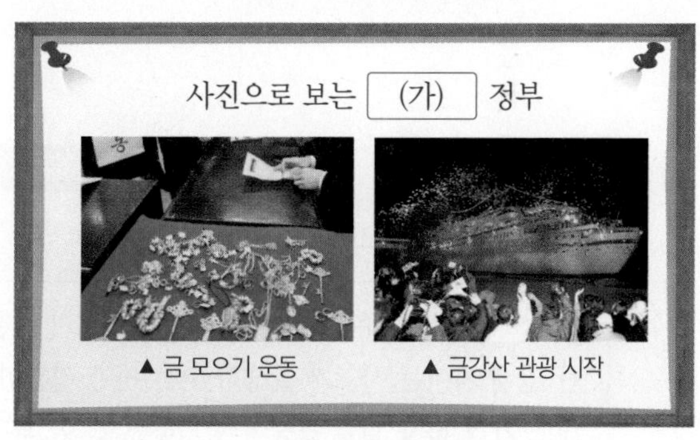

▲ 금 모으기 운동　▲ 금강산 관광 시작

① 6·15 남북 공동 선언이 발표되었다.
② 통일 3대 원칙이 최초로 합의되었다.
③ 제2차 남북 정상 회담을 개최하였다.
④ 남북 이산가족 상봉이 처음 이루어졌다.
⑤ 남한과 북한이 동시에 유엔에 가입하였다.

Tip
김대중 정부 시기 금 모으기 운동 등을 통해 ❶ [　　] 지원 자금을 조기 상환하고, 대북 화해 협력 정책인 이른바 ❷ [　　] 정책 추진으로 금강산 관광이 시작되는 등 남북 교류가 활발해졌다.

답 ❶ 국제 통화 기금[IMF] ❷ 햇볕

WEEK 2

누구나 합격 전략

조선 건국 준비 위원회

1 **다음 강령을 내세운 단체에 대한 설명으로 옳은 것은?**

> 1. 우리는 완전한 독립 국가의 건설을 기함
> 2. 우리는 전 민족의 정치적·경제적·사회적 기본 요구를 실현할 수 있는 민주 정권의 수립을 기함
> 3. 우리는 일시적 과도기에 있어서 국내 질서를 자주적으로 유지하며 대중 생활의 확보를 기함

① 농지 개혁을 실시하였다.
② 남북 정치 회담을 제안하였다.
③ 조선 인민 공화국을 선포하였다.
④ 송진우와 김성수 등이 조직하였다.
⑤ 신탁 통치 반대 운동을 주도하였다.

제주 4·3 사건

2 **(가)에 들어갈 내용으로 가장 적절한 것은?**

> 제주도 3·1절 28주년 기념행사에서 어린이가 경찰이 탄 말에 차이는 사고가 발생하였다. 기마 경찰이 그대로 가려 하자 일부 군중이 항의하였고, 이 과정에서 경찰이 발포해 사상자가 발생하였다. 이 '3·1 사건'에 항의하는 총파업도 대규모로 일어났다. 한편, 유엔 소총회의 결정이 알려지자, 그해 4월 3일 제주도의 좌익 세력과 일부 주민들이 무장봉기하였다. 이들은 봉기 과정에서 [(가)]하기도 하였다.

① 신군부 세력의 퇴진을 요구
② 굴욕적인 한일 회담에 반대
③ 신탁 통치 결정의 취소를 요구
④ 남한만의 단독 정부 수립에 반대
⑤ 한미 상호 방위 조약 체결을 요구

6·25 전쟁

3 **밑줄 친 '이 전쟁'의 영향으로 옳은 것은?**

> 그림은 <u>이 전쟁</u> 당시 유엔군이 살포한 삐라로, 북한군 병사에게 귀순할 경우 안전을 보장해 줄 것임을 약속하는 내용이 담겨 있다.

① 이산가족이 발생하였다.
② 제헌 국회가 수립되었다.
③ 애치슨 선언이 발표되었다.
④ 국가 총동원법이 제정되었다.
⑤ 일본이 무조건 항복을 선언하였다.

4·19 혁명

4 **밑줄 친 '선거'에 대한 설명으로 옳은 것은?**

> 나는 해방 후 본국에 들어와서 우리 여러 애국 애족하는 동포들과 더불어 잘 지내 왔으니 이제는 세상을 떠나도 한이 없으나 나는 무엇이든지 국민이 원하는 것만 알면 민의를 따라서 하고자 한 것이며 또 그렇게 하기를 원하는 것이다. …… 첫째는 국민이 원하면 대통령직을 사임할 것이며 둘째는 지난번 <u>선거</u>에 많은 부정이 있었다고 하니 선거를 다시 하도록 지시하였고 ……

① 이기붕이 부통령 후보로 출마하였다.
② 우리나라 최초의 민주주의 보통 선거였다.
③ 유엔 한국 임시 위원단의 감시하에 치러졌다.
④ 최초의 평화적인 여야 정권 교체가 이루어졌다.
⑤ 야권 분열로 노태우 후보가 대통령에 당선되었다.

10·26 사태

5 다음 사건이 발생한 시기를 연표에서 옳게 고른 것은?

OO 신문 ○○○○년 ○월 ○일

…… 미국 정부는 남한에 주둔하는 미군 병력 3만 8천 명에게 비상 대기 명령을 내렸으며 이는 남한에 대한 그 어떠한 군사 행위도 용납하지 않을 것이라는, 미국이 북한에 보내는 일종의 신호였다.
비상 내각에 의해 계엄 사령관으로 임명된 육군 참모총장 정승화 장군은 밤 10시부터 새벽 4시까지 통행금지령을 내렸으며, …… 또한 용의자 김재규는 구금되어 있으며, 대통령의 서거를 추모하는 국장이 열릴 것이라는 발표가 있었다.

– ○○타임스 –

① (가) ② (나) ③ (다) ④ (라) ⑤ (마)

6월 민주 항쟁

6 다음 선언문이 발표된 민주화 운동 당시 볼 수 있는 모습으로 옳은 것은?

헌법 개정의 주체는 오로지 국민이다. 국민 이외의 어느 누구도 이 신성한 권리를 대행하거나 파기할 수 없다. 그러므로 국민적 의사를 전적으로 묵살한 4·13 폭거는 시대적 대세인 민주화를 거스르려는 음모요, 국가 권력의 주인인 국민을 향한 도전장이 아닐 수 없다. …… 그동안 마치 날치기 통과라도 강행할 것 같던 내각 책임제 개헌안도 국민의 대통령 직선제 개헌 열망을 무마하고 민주 세력을 이간시켜 탄압하면서 원래의 의도인 호헌의 명분을 만들기 위한 위장 전술에 지나지 않았다.

① 서울 올림픽을 관람하는 학생
② 금 모으기 운동에 참여하는 주부
③ 박종철의 죽음을 애도하는 시위대
④ 개성 공단에 공장을 설립하는 기업인
⑤ 계엄군에 맞서 시민군을 조직하는 광주 시민

산업화와 경제 성장

7 (가) 정부 시기의 경제 상황으로 옳은 것은?

① 경제 개발 5개년 계획을 시행하였다.
② 원조 물자를 활용한 산업이 발달하였다.
③ 유상 매수, 유상 분배의 농지 개혁이 있었다.
④ 국제 통화 기금[IMF]에서 구제 금융을 받았다.
⑤ 저유가, 저금리, 저달러의 국제 경기가 나타났다.

통일을 위한 노력

8 (가)에 들어갈 내용으로 옳은 것은?

동아리 활동 계획서

• 제목: ○○○ 정부의 통일 정책
• 활동
1. 주요 통일 정책들을 정리한다.
2. 각 통일 정책의 내용을 조별로 맡아 조사한다.

1조	금강산 관광 사업 시작
2조	(가)
3조	개성 공단 조성 합의
4조	이산가족 상봉

① 남북한 유엔 동시 가입
② 7·4 남북 공동 성명 발표
③ 10·4 남북 공동 선언 합의
④ 제1차 남북 정상 회담 개최
⑤ 한반도 비핵화 공동 선언 발표

광복 후 정치 세력

01 A~C에 해당하는 질문으로 옳은 것만을 | 보기 |에서 고른 것은?

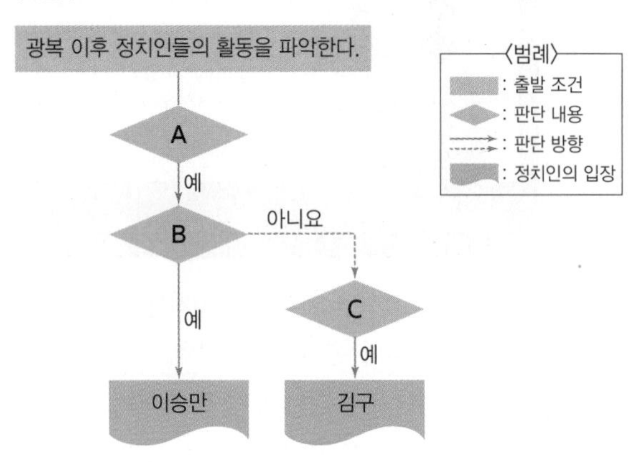

보기
ㄱ. A－ 찬탁 운동을 전개하였는가?
ㄴ. B－ 단독 정부 수립을 주장하였는가?
ㄷ. C－ 남북 협상에 참여하였는가?
ㄹ. C－ 좌우 합작 운동에 참여하였는가?

① ㄱ, ㄴ ② ㄱ, ㄷ ③ ㄴ, ㄷ
④ ㄴ, ㄹ ⑤ ㄷ, ㄹ

Tip
모스크바 3국 외상 회의의 신탁 통치 결정에 대해 김구, 이승만 등 우익은 ❶ [　　] 운동을 전개하였다. 제1차 미소 공동 위원회가 결렬되자 이승만은 남쪽만이라도 먼저 정부를 수립하자는 ❷ [　　] 발언을 하였다.

답 ❶ 반탁 ❷ 정읍

제헌 국회

02 (가)에 들어갈 내용으로 옳은 것은?

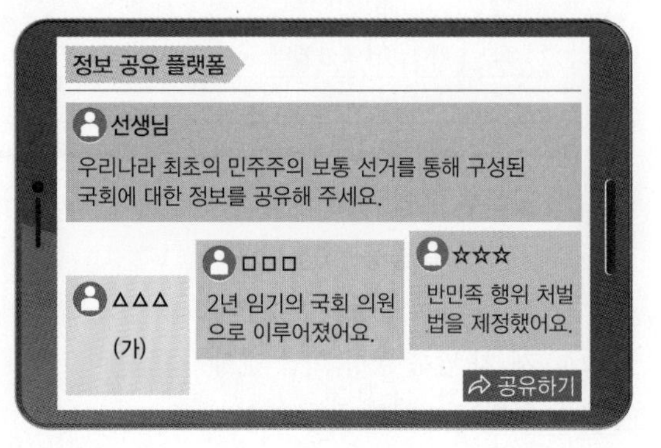

① 반탁 운동을 전개하였어요.
② 농지 개혁법을 제정하였어요.
③ 사사오입 개헌안을 통과시켰어요.
④ 105인 사건을 계기로 와해되었어요.
⑤ 창조파와 개조파로 나뉘어 대립하였어요.

Tip
5·10 총선거로 구성된 ❶ [　　]는 유상 매수, 유상 분배를 골자로 한 ❷ [　　]을 제정하였다.

답 ❶ 제헌 국회 ❷ 농지 개혁법

4·19 혁명

03 밑줄 친 ㉠에 대한 탐구 활동으로 가장 적절한 것은?

〈교과 융합 수업 계획〉
1. **융합 교과**: 법과 정치, 한국사
2. **수업 목표**: 법과 정치 수업에서 정치 체제의 종류를 학습하고, 한국사 수업에서 실제 역사적 사례를 살펴본다.
3. **융합 수업 계획**
 – 1차시: (법과 정치) 내각 책임제의 개념과 성격을 학습한다.
 – 2차시: (한국사) ㉠<u>대한민국 역사에서 유일한 내각 책임제 사례</u>를 학습한다.

① 유신 헌법의 내용을 탐구한다.
② 6월 민주 항쟁의 영향을 알아본다.
③ 서울의 봄이 나타난 배경을 연구한다.
④ 모스크바 3국 외상 회의의 내용을 찾아본다.
⑤ 허정 과도 정부 시기 진행된 개헌안을 살펴본다.

Tip
4·19 혁명의 결과 내각 책임제와 ❶ [　　] 국회를 주요 내용으로 한 개헌안이 통과되었고 그에 따라 ❷ [　　] 정부가 수립되었다.

답 ❶ 양원제 ❷ 장면

6월 민주 항쟁

04 밑줄 친 '민주화 운동'의 결과로 옳은 것은?

① 대통령이 하야하였다.
② 10·26 사태가 발생하였다.
③ 6·29 민주화 선언이 발표되었다.
④ 평화적인 여야 정권 교체가 이루어졌다.
⑤ 계엄군이 시민들을 무력으로 진압하였다.

Tip

대통령 직선제 요구에 대한 ❶ ______ 정부의 4·13 호헌 조치 발표는 ❷ ______ 의 배경이 되었다.

답 ❶ 전두환 ❷ 6월 민주 항쟁

제1차 남북 정상 회담

05 (가)에 따라 나타난 정책으로 옳은 것은?

QR코드로 보는 통일 정책

남한과 북한의 두 정상이 분단 이후 처음으로 평양에서 만나 회담을 진행한 결과 (가) 에 합의하였다. 왼쪽 QR코드를 통해 그 내용을 확인해 볼 수 있다.

① 개성 공단이 조성되었다.
② 남북 조절 위원회가 설치되었다.
③ 남북 이산가족이 최초로 상봉하였다.
④ 통일의 3대 기본 원칙이 발표되었다.
⑤ 남북한이 동시에 유엔에 가입하였다.

Tip

김대중 대통령은 ❶ ______ 에서 제1차 남북 정상 회담을 갖고 ❷ ______ 에 합의하였다.

답 ❶ 평양 ❷ 6·15 남북 공동 선언

1960년대 경제 성장

06 (가) 정부 시기의 경제 상황으로 옳은 것은?

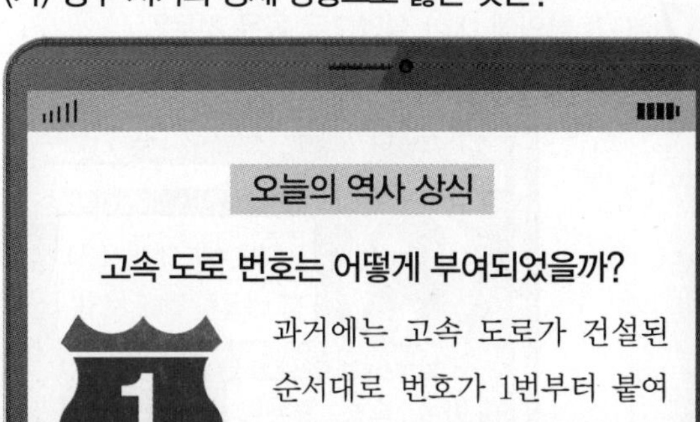

오늘의 역사 상식

고속 도로 번호는 어떻게 부여되었을까?

과거에는 고속 도로가 건설된 순서대로 번호가 1번부터 붙여졌지만, 최근에는 두 자리 수로, 동서를 연결하는 고속 도로는 끝자리가 0, 남북을 연결하는 고속 도로는 끝자리에 5를 부여하였다. 다만 (가) 정부 시기 우리나라 최초로 개통된 경부 고속 도로의 경우 부여 체계와 상관없이 1번이 부여되었다.

보기

ㄱ. 귀속 재산 처리가 특정 기업에 편중되었다.
ㄴ. 저유가, 저금리, 저달러의 상황이 나타났다.
ㄷ. 두 차례 석유 파동으로 경제 위기를 겪었다.
ㄹ. 전태일 분신 사건으로 노동 운동이 본격화되었다.

① ㄱ, ㄴ ② ㄱ, ㄷ ③ ㄴ, ㄷ
④ ㄴ, ㄹ ⑤ ㄷ, ㄹ

Tip

박정희 정부 시기에 ❶ ______ 계획 시행, 사회 간접 자본 확대 등으로 경제가 크게 성장하였으나, ❷ ______ 분신 사건이 발생하는 등 노동 문제가 심각하게 대두되기도 하였다.

답 ❶ 경제 개발 5개년 ❷ 전태일

모스크바 3국 외상 회의

07 (가) 회의에 대한 설명으로 옳은 것은?

① 조선 인민 공화국 수립을 선포하였다.
② 인구 비례에 따른 총선거 실시를 결의하였다.
③ 대한민국이 유일한 합법 정부임을 승인하였다.
④ 미국과 소련의 공동 위원회 설치가 합의되었다.
⑤ 북위 38도선을 기준으로 미국과 소련의 분할 점령이 결정되었다.

Tip

1945년 12월 ❶ (　　) 에서 열린 3국 외상 회의에서 최고 5년 기한의 4개국에 의한 ❷ (　　) 가 결정되었다.

답 ❶ 모스크바 ❷ 신탁 통치

6·25 전쟁

08 밑줄 친 '전쟁' 중에 일어난 사건으로 옳은 것만을 |보기| 에서 고른 것은?

이달의 책 소개

이 책은 전쟁 당시 종군 기자로 활약한 데이비드 더글라스 던컨이 낙동강과 장진호 전투 등 당시 장면들을 담은 사진들을 엮었다. 이 책을 통해 북한군의 기습적인 남침으로 발발한 전쟁의 참상을 살펴볼 수 있다.

보기
ㄱ. 반공 포로가 석방되었다.
ㄴ. 애치슨 선언이 발표되었다.
ㄷ. 흥남 철수 작전이 단행되었다.
ㄹ. 한미 상호 방위 조약이 체결되었다.

① ㄱ, ㄴ　② ㄱ, ㄷ　③ ㄴ, ㄷ
④ ㄴ, ㄹ　⑤ ㄷ, ㄹ

Tip

1950년 북한군의 남침으로 ❶ (　　) 전쟁이 발발하였으며, 국군과 유엔군이 ❷ (　　) 을 성공시켜 서울을 수복하고 압록강까지 진출하였다.

답 ❶ 6·25 ❷ 인천 상륙 작전

유신 헌법

09 (가) 헌법에 대한 설명으로 옳은 것은?

① 허정 과도 정부에 의해 제정되었다.
② 사사오입의 논리를 통해 통과되었다.
③ 대통령의 임기를 7년으로 규정하였다.
④ 대통령의 중임 제한 조항을 삭제하였다.
⑤ 6·10 국민 대회가 개최되는 배경이 되었다.

Tip

닉슨 독트린 발표 이후 냉전 체제가 완화되고 경제 침체에 따른 국민의 불만이 고조되자, ❶ (　　) 정부는 비상 계엄령을 선포하고 국회를 해산한 뒤 비상 국무 회의에서 ❷ (　　) 을 의결하고 국민 투표로 확정하였다.

답 ❶ 박정희 ❷ 유신 헌법

5·18 민주화 운동

10 (가) 민주화 운동 중에 있었던 사실로 옳은 것은?

이곳은 유네스코 세계 기록 유산으로 지정된 (가) 관련 여러 기록물들을 만나 볼 수 있는 공간입니다. 이를 통해 광주의 학생과 시민들이 계엄령 철회를 외치며 저항했던 당시 상황을 생생하게 이해할 수 있습니다.

① 12·12 사태가 발생하였다.
② 6·10 국민 대회가 개최되었다.
③ 정부가 4·13 호헌 조치를 발표하였다.
④ 학생과 시민들이 시민군을 조직하였다.
⑤ 반민족 행위 특별 조사 위원회가 구성되었다.

Tip

전두환 등 ❶ [ ] 세력이 권력을 장악하고 계엄령을 전국으로 확대하자, 광주의 학생과 시민들이 ❷ [ ] 을 전개하였으나 계엄군이 무력으로 진압하였다.

답 ❶ 신군부 ❷ 5·18 민주화 운동

1970년대 경제 상황

11 다음 상황이 일어날 당시 국내에서 볼 수 있는 모습으로 가장 적절한 것은?

세계사 신문 ○○○○년 ○월 ○일

제1차 석유 파동이 일어나다!

제4차 아랍-이스라엘 전쟁 당시 미국이 이스라엘을 지원하자, 아랍 국가들이 주축인 석유 수출국 기구[OPEC]는 원유 가격 인상을 전격 발표하였다. 그 결과 두 달 사이 석유 가격이 무려 4배가 올랐으며, 베트남 전쟁을 둘러싼 갈등으로 혼란이 계속되던 미국은 이제 석유 파동으로 인한 경제 위기까지 맞닥뜨리게 되었다.

① 호헌 철폐를 외치는 시위대
② 하야 성명을 발표하는 대통령
③ 금강산 관광을 홍보하는 여행사
④ 새마을 운동을 홍보하는 공무원
⑤ 금 모으기 운동에 참여하는 시민

Tip

박정희 정부 시기인 1973년 제1차 ❶ [ ] 으로 석유 가격이 폭등해 경제 위기를 맞았으나 중동 건설 사업에 진출하여 ❷ [ ] 를 벌어들여 위기를 극복하였다.

답 ❶ 석유 파동 ❷ 오일 달러

통일을 위한 노력

12 밑줄 친 '이 정부'의 정책으로 옳은 것은?

① 개성 공단 건설을 추진하였다.
② 남북 기본 합의서를 채택하였다.
③ 남북 조절 위원회를 설치하였다.
④ 6·15 남북 공동 선언을 발표하였다.
⑤ 통일의 3대 원칙이 최초로 합의되었다.

Tip

1980년대 말 독일이 통일되고 소련 등 사회주의 정권이 붕괴되자 ❶ [ ] 정부는 소련 및 동유럽, 중국과 수교하면서 북한과의 관계 개선에 나섰고, 1991년에 남북한이 동시에 ❷ [ ] 에 가입하였다.

답 ❶ 노태우 ❷ 유엔

후편 마무리 전략

핵심 한눈에 보기

일제의 식민지 경제 정책

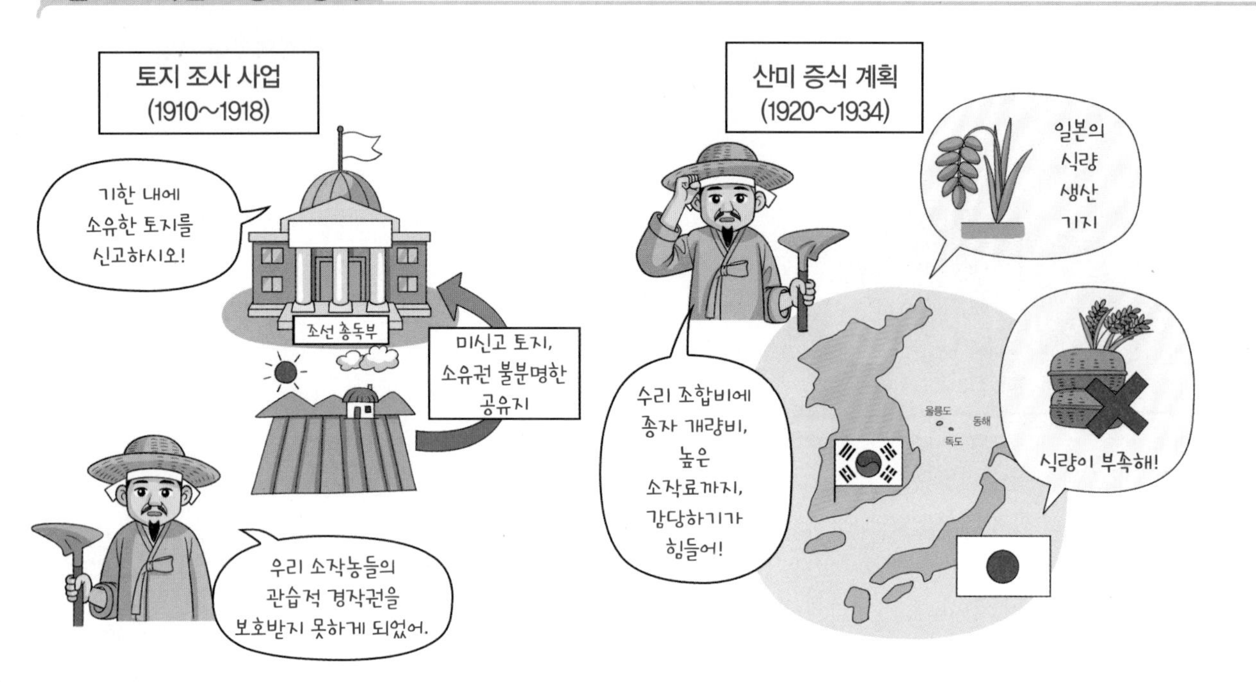

전시 동원 체제

민주화를 위한 노력

통일을 위한 노력

◀ 제1차 남북 정상 회담(평양)
김대중 대통령과 김정일 국방 위원장,
6 · 15 남북 공동 선언 합의

개성 공단 조성 합의

금강산 관광 시작

이산가족 상봉

역대 정부의 주요 통일 정책

정부	주요 통일 정책
박정희 정부	7 · 4 남북 공동 성명
전두환 정부	남북 이산가족 상봉
노태우 정부	남북한 유엔 동시 가입, 남북 기본 합의서, 한반도 비핵화 공동 선언
김대중 정부	대북 화해 협력 정책(햇볕 정책), 금강산 관광 시작, 제1차 남북 정상 회담(6 · 15 남북 공동 선언)
노무현 정부	제2차 남북 정상 회담(10 · 4 남북 공동 선언)

신유형·신경향 전략

신유형 전략

01 1910년대 일제의 식민 통치

(가)에 들어갈 내용으로 옳은 것만을 보기 에서 고른 것은?

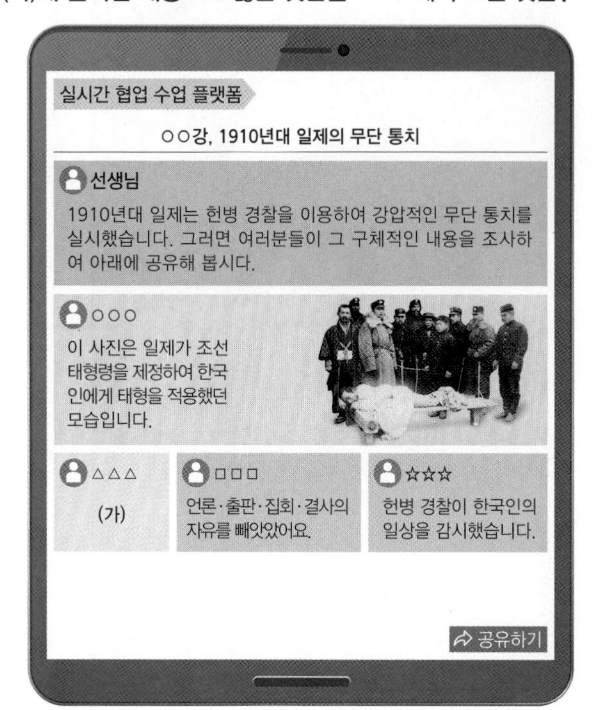

보기

ㄱ. 치안 유지법을 한국에도 적용했어요.
ㄴ. 보통학교의 교육 연한을 6년으로 했어요.
ㄷ. 범죄 즉결례와 경찰범 처벌 규칙을 만들었어요.
ㄹ. 총독부 관리들과 교사들에게 제복을 입고 칼을 차게 했어요.

① ㄱ, ㄴ ② ㄱ, ㄷ ③ ㄴ, ㄷ
④ ㄴ, ㄹ ⑤ ㄷ, ㄹ

Tip

1910년 한국을 강점한 일제는 식민 통치의 최고 기구로 ❶ [ ]를 설치하였다. 그리고 헌병 경찰이 정식 재판 없이 한국인에게 처벌을 내릴 수 있게 하고 태형을 적용하는 등 강압적인 ❷ [ ]를 실시하였다.

답 ❶ 조선 총독부 ❷ 무단 통치

02 3·1 운동

(가) 운동의 영향으로 가장 적절한 것은?

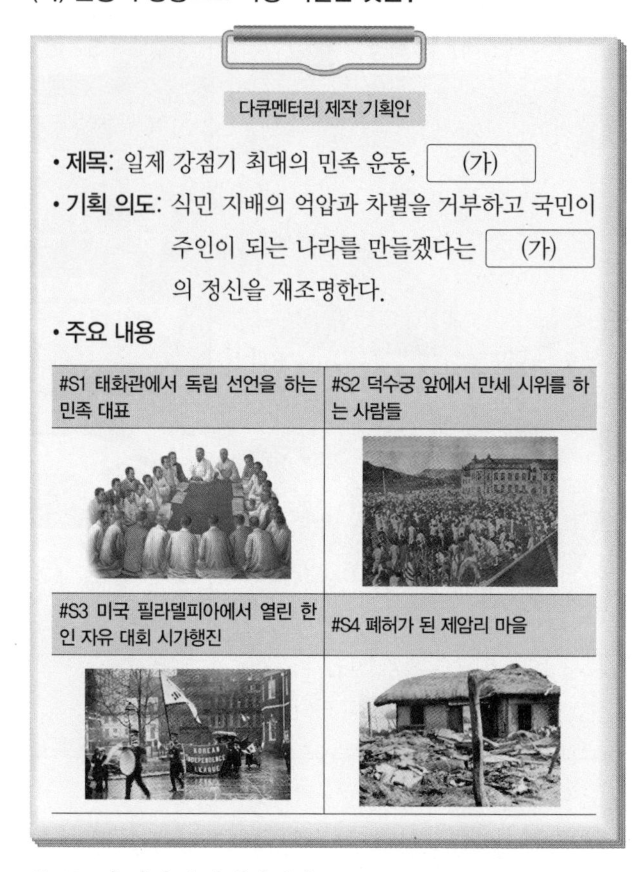

① 105인 사건이 발생하였다.
② 대동단결 선언이 발표되었다.
③ 민족 유일당 운동이 전개되었다.
④ 일제가 이른바 문화 통치를 실시하였다.
⑤ 서울·부산·평양 등의 대도시가 급속히 팽창하였다.

Tip

3·1 운동을 계기로 독립운동가들 사이에서는 독립운동을 보다 조직적으로 전개해야 할 필요성이 제기되어 중국 상하이에서 ❶ [ ]가 수립되었다. 한편 일제는 3·1 운동을 통해 강압적인 ❷ [ ]의 한계를 깨닫고 통치 방식을 바꾸었다.

답 ❶ 대한민국 임시 정부 ❷ 무단 통치

03 4·19 혁명

(가) 민주화 운동의 결과로 옳은 것은?

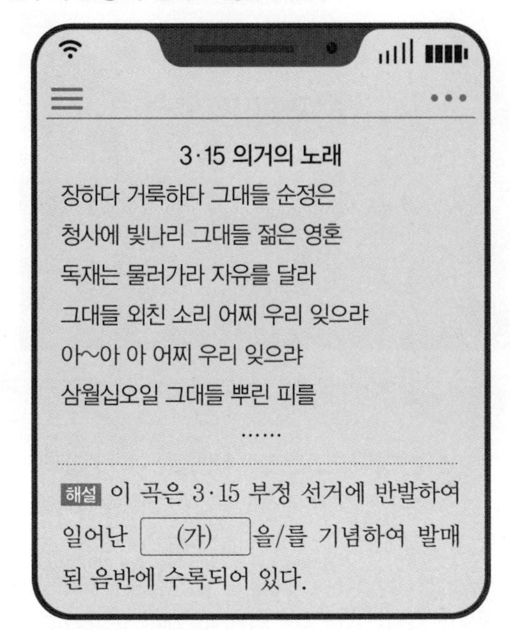

① 10·26 사태가 발생하였다.
② 6·29 민주화 선언이 발표되었다.
③ 국가 재건 최고 회의가 설치되었다.
④ 선거를 통한 여야 정권 교체가 이루어졌다.
⑤ 내각 책임제를 골자로 한 개헌이 단행되었다.

Tip

이승만 정부는 1960년 3월 15일 정·부통령 선거에서 부정을 자행하였다. 이에 부정 선거를 규탄하는 시위가 전국에서 일어났다. 결국 이승만 대통령이 하야하고 ❶ ______ 와 양원제 국회를 주요 내용으로 하는 개헌이 단행되어 ❷ ______ 가 수립되었다.

답 ❶ 내각 책임제 ❷ 장면 정부

04 박정희 정부

밑줄 친 '대통령'에 대한 설명으로 옳은 것은?

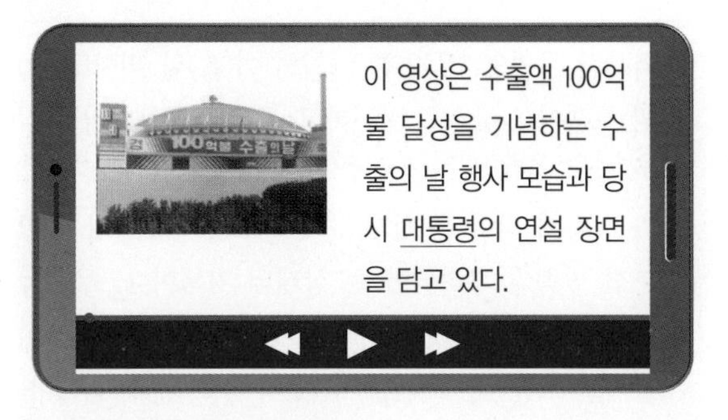

① 유신 체제를 성립하였다.
② 삼청 교육대를 설치하였다.
③ 4·19 혁명으로 하야하였다.
④ 민주 정의당 후보로 당선되었다.
⑤ 대북 화해 협력 정책을 추진하였다.

Tip

1972년 비상 국무 회의에서 마련한 ❶ ______ 으로 ❷ ______ 의 권한이 막강해졌다.

답 ❶ 유신 헌법 ❷ 대통령

05 제1차 남북 정상 회담

밑줄 친 '남북 정상 회담'의 결과로 옳은 것은?

① 정전 협정이 체결되었다.
② 좌우 합작 7원칙이 합의되었다.
③ 남북 조절 위원회가 설치되었다.
④ 6·15 남북 공동 선언이 발표되었다.
⑤ 남북 이산가족이 처음으로 상봉하였다.

Tip

김대중 대통령은 ❶ ______ 에서 최초의 남북 정상 회담을 가지고 ❷ ______ 을 발표하였다.

답 ❶ 평양 ❷ 6·15 남북 공동 선언

신경향 전략

06 민족 문화 수호 운동

(가), (나) 역사학에 대한 설명으로 옳은 것은?

(가) 역사란 무엇인가? 인류 사회의 아(我)와 비아(非我)의 투쟁이 시간으로 발전하고 공간으로 확대되는 심적 활동 상태의 기록이니, 세계사라 하면 세계 인류가 그렇게 되어 온 상태의 기록이요, 조선사라 하면 조선 민족이 그리되어 온 상태의 기록이다. 무엇을 아(我)라 하며 무엇을 비아(非我)라 하는가? …… 이를테면 조선인은 조선을 아(我)라 하고 영국, 러시아, 프랑스, 미국 등을 비아(非我)라고 한다.

(나) 우리 조선의 역사적 발전의 전 과정은 가령, 지리적 조건, 인종학적 골상, 문화 형태의 외형적 특징 등 다소의 차이는 인정되더라도, 외관적인 소위 특수성은 다른 민족의 역사적 발전 법칙과 구별되어야 하는 독자적인 것이 아니며, 세계사적·일원론적인 역사 법칙에 의하여 다른 제 민족과 거의 동일한 발전 과정을 거쳐 온 것이다.

① (가)- 진단 학보를 발행하였다.
② (가)- 유물 사관에 근거하였다.
③ (나)- 조선학 운동을 제창하였다.
④ (나)- 식민 사관의 정체성론을 반박하였다.
⑤ (가), (나)- 조선사 편수회의 조선사 편찬에 참여하였다.

Tip

박은식, 신채호 등은 민족주의 사학을 근대 역사학으로 정립하였다. 박은식은 ❶ ______ 를 서술하여 일본의 침략 과정을 폭로하였으며, 신채호는 『조선사 연구초』와 『조선 상고사』를 저술하는 등 고대사 연구에 주력하였다. ❷ ______ 사학을 연구한 백남운은 『조선 사회 경제사』를 저술하여 한국사가 세계사의 보편적 발전 법칙에 따라 발전하였음을 주장하였다.

답 ❶ 『한국통사』 ❷ 사회 경제

07 민족 운동 세력의 결집

(가) 단체에 대한 설명으로 옳은 것은?

1937년 김원봉이 이끄는 민족 혁명당과 여러 중도 좌파 단체들이 연합하여 조선 민족 전선 연맹을 결성하였고, 이듬해에는 산하 무장 조직으로 (가) 을/를 창설하였다. (가) 은/는 중국 국민당 정부의 지원을 받아 주로 일본군에 대한 심리전이나 포로 심문, 후방 공작 활동을 전개하였다.

① 미쓰야 협정으로 활동이 어려워졌다.
② 봉오동 전투에서 일본군을 격파하였다.
③ 일부 대원이 한국광복군에 합류하였다.
④ 단원인 이봉창이 도쿄에서 의거하였다.
⑤ 미국과 연합하여 국내 진공 작전을 계획하였다.

Tip

조선 민족 전선 연맹의 산하 무장 조직인 ❶ ______ 는 이후 많은 대원이 적극적인 투쟁을 펼치고자 화북 지방으로 이동하였다. 이동하지 않은 일부 세력은 ❷ ______ 에 합류하였다.

답 ❶ 조선 의용대 ❷ 한국광복군

08 제헌 국회의 활동

밑줄 친 '법률'을 제정한 국회에 대한 설명으로 옳은 것은?

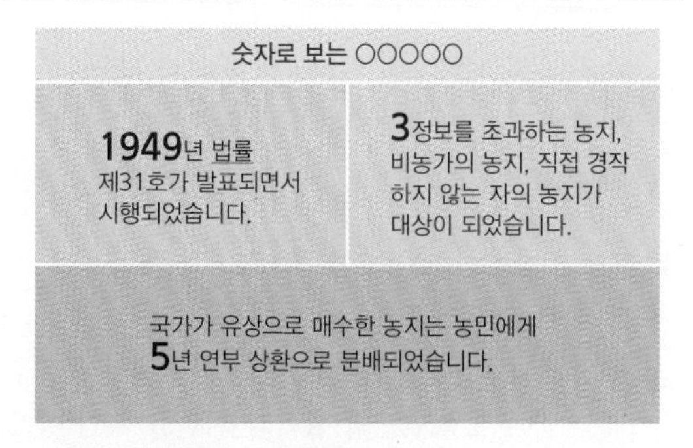

① 대통령의 탄핵을 결정하였다.
② 중추원 관제에 의해 출범하였다.
③ 참의원과 민의원으로 구성되었다.
④ 국가 재건 최고 회의를 설치하였다.
⑤ 반민족 행위 특별 조사 위원회를 구성하였다.

Tip
제헌 국회가 제정한 ❶ [ ]에 따라 유상 매수, 유상 분배의 ❷ [ ]이 실시되었다.
답 ❶ 농지 개혁법 ❷ 농지 개혁

09 5·18 민주화 운동

(가) 민주화 운동에 대한 설명으로 옳은 것은?

[(가)] 기념 사진전 기획안

1. **제목:** 그날의 봄을 기억하다.
2. **기획 의도:** [(가)]의 역사적 의의를 되새기기 위해 당시 상황을 담은 사진들을 주요 전개 과정이 드러나도록 배치하여 전시한다.
3. **사진전 주요 장면**
   - 학생들이 신군부 퇴진을 외치는 장면
   - 공수 부대가 시민들을 탄압하는 장면
   - 학생과 시민들이 시민군을 구성하는 장면

① 6·29 민주화 선언이 발표되었다.
② 계엄령의 전국 확대에 저항하였다.
③ 선거를 통한 여야 정권 교체가 이루어졌다.
④ 정·부통령 선거의 부정 행위에 저항하였다.
⑤ 내각 책임제 정부가 탄생하는 배경이 되었다.

Tip
12·12 사태로 집권한 ❶ [ ] 세력에 저항하여 일어난 ❷ [ ]은 수많은 사상자를 남기고 막을 내렸으나 이후 전개된 민주화 운동의 밑거름이 되었다.
답 ❶ 신군부 ❷ 5·18 민주화 운동

10 김대중 정부의 경제 정책

(가)에 들어갈 내용으로 가장 적절한 것은?

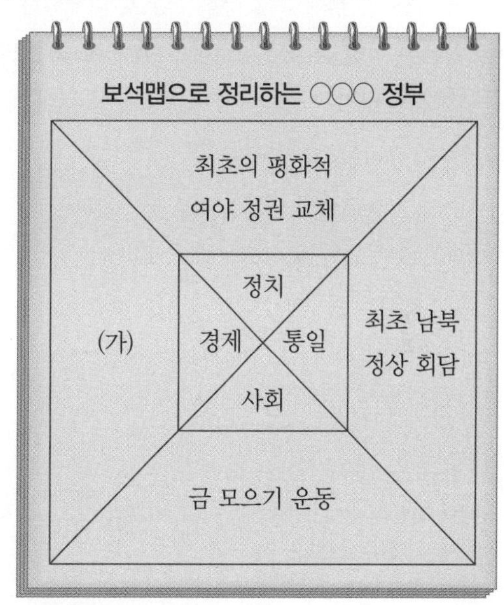

① 경제 개발 5개년 계획 시작
② 원조 물자로 전후 복구 추진
③ 한·미 자유 무역 협정[FTA] 체결
④ 경제 협력 개발 기구[OECD] 가입
⑤ 국제 통화 기금[IMF] 지원금 조기 상환

Tip
선거를 통한 평화적 정권 교체로 탄생한 ❶ [ ] 정부는 대북 화해 협력 정책을 펼치고 최초의 ❷ [ ]을 가졌다. 또한 금융 기관과 대기업의 구조 조정 및 국민의 금 모으기 운동 등으로 ❸ [ ]를 조기에 극복할 수 있었다.
답 ❶ 김대중 ❷ 남북 정상 회담 ❸ 외환 위기

1·2등급 확보 전략 1회

빈출도 ● > ● > ●

1_일제의 식민지 지배 정책 ~ 다양한 민족 운동의 전개

∴ 1등급 킬러

01 (가) 정책에 대한 설명으로 옳은 것은?

●

> 소위 (가) (이)라는 이름으로 수리 조합이 만들어지고 있으나, 사실은 조합원들의 의사를 물어보지 않고 당국이 마음대로 만든 것이다. 조합원들은 수리 조합 때문에 크게 고통을 당하고 있는데, 경기도 부평 수리 조합의 경우에는 조합원들이 수리 시설로 얻는 이익보다 조합비 부담액이 크다고 한다. 어떤 조합원들은 수리 조합이 만들어지기 전에 거두던 수확보다 열 배나 많은 조합비를 내고 있다고 한다.
>
> -『동아일보』, 1926. 12. 6. -

① 회사의 설립을 신고제로 변경하였다.
② 지주의 자의적인 소작권 이동을 금지하였다.
③ 춘궁 퇴치, 부패 근절 등을 목표로 내세웠다.
④ 일본의 식량 문제를 해결하기 위해 시행되었다.
⑤ 근대적 토지 소유권 확립을 명분으로 실시되었다.

02 (가) 단체에 대한 설명으로 옳은 것은?

●

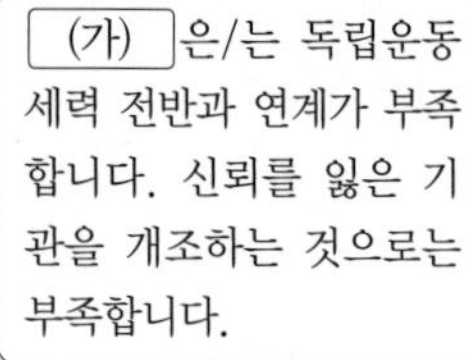

① 2·8 독립 선언을 발표하였다.
② 3·1 운동을 계기로 조직되었다.
③ 고종의 복위를 목표로 활동하였다.
④ 광주 학생 항일 운동을 지원하였다.
⑤ 자치 운동과 참정권 운동을 주도하였다.

∴ 1등급 킬러

03 (가)에 들어갈 내용으로 가장 적절한 것은?

●

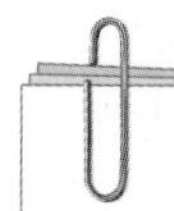

- **제목:** ○○○○○○
- **기획 방향:** 일제 강점기 만주 지역에서 펼쳐진 독립군의 활약과 시련을 시간 순으로 그려 낸다.
- **회차별 주제**

회차	주제
1	일제의 강압적 통치와 이주하는 한국인
2	힘겨운 독립군 양성 과정
3	독립군의 첫 승리, 봉오동 전투
…	(가)
12	3부의 결성과 독립군의 재정비

① 대한 광복회의 활동
② 대조선 국민 군단의 결성
③ 간도 참변과 독립군의 눈물
④ 영릉가 전투와 양세봉의 활약
⑤ 동북 항일 연군의 한인 유격대

04 교사의 질문에 대한 답으로 적절한 것은?

●

> 사진에 보이는 장면은 순종의 장례 행렬입니다. 이 날은 학생들이 중심이 되어 준비된 격문을 뿌리며 다른 시민들과 함께 만세 시위를 펼쳤습니다. 이 민족 운동에 대해 발표해 볼까요?

① 토산품 애용과 절약을 강조했어요.
② 민족 협동 전선 결성의 계기가 되었어요.
③ 민족 대표 33인이 독립 선언서를 발표했어요.
④ 일본 의회에 한국인 대표를 파견하려 했어요.
⑤ 신간회가 진상 조사단을 파견하여 지원했어요.

2_사회·문화의 변화와 사회 운동 ~ 광복을 위한 노력

05 다음 사건이 일어난 시기에 볼 수 있는 모습으로 가장 적절한 것은?

> 지주 문재철과 소작 쟁의 중인 전남 무안군 암태도 소작인 남녀 500여 명은 지난 8일 오후 6시경에 범선 9척을 나누어 타고 또다시 목포로 건너와서 광주 지방 법원 목포지청에 몰려들어 왔는데 …… 우리가 결속하기를 이 문제가 해결토록까지 동맹하기 위하여 지금까지 혈서에 참가한 자가 수십 명에 달하였다 하며, 이번 운동의 결과를 얻지 못할 경우면 아사 동맹을 결속하고 자기들의 집에서 떠날 때부터 지금까지 식사를 폐지하였다고 한다.
>
> – 『동아일보』 –

① 강연회를 준비 중인 신간회 회원
② 간도 참변 소식에 안타까워하는 상인
③ 한·일 학생 간 충돌 소식에 동맹 휴학하는 학생
④ '내 살림 내 것으로'의 구호를 외치는 민족주의자
⑤ 순종의 장례일에 맞춰 시위를 준비하는 사회주의자

06 자료에 나타난 시기에 볼 수 있는 모습으로 옳은 것은?

1. 우리들은 대일본 제국의 신민입니다.
2. 우리들은 마음을 합하여 천황 폐하께 충의를 다합니다.
3. 우리들은 인고 단련하여 훌륭하고 강한 국민이 되겠습니다.

① 제복을 입고 칼을 든 교사
② 원산 총파업에 참여하는 노동자
③ 한국인에게 태형을 가하는 헌병 경찰
④ 일본 경찰에 잡혀가는 조선어 학회 회원
⑤ 임시 토지 조사국에 토지를 신고하러 가는 농민

07 (가) 무장 단체의 활동으로 옳은 것은?

> 남대관 등은 중국인들이 그해 11월 만주의 빈현에서 맹렬한 반일 활동을 개시하자, 이 중국인 부대의 간부들과 함께 항일 무장 투쟁을 벌일 것을 모의하고, 전 한족 총연합회의 간부였던 지청천을 총사령, 남대관을 부사령으로 하는 (가) 을/를 편성하였다.
>
> – 일본 외무성 문서 –

① 일부 세력이 화북 지역으로 이동하였다.
② 쌍성보, 대전자령에서 일본군을 물리쳤다.
③ 청산리에서 일본군을 상대로 승리하였다.
④ 타이항산 전투, 후자좡 전투에 참여하였다.
⑤ 황푸 군관 학교에 입학하여 군사 교육을 받았다.

08 (가), (나) 무장 조직에 대한 설명으로 옳은 것은?

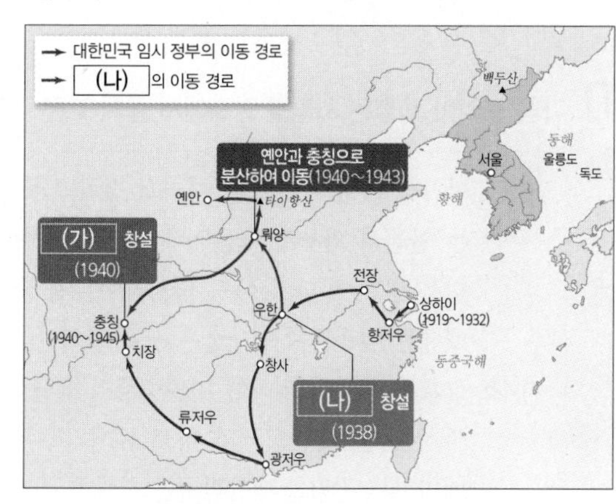

① (가)– 대전자령 전투에서 승리하였다.
② (가)– 인도 · 미얀마 전선에 참가하였다.
③ (나)– 러시아령 자유시로 이동하였다.
④ (나)– 미국 전략 첩보국의 특수 훈련을 받았다.
⑤ (가), (나)– 중국 공산당의 팔로군과 연합 작전을 전개하였다.

3_8·15 광복과 통일 정부 수립을 위한 노력 ~
4·19 혁명과 민주화를 위한 노력

09 다음 주장이 반대하는 운동에 대한 설명으로 옳은 것은?

> • 유상으로 몰수한 토지를 무상으로 나누어 준다는 것은 국가 재정 파탄을 초래하게 될 것 …… 단호히 반대한다.
>
> – 한국 민주당 –
>
> • 토지의 유상 몰수는 지주의 이익을 위한 것, 입법 기구의 결정이 미군정청의 거부권을 넘어설 수 없는 등의 이유로 반대한다.
>
> – 박헌영 –

① 미군정의 지원으로 시작되었다.
② 김구와 김규식의 주도로 전개되었다.
③ 조선 인민 공화국 수립을 선포하였다.
④ 남한만의 단독 정부 수립을 주장하였다.
⑤ 제헌 국회에서 정한 법에 따라 시행되었다.

∴ 1등급 킬러

10 다음 조약이 체결된 시기를 연표에서 옳게 고른 것은?

> **제2조** 당사국 가운데 어느 한 나라의 정치적 독립 또는 안전이 외부로부터 무력 공격에 의하여 위협을 받고 있다고 어느 당사국이든지 인정할 때에는 언제든지 당사국은 서로 협의한다.
>
> **제4조** 상호적 합의에 의하여 미합중국의 육군, 해군과 공군을 대한민국의 영토 내와 그 부근에 배치하는 권리를 대한민국은 허락하고 미합중국은 수락한다.

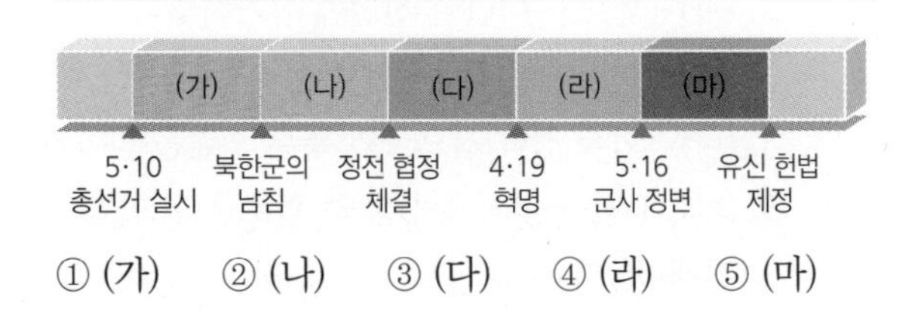

① (가) ② (나) ③ (다) ④ (라) ⑤ (마)

11 다음 자료와 관련된 탐구 활동으로 가장 적절한 것은?

> 6·25 전쟁 당시 유엔군의 파병에 보답하고 자유 민주주의를 수호한다는 명분으로 이루어진 파병으로, 한국 정부는 미국으로부터 한국군의 현대화를 위한 군사 원조를 늘리고, 산업화에 필요한 기술과 차관을 제공받게 되었다.

① 브라운 각서의 내용을 알아본다.
② 금융 실명제 실시의 영향을 연구한다.
③ 발췌 개헌안이 통과되는 과정을 살펴본다.
④ 삼백 산업이 발전하게 된 배경을 탐구한다.
⑤ 신군부가 계엄령을 확대한 목적을 탐구한다.

4_경제 성장과 사회·문화의 변화 ~
남북 화해와 동아시아 평화를 위한 노력

12 밑줄 친 '개헌안'의 내용으로 옳은 것은?

> 그해 초 북한의 무장 게릴라가 휴전선을 뚫고 청와대 부근까지 나타난 것에 이어 원산 앞바다에서 미국 정보 수집함 푸에블로호가 북한에 나포되는 등 남북 관계 사이에 긴장이 흘렀다. 이러한 상황에 대비한다는 명분으로 이듬해 여당 의원들은 개헌을 추진하였고, 개헌에 반대하는 학생 시위는 전국으로 확산되었다. 결국 새벽까지 본회의장에서 농성하는 야당 의원들을 따돌리고 국회 제3별관에서 개헌안은 날치기로 통과되었으며 국민 투표를 거쳐 확정되었다.

① 대통령의 3회 연임을 허용한다.
② 대통령의 임기는 7년 단임으로 한다.
③ 내각 책임제와 양원제 국회를 채택한다.
④ 통일 주체 국민 회의에서 대통령을 선출한다.
⑤ 개헌 당시 대통령에 한해 중임 제한을 적용하지 않는다.

13 (가)에 들어갈 사건으로 옳은 것은?

4·13 호헌 조치 발표
↓
이한열 학생 최루탄에 피격
↓
(가)
↓
노태우 대통령 당선

① 10·26 사태 발생
② 이승만 대통령 사임
③ 허정 과도 정부 수립
④ 6·10 국민 대회 개최
⑤ 박종철 고문치사 사건

∴ 1등급 킬러

14 다음 상황을 배경으로 하여 나타난 사실로 옳은 것은?

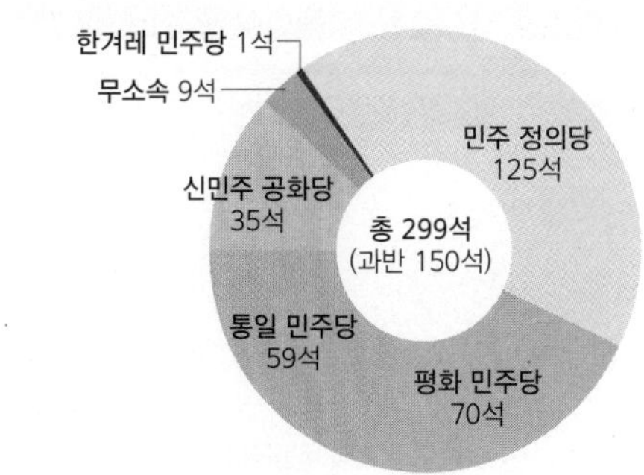

① 3당 합당이 추진되었다.
② 발췌 개헌안이 통과되었다.
③ 5·16 군사 정변이 일어났다.
④ 대통령 직선제 개헌이 시행되었다.
⑤ 유신 헌법 반대 운동이 전개되었다.

15 다음 계획이 실시된 시기의 경제 상황에 대한 설명으로 옳은 것은?

> 계획 기간 중 경제의 체제는 되도록 민간인의 자유와 창의를 존중하는 자유 기업의 원칙을 토대로 하되, 기간 산업 부문과 그 밖의 중요 산업 부문에 대해서는 정부가 직접적으로 관여하거나 또는 간접적으로 유도 정책을 쓰는 '지도받는 자본주의 체제'로 한다.
>
> – 제1차 경제 개발 5개년 계획 –

① 두 차례에 걸친 석유 파동이 일어났다.
② 저유가, 저금리, 저달러의 3저 호황기였다.
③ 경공업 중심의 수출 주도형 정책이 시행되었다.
④ 국제 통화 기금[IMF]의 긴급 금융 지원을 받았다.
⑤ 미국의 경제 원조를 바탕으로 한 삼백 산업이 발달하였다.

16 밑줄 친 '정부' 시기 남북 관계에 대한 설명으로 옳은 것은?

> 오늘 저는 대한민국 제○○대 대통령에 취임하게 되었습니다. …… 이 땅에서 처음으로 민주적 정권 교체가 실현되는 자랑스러운 날입니다. 또한 민주주의와 경제를 동시에 발전시키려는 정부가 마침내 탄생하는 역사적인 날이기도 합니다. 이 정부는 국민의 힘에 의해 이루어진 참된 국민의 정부입니다. …… 노동자와 사용자, 그리고 정부는 대화를 통해 대타협으로 국난 극복의 주춧돌을 놓았습니다.

① 대통령이 평양을 방문하였다.
② 연평도 포격 사건이 발생하였다.
③ 남북 기본 합의서가 발표되었다.
④ 남북 조절 위원회가 설치되었다.
⑤ 남북한이 유엔에 동시 가입하였다.

1·2등급 확보 전략 2회

빈출도 ● > ● > ●

1_일제의 식민지 지배 정책 ~ 다양한 민족 운동의 전개

01 다음 법령의 시행 결과로 옳은 것은?

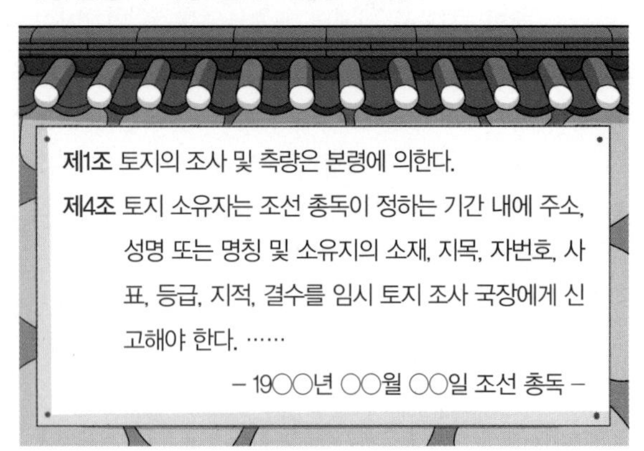
제1조 토지의 조사 및 측량은 본령에 의한다.
제4조 토지 소유자는 조선 총독이 정하는 기간 내에 주소, 성명 또는 명칭 및 소유지의 소재, 지목, 자번호, 사표, 등급, 지적, 결수를 임시 토지 조사 국장에게 신고해야 한다. ……
– 19○○년 ○○월 ○○일 조선 총독 –

① 일본으로의 쌀 반출량이 증가하였다.
② 소작농의 관습적 경작권이 부정되었다.
③ 미곡 공출과 식량 배급제가 시작되었다.
④ 작물에 따라 소작 기간을 3~7년으로 하였다.
⑤ 소작농의 비율이 줄고 자작농의 비율이 늘었다.

02 다음 주장이 등장한 배경으로 가장 적절한 것은?

> 지금의 조선 민족에게는 왜 정치적 생활이 없나? 그 대답은 가장 간단하다. 일본이 한국을 병합한 이래로 조선인에게는 모든 정치적 활동을 금지한 것이 제1의 원인이요, 병합 이래로 조선인은 일본의 통치권을 승인하는 조건 밑에서 하는 모든 정치적 활동, 즉 참정권, 자치권 운동 같은 것은 물론, 일본 정부를 상대로 하는 독립운동조차도 원치 아니하는 강렬한 절개 의식이 있었던 것이 제2의 원인이다. …… 우리는 조선 내에서 허용하는 범위 내에서 일대 정치적 결사를 조직하여야 한다는 것이 우리의 주장이다.

① 신간회가 해소되었다.
② 정우회 선언이 발표되었다.
③ 국가 총동원법이 제정되었다.
④ 대한민국 임시 정부가 수립되었다.
⑤ 일제가 민족 분열 정책을 실시하였다.

03 (가), (나) 단체에 대한 설명으로 옳은 것은?

> • 임병찬 등은 (가) 을/를 조직하고 서울에 중앙 순무 총장을 두었다. 이들은 일본 총리대신과 조선 총독에게는 국권 반환을 요구하고 한국인에게는 국권 회복의 여론을 일으키려 하였다. 이 단체의 관계자는 주로 의병 출신과 유생들이다.
> • (나) 의 본부는 상하이에 있으며 수반은 이승만이다. 한국인들은 이 단체가 궁극적으로 장래 공화국의 기초를 마련하는 데 매우 중요한 역할을 할 것이라 여긴다.

① (가)– 13도 창의군을 결성하였다.
② (가)– 부호들에게 의연금을 거두어들였다.
③ (나)– 한·일 관계 사료집을 편찬하였다.
④ (나)– 광주 학생 항일 운동에 진상 조사단을 파견하였다.
⑤ (가), (나)– 민주 공화정 수립을 추구하였다.

⁂ 1등급 킬러

04 다음 그래프에 나타난 변화의 원인으로 옳은 것은?

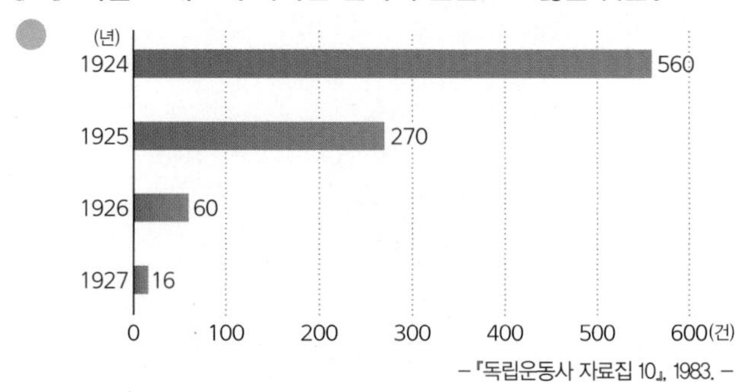

–『독립운동사 자료집 10』, 1983. –
▲ 만주 지역 독립군의 국내 침투 건수

① 미쓰야 협정이 체결되었다.
② 국민 대표 회의가 결렬되었다.
③ 남한 대토벌 작전이 실행되었다.
④ 독립군이 자유시 참변으로 피해를 입었다.
⑤ 양세봉이 일본군과의 전투 중 전사하였다.

2_사회·문화의 변화와 사회 운동 ~ 광복을 위한 노력

⁂ 1등급 킬러

05 다음 선언문을 작성한 인물에 대한 설명으로 옳은 것은?

> 우리는 외교론, 준비론 등의 미몽을 버리고 민중 직접 혁명의 수단을 취함을 선언하노라. 강도 일본을 쫓아내려면 오직 혁명으로써 할 뿐이니, 혁명이 아니고는 강도 일본을 내쫓을 방법이 없는 바이다. …… 민중은 우리 혁명의 대본영(大本營)이다. 폭력은 우리 혁명의 유일한 무기이다.

① 독사신론을 저술하였다.
② 청산리 대첩에 참여하였다.
③ 조선어 학회에서 활동하였다.
④ 대한 광복군 정부를 조직하였다.
⑤ 동양 척식 주식회사에 폭탄을 투척하였다.

06 (가) 단체에 대한 설명으로 옳은 것은?

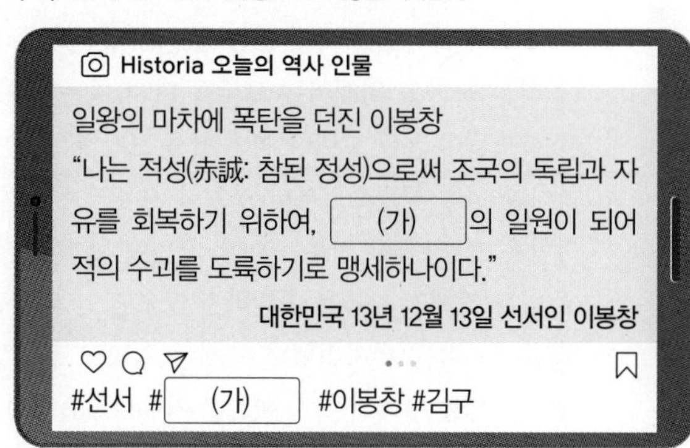

① 신흥 강습소를 설립하였다.
② 대동단결 선언을 발표하였다.
③ 김상옥, 김익상 등이 단원으로 활동하였다.
④ 조선 총독부와 종로 경찰서 등을 공격하였다.
⑤ 대한민국 임시 정부의 침체를 극복하기 위해 조직되었다.

07 밑줄 친 '독립군 부대'에 대한 설명으로 옳은 것은?

> 중일 전쟁 발발 후 민족 혁명당은 중도 좌파 단체들과 함께 조선 민족 전선 연맹을 결성하고, 그 산하 <u>독립군 부대</u>를 창설하였어요.

① 중국 국민당의 지원을 받았다.
② 국내 진공 작전을 계획하였다.
③ 영릉가, 흥경성 전투에서 활약하였다.
④ 중국 팔로군과 연합하여 전투를 벌였다.
⑤ 지청천의 지휘 아래 전투를 전개하였다.

08 다음 강령을 발표한 단체에 대한 설명으로 옳은 것은?

> 제3장 건국
> 4. 보통 선거제는 만 18세 이상 남녀로 선거권을 행사하되 신앙, 교육, 거주 기간, 사회 출신, 재정 상황과 과거 행동을 분별치 아니하며 …….
> 6. 대생산 기구와 공구의 수단을 국유로 하고 …… 대규모의 농·상기업과 도시 공업 구역의 공용적 주요 건물과 산업은 국유로 하고 소규모 혹 중등 기업은 사영으로 함.

① 조선 의용대를 창설하였다.
② 105인 사건으로 해체되었다.
③ 국내 진공 작전을 계획하였다.
④ 전국에 지회를 설치하고 강연회를 열었다.
⑤ 화북 지역의 사회주의자를 중심으로 조직되었다.

3_8·15 광복과 통일 정부 수립을 위한 노력 ~
4·19 혁명과 민주화를 위한 노력

09 (가)에 들어갈 내용으로 가장 적절한 것은?

> 모스크바 3국 외상 회의에서 최고 5년간의 신탁 통치를 실시하고 한국 민족이 임시 정부를 세워 앞으로 독립 국가 건설을 준비하게 한다는 결정이 내려졌고, 이에 따라 미소 공동 위원회가 설치되어 제1차 위원회가 서울에서 열렸다. 소련은 임시 정부 수립을 위한 한국 내 협의 대상자의 선정 기준으로 첫째, 모스크바 3국 외상 회의의 결정을 지지할 것, 둘째, 진실로 민주주의적이어야 할 것, 셋째, 장차 한국을 대소련 침략 요새로 만들려는 반(反) 소련적인 집단이나 인물이 아닐 것 등을 제시하였다. 이에 대해 미국은 (가)

① 소련의 주장에 적극적으로 동의하였다.
② 한국과 한미 상호 방위 조약을 체결하였다.
③ 한국 문제를 유엔에 이관해야 한다고 주장하였다.
④ 태평양 지역의 극동 방위선에서 한반도를 제외하였다.
⑤ 한반도 내의 모든 정치 세력과 협의해야 한다고 주장하였다.

10 밑줄 친 '이 회의'에 대한 설명으로 옳은 것은?

> 금반 우리의 북행은 우리 민족의 단결을 의심하는 세계 인사에게는 물론이요, 조국의 통일을 갈망하는 다수의 동포들에게까지 금반 행동으로써 않은 기대를 이루어 준 것이다. …… 이 회의는 자주적·민주적 통일 조국을 재건하기 위하여서 양 조선의 단독 선거·단독 정부를 반대하며 미·소 양군의 철퇴를 요구하는 데 의견이 일치하였다. 북조선 당국자도 단독 정부는 절대로 수립하지 아니하겠다고 약속하였다.

① 김구와 김규식이 참석하였다.
② 좌우 합작 7원칙에 합의하였다.
③ 최대 5년간의 신탁 통치를 결정하였다.
④ 가능한 지역에 대한 총선거를 결정하였다.
⑤ 모스크바 3국 외상 회의의 결정에 따라 개최되었다.

11 밑줄 친 '이 전쟁' 중에 있었던 사실로 옳은 것만을 |보기|에서 고른 것은?

> [대중음악으로 보는 한국사]
> 눈보라가 휘날리는 바람 찬 흥남 부두에
> 목을 놓아 불러 봤다 찾아를 봤다
> 금순아 어디를 가고 길을 잃고 헤매였더냐
> 피눈물을 흘리면서 일사 이후 나홀로 왔다
>
> 이 곡은 이 전쟁 당시 중국군의 개입으로 국군과 유엔군이 흥남에서 배편으로 철수하게 되는 상황을 피란민의 입장에서 그리고 있습니다.

보기
ㄱ. 반공 포로가 석방되었다.
ㄴ. 애치슨 선언이 발표되었다.
ㄷ. 인천 상륙 작전이 전개되었다.
ㄹ. 한미 상호 방위 조약이 조인되었다.

① ㄱ, ㄴ ② ㄱ, ㄷ ③ ㄴ, ㄷ
④ ㄴ, ㄹ ⑤ ㄷ, ㄹ

⁂ 1등급 킬러

12 밑줄 친 '정부'에 대한 설명으로 옳은 것은?

> …… 오직 하나밖에 다시 없는 국민과 영원히 존재해야 하는 국가를 위해서는 모두를 다 바치는 것이 젊은 학도들이 흘린 고귀한 피의 값을 보상하는 길인가 합니다. 4월 혁명으로부터 정치적 자유의 유산을 물려받은 제2공화국 정부는 이제 국민이 잘 먹고 잘살 수 있는 경제적 자유를 마련하지 않으면 안 되겠습니다. …… 피를 무서워했던 독재는 정녕코 물러났기 때문에 오늘 우리의 정치 활동은 자유로웠습니다.
>
> – 제○대 대통령 취임사 –

① 10·26 사태로 붕괴되었다.
② 여소야대 정국이 나타났다.
③ 경제 개발 계획을 마련하였다.
④ 내각 책임제 개헌을 단행하였다.
⑤ 역사 바로 세우기를 추진하였다.

4_경제 성장과 사회·문화의 변화 ~
남북 화해와 동아시아 평화를 위한 노력

13 밑줄 친 '우리'에 대한 설명으로 옳은 것은?

> 1. 반공을 국시의 제일의로 삼고 지금까지 형식적이고 구호에만 그친 반공 태세를 재정비 강화한다.
> 2. 유엔 헌장을 준수하고 국제 협약을 충실히 이행할 것이며 미국을 위시한 자유 우방과의 유대를 더욱 공고히 한다.
> 6. 이와 같은 우리의 과업이 성취되면 참신하고도 양심적인 정치인들에게 언제든지 정권을 이양하고 우리 군인들 본연의 임무에 복귀할 준비를 갖춘다.

① 정전 협정에 조인하였다.
② 3·15 부정 선거를 자행하였다.
③ 12·12 사태를 통해 집권하였다.
④ 남한의 단독 선거에 반대하였다.
⑤ 국가 재건 최고 회의를 설치하였다.

1등급 킬러

14 (가), (나) 시기 사이에 있었던 사실로 옳은 것은?

(가)	(나)

YH 무역 사건	서울의 봄

① 전두환이 대통령에 당선되었다.
② 김영삼이 국회 의원직에서 제명되었다.
③ 노태우가 6·29 민주화 선언을 발표하였다.
④ 이한열이 경찰의 최루탄에 맞아 사망하였다.
⑤ 전태일이 근로 기준법 준수를 요구하며 분신하였다.

15 다음 자료와 관련된 민주화 운동에 대한 설명으로 옳은 것은?

> 우리는 왜 총을 들 수밖에 없었는가. 그 대답은 너무도 간단합니다. 너무나 무자비한 만행을 더 이상 보고 있을 수만 없어서 너도나도 총을 들고 나섰던 것입니다. …… 학생들은 17일부터 학업에, 시민들은 생업에 종사하고 있습니다. 그런데 계엄 당국은 18일 오후부터 공수 부대를 대량으로 투입하여 시내 곳곳에서 학생, 젊은이들에게 무참히 살상을 자해하였다니!

① 4·13 호헌 조치에 반발하였다.
② 계엄군이 무력으로 진압하였다.
③ 이승만 정권의 퇴진을 요구하였다.
④ 박정희 등 군부 세력이 권력을 잡게 되었다.
⑤ 최초의 평화로운 여야 정권 교체를 이끌어 냈다.

16 다음 발표가 있었던 정부 시기에 있었던 일로 옳은 것은?

> …… 지난 올림픽을 끝마치고 유엔(UN)에서 연설을 했을 때 그때처럼 내 자신이 민족의 자존심을 또 강한 우리나라의 주권 의식을 느낀 적이 없다 이렇게 생각합니다. …… 나는 이 임기 중에 여러 가지 이런 북방의 주요국과 관계를 수립하기를 희망을 하고 벌써 헝가리는 늦어도 금년 상반기 내에는 국교가 정상화되리라 이렇게 생각이 됩니다. 뿐만 아니고 동구권에 소련을 위시해서 폴란드라든가 불가리아라든가 혹은 또 이웃에 있는 중국이라든가 이런 나라들도 하나하나 관계 개선이 날이 갈수록 빨리 이렇게 촉진이 되어 가리라고 나는 생각을 합니다.

① 금강산 관광이 시작되었다.
② 남북 조절 위원회가 설치되었다.
③ 7·4 남북 공동 성명이 발표되었다.
④ 제2차 남북 정상 회담이 개최되었다.
⑤ 한반도 비핵화 공동 선언이 발표되었다.

memo
시
험
대
박

book.chunjae.co.kr

교재 내용 문의 ······························ 교재 홈페이지 ▸ 고등 ▸ 교재상담
교재 내용 외 문의 ························· 교재 홈페이지 ▸ 고객센터 ▸ 1:1문의
발간 후 발견되는 오류 ··················· 교재 홈페이지 ▸ 고등 ▸ 학습지원 ▸ 학습자료실

수능공략 필승학습!
단기간에 끝장내자!

실전에 강한
수능전략

BOOK 3

정답과 해설

수능전략

사·회·탐·구·영·역

한국사

BOOK 3

정답과 해설

Book 1

WEEK 1

Ⅰ. 전근대 한국사의 이해

DAY 1 개념 돌파 전략 ①

8~11쪽

[1강] 선사 시대의 전개 ~ 고대 국가의 지배 체제

01 뗀석기 02 고조선 03 책화 04 한강 05 신라
06 촌락 문서 07 발해 08 불교

[2강] 고려의 건국과 발전 ~ 조선 후기의 변화

01 노비안검법 02 무신 정변 03 전민변정도감 04 교관겸수
05 3사 06 탕평 07 북벌론 08 대동법

DAY 1 개념 돌파 전략 ②

12~13쪽

1 ⑤ 2 ③ 3 ② 4 ③ 5 ③ 6 ⑤

1 구석기 시대의 생활 모습

주먹도끼는 구석기 시대에 사용된 대표적인 뗀석기이다. ⑤ 구석기 시대에는 주로 사냥과 채집을 하였으며, 식량을 얻기 위해 이동 생활을 하였다.

오답 피하기 ① 철기 시대에 철제 무기와 철제 농기구가 보급되었다.
② 농경과 목축이 시작된 시기는 신석기 시대이다.
③ 지배 계급인 군장은 청동기 시대에 등장하였다.
④ 신석기 시대에 강가나 바닷가에 움집을 짓고 살았다.

2 고구려 장수왕의 업적

고구려 장수왕은 국내성에서 평양으로 수도를 옮기고 남진 정책을 추진하였다. 그 결과 백제의 수도인 한성을 함락하고 한강 유역을 장악하였다.

오답 피하기 ㄱ, ㄹ. 6세기 신라 법흥왕의 업적이다.

3 발해의 발전

제시된 중앙 정치 조직을 운영한 국가는 발해이다. 발해는 당의 문물을 수용하여 중앙 정치 조직을 정비하였다. 발해의 중앙 정치 조직은 당의 3성 6부를 받아들였지만, 그 명칭이나 운영에서는 독자적인 성격을 가지고 있었다.

선택지 바로 보기

① 왕이 없는 군장 국가였다. (×)
→ 군장 국가의 단계에 머무른 국가는 동예, 옥저 등이다.
② 전성기에 해동성국이라 불리었다. (○)
→ 발해는 9세기 초 선왕 때 전성기를 맞이하였으며, 당은 발해를 '바다 동쪽의 융성한 나라'라는 뜻으로 해동성국이라 불렀다.
③ 혼인 풍습으로 민며느리제가 있었다. (×)
→ 민며느리제는 옥저의 혼인 풍습이다.
④ 우리나라 역사상 최초로 건국되었다. (×)
→ 우리나라 역사상 최초로 건국된 국가는 고조선이다.
⑤ 나당 연합군의 공격으로 멸망하였다. (×)
→ 나당 연합군의 공격으로 백제, 고구려가 각각 멸망하였다.

4 고려 후기 공민왕의 정책

밑줄 친 '이 왕'은 고려 후기 공민왕이다. 공민왕은 원의 쇠퇴를 틈타 반원 정책을 추진하여 기철 등 친원 세력을 제거하고 정동행성 이문소를 폐지하였으며, 쌍성총관부를 공격하여 철령 이북의 땅을 되찾았다. ③ 공민왕은 전민변정도감을 설치하여 권문세족이 불법으로 빼앗은 토지와 억울하게 노비가 된 양민을 되돌려 놓고자 하였으며, 신진 사대부를 등용하여 개혁을 뒷받침하게 하였다.

오답 피하기 ① 고려를 세운 태조의 정책이다.
② 고려 광종의 정책이다.
④ 고려 성종의 정책이다.
⑤ 고려 후기 최씨 무신 정권 때의 사실이다.

5 조선 전기 세종의 업적

조선 전기 세종 때에는 여진을 정벌하고 4군과 6진을 개척하여 압록강과 두만강 지역까지 영토를 확장하였다. 세종은 훈민정음을 창제하여 반포하였고, 의정부 서사제를 실시하여 왕권과 신권의 조화를 꾀하였다.

오답 피하기 ㄱ. 태종, 세조의 정책이다.
ㄹ. 성종의 업적이다.

6 조선 후기 상품 화폐 경제의 발달

제시된 화폐는 조선 후기 전국적으로 유통된 상평통보이다. 조선 후기에는 모내기법이 전국적으로 확산하여 생산량이 증가하였고, 통공 정책으로 금난전권이 폐지되면서 자유로운 상행위가 가능해졌다. 또한 세도 정치 시기에는 지배층의 수탈로 농촌 경제가 파탄에 이르면서 전국 각지에서 농민 봉기가 일어났다. 대표적인 농민 봉기로는 평안도에 대한 차별에 항거하여 일어난 홍경래의 난과 진주에서 시작되어 전국으로 확산된 임술 농민 봉기가 있다.
⑤ 벽란도가 국제 무역항으로 번영한 시기는 고려 시대이다.

DAY 2 필수 체크 전략 ① 14~17쪽

01-1 ㄴ, ㄷ　02-1 ㄱ　03-1 ㄹ, ㅁ　04-1 ㄴ
05-1 (라) – (나) – (다) – (가)　06-1 ㄴ, ㄷ, ㅁ　07-1 ㄱ, ㄴ, ㄷ
08-1 ㄷ, ㅁ

01-1 신석기 시대의 생활 모습

제시된 유물은 신석기 시대에 처음 사용된 빗살무늬 토기이다. 신석기 시대에는 농경과 목축이 시작되었고, 강가나 바닷가에 움집을 짓고 부족을 중심으로 마을을 이루어 정착 생활을 하였다.

오답 피하기 ㄱ. 청동기 시대에 농경이 발달하면서 잉여 농산물이 늘어났고, 정복 전쟁이 활발해지면서 빈부의 차이가 발생하였다.

ㄹ. 구석기 시대에 식량을 구하기 위해 이동 생활을 하였다.

02-1 청동기 시대의 사회 모습

선택지 바로 보기

ㄱ. 군장이 등장하였다. (○)
→ 청동기 시대에 지배 계급으로 군장이 등장하였다.

ㄴ. 돌을 깨뜨려서 뗀석기를 만들었다. (×)
→ 뗀석기는 구석기 시대에 사용된 도구이다.

ㄷ. 바위 그늘이나 막집에 거주하였다. (×)
→ 구석기 시대 사람들이 동굴이나 바위 그늘, 막집에 거주하였다.

ㄹ. 한반도의 독자적인 청동기 문화가 발달하였다. (×)
→ 한반도에서 세형 동검 등 독자적인 청동기가 제작된 시기는 철기 시대이다.

03-1 고구려의 특징

장수왕은 고구려의 전성기를 이끌었던 왕으로, (가) 국가는 고구려이다. 고구려에서는 국가의 중요한 일을 제가 회의에서 결정하였고, 고구려의 소수림왕은 태학을 설립하여 귀족 자제에게 유학을 가르쳤다.

오답 피하기 ㄱ. 신라 진흥왕의 업적이다.

ㄴ. 백제 무령왕의 정책이다.

ㄷ. 무령왕릉은 중국 남조의 영향을 받아 벽돌무덤으로 만들어졌다.

04-1 백제의 문화유산

백제의 대표적인 문화유산으로는 ㄴ. 백제 금동 대향로가 있다.

오답 피하기 ㄱ. 이불병좌상은 발해의 대표 문화유산이다.

ㄷ. 첨성대는 신라의 문화유산이다.

ㄹ. 옛 신라 지역에서 발견된 호우명 그릇은 고구려와 신라의 밀접한 관계를 잘 보여 주는 문화유산이다.

ㅁ. 장군총은 고구려의 문화유산이다.

05-1 신라의 삼국 통일

고구려와 수·당이 대립하는 사이 백제의 공격으로 어려움에 처한 신라는 당과 동맹을 맺었고, 나당 연합군을 결성하여 백제와 고구려를 각각 멸망시켰다. 이어 신라는 매소성과 기벌포에서 당의 군대를 물리치고 삼국 통일을 완성하였다.

06-1 신문왕의 통치 체제 정비

밑줄 친 '왕'은 통일 신라의 신문왕이다. 신문왕은 김흠돌의 난을 진압하고 왕권을 강화하였으며, 귀족 세력의 경제적 기반을 약화시키기 위해 녹읍을 폐지하고 관료에게 관료전을 지급하였다. 또한 유학 교육을 위한 국학을 설립하고, 군사 조직을 9서당 10정으로 정비하였다.

오답 피하기 ㄱ. 900년 견훤이 완산주를 도읍으로 정하고 후백제를 세웠다.

ㄹ. 고려 광종 때 호족 세력을 약화시키기 위해 노비안검법을 시행하였다.

07-1 발해의 건국과 발전

(가) 국가는 발해이다. 대조영이 고구려 유민과 말갈인을 이끌고 동모산 근처에서 건국한 발해는 고구려 계승 의식을 내세웠다. 발해는 최대 전성기에 당으로부터 해동성국이라 불리었다.

오답 피하기 ㄹ. 9주 5소경은 통일 신라의 지방 행정 조직이다.

ㅁ. 통일 신라의 신문왕은 녹읍을 폐지하고 관료전을 지급하였다.

08-1 통일 신라의 승려 원효의 활동

제시된 자료는 원효의 일심 사상이다. 원효는 불교 교리를 백성이 쉽게 이해하고 믿을 수 있도록 노력하였다. 원효는 불교 이론에 대한 이해를 바탕으로 모든 것이 한마음에서 나온다는 일심 사상을 제시하였다.

선택지 바로 보기

ㄱ. 천태종을 창시하였다. (×)
→ 고려 전기 승려 의천은 교종을 중심으로 선종을 통합하기 위해 천태종을 창시하고 교관겸수를 내세웠다.

ㄴ. 왕오천축국전을 남겼다. (×)
→ 통일 신라의 승려 혜초는 인도와 중앙아시아를 다녀온 뒤 『왕오천축국전』을 남겼다.

ㄷ. 화쟁 사상을 주장하였다. (○)
→ 원효는 일심 사상을 바탕으로 여러 종파의 사상적 대립을 해결하기 위해 화쟁 사상을 내세웠다.

ㄹ. 수선사 결사를 이끌었다. (×)
→ 고려 후기 승려 지눌은 불교 개혁을 위해 수선사 결사를 이끌었다.

ㅁ. 아미타 신앙을 가르쳤다. (○)
→ 원효는 백성에게 불교의 교리를 몰라도 '나무아미타불'만 암송하면 극락에 갈 수 있다고 가르쳤다.

DAY **2** 필수 체크 전략 ② | 18~19쪽

1 ⑤	2 ③	3 ①	4 ⑤	5 ④
6 ②	7 ⑤	8 ②		

1 청동기 시대의 생활 모습

(가) 시대는 청동기 시대이다. 고인돌과 반달 돌칼은 청동기 시대의 대표적인 유물이다. ⑤ 청동기 시대에는 빈부 격차가 나타나면서 지배 계급으로 군장이 등장하였다.

오답 피하기 ① 신석기 시대에 농경과 목축이 시작되었다.

② 신석기 시대에 처음으로 빗살무늬 토기가 제작되었다.

③ 구석기 시대 사람들은 식량을 구하기 위해 이동 생활을 하였고 동굴, 바위 그늘, 막집에 거주하였다.

④ 신석기 시대에 농경과 목축이 시작되면서 강가나 바닷가에 움집을 짓고 정착 생활을 하였다.

2 여러 나라의 성장

(가) 국가는 강원도 동해안에 위치하였던 동예이다. 동예에는 다른 부족의 생활권을 침범하면 소나 말로 변상하게 하는 책화 풍습이 있었고, 매년 10월에 제천 행사인 무천이 열렸다.

오답 피하기 ㄱ. 부여, 고구려는 5부족 연맹체 국가였다. 고구려는 이후 중앙 집권 국가로 발전하였다.

ㄹ. 삼한 중 변한에서는 철이 많이 생산되어 낙랑, 왜 등으로 수출되었다.

더 알아보기 철기 시대 여러 나라의 성장

• 부여

정치	5부족 연맹체 국가, 사출도
경제	밭농사, 목축
풍습	순장, 형사취수제
제천 행사	영고

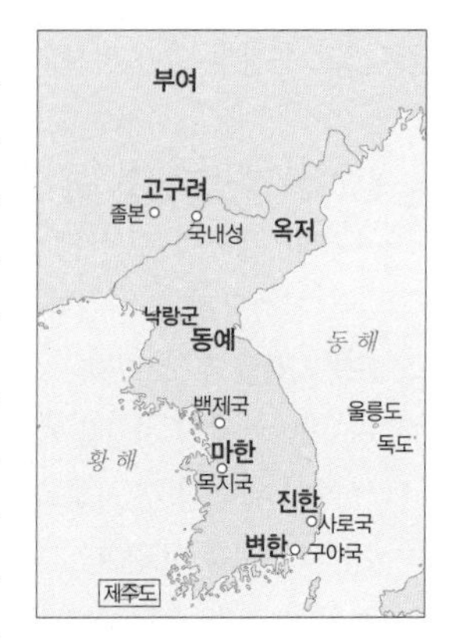

• 고구려

정치	5부족 연맹체 국가, 제가 회의
경제	목축, 정복 전쟁 활발
풍습	서옥제
제천 행사	동맹

• 옥저, 동예

정치	군장 국가(읍군, 삼로)
경제	소금, 해산물 풍부
풍습	민며느리제, 가족 공동 무덤(옥저), 책화, 족외혼(동예)
제천 행사	무천(동예)

• 삼한

정치	군장 국가(신지, 읍차)
경제	벼농사 발달, 철 풍부
사회	제정 분리(천군, 소도)
제천 행사	계절제(5월, 10월)

3 6세기 법흥왕 시기 신라의 발전

밑줄 친 '왕'은 신라 법흥왕이다. 법흥왕은 이차돈의 순교를 계기로 불교를 공인하였다.

선택지 바로 보기

① 금관가야를 병합하였다. (○)
→ 신라는 6세기 법흥왕 때 금관가야를 정복하였다.

② 웅진으로 수도를 옮겼다. (×)
→ 고구려 장수왕이 한성을 함락하면서 백제는 웅진으로 수도를 옮겼다.

③ 제가 회의를 주관하였다. (×)
→ 제가 회의는 고구려의 귀족 회의 기구이다.

④ 국호 '신라', '왕' 호칭을 처음 사용하였다. (×)
→ 신라 지증왕 때의 일이다.

⑤ 태학을 설립하여 귀족 자제에게 유학을 가르쳤다. (×)
→ 고구려 소수림왕 때의 일이다.

4 5세기 광개토 대왕 시기 고구려의 발전

제시된 자료는 광개토 대왕이 군대를 보내 신라에 침입한 왜와 가야의 연합군을 격파하는 내용을 담고 있다. ⑤ 이 사건을 계기로 가야 연맹의 주도권이 금관가야에서 대가야로 넘어갔다.

오답 피하기 ① 4세기 고구려의 상황이다.

② 기원전 108년의 상황이다.

③ 4세기 백제의 상황이다.

④ 기원전 37년의 상황이다.

5 신라의 삼국 통일

제시된 상황은 백제 멸망 이후 전개된 백제 부흥 운동이다. 백제는 나당 연합군의 공격을 황산벌에서 막아 내려 했으나 실패하였고, 사비성이 함락되면서 멸망하였다. 이후 흑치상지는 임존성에서, 복신과 도침은 주류성에서 백제 부흥 운동을 일으켰으나 이들을 돕기 위해 파견된 왜의 지원군이 백강(금강)에서 패하고 백제 부흥군도 진압되었다. 668년에 고구려도 나당 연합군에 의해 멸망하였다. 이후 당이 한반도 전체를 지배하려 하자 신라와 당 사이에 전쟁이 벌어졌고, 신라는 매소성과 기벌포에서 당군을 물리치고 삼국 통일을 완성하였다.

6 신라 말 사회의 동요

제시된 자료의 사건은 신라 말에 발생한 원종과 애노의 봉기이다. 혜공왕이 피살된 이후 진골 귀족 간에 왕위 쟁탈전이 벌어지면서 중앙 정부의 지방 통제력이 크게 약화하였다. 이 과정에서 농민은 중앙과 지방 세력가에게 이중으로 수탈당하였고, 결국 각지에서 봉기를 일으켰다.

② 김흠돌의 난은 7세기 신라 신문왕 때 발생한 사건이다. 신문왕은 김흠돌의 난을 진압하면서 귀족 세력을 숙청하고 국왕 중심의 정치 운영을 확립하였다.

7 발해의 중앙 정치 조직

자료 분석

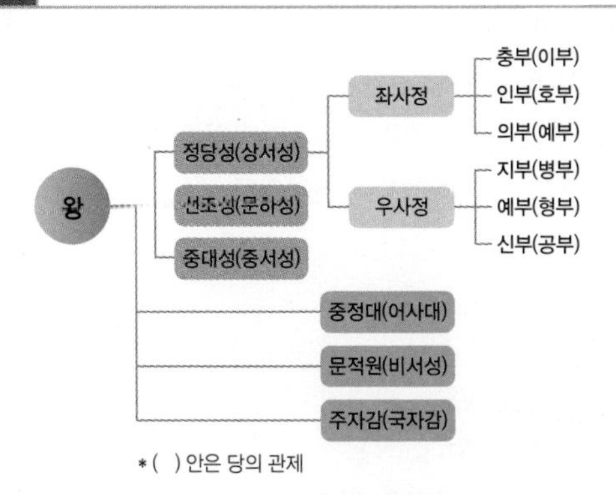

*( ) 안은 당의 관제

발해의 중앙 정치 조직은 문왕 때 당의 문물 제도를 수용하여 3성 6부를 중심으로 마련되었다. 발해는 당의 제도를 수용하였지만, 6부의 명칭은 유교 이념을 따랐고 독자적으로 운영하였다.

제시된 중앙 정치 조직은 발해의 3성 6부이다. ⑤ 발해의 3성 6부는 당의 3성 6부를 수용하였으나, 최고 집행 기구인 정당성이 6부를 둘로 나누어 관할하고 6부의 명칭에는 유교 이념이 반영되어 있는 등 독자적으로 운영되었다.

오답 피하기 ① 신문왕은 통일 신라의 체제를 정비한 인물이다.
② 공민왕은 개혁 정치를 뒷받침하기 위해 신진 사대부를 등용하였다.
③ 최씨 무신 정권은 독자적 권력 기구로 교정도감, 정방, 삼별초 등을 설치하였다.
④ 중종 때 조광조는 소격서 폐지와 현량과 실시를 주장하였다.

8 삼국 시대 유학의 발전

제시된 유물은 신라의 임신서기석이다. 이 유물에는 두 사람이 함께 3년간 『시경』, 『상서』, 『예기』 등 유교 경전을 습득하기로 맹세한 내용이 새겨져 있다. ② 임신서기석을 통해 신라에서도 유교가 수용되었다는 사실을 짐작할 수 있다.

오답 피하기 ① '왕이 곧 부처'라는 왕즉불은 불교를 통해 왕실의 권위를 뒷받침하는 사상이다.
③ 신선 사상은 도교의 특징이다.
④ 신라 말에 유행한 풍수지리설은 수도 금성(경주) 중심의 지리 인식에서 탈피하여 자신이 사는 지역의 중요성을 깨닫게 하였다.
⑤ 고려 광종 때 과거제가 처음 시행되었다.

더 알아보기 임신서기석

임신서기석은 임신년에 신라의 두 청년이 나라에 충성을 바치며 3년 안에 유교 경전을 공부하고, 그것을 실천하기로 맹세한 내용이 새겨져 있다. 이 시기 유학은 인재 양성이나 충, 효, 신 등의 규범을 장려하는 역할을 하였다.

DAY

3 필수 체크 전략 ①

20~23쪽

01-1 ㄷ, ㅁ	02-1 ㄱ, ㄷ	03-1 ㄴ, ㄷ, ㄹ	04-1 ㄱ, ㄹ
05-1 ㄱ, ㄹ	06-1 ㄴ, ㄷ	07-1 ㄴ, ㄹ	08-1 ㄷ

01-1 고려 태조의 업적

(가) 왕은 고려 태조이다. 태조는 고려를 건국하고 후삼국을 통일하였다. 또한 호족을 견제하고자 사심관 제도, 기인 제도를 시행하였다.

오답 피하기 ㄱ, ㄹ은 고려 광종, ㄴ은 고려 성종의 업적이다.

02-1 고려 전기의 대외 관계

발해를 멸망시킨 거란은 송을 침공하기 전 고려를 먼저 공격하였고, 고려는 서희의 외교 담판으로 강동 6주를 확보하였다. 거란의 3차 침입 때 강감찬이 이끄는 고려군은 귀주에서 거란군을 크게 물리쳤다.

오답 피하기 ㄴ은 몽골(원), ㄹ, ㅁ은 여진에 대한 설명이다.

더 알아보기 고려 전기의 대외 관계

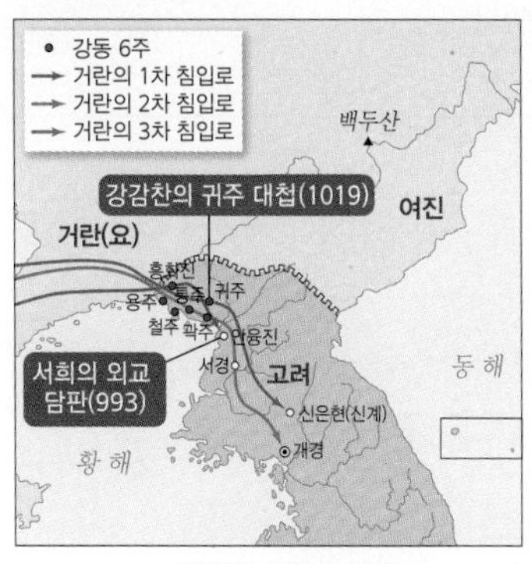

▲ 거란의 침입과 격퇴

거란은 송을 공격하기 전 후방을 안정시키기 위해 고려를 침입하였고, 이를 파악한 서희의 외교 담판으로 물러난 뒤 강동 6주를 넘겨주었다. 이후 고려가 계속 송과 왕래하자 거란은 두 차례 더 고려를 침입하였고, 3차 침입 때 강감찬이 이끄는 고려군이 귀주에서 거란군을 크게 무찔렀다. 그 결과 고려, 송, 거란 사이에 세력 균형이 이루어졌다.

03-1 고려 후기 공민왕의 정책

(가) 왕은 공민왕이다. 공민왕은 원의 쇠퇴를 틈타 반원 자주 정책을 추진하여 쌍성총관부를 공격하였고, 정동행성 이문소를 폐지하였다. 또한 개혁을 추진하면서 전민변정도감을 설치하여 권문세족이 불법으로 빼앗은 토지를 본래 주인에게 돌려주고 억울하게 노비가 된 사람을 양민으로 되돌려 놓고자 하였다. 그리고 신진 사대부를 등용하여 개혁을 뒷받침하는 세력으로 삼으려 하였다.

오답 피하기 ㄱ. 노비안검법은 고려 초 광종이 시행한 정책이다.
ㅁ. 고려 성종이 최승로의 시무 28조를 받아들여 유교를 통치 이념으로 삼고 여러 정책을 시행하였다.

04-1 고려의 문화유산

고려 시대에는 인쇄술이 발달하여 팔만대장경이 제작되고 금속 활자를 활용하여 다양한 책을 인쇄하였다. 그리고 다양한 불교 예술품이 만들어졌으며, 상감 기법이 개발되면서 정교한 상감 청자가 만들어졌다. ㄱ은 금속 활자를 이용하여 인쇄한 『직지심체요절』이다. ㄹ은 상감 기법을 활용하여 만든 청자 상감 운학문 매병이다.

오답 피하기 ㄴ. 석굴암 본존불상은 통일 신라의 문화유산이다.
ㄷ. 백제 금동 대향로는 백제의 문화유산이다.

더 알아보기 고려의 대표 문화유산

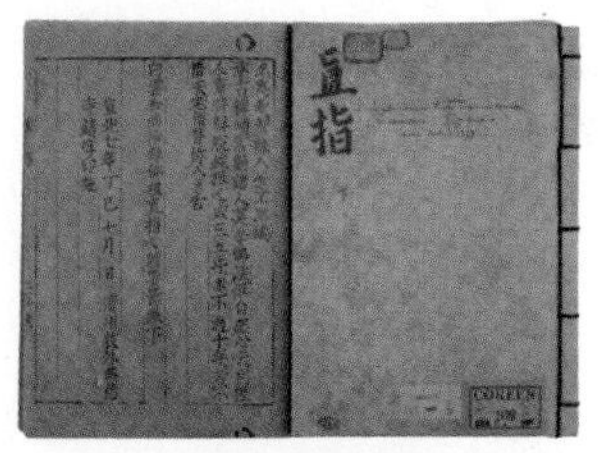
▲『직지심체요절』

프랑스 국립 도서관에 소장되어 있으며, 현재까지 남아 있는 세계에서 가장 오래된 금속 활자본이다.

▲ 청자 상감 운학문 매병

간송 미술관에 소장되어 있으며, 상감 기법을 활용하여 학과 구름무늬를 새겨 넣었다.

05-1 조선 세종의 정책

(가) 왕은 조선 세종이다. 세종은 의정부 서사제를 시행하여 왕권과 신권의 조화를 꾀하였으며, 집현전을 설치하여 훈민정음을 창제하고, 다양한 편찬 사업을 추진하였다.

선택지 바로 보기

ㄱ. 4군 6진 개척 (○)
→ 세종 시기에 여진을 몰아내고 4군 6진을 개척하여 국경선으로 확정하였다.

ㄴ. 경국대전 반포 (×)
→ 조선 성종 때『경국대전』이 완성, 반포되었다.

ㄷ. 호패법 처음 실시 (×)
→ 조선 태종이 처음으로 호패법을 실시하였다.

ㄹ. 의정부 서사제 시행 (○)
→ 세종은 6조에서 올린 사안을 의정부에서 논의하여 왕에게 올리도록 한 의정부 서사제를 시행하였다.

06-1 조선 영조 시기의 사실

(가) 왕은 조선 영조이다. 영조는 붕당의 폐해를 극복하기 위해 탕평파를 중심으로 하는 탕평 정치를 시행하였으며, 민생 안정을 위해 균역법, 노비종모법 등 다양한 정책을 실시하였다.

오답 피하기 ㄱ. 예송은 현종 때 두 차례에 걸쳐 자의 대비의 상복을 입는 기간을 두고 서인과 남인 사이에서 발생한 논쟁이다.
ㄹ. 수원 화성 건설은 정조 때 이루어졌다.
ㅁ. 순조~철종 시기 이후 왕의 외척이 권력을 독점하는 세도 정치가 나타났다.

07-1 병자호란

(가) 전쟁은 병자호란이다. 병자호란은 조선이 청의 군신 관계 요구를 거부하자 청이 조선을 침략하면서 발발하였다. 인조와 일부 신하들이 남한산성에서 항전하였으나 결국 조선은 청에 굴복하고 군신 관계 요구를 수용하였다.

선택지 바로 보기

ㄱ. 인조반정이 일어났다. (×)
→ 광해군이 중립 외교를 펼치자 서인이 이에 반발하였고, 결국 서인 세력은 광해군이 영창 대군을 죽이고 인목 대비를 유폐한 일 등을 구실로 광해군을 몰아내고 인조를 왕위에 올렸다. 이후 조선은 친명배금 정책을 추진하였고, 이는 정묘호란이 일어나는 배경이 되었다.

ㄴ. 연행사가 파견되었다. (○)
→ 병자호란 이후 조선이 청과 군신 관계를 맺으면서 연행사가 청의 수도인 베이징에 파견되었다.

ㄷ. 기유약조가 체결되었다. (×)
→ 임진왜란 이후 조선은 일본과 기유약조를 체결하여 국교를 재개하였다.

ㄹ. 북벌 운동이 추진되었다. (○)
→ 병자호란 이후 조선에서는 청에 당한 치욕을 씻고 명에 대한 의리를 지키자는 북벌론이 대두하였다.

ㅁ. 이자겸이 군신 관계 요구를 수용하였다. (×)
→ 고려 전기 문벌인 이자겸은 금(여진)의 군신 관계 요구를 수용하였다.

08-1 조선 후기 수취 체제의 개편– 대동법

자료 분석

> 강원도에는 이 법을 싫어하는 자가 없는데, 충청도와 전라도에는 좋아하는 자와 싫어하는 자가 있습니다. …… 특히 전라도에는 싫어하는 자가 많은데, 이는 토호가 많은 까닭입니다. 이렇게 볼 때 단지 토호들만 싫어할 뿐 백성들은 모두 이 법을 보고 기뻐합니다.

집집마다 부과되는 공납은 가난한 농민에게 큰 부담이 되었고, 여기에 방납의 폐단까지 더하면서 농민의 부담이 가중되었다. 임진왜란 이후 현물 징수 자체가 어려워지면서 어려움을 겪던 조선 정부는 광해군 때부터 대동법을 시행하였다. 대동법은 땅이 없거나 적은 농민들에게는 환영을 받았지만, 방납 업자와 지주층의 반대로 전국으로 시행되는 데 오랜 시간이 걸렸다.

밑줄 친 '이 법'은 대동법이다. 대동법은 조선 후기 국가 재정을 확보하고, 방납 등에 따른 농민의 부담을 완화하기 위해 광해군 때 경기도에 처음 시행되었다. 대동법에 따라 집집마다 현물로 납부하던 공물을 토지 면적에 따라 쌀 또는 삼베, 무명, 동전 등으로 납부하게 되면서 국가에 필요한 물품을 조달하는 공인이 등장하였다. 이들의 활동은 조선 후기 상품 화폐 경제가 발달하는 데 영향을 끼쳤다.

오답 피하기 ㄱ. 영조 때 군역의 폐단을 바로잡기 위해 균역법을 시행하였다.
ㄴ. 영조 때 시행된 균역법으로 줄어든 재정을 보충하기 위해 정부는 지주에게 토지 1결당 쌀 2두를 결작으로 징수하였다.
ㄹ. 조선 후기 농민은 매년 군포 2필을 납부하였으나 균역법이 시행되어 군포 1필만 납부하게 되었다.

DAY

3 필수 체크 전략 ②

24~25쪽

1 ① 2 ④ 3 ② 4 ② 5 ④ 6 ④
7 ③ 8 ①

1 고려 성종의 정책

고려의 성종은 최승로의 시무 28조를 수용하여 유교를 통치 이념으로 삼아 중앙 통치 체제를 정비하였으며, ① 지방에 12목을 설치하고 지방관을 파견하였다.

오답 피하기 ② 3성 6부제는 당의 제도를 수용한 발해의 중앙 정치 제도이다.

③ 9주 5소경은 통일 신라의 지방 행정 제도이다.

④ 9서당 10정은 통일 신라의 군사 조직이다.

⑤ 5경 15부 62주는 발해의 지방 행정 제도이다.

2 고려 무신 집권기 농민, 천민의 봉기

제시된 자료는 고려 무신 집권기에 공주 명학소에서 발생한 망이, 망소이의 봉기이다. 망이, 망소이는 무신 집권기 지배층의 수탈과 특수 행정 구역인 '소'의 차별 대우에 반발하여 봉기를 일으켰다. 무신 정변(1170)으로 집권한 무신 정권은 마지막 집권자인 임유무가 피살되면서 무너졌고 이후 개경 환도(1270)가 이루어졌다.

더 알아보기 고려의 특수 행정 구역

구분	내용
향, 부곡	일반 농업 생산 지역
소, 장, 처	특정 부문의 세금을 징수하기 위해 설치한 지역
역, 진	교통, 운송 관련 업무를 담당하는 지역

특수 행정 구역의 주민은 법적으로 양인에 속하였지만 일반 군현민에 비해 차별 대우를 받았다. 이들은 교육, 과거 응시, 거주 이전에 제한을 받았으며 일반 군현민보다 더 많은 세금을 부담하였다.

3 원 간섭기의 배경

제시된 자료는 원 간섭기에 고려 왕실의 호칭이 격하된 모습이다. 다루가치는 원이 고려의 내정에 간섭하기 위해 파견한 관리이다. ② 원 간섭기는 고려가 몽골에 항복하고 개경으로 환도하면서 시작되었다.

오답 피하기 ① 만적의 난은 무신 집권기에 발생한 천민의 봉기로, 무신 집권기에는 천민 출신의 권력자가 등장하면서 신분 질서가 동요하였다.

③ 이자겸의 난은 문벌이 여러 대에 걸쳐 권력을 독점하면서 고려 사회가 동요하는 시기에 발생하였다.

④ 전민변정도감은 고려 말 공민왕이 신돈을 등용하여 권문세족이 불법으로 빼앗은 토지를 본래 주인에게 돌려주고 억울하게 노비가 된 사람을 되돌려 놓고자 설치한 기구이다.

⑤ 묘청의 서경 천도 운동은 서경 세력이 풍수지리설 등을 내세워 서경으로 수도를 옮기고자 하였으나 다른 관리들의 반대로 무산되자 서경에서 일으킨 반란을 말한다.

4 고려 의천의 활동

밑줄 친 '그'는 고려 전기의 승려 의천이다. 의천은 화엄종을 중심으로 교종을 통합하고 천태종을 창시하여 교종의 입장에서 선종을 통합하였다. 그리고 이론의 연마와 실천을 함께 강조하는 교관겸수를 수행 방법으로 제시하였다. 한편 의천은 교장을 간행하였으며, 화폐의 사용을 주장하기도 하였다.

오답 피하기 ㄴ. 고려 후기의 승려 요세가 천태종을 중심으로 백련사 결사를 결성하였다.

ㄹ. 고려 후기의 승려 지눌은 수선사 결사를 결성하여 결사 운동을 전개하였으며, 수행 방법으로 정혜쌍수와 돈오점수를 내세웠다.

5 6조 직계제와 의정부 서사제

자료 분석

(가)

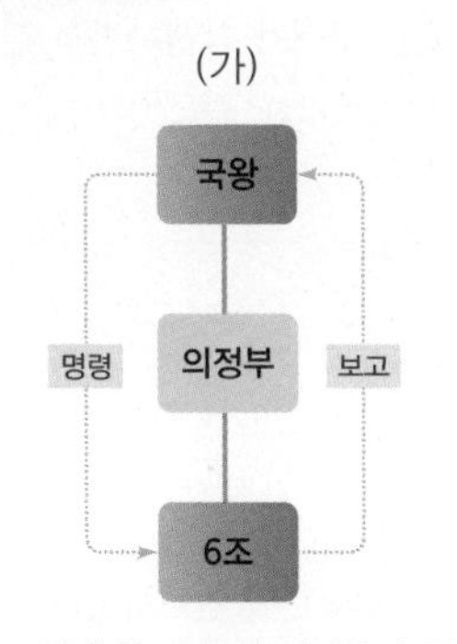

6조 직계제는 6조의 판서들이 국왕에게 직접 보고를 올리고 왕이 재가하여 정책을 결정하는 제도로 왕권이 강화되는 효과가 있다.

(나)

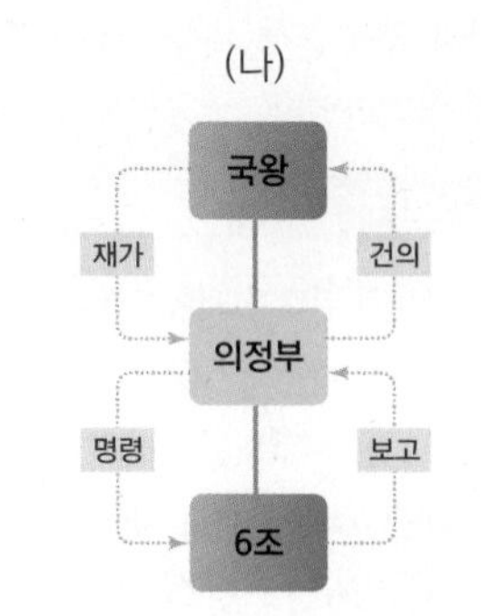

의정부 서사제는 6조가 의정부에 보고하면 의정부의 3정승이 논의하여 왕에게 보고하고 왕의 재가를 받아 6조에 지시하여 업무를 처리하는 방식이다.

(가) 6조 직계제는 왕을 중심으로 하는 통치 체제를 마련하여 왕권을 강화하려는 목적으로 시행되었고, (나) 의정부 서사제는 왕권과 신권의 조화를 꾀하고자 시행되었다.

오답 피하기 ㄱ. 태종은 6조 직계제를 시행하였다.

ㄷ. 세조는 6조 직계제를 시행하였다.

6 사림의 성장과 사화

(가) 인물은 조광조이다. 중종반정으로 연산군을 몰아내고 즉위한 중종은 훈구 세력을 견제하고자 조광조를 비롯한 사림을 등용하였다. 조광조는 왕도 정치의 시행을 주장하며 급진적인 개혁을 추진하였고, ④ 현량과를 실시하여 사림을 등용하였다.

오답 피하기 ① 시무 28조는 고려 성종 때 최승로가 건의하였다. 성종은 시무 28조를 받아들여 유교를 정치 이념으로 채택하고 각종 제도를 정비하였다.

② 『조선경국전』은 조선 초 정도전이 편찬한 법전이다.

③ 젊은 관료들을 재교육하는 초계문신제는 조선 후기 정조 때 시행된 정책이다.

⑤ 중종반정에 공을 세워 집권한 세력은 훈구 세력이다.

더 알아보기 사화

구분	시기	내용
무오사화	연산군	훈구 세력이 김종직의 조의제문을 문제 삼아 사림을 공격함.
갑자사화		연산군의 친어머니가 폐위된 사건과 관련된 세력이 제거되는 과정에서 많은 사림이 희생됨.
기묘사화	중종	조광조의 개혁 정치에 반발한 훈구 세력이 사림을 제거함.
을사사화	명종	왕실 외척 간의 권력 다툼 과정에서 일부 사림이 피해를 입음.

7 임진왜란

유성룡의 『징비록』과 이순신의 『난중일기』는 임진왜란과 관련된 도서로 밑줄 친 '전쟁'은 임진왜란이다. 조선을 침략한 일본군은 우수한 무기를 앞세워 침략 20일 만에 한성을 함락하였고, 선조는 의주로 피란하여 명에 지원군을 요청하였다. 조선은 이순신이 이끄는 수군과 곽재우 등 의병이 활약하고 명이 보낸 군대가 참전하면서 전세를 역전하였다.

선택지 바로 보기

① 어재연 부대가 저항하였다. (×)
→ 1871년 제너럴셔먼호 사건을 구실로 침략한 미군에 맞서 어재연 부대가 분전하였다.

② 병인박해를 구실로 일어났다. (×)
→ 1866년 프랑스는 병인박해를 구실로 강화도를 침략하였다.

③ 곽재우 등 의병이 활약하였다. (○)
→ 일본군이 침략하자 전국 각지에서 의병이 일어났고 이들은 자기 고장의 지리적 이점을 이용하여 일본군에 타격을 입혔다.

④ 인조가 남한산성에서 항전하였다. (×)
→ 청이 침략하자 인조는 신하들과 함께 남한산성에 들어가 항전하였으나 결국 청에 항복하였다.

⑤ 강감찬이 귀주 대첩에서 승리하였다. (×)
→ 거란의 3차 침입 때 강감찬이 이끄는 고려군은 귀주에서 거란군을 크게 물리쳤다.

8 조선 후기 정조의 통공 정책

제시된 정책은 조선 후기 정조 때 시행된 통공 정책이다. 통공 정책은 육의전을 제외한 시전 상인의 금난전권을 폐지하는 것으로 자유로운 상행위를 보장하여 ① 사상의 활동이 더욱 활발해지는 결과를 가져왔다.

오답 피하기 ② 조선 후기 정부는 영정법을 시행하여 농민의 부담을 줄이고 재정 수입을 안정시키려 하였다.
③ 세도 정치 시기 지방 수령과 아전의 수탈로 삼정이 극도로 문란해졌다.
④ 조선 시대 서원과 향약은 사림이 지방에서 세력을 키워 나가는 기반이 되었다.
⑤ 조선 후기 성리학이 확산하면서 부계 중심의 가족 제도가 강화되었다.

누구나 합격 전략 | 26~27쪽

1 ④	2 ⑤	3 ③	4 ②
5 ③	6 ②	7 ②	8 ⑤

1 구석기 시대의 생활 모습

(가) 시대는 구석기 시대이다. 구석기 시대에는 주먹도끼와 같은 뗀석기를 만들어 사용하였고, ④ 식량을 구하기 위해 이동 생활을 하고 동굴이나 막집에서 거주하였다.

오답 피하기 ① 고인돌은 청동기 시대에 만들어졌다.
② 빗살무늬 토기는 신석기 시대에 처음 사용되었다.
③ 신석기 시대 사람들은 강가나 바닷가에 움집을 짓고 정착 생활을 하였다.
⑤ 청동기 시대에 농경이 발달하면서 빈부 격차가 생기고 계급이 발생하였다.

2 백제 무령왕의 업적

제시된 무덤은 벽돌무덤으로 만들어진 무령왕릉으로 (가) 왕은 백제의 무령왕이다. 무령왕은 중국 남조와 교류하였고, 지방의 22담로에 왕족을 파견하여 지방에 대한 통제력을 강화하였다.

오답 피하기 ㄱ. 불교를 공인한 왕은 백제 침류왕, 고구려 소수림왕, 신라 법흥왕이다.
ㄴ. 백제가 웅진에서 사비로 수도를 옮긴 것은 6세기 성왕 시기의 일이다.

더 알아보기 백제 무령왕릉

▲ 무령왕릉 내부

무령왕릉은 공주 무령왕릉과 왕릉원에 있는 왕릉으로, 무령왕과 그 왕비의 무덤이다. 벽돌무덤 양식으로 6세기 초 중국 남조의 영향을 받았다. 무령왕릉에서는 국보로 지정된 무령왕 금제 관식 등 다양한 유물이 출토되었으며, 무령왕의 지석이 발굴되어 무덤의 축조 연대와 무령왕의 사망 시기를 정확하게 알 수 있다.

3 통일 신라의 통치 체제 정비

제시된 지도는 통일 신라의 지방 행정 조직인 9주 5소경으로 (가) 국가는 통일 신라이다. 통일 신라는 왕의 직속 기구인 집사부를 중심으로 중앙 행정을 운영하였고, 유학 교육 기관으로 국학을 설치하였다. 또한 군사 조직은 9서당 10정으로 편성하였으며, 촌락의 경제 상황 등을 조사해 촌락 문서를 작성하였다.
③ 발해는 최대 전성기에 당으로부터 '바다 동쪽의 융성한 나라'라는 의미로 해동성국이라 불리었다.

4 원효의 활동

제시된 자료는 통일 신라의 승려 원효가 불교 교리를 백성이 쉽게 이해하고 믿을 수 있게 노력하는 내용이다.

선택지 바로 보기

① 불교 공인 (×)
→ 삼국 시대 중앙 집권 체제 확립을 위해 왕실을 중심으로 불교를 공인하였다.

② 불교의 대중화 (○)
→ 원효는 누구나 부지런히 '나무아미타불'을 외면 내세에는 서방 정토에 태어날 수 있다는 아미타 신앙을 직접 전도하여 불교 대중화의 길을 열었다. 통일 신라의 원효, 의상 등 승려들의 활약으로 불교 교리에 대한 이해가 깊어지고 백성에게도 불교가 널리 퍼지게 되었다.

③ 풍수지리설의 확산 (×)
→ 신라 말에 산이나 강의 모양이 인간의 운명에 영향을 미칠 수 있다는 풍수지리설이 확산되었다. 풍수지리설은 호족의 사상적 기반이 되기도 하였다.

④ 도교의 수용과 유행 (×)
→ 도교는 신선 사상과 함께 삼국 시대 귀족 사회를 중심으로 유행하였다.

⑤ 유학 교육 기관의 설립 (×)
→ 각국은 국가에 충성하는 인재를 기르기 위해 유학 교육 기관을 설립하였다. 고구려의 태학, 통일 신라의 국학, 발해의 주자감, 고려의 국자감 등이 있다.

5 고려 광종의 업적

쌍기의 건의로 과거제를 시행한 (가) 왕은 고려 광종이다. 광종은 호족 세력을 누르고 왕권을 강화하기 위한 정책을 추진하였다. 과거제를 실시하여 유교적 소양을 갖추고 왕에게 충성하는 관리를 선발하였으며, 호족을 숙청하였다. 또한 ③ 노비안검법을 시행하여 불법적으로 노비가 된 사람들을 해방시켰고, 이를 통해 호족의 경제적, 군사적 기반을 약화시켰다.

오답 피하기 ① 고려 태조가 후삼국을 통일하였다.

② 무신 정변 이후 혼란을 수습하고 권력을 장악한 최충헌이 교정도감을 설치하여 국정 운영에 활용하였다.

④, ⑤ 공민왕은 전민변정도감 설치 등 개혁을 추진하면서 이를 뒷받침하기 위해 신진 사대부를 등용하였다. 새로운 정치 세력으로 성장한 신진 사대부는 고려 말의 사회 모순을 개혁하고자 하였다.

6 고려의 경제, 사회, 문화

팔만대장경을 만든 (가) 국가는 고려이다. 전시과는 고려 시대 관료들에게 지급되던 토지 제도이고, 벽란도는 고려 수도인 개경 인근의 무역항으로 국제 무역항으로 번성하였다. 고려 시대에는 지방관이 파견되지 않은 속현이 주현보다 많아 주현의 수령을 통해 지배를 받았다. 고려 시대 특수 행정 구역인 향, 부곡, 소 등의 주민은 일반 군현민에 비해 차별 대우를 받았다.

② 상평통보는 조선 후기에 전국적으로 유통된 화폐이다.

7 조선 태종의 업적

(가) 왕은 조선의 제3대 임금인 태종이다. 두 차례 왕자의 난을 겪고 왕위에 오른 태종은 호패법과 6조 직계제를 시행하는 등 왕권을 강화하는 정책을 추진하였다.

선택지 바로 보기

ㄱ. 호패법을 실시하였다. (○)
→ 호패는 16세 이상 남자의 신분증으로, 신분별로 재질과 기재 내용에 차이가 있었다. 백성을 통제하고 역을 징발하는 기준으로 활용되었다.

ㄴ. 훈민정음을 창제하였다. (×)
→ 조선 4대 임금인 세종의 업적이다.

ㄷ. 6조 직계제를 시행하였다. (○)
→ 6조 직계제는 태종과 세조 때 왕권을 강화하려는 목적으로 시행되었다.

ㄹ. 『경국대전』을 완성, 반포하였다. (×)
→ 『경국대전』은 세조 때 편찬이 시작되었고, 성종 때 완성, 반포되었다. 조선은 『경국대전』을 통해 성문 법전을 바탕에 둔 통치 체제를 확립하였다.

8 홍경래의 난

지도에 표시된 봉기는 조선 후기에 평안도에서 발생한 홍경래의 난이다. 홍경래는 상인, 광산 노동자, 농민 등을 모아 ⑤ 평안도에 대한 차별 정책과 지배층의 수탈에 반발하여 봉기를 일으키고 청천강 이북 지역에서 세력을 과시하였으나 관군에게 진압되었다.

오답 피하기 ① 신라 말 혜공왕 피살 이후 진골 귀족 간에 왕위 쟁탈전이 벌어져 중앙 정부의 지방 통제력이 약화되었고, 이 과정에서 농민은 중앙 정부와 지방 세력가에게 이중으로 수탈당하면서 각지에서 봉기를 일으켰다. 대표적으로 원종과 애노의 봉기가 있다.

② 고려 무신 정권 시기 무신들이 토지를 약탈하고 과도한 세금을 부과하자 농민과 하층민이 봉기하였다. 대표적으로 망이, 망소이의 봉기가 있다.

③ 권문세족이 농장과 노비 소유를 확대하여 부를 축적하자, 공민왕은 전민변정도감을 설치하여 이를 개혁하고자 하였다.

④ 청이 군신 관계 요구를 거부한 조선을 침략하면서 일어난 전쟁은 병자호란이다.

창의·융합·코딩 전략

28~31쪽

01 ⑤	02 ④	03 ⑤	04 ②	05 ②	06 ②
07 ②	08 ④	09 ①	10 ①	11 ②	12 ②

01 철기 시대의 사회 모습

(가) 금속은 철이다. 철기 시대에는 철제 농기구가 사용되면서 농업 생산력이 크게 늘어났고, 철제 무기가 보급되면서 정복 전쟁이 더욱 활발해졌다. 이를 바탕으로 만주와 한반도 지역에서는 여러 나라가 성장하였다.

선택지 바로 보기

① 고조선이 건국되었다. (×)
→ 고조선은 청동기 문화와 농경 문화를 바탕으로 건국되었으며, 철기 문화를 수용하면서 크게 성장하였다.

② 돌을 깨뜨려 뗀석기를 만들었다. (×)
→ 구석기 시대에 해당한다.

③ 흙을 빚어 토기를 만들기 시작하였다. (×)
→ 신석기 시대에 해당한다.

④ 강가나 바닷가에 움집을 짓고 정착 생활을 하였다. (×)
→ 신석기 시대의 생활 모습이다.

⑤ 변한 지역에서 덩이쇠가 주변 지역으로 수출되었다. (○)
→ 삼한의 변한 지역에서는 철이 많이 생산되어 중국 군현과 왜 등에 수출되기도 하였다.

02 백제의 멸망

(가) 왕은 백제의 마지막 왕인 의자왕이다. ④ 나당 연합군이 백제를 공격해 오자 계백이 황산벌 전투에서 활약하였으나 패배하였다. 이후 사비성이 함락되면서 백제는 멸망하였다.

오답 피하기 ① 위만은 기원전 194년에 고조선의 준왕을 몰아내고 집권하였다.

② 고구려 소수림왕이 태학을 설립하여 귀족 자제를 교육한 것은 4세기의 사실이다.

③ 최승로가 시무 28조를 건의한 것은 고려 성종 때의 일이다.

⑤ 통일 신라의 성덕왕이 백성에게 정전을 지급한 것은 8세기의 일이다.

03 촌락 문서(민정 문서)

밑줄 친 '이 문서'는 통일 신라에서 작성한 촌락 문서이다. ⑤ 통일 신라는 농민을 파악하고 세금을 징수하기 위해 3년에 한 번씩 촌락 문서를 작성하여 인구, 토지, 가축 등을 자세히 기록하였다.

04 서희의 외교 담판과 강동 6주 획득

(가) 인물은 고려의 서희이다. 서희는 거란의 1차 침입 때 거란 장수와 담판을 벌여 송과 관계를 끊고 거란과 외교 관계를 맺을 것을 약속하여 ② 거란을 물러가게 하고 강동 6주를 획득하였다.

오답 피하기 ① 고려 윤관은 별무반을 이끌고 여진을 정벌하였다.

③ 신라는 백제의 침략으로 어려움에 처하자 김춘추를 보내 당과 동맹을 맺었다.

④ 위만은 기원전 194년에 준왕을 몰아내고 고조선의 왕이 되었다.

⑤ 고구려의 을지문덕은 살수에서 수나라 군대를 크게 물리쳤다.

05 원 간섭기 고려의 모습

밑줄 친 '이 시기'는 원 간섭기이다. 이 시기에 원은 정동행성을 통해 고려의 내정을 간섭하였으며, 다루가치를 파견하였다. ② 또한 금, 은 등 물품과 공녀, 환관 등을 수시로 요구하였다.

오답 피하기 ① 공명첩은 조선 후기에 정부에서 부족한 재정을 보충하기 위해 발행한 문서이다.

③ 석굴암은 8세기 통일 신라 경덕왕 때 건설하기 시작하여 약 20년 만에 완성하였다.

④ 훈민정음은 조선 세종 때 창제되어 반포되었다.

⑤ 고구려 장수왕이 427년에 평양으로 수도를 옮겼다.

06 조선 후기 상품 화폐 경제의 발달

제시된 게임의 배경은 상품 화폐 경제가 발달한 조선 후기이다. 조선 후기에는 모내기법이 보급되고 상품 작물 재배가 확산되면서 부농층이 성장하였고, 수공업과 광업이 크게 발달하였다. 또한 대동법이 실시되면서 공인이 성장하였고, 통공 정책으로 자유로운 상행위가 가능해지면서 사상의 활동이 더욱 활발해졌다. 전국에 장시가 발달하였으며, 금속 화폐인 상평통보가 전국적으로 유통되었다.

오답 피하기 ㄴ. 청자 병을 구입하는 문벌은 고려 시대에 해당한다.

ㄹ. 국가가 농민에게 정전을 지급한 시기는 8세기 통일 신라의 성덕왕 때이다.

07 신석기 시대의 사회 모습

밑줄 친 '토기'는 신석기 시대에 처음 등장하였다. 신석기 시대에는 돌을 갈아 만든 간석기와 흙을 빚어 구운 토기를 사용하였다. 이 시대에는 농경과 목축이 시작되면서 강가나 바닷가에 움집을 짓고 정착 생활을 하였고, 조개나 뼈 등으로 다양한 예술 작품을 만들었으며, 종교적 관념이 생겨나기도 하였다.

선택지 바로 보기

① 이동 생활을 하였다. (×)
→ 구석기 시대에 식량을 구하기 위해 이동 생활을 하였다.

② 돌을 갈아서 간석기를 만들었다. (○)
→ 신석기 시대에는 간석기를 사용하였다.

③ 지배 계급으로 군장이 등장하였다. (×)
→ 군장은 청동기 시대에 등장하였다.

④ 한반도에 독자적인 청동기 문화가 발전하였다. (×)
→ 철기 시대에 세형 동검, 잔무늬 거울과 같은 한반도의 독자적 청동기 문화가 발전하였다.

⑤ 농경에 필요한 생산 도구로 반달 돌칼을 사용하였다. (×)

→ 청동기 시대에 청동은 재료가 귀하고 만들기 어려워 주로 지배층의 무기나 장신구 등을 만드는 데 사용되었다. 농경 도구로는 간석기인 반달 돌칼이 사용되었다.

08 웅진 시기의 백제

(가) 소개 영상은 도읍이 웅진(공주)일 때 백제의 대표 문화유산에 대한 내용이 들어가야 한다. 공주에 있는 가장 대표적인 백제의 문화유산은 무령왕릉이다. 백제 무령왕은 중국 남조와 교류하면서 중흥을 꾀하였고, ④ 무령왕릉은 중국 남조의 벽돌무덤 양식을 받아들여 만들어졌다.

오답 피하기 ① 신라의 법흥왕 등이 율령을 반포하였다.

② 고구려의 소수림왕이 태학을 설립하고 체제를 정비하였다.

③ 청동기 시대에 군장이 죽으면 그 권력을 상징하는 거대한 고인돌이나 돌널 무덤을 만들었다.

⑤ 위만이 집권한 후 고조선은 철기 문화를 본격적으로 수용하였다.

09 발해의 건국과 발전

(가) 국가는 발해이다. 발해는 건국 초기부터 고구려 계승 의식을 내세웠다. 온돌은 대표적인 우리나라 고유의 난방 방식이다. ① 발해는 거란의 침략으로 멸망하였다.

오답 피하기 ② 당은 신라 수도 금성에 계림도독부를 설치하였다.

③ 9서당 10정은 통일 신라의 군사 조직이다.

④ 성덕왕은 8세기 통일 신라의 왕이다.

⑤ 국자감은 고려의 최고 유학 교육 기관이다.

10 고려 광종의 통치 체제 정비

(가)에는 고려 광종 때 과거제 실시가 들어가는 것이 가장 적절하다.

오답 피하기 ② 성왕은 백제의 중흥을 위해 사비로 천도하였다.

③ 공민왕은 권문세족의 세력을 약화시키고자 전민변정도감을 설치하였다.

④ 태조 왕건은 호족을 견제하고자 사심관 제도를 시행하였다.

⑤ 진흥왕은 청소년 수련 단체인 화랑도를 국가 조직으로 개편하였다.

더 알아보기 고려의 과거제

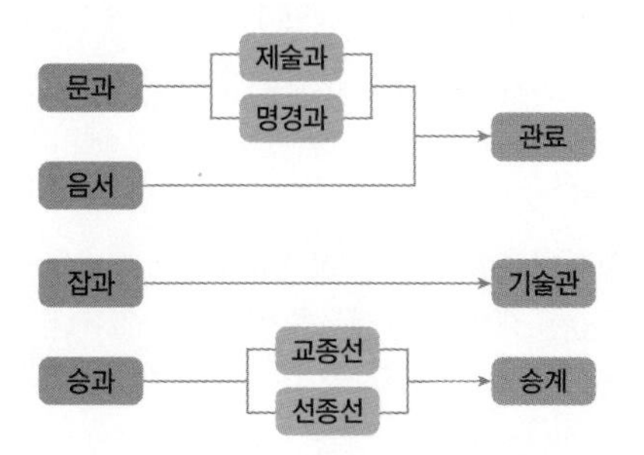

고려 시대에는 문과, 잡과, 승과가 시행되었고, 무과는 거의 시행되지 않았다. 고위 관료는 문과 출신이나 음서를 통해 선발하였으며, 기술관은 잡과로 선발하였다. 승과는 승려를 대상으로 한 시험으로 시험에 통과한 승려에게 승계를 내려주었다. 과거는 원칙적으로 양인 신분 이상이면 응시할 수 있었으나 일반 농민 출신이 과거를 통해 관료로 진출하는 경우는 거의 없었다.

11 고려의 문화

김부식은 고려 전기 문벌 세력으로 왕실 및 다른 문벌 가문과 폐쇄적으로 혼인 관계를 맺으면서 권력을 장악하였다. 묘청의 서경 천도 운동이 일어나자 김부식은 관군을 이끌고 이를 진압하였다. ② 이후 김부식은 인종의 명을 받아 역사서인 『삼국사기』를 편찬하였다. 『삼국사기』는 현재까지 전하는 가장 오래된 역사서이다.

오답 피하기 ① 고려를 세운 태조 왕건이 후삼국을 통일하였다.

③ 교정도감은 무신 정변 이후 권력을 장악한 최충헌이 최고 집권 기구로 설치하였다.

④ 시무 28조는 고려 성종 때 최승로가 유교 정치 이념을 바탕으로 건의한 내용이다.

⑤ 쌍성총관부를 탈환한 것은 고려 말 공민왕 때의 사실이다.

12 조선 세종의 업적

(가) 왕은 조선 전기의 세종이다. 『칠정산』은 세종 때 편찬된 대표적인 역법서로 당시 최첨단 수학, 천문학 등이 반영되어 있어 현재 통용되는 것과 거의 유사하다. 세종은 집현전을 설치하여 인재를 육성하고, 훈민정음을 창제하여 반포하였다. 또한 여진, 일본에 대하여 강경책과 회유책을 사용하는 교린 관계를 유지하였다.

선택지 바로 보기

ㄱ. 4군 6진을 개척하였다. (○)

→ 조선 세종 때 여진을 몰아내고 4군과 6진을 두어 압록강과 두만강을 국경선으로 확정하였다.

ㄴ. 금난전권을 폐지하였다. (×)

→ 조선 후기 정조 때의 정책으로 자유로운 상행위를 보장하기 위해 시행되었다.

ㄷ. 의정부 서사제를 실시하였다. (○)

→ 조선 세종은 왕권과 신권의 조화를 꾀하여 의정부 서사제를 실시하였다.

ㄹ. 기유약조를 체결하였다. (×)

→ 조선 후기 광해군 때 사실이다. 광해군은 북방 여진의 세력이 강해지자 일본과 관계를 안정시키기 위해 기유약조를 체결하여 국교를 재개하였다.

Book 1

WEEK

2

II. 근대 국민 국가 수립 운동

DAY

1 개념 돌파 전략 ①

34~37쪽

[3강] 서구 열강의 접근과 조선의 대응 ~ 근대 국민 국가 수립을 위한 노력

01 호포제 02 병인박해 03 『조선책략』 04 조청 상민 수륙 무역 장정 05 급진 06 전주 화약 07 을미사변 08 독립 협회

[4강] 일본의 침략 확대와 국권 수호 운동 ~ 개항 이후 사회·문화적 변화

01 통감부 02 서울 진공 작전 03 보안회 04 이범윤 05 조일 통상 장정 06 국채 보상 운동 07 원산 학사 08 『대한매일신보』

DAY

1 개념 돌파 전략 ②

38~39쪽

1 ① 2 ① 3 ① 4 ③ 5 ③ 6 ②

1 병인양요의 배경

프랑스군이 강화도를 침략하면서 시작되었다는 점을 통해 밑줄 친 '이 사건'이 병인양요(1866)임을 알 수 있다. ① 병인양요는 흥선 대원군이 천주교 신자와 프랑스 선교사를 처형한 병인박해를 구실로 프랑스가 강화도를 침략하면서 일어났다.

오답 피하기 ② 척화비가 건립된 것은 신미양요 이후인 1872년의 사실이다.

③ 단발령 시행은 1895년에 실시된 을미개혁의 내용이다.

④ 『조선책략』은 제2차 수신사로 일본에 다녀온 김홍집이 가져온 책으로 조미 수호 통상 조약 체결의 배경이 되었다.

⑤ 제너럴셔먼호 사건은 신미양요가 일어나는 배경이 되었다.

2 강화도 조약의 특징

자료에서 조선이 부산 이외에 2개 항구를 개항하기로 하였다는 점, 일본인이 왕래 통상함을 허가한 점을 통해 강화도 조약임을 알 수 있다. ① 강화도 조약은 제10관에서 영사 재판권을 규정하고 있다.

오답 피하기 ② 갑신정변의 결과 조선은 일본과 한성 조약을 체결하였고, 청과 일본은 톈진 조약을 체결하였다.

③ 집강소는 동학 농민군이 전주 화약을 체결하고 전라도 일대에 설치한 개혁 기구이다.

④ 강화도 조약에는 최혜국 대우 조항이 포함되지 않았으며, 일본의 최혜국 대우는 이후 맺은 조일 통상 장정에 담겨 있다.

⑤ 임오군란의 결과 조선은 일본과 제물포 조약을 맺어 일본 공사관에 경비병 주둔을 허용하였다.

더 알아보기 강화도 조약(조일 수호 조규)

제1관 조선은 자주국이며 일본과 평등한 권리를 가진다.
제4관 조선은 부산 이외에 제5관에 기재하는 2개 항구를 개항하고 일본인이 왕래 통상함을 허가한다.
제7관 조선국 연해를 일본국의 항해자가 자유롭게 측량하도록 허가한다.
제10관 일본국 국민이 조선국이 지정한 각 항구에 머무르는 동안 죄를 범한 것이 조선국 국민에게 관계되는 사건일 때는 모두 일본국 관원이 심판한다.

1876년에 체결된 강화도 조약은 조일 수호 조규라고도 한다. 제1관은 청의 간섭을 배제하기 위해 조선의 자주성을 강조한 내용이 포함되었다. 제4관은 부산 외에 2개 항구를 개항하도록 하였는데, 원산과 인천이 이에 해당한다. 제7관은 일본의 해안 측량권을 규정한 것이며, 제10관은 일본의 영사 재판권 내용을 담고 있다. 강화도 조약은 조선이 외국과 맺은 최초의 근대적 조약이지만 조선에 불리한 불평등 조약이었다.

3 갑신정변의 특징

우정총국 개국 축하연을 계기로 일어났다는 사실을 통해 (가) 사건이 1884년에 일어난 갑신정변임을 알 수 있다.

선택지 바로 보기

① 급진 개화파가 주도하였다. (○)
→ 갑신정변은 김옥균, 박영효 등 급진 개화파가 주도하였다.

② 토지의 균등 분배를 주장하였다. (×)
→ 갑신정변 당시에는 지조법의 개혁만을 주장하였으며, 토지의 균등 분배는 동학 농민 운동 당시 제기된 주장이다.

③ 을미의병이 일어나는 배경이 되었다. (×)
→ 을미의병은 단발령과 을미사변을 배경으로 일어났다.

④ 청의 양무운동을 개혁의 모델로 삼았다. (×)
→ 청의 양무운동을 개혁의 모델로 삼은 것은 온건 개화파이며, 갑신정변을 일으킨 급진 개화파는 일본의 메이지 유신을 모델로 삼았다.

⑤ 구식 군인에 대한 차별 대우가 원인이었다. (×)
→ 구식 군인에 대한 차별 대우를 배경으로 일어난 사건은 임오군란이다.

4 대한 제국의 정책

지계아문을 설치하고 지계를 발급하였다는 점을 통해 (가) 정부는 대한 제국임을 알 수 있다. ③ 대한 제국은 무한한 군주권을 보장하는 일종의 헌법인 대한국 국제를 반포하였다.

오답 피하기 ① 경복궁을 중건한 것은 흥선 대원군 집권기의 사실이다.
② 군국기무처를 설치한 것은 제1차 갑오개혁 시기(1894)의 사실이다.
④ 조사 시찰단은 개항 이후 고종이 근대 문물 시찰을 위해 일본에 파견한 사절단이다.
⑤ 농민군과 전주 화약을 체결한 것은 동학 농민 운동이 일어난 시기인 1894년의 사실이다.

5 일제의 국권 침탈

을사늑약은 1905년에 일본의 강요로 을사 5적이 주도하여 체결한 것으로 대한 제국의 외교권 박탈과 통감부 설치 등의 내용을 담고 있다. 한일 의정서는 러일 전쟁 초기 일본이 강요한 것으로 일본이 한반도에서 군사적 요충지를 사용할 수 있도록 하고 있다. 일본은 러일 전쟁에서 유리해지자 조선과 제1차 한일 협약을 강제로 체결하고 외교와 재정 분야에 외국인 고문을 두도록 하였다. 한일 신협약(정미 7조약)은 일본이 헤이그 특사 파견을 구실로 고종을 강제로 퇴위시킨 뒤 순종에게 강요한 것으로 정부 각 부에 일본인 차관을 배치하도록 하였다. 1910년에 체결된 한국 병합 조약으로 대한 제국은 국권을 상실하고 일본의 식민지로 전락하게 되었다.
③ 총독부는 1910년 한일 강제 병합 이후 식민 통치를 위해 일본이 설치한 기구이다.

6 국채 보상 운동

대한 제국이 일본에서 도입한 차관이 1,300만 원에 이르렀다는 점, 일본의 경제적 예속에서 벗어나고자 했다는 점, 대구에서 시작되었다는 점을 통해 (가) 운동이 국채 보상 운동임을 알 수 있다.

선택지 바로 보기

① 삼정이정청이 설치되는 계기가 되었다. (×)
→ 삼정이정청은 철종 시기 임술 농민 봉기에 대한 대책으로 삼정의 문란을 해결하기 위해 설치되었다.
② 대한매일신보 등 언론의 지원을 받았다. (○)
→ 국채 보상 운동은 『대한매일신보』 등 언론의 지원을 받아 전국으로 확산되었다.
③ 일제의 황무지 개간권 요구를 철회시켰다. (×)
→ 일제의 황무지 개간권 요구를 철회시킨 것은 보안회의 활동에 해당한다.
④ 황국 중앙 총상회가 조직되는 결과를 가져왔다. (×)
→ 외국 상인의 내륙 진출이 활발해지며 상권이 침해되자 시전 상인들이 황국 중앙 총상회를 조직하여 저항하였다.
⑤ 백동화를 일본 제일 은행권으로 바꾸도록 하였다. (×)
→ 백동화를 일본 제일 은행권으로 바꾸도록 한 것은 1905년에 추진된 화폐 정리 사업이다.

DAY
2 필수 체크 전략 ①

40~43쪽

01-1 ㄱ, ㄷ, ㄹ 02-1 ㄱ, ㄹ 03-1 ㄷ, ㄹ 04-1 ㄴ, ㄷ, ㄹ
05-1 ㄴ, ㄷ, ㅁ 06-1 ㄱ, ㄴ 07-1 ㄱ, ㅁ, ㅂ 08-1 ㄷ

01-1 흥선 대원군의 정책

경복궁을 중건하는 데 필요한 자금을 마련하고자 당백전을 발행하였다는 사실을 통해 (가) 인물이 흥선 대원군임을 알 수 있다. 흥선 대원군은 서원이 백성을 착취하는 수단으로 변질되자 전국에서 47개소를 제외한 모든 서원을 철폐하도록 하였고, 군정의 폐단을 개혁하기 위해 집집마다 포를 걷는 호포제를 실시하여 양반에게도 군포를 거두었다. 또한 병인양요와 신미양요를 겪은 뒤 척화비를 세우는 등 통상 수교 거부 정책을 펼쳤다.
오답 피하기 ㄴ. 『대전통편』을 편찬한 것은 정조의 업적이다. 흥선 대원군 집권기에는 『대전회통』이 편찬되었다.

02-1 병인양요의 특징

병인양요는 흥선 대원군이 천주교 신자와 선교사를 처형한 병인박해를 구실로 프랑스가 강화도에 침입하면서 일어났다. 조선의 저항에 부딪힌 프랑스군은 퇴각하면서 강화도에 있는 외규장각의 도서 등을 약탈하였다.
오답 피하기 ㄴ. 미국 상선인 제너럴셔먼호가 평양 관민에 의해 불에 타 침몰한 것을 구실로 삼아 미국이 강화도를 공격하면서 신미양요가 일어났다.
ㄷ. 영국은 1885년에 러시아의 남하를 저지하기 위해 거문도를 불법으로 점령하였다.

더 알아보기 병인양요와 신미양요

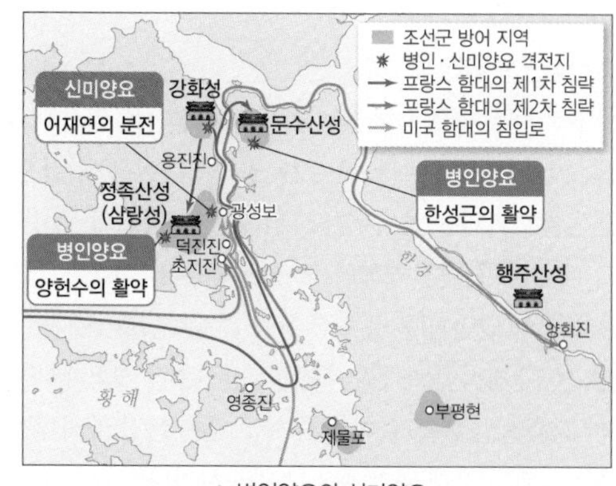

▲ 병인양요와 신미양요

구분	병인양요(1866)	신미양요(1871)
배경	병인박해	제너럴셔먼호 사건
전개	프랑스군의 강화도 침입 → 한성근 부대(문수산성), 양헌수 부대(정족산성)의 활약 → 프랑스군 철수	미군의 강화도 침입 → 어재연 부대(광성보)의 항전 → 미군 철수
결과	프랑스군이 철수하면서 외규장각 도서 등 약탈	흥선 대원군이 전국 곳곳에 척화비 건립

BOOK 1

03-1 강화도 조약

제시된 사진은 강화도 조약을 체결하는 모습을 담고 있다. 강화도 조약에서는 제4관에서 부산 외에 2개 항구의 개항을 규정하였고, 제7관과 제10관에는 각각 해안 측량권과 영사 재판권 관련 규정이 포함되어 있다.

오답 피하기 ㄱ, ㄴ. 일본에 최혜국 대우가 보장되고, 수출입 상품에 대한 관세를 부과하는 내용은 1883년에 체결된 조일 통상 장정에 포함되어 있다.

04-1 임오군란

자료 분석

> 이 자료는 구식 군인들의 주도로 일어난 (가) 에 대한 기록이 담긴 문서이다. 자료에는 고종이 청국에 흥선 대원군의 귀환을 요청한 주문(奏文) 내용, 일본이 주동자 처벌 · 손해 배상 · 양화진 통상 등을 요구한 내용, 청국이 명성 황후의 복위를 요구한 내용 등이 담겨 있다.

임오군란 당시 고종의 위임으로 다시 권력을 장악한 흥선 대원군은 별기군을 폐지하고 5군영을 복구하는 등 개화 정책을 중단하였다. 그러나 민씨 일파의 요청으로 조선에 들어온 청군은 군란에 대한 책임을 물어 흥선 대원군을 청으로 압송하고 무력으로 군란을 진압하였다. 자료에서 고종이 흥선 대원군의 귀환을 요청한다는 것은 이런 사실과 연관된다.

자료에서 구식 군인들의 주도로 일어났다는 점을 통해 (가) 사건이 1882년에 발생한 임오군란임을 알 수 있다. 구식 군인들이 신식 군대인 별기군과의 차별 대우 등에 반발하여 일으킨 임오군란은 청군의 개입으로 진압되었고, 이후 청의 내정 간섭을 초래하였다. 임오군란의 결과 조선은 청과 조청 상민 수륙 무역 장정을 체결하였고, 일본과 제물포 조약을 맺었다.

오답 피하기 ㄱ. 단발령에 반발하여 일어난 것은 을미의병이다.

05-1 갑신정변과 급진 개화파

자료에서 우정총국 개국 축하연을 이용하여 정변을 일으켰고, 개화당 정부를 수립하였다는 내용을 통해 밑줄 친 '이들'이 갑신정변을 일으킨 급진 개화파임을 알 수 있다. 김옥균, 박영효 등 급진 개화파는 일본의 메이지 유신을 개혁의 모델로 삼았다. 이들은 개혁 정강에서 문벌 폐지와 인민 평등권 보장 등을 주장하였다.

오답 피하기 ㄱ. 점진적인 개혁을 추진한 것은 온건 개화파이다.

ㄹ. 청과의 전통적인 외교 관계를 중시한 것은 온건 개화파이다. 급진 개화파는 청과의 사대 관계 폐지를 주장하였다.

06-1 동학 농민 운동

자료에서 일본군이 대궐에 들어갔다는 말을 듣고 농민군을 다시 모았다는 사실을 통해 밑줄 친 '농민군'이 동학 농민군임을 알 수 있다. 제2차 봉기 당시 동학 농민군은 남접과 북접이 연합하여 서울로 진격하였으나, 공주 우금치 전투에서 일본군과 관군에 패배하였다. 동학 농민군은 반봉건·반외세의 성격을 띠었다.

오답 피하기 ㄷ. 평안도 지역에 대한 차별 대우에 반발하여 일어난 것은 홍경래의 난이다.

ㄹ. 우정총국 개국 축하연을 이용하여 일어난 난은 갑신정변이다.

07-1 제1차 갑오개혁

선택지 바로 보기

ㄱ. 과거제 폐지 (○)
→ 제1차 갑오개혁에서 추진한 개혁 내용이다.

ㄴ. 단발령 실시 (×)
→ 을미개혁의 개혁 내용에 해당한다.

ㄷ. 재판소 설치 (×)
→ 제2차 갑오개혁에서 추진된 개혁 내용이다.

ㄹ. 태양력 사용 (×)
→ 을미개혁의 개혁 내용에 해당한다.

ㅁ. 신분제 폐지 (○)
→ 제1차 갑오개혁에서 추진한 개혁 내용이다.

ㅂ. 과부의 재가 허용 (○)
→ 제1차 갑오개혁에서 추진한 개혁 내용이다.

08-1 독립 협회의 활동

독립문을 건립하였으며, 서재필 등이 조직하였다는 사실을 통해 (가) 단체가 독립 협회임을 알 수 있다. 독립 협회는 민권 의식의 성장을 위해 만민 공동회를 개최하였고, 여기에서 열강의 이권 침탈을 규탄하고 자유 민권 운동 등을 전개하였다.

오답 피하기 ㄱ. 집강소는 동학 농민군이 전주 화약 체결 이후 전라도 일대에 설치한 개혁 기구이다.

ㄴ. 홍범 14조는 제2차 갑오개혁 당시 개혁의 방향을 담아 고종이 발표한 것이다.

ㄹ. 동학교도들이 교조 최제우의 억울한 죽음을 풀어 달라며 교조 신원 운동을 전개하였다.

DAY 2 필수 체크 전략 ②

44~45쪽

1 ②	2 ⑤	3 ④	4 ⑤	5 ①
6 ④	7 ①	8 ①		

1 흥선 대원군의 정책

자료에서 동포라는 법을 제정하여 예전에 면제되던 자라도 신포를 바치게 되었다는 점을 통해 해당 제도가 호포제이고, 호포제를 실시한 (가) 인물은 흥선 대원군임을 알 수 있다. 흥선 대원군은 환곡제의 폐단을 시정하기 위해 사창제를 실시하였고, 왕실의 권위를 높이기 위해 경복궁 중건을 추진하였다.

오답 피하기 ㄴ, ㄹ. 국왕의 친위 부대인 장용영을 설치하고 『대전통편』을 편찬한 국왕은 정조이다.

2 병인양요의 배경

강화도의 외규장각에 보관되어 있었던 영조 정순 왕후 가례도감 의궤가 약탈되었다는 사실을 통해 (가) 사건이 병인양요임을 알 수 있다.

선택지 바로 보기

① 평양 관민이 제너럴셔먼호를 침몰시켰다. (×)
→ 평양 관민이 제너럴셔먼호를 침몰시킨 제너럴셔먼호 사건은 미군이 강화도를 침입한 신미양요의 배경이 되었다.

② 일본 군함 운요호가 초지진을 공격하였다. (×)
→ 일본 군함 운요호가 초지진을 공격하고 영종도에 상륙해 살인, 약탈 등을 벌인 운요호 사건은 강화도 조약이 체결되는 결정적 계기가 되었다.

③ 오페르트가 남연군 묘의 도굴을 시도하였다. (×)
→ 오페르트가 흥선 대원군의 아버지인 남연군의 묘를 도굴하려고 한 것은 병인양요 이후인 1868년의 사실이다.

④ 통상 수교 거부 의지를 담은 척화비가 세워졌다. (×)
→ 척화비가 세워진 것은 신미양요 이후의 사실이다.

⑤ 흥선 대원군이 천주교도와 선교사를 처형하였다. (○)
→ 병인양요는 흥선 대원군이 천주교 신자들과 프랑스 선교사를 처형한 병인박해를 구실로 프랑스군이 강화도를 침략하면서 일어났다.

3 『조선책략』과 위정척사 운동

자료 분석 영남 만인소

> 경상도 유생 이만손 등이 상소하길, "신들은 모두 영남의 소원한 종적으로 유신(維新)의 정치를 도운 적이 없습니다. 곧 삼가 수신사 김홍집이 받아 가지고 온 황준헌의 책이 이리저리 떠도는 것을 보니, 깨닫지 못하는 사이에 머리털이 쭈뼛해지고 담이 떨리며 이어서 통곡하여 눈물이 흐릅니다.

제2차 수신사로 일본에 다녀온 김홍집은 청의 외교관인 황준헌이 쓴 『조선책략』을 들여왔다. 1880년대 정부가 개화 정책을 추진하면서 『조선책략』을 유포하고 미국과 통상 조약을 체결하려 하자, 이만손을 중심으로 한 영남 유생들이 만인소를 올려 서구 열강과의 수교에 반대하였다.

『조선책략』에서는 러시아를 방비하기 위해 조선이 중국, 일본뿐만 아니라 미국과 연합해야 한다고 주장하였다. 조선은 『조선책략』의 유포 이후 청의 알선으로 조미 수호 통상 조약을 체결하였다.

오답 피하기 ㄱ. 강화도 조약은 1876년에 체결되었으며, 『조선책략』이 유포된 것은 1880년대 초의 사실이다.

ㄷ. 조선을 중립국으로 삼자는 주장은 1880년대 중반 유길준, 부들러 등이 제기하였다. 조선을 둘러싼 열강의 대립이 심화되자 독일 부영사였던 부들러는 조선 정부에 중립화를 건의하였고, 유길준도 조선의 중립 보장을 주장하였다.

4 제물포 조약의 배경

자료 분석 제물포 조약

> 제4조 흉도의 폭거로 일본이 받은 피해 및 공사를 호위한 육해군 경비 중에서 50만 원은 조선이 채워 준다. 매년 10만 원씩 5년 동안 완납한다.
> 제5조 일본 공사관에 군인 약간을 두어 경비한다. 그 비용은 조선국이 부담한다.

임오군란 과정에서 일본 영사관이 공격을 받아 피해를 입었고, 일본은 이를 구실로 조선과 제물포 조약을 체결하였다. 제물포 조약 제4조에서는 임오군란으로 피해를 입은 일본을 위해 조선이 육해군 경비 중 일부를 지급하도록 하고 있고, 제5조에서는 일본 공사관에 군인을 두어 경비할 수 있도록 허용하고 있다.

선택지 바로 보기

① 대한 제국의 군대가 강제로 해산되었다. (×)
→ 대한 제국의 군대는 고종의 강제 퇴위 이후 맺어진 한일 신협약과 그 이후의 비밀 조칙에 따라 강제 해산되었다.

② 일본이 경복궁을 침범하여 국왕을 위협하였다. (×)
→ 일본이 경복궁을 침범하여 국왕을 위협한 것은 1894년 동학 농민 운동 과정에서 일어난 사건이다.

③ 일본이 명성 황후를 시해하는 사건이 벌어졌다. (×)
→ 일본이 친러 정책을 주도하던 명성 황후를 시해한 을미사변은 1895년에 벌어졌다.

④ 우정총국 개국 축하연을 이용한 정변이 일어났다. (×)
→ 김옥균 등 급진 개화파는 우정총국 개국 축하연을 이용하여 갑신정변을 일으켰다. 갑신정변이 진압된 이후 조선은 일본과 한성 조약을 체결하였다.

⑤ 구식 군인 등이 별기군과의 차별 대우에 반발하였다. (○)
→ 구식 군인들의 봉기로 일어난 임오군란의 결과 조선은 청과 조청 상민 수륙 무역 장정을 체결하였고, 일본과 제물포 조약을 체결하였다.

5 갑신정변

자료에서 김옥균 등이 군부를 위협하고 외병을 불러들여 정승들을 살해하였다는 점을 통해 밑줄 친 '변고'가 갑신정변임을 알 수 있다.

① 급진 개화파는 우정총국 개국 축하연을 이용하여 정변을 일으키고 개화당 정부를 수립하여 개혁 정강을 발표하였으나 청군의 개입으로 3일 만에 실패하였다.

오답 피하기 ② 을미사변에 반발하여 일어난 것은 을미의병 등이 해당한다.

③ 1919년에 전개된 3·1 운동은 고종의 인산일을 기해 일어났다. 국내 각 종교 지도자들은 고종의 장례식에 즈음하여 많은 사람이 모일 거라 예상하고 만세 시위를 계획하였다.

④ 임오군란이 청군에 의해 진압되고 조선과 일본은 제물포 조약을 체결하였다.

⑤ 구식 군인에 대한 차별 대우가 원인이 된 사건은 임오군란(1882)이다.

6 동학 농민 운동

자료 분석

> 우리들은 전에 폐정을 개혁할 목적으로 일어났으나 임금의 조유(詔諭)가 있어서 초토사와 화약을 맺었다. …… 일본은 대병을 파견하여 우리나라를 삼키려고 하여, 일본 병사들은 대거 영토를 제압하고 이미 경성에 들어왔는데, 이에 국가가 위급하고 존망이 갈리었다. 진실로 나라를 생각하는 자는 창을 들고 일어나 방어해야 할 때이다.

동학 농민군은 보국안민과 제폭구민을 내세워 봉기하였으나 청과 일본이 군대를 보내고 정부가 화해를 추진하자 전주 화약을 맺고 해산하였다. 그러나 일본이 경복궁을 침입하여 국왕을 위협하고 조선에 대한 내정 간섭을 강화하려 하자 일본의 침입에 맞서 다시 봉기하였다. 이 문서는 동학 농민군이 다시 봉기하면서 제시한 문서이다.

④ 전주 화약 체결 이후 다시 봉기한 동학 농민군은 공주 우금치에서 관군과 일본군에 맞서 싸웠으나 패배하였다.

7 군국기무처의 활동

자료에서 일본군이 경복궁을 침범한 지 4일 뒤 국왕이 김홍집을 총재로 삼았다는 사실을 통해 밑줄 친 '이 기구'가 군국기무처임을 알 수 있다. 군국기무처는 제1차 갑오개혁 추진을 주도한 기구이다. 제1차 갑오개혁에서는 개국 기년 사용, 과거제 폐지, 신분제 폐지, 도량형 통일, 조혼 금지, 과부의 재가 허용 등이 추진되었다.

오답 피하기 ㄷ. 한성 사범 학교 관제는 교육입국 조서가 발표된 제2차 갑오개혁의 일환으로 제정되었다.

ㄹ. 지방 행정 구역을 8도에서 23부로 개편한 것은 제2차 갑오개혁의 주요 내용이다.

8 대한 제국

황제가 하늘에 제사를 지내는 환구단 사진이 있고, 고종이 황제 즉위식을 올렸다는 사실을 통해 (가) 정부가 대한 제국임을 알 수 있다. 고종은 대한 제국 수립 이후 구본신참의 원칙에 따라 광무개혁을 추진하였다. ① 대한 제국은 군사권을 관할하는 원수부를 설치하였다.

오답 피하기 ② 단발령이 시행된 것은 1895년에 있었던 을미개혁의 주요 내용이다. 이는 다음 해 고종이 러시아 공사관으로 처소를 옮긴 아관 파천으로 중단되었다.

③ 육영 공원 설립은 1886년의 사실로 대한 제국 수립 이전의 사실이다.

④ 만민 공동회를 개최한 단체는 독립 협회이다.

⑤ 교육입국 조서가 반포된 것은 제2차 갑오개혁 때로 이는 대한 제국 수립 이전의 사실이다.

DAY 3 필수 체크 전략 ①

46~49쪽

01-1 ㄴ, ㄷ	02-1 ㄹ, ㅁ	03-1 ㄱ, ㄴ, ㄹ	04-1 ㄴ, ㄹ
05-1 ㄱ, ㄹ	06-1 ㄷ	07-1 ㄱ, ㄷ	08-1 ㄹ

01-1 을사늑약(제2차 한일 협약)의 내용

일본이 열강으로부터 한국에 대한 독점적 지배권을 인정받은 이후라는 점, 고종의 위임장도 없이 강제로 체결되었다는 점 등을 통해 (가) 조약이 을사늑약(제2차 한일 협약)임을 알 수 있다. 을사늑약으로 일본은 대한 제국의 외교권을 박탈하였으며, 외교권을 관장한다는 명분으로 통감부를 설치하였다. 고종은 을사늑약의 부당함을 알리기 위해 이준, 이위종, 이상설을 헤이그에서 열리는 만국 평화 회의에 특사로 파견하였다. 그러나 일본 등의 방해로 성과를 거두지 못하였다.

오답 피하기 ㄱ. 을사늑약은 러일 전쟁이 끝난 후에 체결되었다. 러일 전쟁 중에 체결된 조약으로는 한일 의정서, 제1차 한일 협약 등이 있다.

ㄹ. 대한 제국이 재정과 외교 부문에서 외국인 고문을 고용하게 된 것은 제1차 한일 협약에 따른 결과이다. 일본은 외교 고문으로 스티븐스, 재정 고문으로 메가타를 파견하여 내정 간섭을 본격화하였다.

02-1 정미의병의 특징

선택지 바로 보기

ㄱ. 고종의 해산 권고를 받고 해산하였다. (×)
→ 을미의병은 유생들이 주축이었으며, 아관 파천 이후 고종의 해산 권고를 받고 대부분 해산하였다.

ㄴ. 최초의 평민 출신 의병장이 활약하였다. (×)
→ 을사의병 당시 최초로 신돌석 등 평민 출신 의병장이 활약하였다.

ㄷ. 을미사변과 단발령을 계기로 봉기하였다. (×)
→ 을미사변과 단발령을 계기로 봉기한 것은 을미의병이다.

ㄹ. 해산된 군인이 합류하여 전투력이 높아졌다. (○)
→ 1907년 대한 제국의 군대가 해산되어 이들이 의병에 가담하면서 의병 부대의 전투력이 강화되었다.

ㅁ. 13도 창의군을 결성해 서울 진공 작전을 시도하였다. (○)
→ 정미의병 당시 전국의 의병들은 13도 창의군을 결성하였고, 서울 진공 작전을 시도하였으나 실패하였다.

03-1 신민회의 활동

신민회는 교육 활동의 일환으로 대성 학교와 오산 학교를 설립하였고, 태극 서관과 자기 회사를 운영하여 민족 산업 진흥을 꾀하였다. 또한 남만주 삼원보에 독립운동 기지를 건설하고 신흥 강습소(이후 신흥 무관 학교)를 설립해 무장 투쟁을 준비하였다.

오답 피하기 ㄷ. 일제의 황무지 개간권 요구를 철회시킨 단체는 보안회이다.

04-1 독도

선택지 바로 보기

ㄱ. 운요호 사건이 벌어졌던 섬을 찾아본다. (×)
→ 일본 군함인 운요호가 조선을 공격했던 운요호 사건은 강화도와 영종도 일대에서 벌어졌다.

ㄴ. 대한 제국 「칙령 제41호」의 내용을 알아본다. (○)
→ 1900년에 반포된 대한 제국 「칙령 제41호」는 울릉도를 울도군으로 승격시키고, 울도 군수가 울릉도와 독도 등을 관할하도록 하였다.

ㄷ. 대한 제국이 이범윤을 파견한 지역을 조사한다. (×)
→ 대한 제국이 이범윤을 관리사로 파견한 지역은 간도이다.

ㄹ. 메이지 정부의 태정관이 내린 지령문을 분석한다. (○)
→ 메이지 정부의 최고 행정 기관인 태정관은 1877년에 울릉도와 독도가 일본과 관계없음을 지령문에 명시하였다.

05-1 화폐 정리 사업의 특징

화폐 정리 사업은 일본인 재정 고문인 메가타가 대한 제국의 재정을 일본에 예속하기 위해 추진한 것으로 백동화 등 기존의 화폐를 일본 제일 은행권으로 교환하도록 한 것이다. 이 과정에서 백동화가 액면가 이하로 교환되거나 교환이 거부되기도 하여 한국 상인과 은행이 파산하는 등 큰 피해를 입었다.

오답 피하기 ㄴ. 조선이 방곡령을 내릴 수 있는 근거를 마련한 것은 1883년에 체결한 조일 통상 장정이다.

ㄷ. 화폐 정리 사업 과정에서 백동화 등이 제대로 된 가치를 받지 못하여 대한 제국의 자본이 축소되는 결과를 가져왔다.

06-1 국채 보상 운동의 특징

자료 분석

> 지금 나라의 빚이 1,300만 원이며, 이는 우리 대한 제국의 존망에 관계된 일이다. …… 일반 국민도 이 국채 보상에 대한 의무에 대해 모른 체하거나, 참여하지 않겠다고 말할 수 없다. 모두가 보상에 참여해야만 성공할 수 있다.

나라의 빚이 1,300만 원에 달하고 있고, 이를 갚지 못하면 나라를 잃는다고 한 점, 일반 국민이 국채 보상에 참여해야만 성공한다고 한 점 등을 통해 1907년에 전개된 국채 보상 운동과 관련된 자료임을 알 수 있다.

대구에서 처음 시작되었던 국채 보상 운동은 『대한매일신보』 등 언론의 지원을 받아 전국으로 확산되었다. 그러나 통감부 등의 방해로 결국 실패하였다.

오답 피하기 ㄱ. 『조선책략』 유포에 반발하여 일어난 것은 이만손 등 영남 유생들의 만인소가 해당한다.

ㄴ. 조선 물산 장려회의 주도로 진행된 것은 일제 강점기에 전개된 물산 장려 운동이다.

ㄹ. 평양에서 시작되어 전국으로 확산된 운동은 물산 장려 운동이다.

07-1 개항기 근대 문물의 수용

선택지 바로 보기

ㄱ. 기기창– 근대 무기 제조 (○)
→ 기기창은 영선사 파견 이후 근대 무기 제조를 위해 설치한 기구이다.

ㄴ. 전환국– 근대적 신문 발행 (×)
→ 전환국은 화폐 발행을 위해 만들어진 기구이며, 근대적 신문 발행을 담당하였던 곳은 박문국이다.

ㄷ. 경인선– 최초의 근대적 철도 (○)
→ 노량진에서 제물포를 잇는 경인선은 우리나라 최초의 근대적 철도로 1899년에 개통되었다.

ㄹ. 원산 학사– 근대식 관립 교육 기관 (×)
→ 우리나라 최초의 근대적 교육 기관인 원산 학사는 함경도 주민들이 뜻을 모아 만든 사립 교육 기관이다.

08-1 『대한매일신보』의 특징

양기탁과 함께 베델이 창간한 신문이라는 점, 일제의 침략을 비판하는 기사를 많이 실었다는 점 등을 통해 밑줄 친 '이 신문'이 『대한매일신보』임을 알 수 있다. 『대한매일신보』는 『황성신문』, 『제국신문』 등과 함께 국채 보상 운동이 전국으로 확산되는 데 기여하였다. 또한 의병 운동을 호의적으로 담은 기사를 많이 싣기도 하였다.

오답 피하기 ㄱ. 박문국에서 발간한 신문은 『한성순보』 등이 해당한다.

ㄴ. 최초의 순 한글 신문은 서재필 등이 주도하여 창간한 『독립신문』이다.

ㄷ. 일제 강점기 『조선일보』는 문자 보급 운동을 전개하였다.

DAY 3 필수 체크 전략 ②

50~51쪽

1 ③	2 ②	3 ③	4 ⑤	5 ②
6 ③	7 ④	8 ②		

1 제1차 한일 협약

자료 분석 제1차 한일 협약

> **제1조** 대한 제국 정부는 대일본 제국 정부가 추천한 일본인 1명을 재정 고문에 초빙하여 재무에 관한 사항은 모두 그의 의견을 들어 시행할 것.
> **제2조** 대한 제국 정부는 대일본 제국 정부가 추천한 외국인 1명을 외교 고문으로 외부에서 초빙하여 외교에 관한 중요한 업무는 모두 그의 의견을 들어 시행할 것.

제1조에서 일본인 1명을 재정 고문으로 초빙한다는 점과 제2조에서 외국인 1명을 외교 고문으로 초빙한다는 점으로 보아 제1차 한일 협약의 내용임을 알 수 있다.

일본은 러일 전쟁에서 승세를 잡아 가자 대한 제국에 제1차 한일 협약을 강요하여 대한 제국의 내정에 대한 간섭을 강화하려 하였다. ③ 러일 전쟁 발발은 제1차 한일 협약 이전의 사실이며, 통감부 설치는 을사늑약(제2차 한일 협약)에 따른 것으로 제1차 한일 협약 이후의 사실이다.

2 정미의병의 배경

자료에서 서울에 잠입시킨다는 점, 국제 공법상의 전쟁 단체로 인정해 줄 것을 요청한다는 점 등을 통해 정미의병 당시의 자료임을 알 수 있다.

선택지 바로 보기

① 단발령이 내려졌다. (×)
→ 단발령에 대한 반발로 일어난 의병은 을미의병이다.
② 고종이 강제로 퇴위당하였다. (○)
→ 헤이그 특사를 빌미로 고종이 강제 퇴위당하고, 대한 제국의 군대가 강제로 해산되자 정미의병이 일어났다. 전국 각지의 의병들은 13도 창의군을 결성하고 서울 진공 작전을 추진하였다.
③ 대한 제국의 외교권이 박탈되었다. (×)
→ 대한 제국의 외교권이 박탈된 것은 을사늑약과 관련되며, 이를 배경으로 하여 을사의병이 일어났다.
④ 명성 황후가 일본에 의해 시해되었다. (×)
→ 을미사변은 단발령과 함께 을미의병의 배경이 되었다.
⑤ 한국 병합 조약이 강제로 체결되었다. (×)
→ 한국 병합 조약은 1910년에 체결되었으며, 이후 국내외에서 이에 저항하는 무장 독립 투쟁이 전개되었다. 서울 진공 작전이 실패한 이후에도 의병 투쟁이 지속되자 일본은 1909년에 이른바 '남한 대토벌 작전'을 전개하여 대대적인 탄압을 하였다.

3 신민회의 활동

자료에서 한국의 부패한 사상과 습관을 혁신하고 산업을 개량한다는 점, 공화 정체의 독립국을 건립하는 것이 목적이라고 한 점 등을 통해 (가) 단체가 신민회임을 알 수 있다. 신민회는 교육을 진흥하기 위해 오산 학교와 대성 학교를 설립하였고, 산업을 진흥하기 위해 태극 서관과 자기 회사를 운영하였다.

오답 피하기 ㄱ. 헌의 6조는 독립 협회가 개최한 만민 공동회에 정부 대신이 참여한 관민 공동회에서 채택되었다.
ㄹ. 헌정 연구회를 계승한 대한 자강회는 계몽 활동을 하고 고종의 강제 퇴위 반대 운동을 전개하였다.

더 알아보기 신민회

- 안창호, 양기탁 등이 비밀 결사로 조직
- 공화 정체의 근대 국민 국가 건설 목표
- 대성 학교와 오산 학교 설립, 태극 서관과 자기 회사 운영
- 남만주 삼원보에 독립운동 기지 건설, 신흥 강습소(신흥 무관 학교) 설립
- 일제가 날조한 105인 사건으로 와해

4 독도

자료에서 1877년 일본의 태정관에서 내린 지령에서 일본과 관계없음을 명시하고 있다는 점을 통해 밑줄 친 '이 지역'이 독도임을 알 수 있다. ⑤ 일본은 러일 전쟁 중인 1905년에 시마네현 고시 제40호를 통해 독도를 불법으로 자국의 영토에 편입하였다.

오답 피하기 ① 홍경래의 난이 발생한 지역은 평안도이다.
② 영국에 의해 불법 점령되었던 곳은 거문도이다.
③ 병인양요와 신미양요가 일어났던 지역은 강화도이다.
④ 대한 제국 시기 이범윤이 파견되어 관할한 지역은 간도이다.

5 화폐 정리 사업의 특징

자료에서 교환을 위해 구 백동화를 감정한다는 점, 그 가치에 따라서 새로운 화폐로 교환한다는 점 등을 통해 자료가 화폐 정리 사업과 관련된 것임을 알 수 있다. 화폐 정리 사업은 제1차 한일 협약에 따라 대한 제국에 온 일본인 재정 고문 메가타가 주도하였다. 화폐 정리 사업은 백동화 등 예전 화폐를 일본 제일 은행권으로 바꾸도록 하고, 이를 법정 화폐로 삼게 한 정책이다.

오답 피하기 ㄴ. 황국 중앙 총상회는 외국 상인들의 내륙 진출로 인한 상권 침해에 맞서 시전 상인들이 1898년에 조직하였다. 시전 상인들은 상권 수호 운동 외에 자유 민권 운동을 전개하였다.
ㄹ. 동양 척식 주식회사는 대한 제국의 토지를 차지한 후 일본인의 토지 투자 및 농업 이민을 후원하였다.

6 조일 통상 장정의 내용

자료에서 함경도의 배상금 문제를 언급한 점, 함경도의 기근이 들었고 조약대로 방출을 금지하도록 하였다는 점을 통해 방곡령을 내린 상황임을 알 수 있다. 따라서 밑줄 친 '조약'은 방곡령의 근거를 마련한 조일 통상 장정임을 알 수 있다.

선택지 바로 보기

① 갑신정변의 결과 체결되었다. (×)
→ 갑신정변의 결과 체결된 조약은 한성 조약과 톈진 조약에 해당한다.
② 일본군의 주둔을 허용하였다. (×)
→ 임오군란의 결과 조선과 일본이 체결한 제물포 조약으로 일본군의 국내 주둔이 허용되었다.
③ 일본에 최혜국 대우를 인정하였다. (○)
→ 조일 통상 장정에는 관세 부과, 방곡령의 근거 마련 외에 최혜국 대우 조항이 포함되어 있다.
④ 청 상인의 내지 통상을 허용하였다. (×)
→ 임오군란의 결과 체결된 조청 수륙 무역 장정에 따라 청 상인의 내지 통상이 허용되었다.
⑤ 부산 외 2개 항구의 개항을 명시하였다. (×)
→ 강화도 조약에서는 부산 외 2개 항구의 개항을 명시하였다. 이에 따라 부산, 인천, 원산이 개항되었다.

7 근대 문물의 도입

자료에서 지난달 경인선 철도가 개통되었다는 사실을 통해 대화가 이루어진 시점은 1899년임을 알 수 있다. ④ 서양식 병원인 광제원은 1900년에 만들어졌다.

오답 피하기 ①『황성신문』은 1898년부터 발간된 신문이다.
② 궁궐에 전화가 처음 설치된 것은 1896년의 사실이다.
③ 이화 학당은 개항기 선교사들이 세운 학교로 1886년에 개교하였다.
⑤ 우편 업무를 총괄하는 기구인 우정국이 1884년에 설치되었으나 갑신정변으로 중단되었고, 1895년 을미개혁 이후 우편 업무가 다시 개시되었다.

8 『한성순보』의 특징

자료에서 국내외의 일을 알리기 위해 박문국을 설치하고, 신문을 발행한다고 하였으므로 (가) 신문이 『한성순보』임을 알 수 있다. ②『한성순보』는 우리나라 최초의 근대적 신문으로 해외 소식과 함께 정부 정책을 홍보하는 역할도 하였다.

오답 피하기 ① 국채 보상 운동을 지원한 신문은 『대한매일신보』 등이 있다. 『한성순보』는 갑신정변으로 발행이 중단되었다.
③ 최초의 순 한글 신문은 서재필 등이 발행한 『독립신문』이다.
④ 양기탁 및 베델이 발행을 주도한 신문은 『대한매일신보』이다.
⑤『황성신문』은 을사늑약이 강제로 체결되자 장지연의 「시일야방성대곡」을 게재하였다.

누구나 합격 전략

52~53쪽

1 ③	2 ⑤	3 ①	4 ①
5 ④	6 ⑤	7 ①	8 ⑤

1 신미양요의 발발

자료에서 광성보에서 어재연 장군이 분전했다는 내용을 통해 (가) 사건이 신미양요임을 알 수 있다.

선택지 바로 보기

① 강화도 조약 체결에 영향을 주었다. (×)
→ 강화도 조약은 대외 정책에 변화의 기운이 나타나는 상황에서 1875년에 일어난 운요호 사건을 계기로 체결되었다.

② 프랑스군이 강화도를 침입한 사건이다. (×)
→ 프랑스군이 강화도를 침입하면서 병인양요가 일어났다.

③ 제너럴셔먼호 사건을 빌미로 시작되었다. (○)
→ 미국 상선인 제너럴셔먼호가 통상을 요구하며 횡포를 부리다 평양 관민의 공격을 받아 침몰한 사건인 제너럴셔먼호 사건을 빌미로 신미양요가 일어났다.

④ 외규장각 도서가 약탈되는 계기가 되었다. (×)
→ 외규장각 도서가 약탈된 것은 병인양요의 결과이다.

⑤ 남연군의 묘 도굴 미수 사건이 배경이 되었다. (×)
→ 독일 상인인 오페르트는 흥선 대원군의 아버지인 남연군의 묘를 도굴하려다 실패하였고, 이는 통상 수교 거부 정책이 강화되는 데 영향을 주었다.

2 강화도 조약의 내용

부산 외에 2개 항구를 개항하도록 한다는 점, 조선국 연해를 일본국이 자유롭게 측량하도록 허가한다는 점 등을 통해 자료의 조약이 강화도 조약임을 알 수 있다. 강화도 조약은 1875년 강화도에 나타난 일본 군함 운요호가 조선에 문호 개방을 요구하며 초지진을 공격하고, 영종도에 상륙하여 관아와 민가를 노략질한 운요호 사건이 결정적인 배경이 되어 체결되었다. 강화도 조약의 제10관에서는 일본에 영사 재판권을 허용하는 내용이 포함되어 있다.

오답 피하기 ㄱ. 일본에 최혜국 대우를 보장한 내용은 1883년에 체결된 조일 통상 장정에 포함되었다.
ㄴ. 신미양요 이후 흥선 대원군은 전국 각지에 척화비를 건립하여 통상 수교 거부 정책을 천명하였다.

3 급진 개화파의 특징

자주적 근대 국가 건설을 시도했다는 점과 일본의 군사적 지원에 의존했다는 비판을 받기도 했다는 점을 통해 밑줄 친 '이들'이 갑신정변을 일으킨 급진 개화파임을 알 수 있다. ① 김옥균, 박영효 등 급진 개화파는 우정총국 개국 축하연을 이용하여 정변을 일으킨 뒤 개혁 정강을 발표하였다. 지조법의 개혁은 개혁 정강에 포함되어 있는 내용 중 하나이다.

오답 피하기 ② 정부와 관민 공동회를 개최한 단체는 독립 협회이다.
③ 통리기무아문은 1880년에 개화 정책을 총괄하기 위해 설치된 기구이다.
④ 온건 개화파는 청의 양무운동을 개혁의 모델로 삼았고, 급진 개화파는 일본의 메이지 유신을 개혁 모델로 삼았다.
⑤ 김홍집, 어윤중 등은 대표적인 온건 개화파 인물이다.

4 독립 협회의 활동

자료에서 중추원의 구성을 언급하고 있고, 황제가 의장을 선정하고, 위원의 반수를 협회 중에서 선출한다는 것으로 보아 중추원 관제에 대한 것임을 알 수 있다. 따라서 밑줄 친 '협회'는 정부와 중추원 관제 개편에 대해 논의한 독립 협회이다. ① 독립 협회는 청의 사신을 맞이하던 영은문을 허물고 그 부근에 독립문을 세우기 위한 자금을 마련하면서 설립되었다.

오답 피하기 ②『만세보』는 천도교의 기관지로 발행된 신문이다.
③ 홍범 14조는 제2차 갑오개혁 당시 발표된 문서이다.
④ 동학교도들은 자신들의 교조인 최제우의 억울한 죽음을 풀어 달라며 교조 신원 운동을 전개하였다.
⑤ 보안회는 일제의 황무지 개간권 요구 저지 운동을 벌여 이를 철회시켰다.

5 을사늑약의 내용

자료 분석 을사늑약(제2차 한일 협약)

> **제2조** 일본국 정부는 한국과 타국 간에 현존하는 조약의 실행을 완수하는 임무를 담당하고, 한국 정부는 지금부터 일본국 정부의 중개를 거치지 않고서는 국제적 성질을 가진 어떤 조약이나 약속을 맺지 않을 것을 서로 약속한다.
> **제3조** 일본국 정부는 그 대표자로 한국 황제 폐하 밑에 1명의 통감을 두되, 통감은 오로지 외교에 관한 사항을 관리하기 위하여 경성에 주재하고, 친히 한국 황제 폐하를 만날 수 있는 권리를 가진다.

제2조에서는 일본국 정부가 한국과 타국 간에 조약의 실행을 완수하는 임무를 맡고, 한국 정부가 일본국 정부의 중개를 거쳐야만 조약을 맺을 수 있게 하여 대한 제국의 외교권을 박탈한 내용이 담겨 있다. 제3조에서는 외교에 관한 사항을 담당하기 위해 통감부를 설치한다는 내용을 담고 있다.

제시된 조약은 대한 제국의 외교권을 박탈하고 통감부 설치를 규정한 을사늑약이다. ④ 고종은 을사늑약의 부당함을 알리기 위해 헤이그 특사를 파견하였다. 그러나 일본 등의 방해로 성과를 거두지 못하였고, 오히려 특사 파견을 빌미로 강제 퇴위당하였다.

오답 피하기 ① 함경도 등지에서 기근과 일본으로의 곡물 유출로 인해 백성들의 생활이 힘들어지자 지방관이 방곡령을 내려 이를 막으려 하였다.
② 서울 진공 작전은 고종의 강제 퇴위와 대한 제국의 군대 해산에 맞서 일어난 정미의병 과정에서 13도 창의군이 추진하였다.
③ 을미사변 이후 신변의 위협을 느낀 고종은 러시아 공사관으로 거처를 옮기는 아관 파천을 단행하였다.
⑤ 공주 우금치 전투는 동학 농민군의 제2차 봉기 당시 주요 전투 중 하나이다. 이 전투에서 동학 농민군이 관군과 일본군에 패하고 이후 주요 지도부인 전봉준 등이 체포되면서 동학 농민 운동은 막을 내렸다.

6 을사의병의 특징

자료 분석

> 저 국적(國賊)들의 머리부터 발끝까지의 머리카락이 누구로부터 나온 것인가. 원통함을 어찌 할까. 국모(國母)의 원수를 생각하며 이미 이를 갈았는데, 참혹함이 더욱 심해져 임금께서 머리를 깎이시고 의관을 찢기는 지경에 이른 데다가 또 이런 망극한 화를 당하였으니, …… 이에 감히 먼저 의병을 일으키고서 마침내 사람들에게 이를 포고하노라.

자료에서 국모의 원수를 생각한다는 점을 통해 을미사변에 대한 것임을 알 수 있고, 임금께서 머리를 깎이셨다는 내용을 통해 단발령이 내려진 상황임을 알 수 있다.

밑줄 친 '의병'은 을미사변과 단발령을 배경으로 일어난 을미의병이다. ⑤ 을미의병은 유생들이 주도하여 일어났고, 아관 파천 이후 단발령이 취소되고 국왕의 해산 권고 조칙이 내려지자 대부분 해산하였다.

오답 피하기 ① 13도 창의군이 결성된 것은 정미의병 때의 사실이다.
② 고종의 강제 퇴위는 군대 해산과 함께 정미의병의 배경이 되었다.
③ 정미의병 당시에는 대한 제국의 군대 해산 이후 해산 군인 등 다양한 계층이 의병에 참여하였다.
④ 평민 의병장이 처음으로 등장한 것은 을사의병의 특징이다.

더 알아보기 항일 의병 투쟁

구분	계기	주도	특징
을미의병 (1895)	을미사변, 단발령	유인석, 이소응	단발령 철회와 고종의 해산 권고로 해산
을사의병 (1905)	을사늑약	최익현, 신돌석	평민 출신 의병장 등장
정미의병 (1907)	고종 강제 퇴위, 군대 해산	양반 유생, 농민, 해산 군인 등	해산 군인의 가담, 13도 창의군 결성 → 서울 진공 작전 전개

7 화폐 정리 사업

자료에서 일본 제일 은행권을 주요 통화로 삼기 위해 노력하고, 기존 화폐를 제일 은행권 화폐로 발행하도록 하였다는 점을 통해 (가) 정책이 1905년에 추진된 화폐 정리 사업임을 알 수 있다. ① 화폐 정리 사업은 일본인 재정 고문인 메가타가 주도하였다.

오답 피하기 ② 강화도 조약 체결 이후 개항장 10리 안에서 거류지 무역이 전개되었고, 조청 상민 수륙 무역 장정이 체결된 이후 내지 통상이 확대되었다.
③ 보안회는 일본의 황무지 개간권 요구를 저지하는 운동을 벌여 이를 철회시켰다.
④ 조일 통상 장정은 1883년에 체결되었다.
⑤ 황국 중앙 총상회는 외국 상인들의 내지 통상이 늘어나면서 상권을 침해당하자 시전 상인들이 조직한 단체이다.

8 『대한매일신보』의 특징

통감부의 통제에도 일제의 국권 침탈을 비판하거나 의병 운동을 호의적으로 보도하였다는 점을 통해 해당 신문이 『대한매일신보』임을 알 수 있다.

선택지 바로 보기

① 천도교의 기관지였어요. (×)
→ 천도교의 기관지로 발행된 신문은 『만세보』이다.
② 박문국에서 발행하였어요. (×)
→ 최초의 근대적 신문인 『한성순보』는 박문국에서 발행하였다.
③ 서재필 등이 창간하였어요. (×)
→ 서재필 등은 『독립신문』을 창간하였다.
④ 최초의 순 한글 신문이었어요. (×)
→ 최초의 순 한글 신문은 『독립신문』이다.
⑤ 국채 보상 운동을 지원하였어요. (○)
→ 『대한매일신보』 등의 언론의 지원으로 대구에서 시작된 국채 보상 운동은 전국으로 확산되었다.

창의·융합·코딩 전략 54~57쪽

01 ② 02 ① 03 ② 04 ② 05 ③ 06 ④
07 ① 08 ① 09 ③ 10 ② 11 ③ 12 ③
13 ③

01 흥선 대원군의 정책

고종의 아버지로 운현궁에 살았다는 내용을 통해 (가) 인물이 흥선 대원군임을 알 수 있다. ② 흥선 대원군은 군역 제도의 폐단을 개선하기 위해 집집마다 포를 걷는 호포제를 시행하였다.

오답 피하기 ① 장용영을 설치한 것은 조선 정조이다.
③ 별기군은 1880년대 초 개화 정책의 일환으로 설치된 신식 군대이다.
④ 균역법을 실시한 것은 조선 영조이다.
⑤ 삼정이정청은 조선 철종 때 임술 농민 봉기에 대한 해결책으로 설치되었다.

02 신미양요의 특징

제너럴셔먼호 사건을 빌미로 일어난 전쟁이라는 점, 어재연 장군이 이끄는 부대가 광성보에서 분전했다는 점, 전국에 척화비가 건립되는 데 영향을 주었다는 점을 통해 (가) 질문에 신미양요와 관련된 내용이 들어가야 함을 알 수 있다.

선택지 바로 보기

① 신미양요는 무엇인가요? (○)
→ 제너럴셔먼호 사건, 어재연 부대의 분전 등은 모두 신미양요와 관련된 내용이다.
② 영남 만인소는 왜 제기되었나요? (×)
→ 영남 만인소는 제2차 수신사로 일본에 다녀온 김홍집이 가져온 『조선책략』의 유포에 대한 저항으로 제기되었다.
③ 통신사가 파견된 배경은 무엇인가요? (×)
→ 통신사는 조선이 일본의 요청으로 파견한 사절단이다.
④ 외규장각 도서는 어떻게 약탈되었나요? (×)
→ 프랑스는 병인양요 당시 퇴각하는 과정에서 외규장각 도서를 약탈하였다.
⑤ 조선에서 방곡령을 내려진 까닭은 무엇인가요? (×)
→ 조선에서는 극심한 기근의 상황 속에서 일본으로 곡물 유출이 많아지자 일부 지방관이 방곡령을 내렸으나 일본의 반발로 철회하고 배상금을 지불하였다.

03 갑신정변의 전개

자료에서 우정총국이 제시되고 1880년대 중반에 (가) 사건으로 폐지되었다는 점을 통해 (가) 사건이 갑신정변임을 알 수 있다. 갑신정변은 김옥균, 박영효 등 급진 개화파가 일본의 군사 지원을 받아 우정총국 개국 축하연을 이용하여 일으켰다. 이들은 개화당 정부를 세우고 개혁 정강을 발표하였으나, 청군의 진압으로 3일 만에 실패하였다.

오답 피하기 ㄴ. 13도 창의군의 결성은 정미의병과 관련된 내용이다. 13도 창의군은 서울 진공 작전을 추진하였다.
ㄹ. 제물포 조약은 임오군란의 결과 조선과 일본이 체결하였는데, 이 조약에서 조선은 일본 공사관에 일본군 경비병이 주둔하는 것을 허용하였다.

04 독립 협회의 활동

자료에서 독립문 건립, 만민 공동회 개최, 중추원 관제 개편 추진 등의 내용을 통해 (가) 단체가 독립 협회임을 알 수 있다. ② 독립 협회는 자유 민권 운동과 내정 개혁 운동을 전개하며 의회 설립을 추진하였다.

오답 피하기 ① 대한 자강회를 계승한 애국 계몽 운동 단체는 대한 협회이다.
③ 헌정 연구회는 입헌 정치 체제 수립을 목표로 활동하였으며, 친일 단체인 일진회의 반민족 행위를 규탄하였다.
④ 신민회는 계몽 운동만으로는 국권을 회복하기 어렵다고 판단하고 남만주 삼원보에 독립운동 기지를 건설하고 신흥 강습소를 설립하였다.
⑤ 일제 강점기 조선어 연구회는 '가갸날'을 제정하고, 잡지 『한글』을 창간하였다.

05 독도

지도에 제시된 동도와 서도, 지도상의 위치 등을 통해 (가) 지역이 독도임을 알 수 있다. ③ 메이지 정부의 최고 행정 기관인 태정관은 1877년 지령문에서 독도가 일본과 관련이 없음을 명시하여 독도가 조선의 영토라는 점을 스스로 인정하였다.

오답 피하기 ① 일본이 만주 철도 부설권 등을 얻으며 청의 영토로 인정한 곳은 간도이다.
② 영국이 러시아 견제를 위해 불법적으로 점령한 곳은 거문도이다.
④ 일본의 운요호가 포격을 가하며 공격한 곳은 강화도이다.
⑤ 대한 제국에서 이범윤을 파견하여 관할한 지역은 간도이다.

06 국채 보상 운동

자료에서 일본의 경제적 침략에 맞서 나랏빚을 갚아 국민의 책임을 다하려고 하였다는 점, 관련 기록이 유네스코 세계 기록 유산에 등재되었다는 점 등을 통해 (가) 운동이 국채 보상 운동임을 알 수 있다. ④ 국채 보상 운동은 대구에서 처음 시작되었으나 『대한매일신보』 등 언론의 지원을 받아 전국으로 확대되었다.

오답 피하기 ① 아관 파천은 1896년에 있었던 사실이다. 아관 파천으로 을미개혁 때 단행된 단발령 등이 중지되었다.
② 일본인 재정 고문 메가타는 대한 제국의 재정을 일본에 예속하기 위해 화폐 정리 사업을 주도하였다.
③ 1919년에 일어난 3·1 운동은 국외로 확산되었으며, 중국의 5·4 운동 등에 영향을 주었다.
⑤ 흥선 대원군은 경복궁 중건 비용 마련을 위해 당백전 발행 등을 추진하였다.

07 근대 시설의 도입

최초의 철도인 경인선 부설, 전화의 역사, 근대적 신문 발행을 담당한 박문국과 근대 무기 제조를 위한 시설인 기기창이 언급된 것으로 보아 개항기 근대 시설에 대한 것임을 알 수 있다. ① 기기창, 박문국, 철도, 전화 등은 대표적인 근대 시설에 해당한다.

오답 피하기 ② 언론 기관은 신문 등이 해당하며, 개항기 언론 기관에는『한성순보』,『독립신문』,『대한매일신보』등이 제시될 수 있다.

③ 근대적 교육 기관에는 최초의 근대적 교육 기관인 원산 학사와 관립 학교인 동문학, 육영 공원 등이 있다.

④ 일제의 국권 침탈과 관련된 사실에는 제1차 한일 협약, 을사늑약 체결 등이 있다.

⑤ 경제적 구국 운동에는 방곡령 발표, 국채 보상 운동 등이 있다.

08 병인양요의 배경

강화도 외규장각이 제시되고 프랑스군에 의해 이곳의 의궤가 약탈되었다는 사실을 통해 (가) 사건이 병인양요임을 알 수 있다. ① 병인양요는 1866년 흥선 대원군이 천주교 신자와 프랑스 선교사 등을 처형한 병인박해를 빌미로 하여 프랑스군이 강화도를 침략하면서 일어났다.

오답 피하기 ② 수신사가 파견된 것은 강화도 조약이 체결된 이후의 사실이다.

③『조선책략』은 1880년 제2차 수신사로 다녀온 김홍집이 조선에 들여와 유포하였다.

④ 강화도 조약이 체결된 것은 1876년의 사실이다.

⑤ 1866년에 일어난 제너럴셔먼호 사건은 1871년에 일어난 신미양요의 배경이 되었다.

09 제물포 조약의 특징

1882년 8월 30일 일본과 조선이 체결하였다는 점, 일본 공사관에 경비병이 주둔하게 되었으며 그 비용도 조선이 담당하게 되었다는 사실을 통해 (가) 조약이 제물포 조약임을 알 수 있다.

선택지 바로 보기

① 최혜국 대우를 인정하였다. (×)
→ 제물포 조약에는 관련 내용이 포함되어 있지 않다.

② 갑신정변의 영향을 받았다. (×)
→ 갑신정변의 결과 체결된 조약은 한성 조약과 톈진 조약이다.

③ 임오군란의 결과 체결되었다. (○)
→ 제물포 조약은 1882년에 일어난 임오군란의 결과 체결된 것으로, 일본은 자국 공사관을 보호한다는 명분으로 조선에 경비병을 주둔시켰다.

④ 척화비의 건립에 영향을 주었다. (×)
→ 척화비의 건립에 영향을 준 사건은 병인양요와 신미양요 등이 해당한다.

⑤ 운요호 사건을 계기로 맺어졌다. (×)
→ 운요호 사건을 계기로 맺어진 것은 강화도 조약이다.

10 동학 농민 운동의 전개

자료에서 전봉준의 동상이 제시되고 고부 농민 봉기 당시에 농민들을 이끌고 봉기했던 사람이라는 점, 백산 봉기 등으로 이어진 사건을 이끈 지도자라는 점을 통해 (가) 사건이 동학 농민 운동임을 알 수 있다. ② 동학 농민 운동의 과정에서 동학 농민군과 조선 정부는 전주 화약을 체결하였고, 이후 동학 농민군은 전라도 일대에서 개혁 기구로 집강소를 설치하였다.

오답 피하기 ① 영선사는 청의 무기 기술 등을 배우기 위해 1881년에 파견된 사절단이다.

③ 고종이 환구단에서 황제로 즉위한 것은 1897년의 사실이다.

④ 러시아의 주도로 삼국 간섭이 일어난 것은 시모노세키 조약이 일어난 이후인 1895년의 사실이다. 청일 전쟁의 결과로 체결된 시모노세키 조약에 따라 일본이 타이완과 랴오둥반도를 차지하자 러시아가 프랑스, 독일을 끌어들여 랴오둥반도를 청에 돌려줄 것을 요구하였다. 결국 일본은 청에 랴오둥반도를 돌려주었다.

⑤ 청와 일본 간에 톈진 조약이 체결된 것은 갑신정변에 따른 것으로 1885년의 사실이다.

11 을사늑약

자료에서 일본군이 칼로 고종을 위협하고 있는 모습, 오적등이라고 써진 글자, 이 조약을 계기로 대한 제국의 외교권이 박탈되었다는 점 등을 통해 밑줄 친 '조약'이 을사늑약임을 알 수 있다. ③ 을사늑약에는 대한 제국의 외교권을 박탈하고, 외교권 관할을 위해 통감부를 설치한다는 내용이 포함되어 있다. 초대 통감으로 부임한 이토 히로부미는 대한 제국의 내정 전반을 간섭하였다.

오답 피하기 ① 대한 제국의 군대 해산은 한일 신협약에 따른 비밀 협약에 따라 이루어진 것이다.

② 정부 각 부에 일본인 차관을 배치하는 내용은 한일 신협약의 주요 내용 중 하나이다.

④ 외교과 재정 분야에 외국인 고문을 채용하는 것은 제1차 한일 협약의 주요 내용이다.

⑤ 전쟁에 필요한 요충지를 사용할 수 있게 한 것은 한일 의정서의 주요 내용이다.

12 신민회의 활동

자료에서 안창호가 제시되어 있고, 을사늑약이 체결된 이후 양기탁과 함께 비밀 결사로 결성하였다는 점, 그 활동의 일환으로 평양에 대성 학교를 설립하였다는 점을 통해 (가) 단체가 신민회임을 알 수 있다. ③ 신민회는 태극 서관과 자기 회사를 운영하는 등 산업 진흥을 위해 노력하였다.

오답 피하기 ① 독립문과 독립관 건립을 주도한 단체는 독립 협회이다.

② 입헌 정치 체제의 수립을 지향한 단체는 헌정 연구회 등이 있다.

④ 고종 강제 퇴위 반대 운동을 전개한 단체는 대한 자강회이다.

⑤ 일본의 황무지 개간권 요구 반대 운동을 전개한 단체는 보안회이다.

13 언론 기관의 발달

자료에서 우리나라 최초의 순 한글 신문이라고 한 점, 서재필 등이 주도하여 발행하였고, 우리나라 최초의 민간 신문이기도 한 점 등을 통해 해당 신문이 『독립신문』임을 알 수 있다. 따라서 (가)에는 『독립신문』에 대한 설명이 들어가야 한다. ③ 『독립신문』은 외국에 우리의 사정을 알리기 위해 한글 외에 영문판으로도 발행되었다.

오답 피하기 ① 천도교의 기관지로 발행된 신문은 『만세보』이다.
② 박문국에서 발행한 신문은 우리나라 최초의 근대적 신문인 『한성순보』 등이 있다.
④ 국채 보상 운동의 확산에 기여한 대표적인 신문은 『대한매일신보』이다.
⑤ 『황성신문』은 을사늑약 이후 장지연의 「시일야방성대곡」을 게재하였다.

전편 마무리 전략

신유형·신경향 전략 60~63쪽

01 ③	02 ②	03 ②	04 ①	05 ③
06 ④	07 ①	08 ⑤		

01 신석기 시대의 생활 모습

봉산 지탑리 유적, 양양 오산리 유적, 서울 암사동 유적, 부산 동삼동 유적, 한경 고산리 유적은 대표적인 신석기 시대 유적으로 (가) 시대는 신석기 시대이다. ③ 신석기 시대에는 토기를 만들어 음식을 조리하거나 저장하였다.

오답 피하기 ① 비파형 동검은 청동기 시대의 대표적인 유물이다.
② 구석기 시대 사람들은 무리를 이루어 사냥감을 찾아 이동 생활을 하였다. 신석기 시대에는 농경과 목축이 시작되면서 정착 생활을 시작하였다.
④ 청동기 시대에는 생산력이 발전하면서 빈부 격차가 생기고 계급의 분화가 일어나 권력자인 군장이 출현하였다.
⑤ 뗀석기인 주먹도끼는 구석기 시대의 대표 유물로 여러 용도로 사용되었다.

02 고려~조선의 대외 관계

제시된 지도에서 (가)는 평양, (나)는 강화도, (다)는 진도, (라)는 부산, (마)는 경원이다. 몽골이 침입하자 최씨 무신 정권은 강화도로 수도를 옮겨 장기 항전에 대비하였다. 강화도는 주변 물살이 빨라 수전에 약한 몽골군이 침입하기 어려웠고, 수도인 개경과 가까워 물자를 옮기기 수월하였다.

선택지 바로 보기

① (가)– 강감찬이 거란을 크게 무찌른 곳이다. (×)
→ 귀주이다.
② (나)– 무신 정권이 몽골에 항쟁하기 위해 수도를 옮긴 곳이다. (○)
→ 강화도이다.
③ (다)– 병자호란 때 인조가 마지막까지 항전한 곳이다. (×)
→ 남한산성이다.
④ (라)– 이순신이 이끄는 수군이 일본군을 크게 무찌른 곳이다. (×)
→ 명량, 한산도 등이다.
⑤ (마)– 망이, 망소이가 지역민을 이끌고 봉기한 곳이다. (×)
→ 공주 명학소이다.

더 알아보기 한반도의 주요 지역

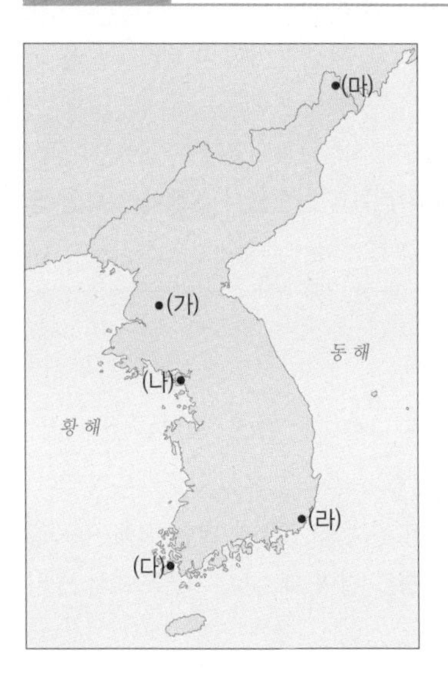

(가)는 평양(서경)으로 고구려의 수도였으며, 고려에서는 북진 정책이 추진되면서 서경으로 중시되었다. (나)는 강화도로 고려 무신 정권이 몽골에 항전하기 위해 수도를 옮겼던 곳이다. (다)는 진도로 고려 시대 삼별초가 몽골에 항쟁하였던 곳이며, 조선 시대 임진왜란 때 이순신이 일본군을 물리친 곳이기도 하다. (라)는 부산으로 조선 시대 일본에 교역을 허용한 부산포가 설치된 곳이다. (마)는 경원으로 조선 전기 여진을 정벌하고 개척된 4군 6진 중 한 곳이다.

03 병인양요의 특징

선교사를 처형한 것을 빌미로 강화도에 상륙하여 공격하는 모습을 통해 (가) 사건이 병인양요임을 알 수 있다.

선택지 바로 보기

ㄱ. 양헌수 부대의 활약 내용을 조사한다. (○)
→ 양헌수 부대는 병인양요 때 정족산성에서 프랑스군을 물리치는 활약을 하였다.
ㄴ. 제너럴셔먼호의 운항 경로를 찾아본다. (×)
→ 제너럴셔먼호는 미국의 상선으로 통상을 요구하며 횡포를 벌이다 평양 관민의 공격을 받아 침몰하였다. 제너럴셔먼호 사건은 신미양요의 배경이 되었다.

ㄷ. 외규장각 도서가 약탈된 배경을 알아본다. (○)
→ 병인양요 당시 프랑스군은 퇴각하면서 외규장각 도서를 약탈하였다.

ㄹ. 어재연 장군의 수자기가 반환된 과정을 조사한다. (×)
→ 어재연 장군은 신미양요 때 미군에 맞서 분전하였으나 패하여 수자기를 빼앗겼다.

04 을사늑약의 특징

자료에서 덕수궁 중명전이 제시되어 있고, 1905년 일제의 강요로 체결되었다는 점을 통해 밑줄 친 '이 조약'이 을사늑약임을 알 수 있다.

선택지 바로 보기

① 대한 제국의 외교권을 박탈하였다. (○)
→ 을사늑약을 통해 대한 제국의 외교권이 박탈되었다.

② 부산 외에 2개 항구를 개항하도록 하였다. (×)
→ 부산 외에 2개 항구를 개항하도록 한 것은 강화도 조약이다.

③ 대한 제국의 군대를 강제 해산하도록 하였다. (×)
→ 1907년에 맺어진 한일 신협약과 비밀 조칙에 따라 대한 제국의 군대가 강제로 해산되었다.

④ 외교, 재정 분야에 외국인 고문을 두게 하였다. (×)
→ 제1차 한일 협약의 결과 외교와 재정 분야에 외국인 고문을 고용하게 되었다.

⑤ 러일 전쟁에 필요한 요충지를 일본이 사용하게 하였다. (×)
→ 한일 의정서 체결에 따라 일본은 한반도에서 전쟁에 필요한 요충지를 사용할 수 있게 되었다.

05 백제 부흥 운동

제시된 지도는 백제 부흥 운동을 나타내고 있다. 백제와 고구려가 멸망한 후 각지에서 유민들이 부흥 운동을 일으켰으나 실패하였다. 당은 백제와 고구려가 멸망한 뒤 한반도 전체에 대한 지배 야욕을 드러냈고, 이에 신라는 당과 전쟁을 벌여 매소성, 기벌포에서 당의 군대를 물리쳤다.

06 원 간섭기 고려의 모습

자료 분석

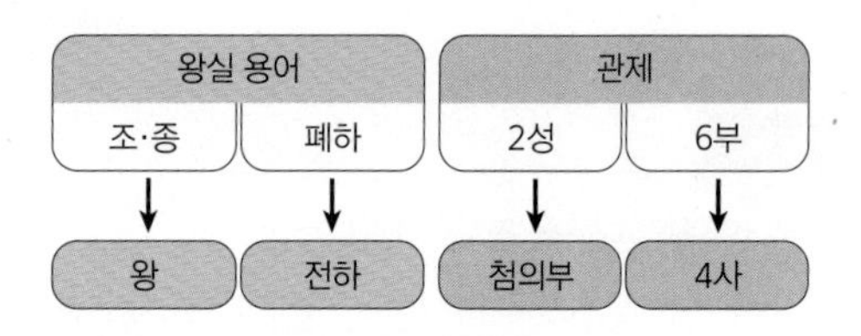

개경 환도 이후 고려의 왕실 용어와 관제는 제후국의 체제로 격하되었다.

제시된 자료는 고려의 왕실 용어와 관제가 격하된 것으로 원 간섭기에 해당한다. 따라서 (가)에는 원 간섭기에 볼 수 있는 모습이 들어가야 한다.

선택지 바로 보기

① 장보고가 청해진에서 활약하는 모습이요. (×)
→ 9세기경에 통일 신라의 장보고가 청해진을 설치하고 동아시아의 해상 무역을 주도하였다.

② 서희가 거란을 상대로 담판하는 모습이요. (×)
→ 10세기에 고려의 서희가 거란의 침입에 맞서 외교 담판을 벌였다. 담판 결과 거란군은 물러가고 고려는 강동 6주를 확보하였다.

③ 묘청이 서경에서 반란을 일으키는 모습이요. (×)
→ 12세기에 묘청 등 서경 세력이 서경 천도를 주장하였으나 무산되자 서경에서 반란을 일으켰다.

④ 다루가치가 공물을 강제로 징발하는 모습이요. (○)
→ 원 간섭기 고려에는 다루가치가 파견되었고, 원(몽골)은 물품과 공녀 등을 수시로 징발하였다.

⑤ 이성계가 위화도에서 군사를 되돌리는 모습이요. (×)
→ 14세기 말에 이성계는 위화도에서 회군하여 권력을 장악하였다.

07 미국의 특징

평안 감사 박규수가 관민과 함께 배를 공격한다는 점으로 보아 제너럴셔먼호 사건과 관련된 것임을 알 수 있고, (가) 국가가 미국임을 알 수 있다. 조선은 청의 알선으로 미국과 조미 수호 통상 조약을 체결하였다. 일본은 러일 전쟁 과정에서 미국과 가쓰라·태프트 밀약을 맺어 미국으로부터 한국에 대한 독점적 지배권을 인정받았다.

오답 피하기 ㄷ. 러시아의 남하에 맞서 거문도를 점령한 나라는 영국이다.

ㄹ. 조선을 침략하고 외규장각의 도서를 약탈한 나라는 프랑스이다.

08 국채 보상 운동

20세기 초 나랏빚을 갚기 위해 노력했다는 사실을 통해 (가) 운동이 국채 보상 운동임을 알 수 있다. ⑤ 국채 보상 운동은 대구에서 시작되어 『대한매일신보』 등 언론의 지원을 받아 전국으로 확산되었다.

오답 피하기 ① 독립문 건립은 독립 협회가 자금을 모아 추진한 것이다.

② 일제 강점기에 순종의 서거를 계기로 일어난 것은 6·10 만세 운동이다.

③ 삼정이정청은 조선의 철종 시기 임술 농민 봉기에 대한 대책으로 설치되었다.

④ 구식 군인에 대한 차별 대우가 배경이었던 사건은 임오군란이다.

01 ⑤ 02 ② 03 ③ 04 ⑤ 05 ② 06 ⑤ 07 ① 08 ⑤ 09 ③ 10 ④ 11 ① 12 ② 13 ④ 14 ④
15 ③ 16 ③

01 철기 시대의 유물과 생활 모습

다음 유물을 통해 알 수 있는 사실로 옳은 것은?

춘추 전국 시대 중국에서 널리 사용된 화폐

중국 한나라에서 만들어 사용한 화폐

① 빈부 격차가 발생하였다. → 청동기 시대
② 원시 신앙이 등장하였다.
③ 농경과 목축이 시작되었다. (②, ③ 신석기 시대)
④ 간빙기에 기온이 상승하였다.
⑤ 중국과 활발한 교류가 있었다.

출제 의도 파악하기
제시된 유물을 보고 철기 시대의 모습을 파악한다.

문제 해결 Point 쏙쏙
중국 화폐(명도전, 오수전 등) → 중국과 활발한 교류

선택지 바로 알기
④ 간빙기에 기온이 상승하였다.
→ 빙하기가 끝나고 기온이 상승하면서 신석기 시대가 시작되었다.
⑤ 중국과 활발한 교류가 있었다.
→ 철기 시대 유적에서 중국 화폐가 출토된 것을 통해 당시 중국과 활발하게 교류하였음을 알 수 있다.

02 철기 시대 여러 나라의 성장

(가) 국가에 대한 설명으로 옳은 것만을 |보기|에서 고른 것은?

쑹화강 유역에 자리 잡은 부여

|보기|
ㄱ. 12월에 제천 행사로 영고가 있었다. → 부여
ㄴ. 혼인 풍습으로 민며느리제가 있었다. → 옥저
ㄷ. 제가가 별도로 다스리는 사출도가 있었다. → 부여
ㄹ. 제사장인 천군이 종교 의식을 주관하였다. → 삼한

① ㄱ, ㄴ ② ㄱ, ㄷ ③ ㄴ, ㄷ
④ ㄴ, ㄹ ⑤ ㄷ, ㄹ

출제 의도 파악하기
철기 시대에 성장한 여러 나라의 특징을 이해한다.

문제 해결 Point 쏙쏙

	부여
정치	5부족 연맹체 국가, 제가가 사출도 지배
경제	밭농사, 목축 중심
풍습	순장, 형사취수혼
제천 행사	영고(12월)

개념 +
- **사출도**: 부여의 중심에서 사방으로 통하는 큰 네 갈래의 길과 그 길을 중심으로 형성된 네 지역을 의미한다. 사출도는 왕 아래 마가, 우가, 저가, 구가 등 제가들이 직접 다스렸다.
- **민며느리제**: 옥저의 혼인 풍습으로 여자가 10세가량이 되었을 때 혼인할 남자의 집에 가서 살다가 혼기가 차면 다시 집에 돌려보낸 뒤 혼인하게 하는 제도이다.

03 신라의 삼국 통일 과정

(가), (나) 시기 사이에 있었던 사실로 가장 적절한 것은?

> (가) 수 양제가 부하 장수들에게 요동성을 우회하여 압록강으로 진격하게 하였다. …… 군사가 반쯤 살수를 건너려 할 때 아군이 뒤에서 후군을 공격하자, …… 처음 30만 5천 명이었는데, 지금 요동성에 돌아올 때에는 오직 2천 7백 명이었다. → 살수 대첩(612)
>
> (나) 당의 이근행이 군사 20만 명을 거느리고 매소성에 주둔하였다. 우리 군사가 이를 쳐서 쫓아 버리고 군마 3만여 필과 병장기를 노획하였다. → 매소성 전투(675)

① 대조영이 발해를 건국하였다. → 7세기 말
② 성왕이 사비로 수도를 옮겼다. → 6세기
③ 김춘추가 나당 동맹을 체결하였다.
④ 장수왕이 중국 남북조와 교류하였다. → 5세기
⑤ 내물왕이 마립간 칭호를 사용하였다. → 4세기 후반

출제 의도 파악하기

7세기 신라의 삼국 통일 과정을 일어난 순서대로 이해한다.

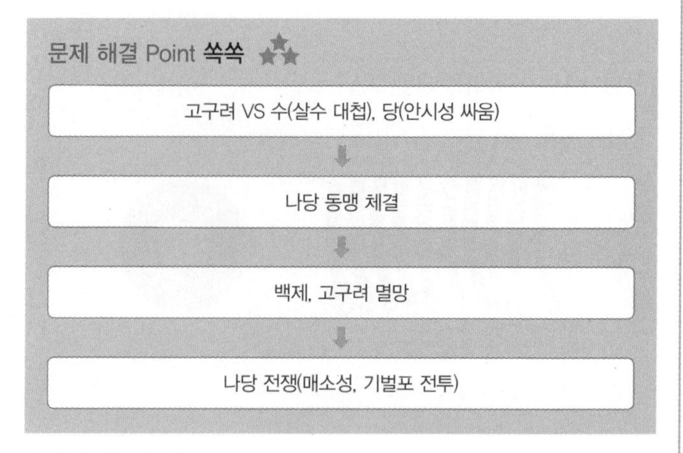

선택지 바로 알기

③ 김춘추가 나당 동맹을 체결하였다.
→ 백제의 공격으로 어려움에 처한 신라는 김춘추를 보내 648년에 당과 동맹을 맺었다.

04 백제의 문화 발전

밑줄 친 '이 국가'의 문화에 대한 설명으로 옳은 것은?

① 수도에 태학을 세워 유교 경전과 역사서를 가르쳤다.
② 참선 수행을 통해 깨달음을 얻으려는 선종이 확산하였다.
③ 국학 학생들을 대상으로 독서삼품과를 실시하여 관리 선발에 활용하였다.
④ 산세나 지형적 요인이 인간의 길흉화복에 영향을 끼친다는 풍수지리설이 유행하였다.
⑤ 자연 속에서 살고 싶은 마음이나 신선들이 사는 이상 세계를 표현한 산수무늬 벽돌이 만들어졌다.

출제 의도 파악하기

삼국과 통일 신라의 문화 발전 모습을 구분한다.

문제 해결 Point 쏙쏙
익산 미륵사지 석탑 → 백제의 대표 문화유산

선택지 바로 알기

① 수도에 태학을 세워 유교 경전과 역사서를 가르쳤다.
→ 고구려 소수림왕은 태학을 세워 유학을 가르쳤다.
② 참선 수행을 통해 깨달음을 얻으려는 선종이 확산하였다.
→ 선종은 신라 말에 널리 확산되었다.
③ 국학 학생들을 대상으로 독서삼품과를 실시하여 관리 선발에 활용하였다.
→ 통일 신라의 원성왕은 국학 학생들을 대상으로 유교 경전의 이해 수준을 시험하여 관리 선발에 활용하고자 하였다.
④ 산세나 지형적 요인이 인간의 길흉화복에 영향을 끼친다는 풍수지리설이 유행하였다.
→ 신라 말에 유행한 풍수지리설은 수도 중심의 지리 인식에서 탈피하여 자신이 사는 지역의 중요성을 깨닫게 하였다.
⑤ 자연 속에서 살고 싶은 마음이나 신선들이 사는 이상 세계를 표현한 산수무늬 벽돌이 만들어졌다.
→ 백제의 백제 금동 대향로와 산수무늬 벽돌은 신선 사상과 함께 유행한 도교의 영향을 알 수 있는 대표적인 유물이다.

05 묘청의 서경 천도 운동

(가) 인물에 대한 설명으로 옳은 것은?

(가): 김부식

> 이 전역이 낭(郎), 불(佛) 양가 대 유가(儒家)의 싸움이며, …… 진취 사상 대 보수 사상의 싸움이니, 묘청은 곧 전자의 대표요, (가) 은/는 후자의 대표였던 것이다. …… (가) 이/가 패하고 묘청이 승리하였더라면 조선사가 독립적, 진취적 방면으로 진전하였을 것이니, 이 전역을 어찌 '일천년래 제일대사건'이라 하지 아니하랴.
>
> — 신채호, 『조선사 연구초』 —

'일천년래 제일대사건': 묘청의 서경 천도 운동

① 천리장성을 축조하였다.
② 삼국사기를 편찬하였다.
③ 귀주에서 거란을 물리쳤다.
④ 별무반을 이끌고 여진을 정벌하였다.
⑤ 외교 담판으로 강동 6주를 획득하였다.

출제 의도 파악하기

묘청의 서경 천도 운동에서 대립한 두 세력을 파악한다.

문제 해결 Point 쏙쏙

개경 세력(김부식 등) vs 서경 세력(묘청 등) → 묘청의 서경 천도 운동 → 김부식이 이끄는 관군에 진압

선택지 바로 알기

① 천리장성을 축조하였다.
→ 고구려의 연개소문은 천리장성을 축조하는 과정에서 권력을 얻어 정권을 장악하였다.

② 삼국사기를 편찬하였다.
→ 묘청의 서경 천도 운동을 진압한 김부식은 『삼국사기』를 편찬하였다.

③ 귀주에서 거란을 물리쳤다.
→ 강감찬이 이끄는 고려군은 귀주에서 거란군을 크게 물리쳤다.

④ 별무반을 이끌고 여진을 정벌하였다.
→ 고려의 윤관은 별무반을 이끌고 여진을 정벌한 뒤 동북 지역에 9성을 쌓았다.

⑤ 외교 담판으로 강동 6주를 획득하였다.
→ 거란의 1차 침입 때 고려의 서희는 거란 장수와 담판을 벌여 거란군을 물러가게 하고 강동 6주를 확보하였다.

06 고려 무신 정권 시기 농민, 천민의 봉기

다음 상황이 일어난 시기에 있었던 사실로 옳은 것은?

(다음 상황이 일어난 시기: 최충헌 집권 시기)

> 사노비 만적 등 6인이 북산에서 나무하다가 노비들을 불러 모의하였다. "무신의 난 이래로 공경대부가 천한 노예들 가운데서 많이 나왔다. 장수와 재상의 씨가 따로 있는 것이 아니다. 때가 오면 누구나 할 수 있는 것이다." — 『고려사』 —

① 신돈이 등용되었다.
② 과거제가 시작되었다.
③ 권문세족이 등장하였다.
④ 문벌이 고위 관직을 독점하였다.
⑤ 교정도감에서 국가의 주요 정책을 결정하였다.

출제 의도 파악하기

고려 무신 정권 시기에 발생한 농민과 천민의 봉기를 파악한다.

문제 해결 Point 쏙쏙

만적의 신분 해방 운동 → 무신 정권 시기 만적을 중심으로 신분 해방을 위해 봉기하려다 발각된 사건

선택지 바로 알기

① 신돈이 등용되었다.
→ 고려 말 공민왕의 정책이다.

② 과거제가 시작되었다.
→ 고려 광종 때의 사실이다.

③ 권문세족이 등장하였다.
→ 원 간섭기에 대한 설명이다.

④ 문벌이 고위 관직을 독점하였다.
→ 고려 전기 성종 이후 문벌이 형성되었을 때의 사실이다.

⑤ 교정도감에서 국가의 주요 정책을 결정하였다.
→ 최씨 무신 정권 시대를 연 최충헌은 교정도감을 설치하여 국가의 중요 정책을 결정하였다.

07 사림 세력의 대두

다음 주장과 관련이 깊은 정치 세력에 대한 설명으로 옳은 것만을 |보기|에서 고른 것은?
└ 사림

> • 소격서는 상단에 노자를, 중단에 성신을, 하단에 염라를 제사드리며, 심지어 축문을 읽을 때에는 소격서에서 일하던 관리들이 임금의 이름을 큰 소리로 외치니, 무례하고 방자하기가 심합니다. 혁파하는 것이 마땅합니다.
> • 지방에서는 감사와 수령이, 서울에서는 홍문관과 대간이 등용할 만한 사람을 천거하여, 대궐에 모아 놓고 친히 대책으로 시험한다면 인물을 많이 얻을 수 있을 것입니다. …… (이는) 현량과의 뜻을 이은 것입니다.

보기
ㄱ. 3사의 언관직에 주로 등용되었다. → 사림
ㄴ. 서원과 향약을 기반으로 성장하였다. → 사림
ㄷ. 양 난 이후 정계에 새롭게 진출하였다.
ㄹ. 공신 세력으로 정치적 실권을 장악하고 있었다. → 훈구

① ㄱ, ㄴ ② ㄱ, ㄷ ③ ㄴ, ㄷ
④ ㄴ, ㄹ ⑤ ㄷ, ㄹ

출제 의도 파악하기
사림 세력의 특징을 이해한다.

문제 해결 Point 쏙쏙
• 소격서 폐지, 현량과 실시 주장 → 조광조의 주장
• 조광조 → 중종 때 등용된 대표적인 사림

개념 +
• **소격서**: 도교의 영향을 받아 설치된 조선 시대 관청으로 하늘과 별에 제사를 지냈다.
• **현량과**: 조선 중종 때 조광조의 건의로 실시된 인재 등용 방식으로 학문과 덕행이 뛰어난 인재를 천거하고, 군주가 직접 면접하여 관리로 채용하는 제도이다.
• **3사의 언관직**: 사헌부, 사간원, 홍문관의 관직으로 정사를 비판하고 관리의 비위를 감찰하여 권력의 독점과 부정을 방지하는 기능을 담당하였다.

08 임진왜란의 영향

임진왜란의 결과 (가), (나) 국가에 나타난 변화로 옳은 것은?

> 임진왜란은 조선에서 일어났으나 실제로는 조선, [(가)](명), [(나)](일본) 3국의 전쟁이었다. 조선을 침략한 [(나)]은/는 [(가)]을/를 침공하기 위한 교통로를 빌린다는 명분으로 조선을 침략하였으며, [(가)]은/는 대국으로서 조공국인 조선을 지원하고 [(나)]의 침략을 막기 위한 목적으로 임진왜란에 참전하였다.

① (가)는 국력이 크게 강해졌다.
② 조선은 (가)에 통신사를 파견하였다.
③ 후금이 성장하여 (나)를 위협하였다.
④ (나)에서는 전국 시대가 전개되었다.
⑤ 조선에서 약탈한 문화를 바탕으로 (나)의 문화가 발전하였다.

출제 의도 파악하기
임진왜란이 동아시아 각국에 미친 영향을 이해한다.

문제 해결 Point 쏙쏙
• 조선을 침략하여 임진왜란을 일으킨 나라 → 일본
• 임진왜란 때 조선을 도운 나라 → 명

선택지 바로 알기
① (가)는 국력이 크게 강해졌다.
→ 임진왜란 이후 명은 국력이 크게 약해졌다.
② 조선은 (가)에 통신사를 파견하였다.
→ 임진왜란 이후 조선은 일본의 요청으로 통신사를 파견하였다.
③ 후금이 성장하여 (나)를 위협하였다.
→ 명의 국력이 약해진 틈을 타 만주에서 세력을 키운 여진은 후금을 세우고 명을 위협하였다.
④ (나)에서는 전국 시대가 전개되었다.
→ 임진왜란 이후 일본에서는 도쿠가와 이에야스가 에도 막부를 세웠다.
⑤ 조선에서 약탈한 문화를 바탕으로 (나)의 문화가 발전하였다.
→ 일본은 전쟁 중 조선의 활자, 도자기 등 문화재를 약탈하고 많은 학자와 기술자 등을 잡아갔다. 이들은 이후 일본의 문화 발전에 크게 이바지하였다.

09 제너럴셔먼호 사건의 시기

밑줄 친 '지난 해'에 있었던 사실로 옳은 것은?

> 우리는 본국의 명령을 받아 조선 국왕에게 이 편지를 보낸다. 지난 해 9월 평안도 대동강에서 본국의 선박이 불태워져 파괴되고 선원들이 몰살되었다는 소식을 듣고 경악을 금할 수 없었다. 그래서 본국의 아시아 함대 사령관이 본인에게 이 일을 직접 탐문해 보라는 명령을 내렸다. 만약 이들 선원 중 생존자가 있다면, 즉시 인도해 주기 바란다.

(지난 해 — 1866년 / 본국의 선박 — 미국 상선인 제너럴셔먼호)

① 운요호가 강화도 일대를 공격하였다.
② 미군이 어재연 부대와 전투를 벌였다.
③ 프랑스군이 외규장각의 도서를 약탈하였다.
④ 흥선 대원군이 전국에 척화비를 건립하였다.
⑤ 독일 상인이 남연군 묘의 도굴을 시도하였다.

출제 의도 파악하기

제너럴셔먼호 사건이 일어난 시기를 파악한다.

문제 해결 Point 쏙쏙

평안도 대동강에서 본국의 선박이 불태워져 파괴됨. → 제너럴셔먼호 사건(1866)

선택지 바로 알기

① 운요호가 강화도 일대를 공격하였다.
→ 운요호 사건으로 1875년의 사실이다.
② 미군이 어재연 부대와 전투를 벌였다.
→ 신미양요 때의 사실로 1871년의 일이다.
③ 프랑스군이 외규장각의 도서를 약탈하였다.
→ 병인양요 당시의 사실로 1866년에 해당한다.
④ 흥선 대원군이 전국에 척화비를 건립하였다.
→ 척화비가 건립된 것은 신미양요 이후이다.
⑤ 독일 상인이 남연군 묘의 도굴을 시도하였다.
→ 오페르트의 남연군 묘 도굴 사건은 1868년의 사실이다.

BOOK 1

10 『조선책략』과 서양 열강

(가), (나) 국가에 대한 설명으로 옳은 것만을 |보기|에서 고른 것은?

> 조선이라는 땅덩어리는 실로 아시아의 요충을 차지하고 있어 그 형세가 반드시 다툼을 불러올 것이다. 조선이 위태로우면 중동(中東)의 형세도 위급해진다. 따라서 (가) 이/가 강토를 공략하려 한다면 반드시 조선이 첫 번째 대상이 될 것이다. …… (가) 을/를 막을 수 있는 조선의 책략은 무엇인가? 오직 중국과 친하고 일본과 맺고 (나) 와/과 연합함으로써 자강을 도모하는 길뿐이다.
>
> – 김홍집, 『수신사 일기』 –

((가) — 러시아 / (나) — 미국 / 김홍집 — 제2차 수신사)

|보기|
ㄱ. (가)– 조선이 수교 이후 보빙사를 파견하였다.
ㄴ. (가)– 영국이 거문도를 불법 점령하는 데 영향을 주었다.
ㄷ. (나)– 일본과 포츠머스 조약을 체결하였다.
ㄹ. (나)– 제너럴셔먼호 사건을 구실로 조선을 침략하였다.

① ㄱ, ㄴ ② ㄱ, ㄷ ③ ㄴ, ㄷ
④ ㄴ, ㄹ ⑤ ㄷ, ㄹ

출제 의도 파악하기

『조선책략』에 등장한 국가를 파악하고, 해당 국가와 관련된 내용을 찾는다.

문제 해결 Point 쏙쏙

- 김홍집, 수신사 →『조선책략』
- 러시아의 압박에 대비하려면 조선이 중국, 일본, 미국과 연합

선택지 바로 알기

ㄱ. (가)– 조선이 수교 이후 보빙사를 파견하였다.
→ 조선은 조미 수호 통상 조약 체결 이후 미국 공사가 부임해 오자 이에 대한 답례로 보빙사를 파견하였다.
ㄴ. (가)– 영국이 거문도를 불법 점령하는 데 영향을 주었다.
→ 영국은 러시아의 남하에 맞서 1885년에 거문도를 불법 점령하였다.
ㄷ. (나)– 일본과 포츠머스 조약을 체결하였다.
→ 러일 전쟁의 결과 일본은 러시아와 포츠머스 조약을 체결하였다.
ㄹ. (나)– 제너럴셔먼호 사건을 구실로 조선을 침략하였다.
→ 미국은 제너럴셔먼호 사건을 구실로 강화도를 침략하였다.

11 위정척사 운동의 전개 시기

(가), (나) 주장이 등장한 시기 사이에 있었던 사실로 옳은 것은?

> (가) 오늘날 서양인의 침입(병인양요)을 당하여 국론이 화친과 전쟁으로 양분되어 있습니다. 그런데 서양인을 공격해야 한다는 주장은 내 나라 쪽 사람의 주장이고, 서양인과 화친해야 한다는 주장은 적국 쪽 사람의 주장입니다.
>
> **– 이항로, 『화서집』 –**
>
> (나) 미국은 우리가 본래 모르던 나라입니다. 잘 알지 못하는데 공연히 타인의 권유로 불러들였다가 그들이 재물을 요구하고 우리의 약점을 알아차려 어려운 청을 하거나 과도한 경우를 떠맡긴다면 장차 이에 어떻게 응할 것입니까.
>
> **– 영남 만인소 –**

① 조선이 일본과 강화도 조약을 체결하였다.
② 흥선 대원군이 프랑스 선교사를 처형하였다.
③ 별기군과의 차별 대우로 구식 군인이 봉기하였다.
④ 청의 알선으로 조미 수호 통상 조약이 체결되었다.
⑤ 삼정의 문란을 해소하기 위해 삼정이정청이 설치되었다.

출제 의도 파악하기

위정척사 운동이 전개된 시기를 구분한다.

문제 해결 Point 쏙쏙

- 서양인의 침입을 당하여, 이항로 → 1860년대 위정척사 운동
- 영남 만인소 → 1880년대 위정척사 운동

선택지 바로 알기

① 조선이 일본과 강화도 조약을 체결하였다.
→ 1876년으로 (가), (나) 시기 사이에 해당한다.
② 흥선 대원군이 프랑스 선교사를 처형하였다.
→ 병인박해로 (가) 이전의 상황에 해당한다.
③ 별기군과의 차별 대우로 구식 군인이 봉기하였다.
→ 임오군란은 1882년의 사실로 (나) 이후이다.
④ 청의 알선으로 조미 수호 통상 조약이 체결되었다.
→『조선책략』 유포 이후의 사실로 (나) 이후이다.
⑤ 삼정의 문란을 해소하기 위해 삼정이정청이 설치되었다.
→ 조선 철종 때의 사실로 (가) 이전의 사실이다.

12 동학 농민 운동의 전개

(가), (나) 시기 사이에 있었던 사실로 옳은 것은?

> (가) 농민군은 정읍 황토현에서 관군에게 첫 승리를 거둔 후 빠른 속도로 북상하여 전라 감영이 있는 전주성을 점령하였다. → 동학 농민군의 1차 봉기
>
> (나) 농민군은 삼례에서 다시 봉기하였고, 그동안 종교 활동을 강조하며 봉기에 반대하였던 동학 지도부가 이끄는 북접도 논산에서 합류하였다. → 동학 농민군의 2차 봉기

① 을미사변이 일어났다. → 1895년, (나) 이후
② 일본군이 경복궁을 점령하였다.
③ 급진 개화파가 정변을 일으켰다. → 갑신정변(1884), (가) 이전
④ 흥선 대원군이 청에 납치되었다. → 임오군란(1882), (가) 이전
⑤ 농민군이 우금치 전투에서 패배하였다. → (나) 이후

출제 의도 파악하기

동학 농민 운동의 전개 과정을 일어난 순서대로 이해한다.

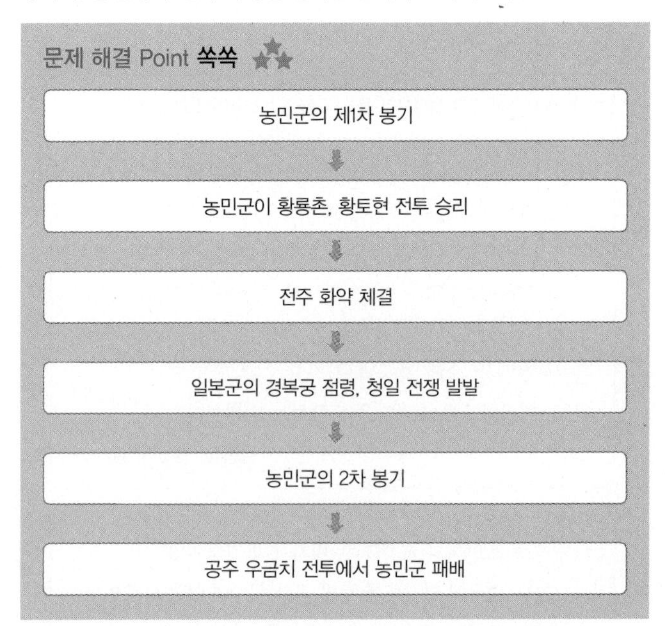

선택지 바로 알기

② 일본군이 경복궁을 점령하였다.
→ 전주 화약 체결 이후 조선은 청과 일본에 철병을 요구하였으나, 일본은 이를 거부하고 경복궁을 점령하였다. 청일 전쟁에서 전세가 유리해지자 일본은 조선에 대한 간섭을 강화하고 농민군을 토벌하려 하였다. 이에 맞서 농민군은 다시 봉기하였다.

13 홍범 14조와 제2차 갑오개혁

다음 자료와 관련된 개혁의 주요 내용으로 옳은 것만을 |보기|에서 고른 것은?

> 1. 청에 의존하려는 마음을 버리고 자주독립하는 기초를 확고히 할 것.
> 4. 왕실 사무와 국정 사무를 나누어 서로 혼합하지 아니할 것. ← 왕실 사무와 국정 사무 분리
> 5. 의정부와 각 아문의 직무 권한을 명확히 할 것.
> 7. 조세의 부과와 징수, 경비 지출은 모두 탁지아문이 관할할 것. → 재정의 일원화
> 12. 장교를 교육하고 징병제를 실행하여 군제의 기초를 확정할 것. → 징병제의 도입
> 14. 문벌에 구애받지 않고 사람을 쓰고, 세상에 퍼져 있는 선비를 두루 구해 인재의 등용을 넓힐 것.

보기

ㄱ. 궁내부를 설치하였다.
ㄴ. 8도를 23부로 개편하였다.
ㄷ. 건양 연호 사용을 결정하였다.
ㄹ. 한성 사범 학교 관제를 제정하였다.

① ㄱ, ㄴ ② ㄱ, ㄷ ③ ㄴ, ㄷ
④ ㄴ, ㄹ ⑤ ㄷ, ㄹ

출제 의도 파악하기

홍범 14조가 반포되었던 제2차 갑오개혁의 내용을 이해한다.

문제 해결 Point 쏙쏙

14개소 내용, 탁지아문 → 제2차 갑오개혁 시기에 발표된 홍범 14조

선택지 바로 알기

ㄱ. 궁내부를 설치하였다.
→ 제1차 갑오개혁의 내용이다.
ㄴ. 8도를 23부로 개편하였다.
→ 제2차 갑오개혁에 대한 내용이다.
ㄷ. 건양 연호 사용을 결정하였다.
→ 을미개혁에 대한 내용이다.
ㄹ. 한성 사범 학교 관제를 제정하였다.
→ 제2차 갑오개혁에 대한 내용이다.

개념 +

제2차 갑오개혁에서는 새 정부를 내각으로 바꾸어 내각의 권한을 강화하였고, 8아문을 7부로 개편하였다. 또 지방관의 사법권과 군사권을 배제하여 권한을 축소하고 재판소를 설치하여 사법권을 독립시켰다.

14 독립 협회

밑줄 친 '이 단체'에 대한 설명으로 옳은 것은?

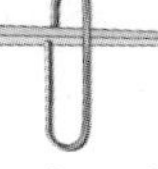

> 나는 <u>이 단체</u>(독립 협회)가 언론의 자유를 인정하는 조치을 획득했으며, 보통 선거에 의하여 입법부를 설립할 수 있는 일종의 국민 의회를 보장받는 데 실질적으로 성공했음을 보고한다. <u>이 단체</u>는 정부에 의원의 반수(半數)를 그들이 지명하는 사람들로 구성하는 <u>중추원 개편을 요구</u>했으며, 앞으로 중추원의 활동을 정하는 규칙을 작성하는 일을 주도할 것으로 전망된다. (중추원 관제)
>
> **– 주한 미국 공사관 보고 –**

① 헌정 연구회를 계승하였다.
② 신흥 강습소를 설립하였다.
③ 공화 정체의 국가 건설을 주장하였다.
④ 황국 협회 등에 의해 강제로 해산되었다.
⑤ 안창호, 양기탁 등이 주도한 비밀 결사였다.

출제 의도 파악하기

독립 협회가 전개한 활동을 이해한다.

문제 해결 Point 쏙쏙

언론의 자유 추구, 중추원 개편 요구
↓
독립 협회

선택지 바로 알기

① 헌정 연구회를 계승하였다.
→ 대한 자강회에 해당한다.
② 신흥 강습소를 설립하였다.
→ 신민회에 대한 설명이다.
③ 공화 정체의 국가 건설을 주장하였다.
→ 대한 광복회, 신민회 등이 해당한다.
④ 황국 협회 등에 의해 강제로 해산되었다.
→ 독립 협회에 대한 설명이다.
⑤ 안창호, 양기탁 등이 주도한 비밀 결사였다.
→ 신민회에 대한 설명이다.

BOOK 1

15 을사늑약의 체결

다음 문서가 발표된 배경으로 옳은 것은?

1905년

> 오호라 작년 10월에 저들이 한 행위는 만고에 일찍이 없던 일로서, 억압으로 한 조각의 종이에 조인하여 5백 년 전해 오던 종묘사직이 드디어 하룻밤에 망하였으니 …… 나라가 이와 같이 망해 갈진대 어찌 한번 싸우지 않을 수 있는가.

① 명성 황후가 시해되었다. → 1895년
② 고종이 강제로 퇴위당하였다. → 1907년
③ 을사늑약이 강제 체결되었다. → 1905년
④ 대한 제국의 군대가 해산되었다. → 1907년
⑤ 정부에 일본인 차관이 배치되었다. → 1907년

출제 의도 파악하기

을사의병이 일어난 배경을 파악한다.

문제 해결 Point 쏙쏙

한 조각의 종이에 조인하여 …… 종묘사직이 드디어 하룻밤에 망하였으니 → 을사늑약

선택지 바로 알기

① 명성 황후가 시해되었다.
→ 을미사변으로 을미의병의 배경이 되었다.
② 고종이 강제로 퇴위당하였다.
→ 정미의병의 배경이 되었다.
③ 을사늑약이 강제 체결되었다.
→ 을사늑약이 체결되자 최익현은 격문을 발표하고 봉기하였다.
④ 대한 제국의 군대가 해산되었다.
→ 정미의병의 배경이 되었다.
⑤ 정부에 일본인 차관이 배치되었다.
→ 한일 신협약에 의해 이루어졌다.

용어 +

• **종묘사직**: 종묘는 역대 왕들의 신위를 모신 사당이며, 사직은 토지의 신과 곡식의 신에게 제사를 지내는 장소를 의미한다. 종묘사직은 국가 자체를 상징하는 말로도 사용된다.

16 신민회의 활동

(가) 단체에 대한 설명으로 옳은 것은?

> **이 단체의 이름은 무엇인가요?**
> 힌트 1. 안창호, 양기탁 등이 주도하여 결성한 비밀 결사였다.
> 힌트 2. 국권 회복과 함께 공화 정체의 근대 국가 건설을 목표로 하였다.
> 힌트 3. 일제가 날조한 105인 사건으로 와해되었다.
> 정답: (가)

신민회

① 대한 자강회를 계승하였다. → 대한 협회
② 고종의 강제 퇴위 반대 운동을 전개하였다. → 대한 자강회
③ 남만주 삼원보에 독립운동 기지를 건설하였다.
④ 일본의 황무지 개간권 요구 반대 운동을 펼쳤다.
⑤ 만민 공동회를 개최하여 러시아의 이권 침탈을 규탄하였다.

출제 의도 파악하기

애국 계몽 운동 단체의 특징과 활동을 구분한다.

문제 해결 Point 쏙쏙

안창호, 양기탁 등이 결성한 비밀 결사, 공화 정체의 근대 국가 건설 목표, 105인 사건으로 와해 → 신민회

선택지 바로 알기

③ 남만주 삼원보에 독립운동 기지를 건설하였다.
→ 신민회는 남만주의 삼원보에 한인촌을 건설하고 신흥 강습소(이후 신흥 무관 학교)를 설립하였다.
④ 일본의 황무지 개간권 요구 반대 운동을 펼쳤다.
→ 보안회는 일본의 황무지 개간권 요구 반대 운동을 펼쳐 이를 철회시켰다.
⑤ 만민 공동회를 개최하여 러시아의 이권 침탈을 규탄하였다.
→ 독립 협회는 만민 공동회를 열어 러시아의 이권 침탈을 규탄하고 자유 민권 운동과 내정 개혁 운동을 전개하였다.

01 ② 02 ④ 03 ⑤ 04 ③ 05 ④ 06 ④ 07 ④ 08 ① 09 ③ 10 ③ 11 ② 12 ② 13 ⑤ 14 ③ 15 ① 16 ④

01 고조선

다음과 같은 법을 만든 나라에 대한 설명으로 옳은 것은?

> 백성에게 금하는 법 8조가 있다. 사람을 죽인 자는 즉시 죽이고, 남에게 상처를 입힌 자는 곡식으로 갚는다. 도둑질한 자는 노비로 삼는다. 이를 용서받고자 하는 자는 한 사람마다 50만 전을 내야 한다. -「한서」-

① 정치와 종교가 분리된 사회였다.
② 한 무제의 침략으로 멸망하였다.
③ 왕 아래에 가축의 이름을 딴 부족장이 있었다.
④ 부여에서 남쪽으로 내려온 세력이 건국하였다.
⑤ 제가 회의에서 국가의 중요한 일을 결정하였다.

출제 의도 파악하기

고조선의 8조법 내용을 안다.

문제 해결 Point 쏙쏙

8조법 → 고조선

선택지 바로 알기

① 정치와 종교가 분리된 사회였다.
→ 고조선은 제정일치 사회였다. 제정 분리 사회는 군장과 별개로 제사장인 천군이 존재하였던 삼한이 해당한다.

② 한 무제의 침략으로 멸망하였다.
→ 고조선이 중계 무역으로 이익을 얻으며 성장하자 한 무제는 고조선을 침략하였다. 고조선은 결국 기원전 108년에 멸망하였다.

③ 왕 아래에 가축의 이름을 딴 부족장이 있었다.
→ 부여에 해당한다.

④ 부여에서 남쪽으로 내려온 세력이 건국하였다.
→ 고구려에 해당한다.

⑤ 제가 회의에서 국가의 중요한 일을 결정하였다.
→ 고구려에 해당한다.

02 백제 근초고왕의 업적

밑줄 친 '왕'의 업적으로 옳은 것은?

> (근초고왕) 왕이 태자와 함께 정예군 3만을 이끌고 고구려에 침입하여 평양성을 공격하였다. (고구려) 왕 사유가 필사적으로 항전하다가 화살에 맞아 죽었다. 왕이 군사를 이끌고 물러났다. -「삼국사기」, 「백제 본기」-

① 22담로에 왕족을 파견하였다.
② 김씨 왕위 세습을 확립하였다.
③ 화랑도를 국가적 조직으로 개편하였다.
④ 마한을 정복하여 남해안까지 진출하였다.
⑤ 평양으로 천도하고 남진 정책을 추진하였다.

출제 의도 파악하기

삼국 간의 교류와 항쟁을 시기별로 파악한다.

문제 해결 Point 쏙쏙

「백제 본기」→ 백제의 왕이 고구려의 평양성 공격, 고구려 왕 죽음 → 4세기 백제의 근초고왕

선택지 바로 알기

① 22담로에 왕족을 파견하였다.
→ 6세기 백제 무령왕의 정책이다.

② 김씨 왕위 세습을 확립하였다.
→ 4세기 후반 신라 내물왕의 업적이다.

③ 화랑도를 국가적 조직으로 개편하였다.
→ 6세기 신라 진흥왕의 정책이다.

④ 마한을 정복하여 남해안까지 진출하였다.
→ 4세기 백제 근초고왕의 업적이다.

⑤ 평양으로 천도하고 남진 정책을 추진하였다.
→ 5세기 고구려 장수왕의 정책이다.

03 통일 신라의 통치 체제 정비

(가)에 들어갈 내용으로 적절한 것은?

① 평양으로 수도를 옮겼습니다.
② 6조 직계제를 시행하였습니다.
③ 사심관 제도를 실시하였습니다.
④ 전민변정도감을 설치하였습니다.
⑤ 9주 5소경 제도를 마련하였습니다.

출제 의도 파악하기
삼국 통일 이후 신라의 통치 체제 정비를 이해한다.

문제 해결 Point 쏙쏙
삼국 통일 이후 → 통일 신라

선택지 바로 알기
① 평양으로 수도를 옮겼습니다.
→ 5세기 고구려 장수왕의 정책이다.
② 6조 직계제를 시행하였습니다.
→ 조선 전기 태종, 세조의 정책이다.
③ 사심관 제도를 실시하였습니다.
→ 고려 태조의 정책이다.
④ 전민변정도감을 설치하였습니다.
→ 고려 말 공민왕의 정책이다.
⑤ 9주 5소경 제도를 마련하였습니다.
→ 통일 신라의 지방 행정 제도로 신문왕 때 정비되었다.

04 발해의 건국과 발전

(가) 국가에 대한 설명으로 옳은 것은?

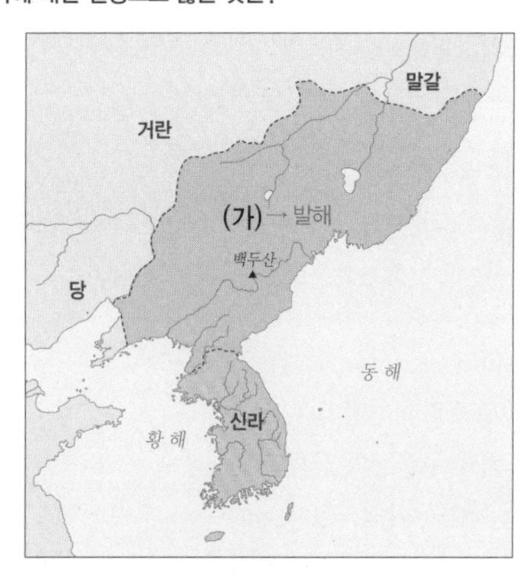

① 이성계가 건국하였다.
② 전시과 제도가 시행되었다.
③ 고구려 계승 의식을 내세웠다.
④ 나당 연합군의 침략으로 멸망하였다.
⑤ 중앙 통치 제도로 2성 6부를 마련하였다.

출제 의도 파악하기
발해의 건국과 발전 과정을 이해한다.

문제 해결 Point 쏙쏙
지도에서 남쪽에 신라, 중국에 당 → (가)는 발해

선택지 바로 알기
① 이성계가 건국하였다.
→ 조선에 대한 설명이다.
② 전시과 제도가 시행되었다.
→ 전시과는 고려의 토지 제도이다.
③ 고구려 계승 의식을 내세웠다.
→ 고구려 유민 출신인 대조영이 건국한 발해는 일본에 보내는 국서에 왕을 '고려국왕'이라 표현하는 등 고구려 계승 의식을 내세웠다.
④ 나당 연합군의 침략으로 멸망하였다.
→ 백제, 고구려에 대한 설명이다.
⑤ 중앙 통치 제도로 2성 6부를 마련하였다.
→ 2성 6부는 고려의 중앙 통치 제도이다.

05 고려 태조(왕건)의 정책

밑줄 친 '이것'을 남긴 왕이 추진한 정책으로 옳은 것은?
└고려 태조(왕건)

> …… 나 또한 가난하고 평범한 집안에서 일어나 … 19년 만에 후삼국을 통일하였고, …… 다만 염려되는 것은 후사들이 기분 내키는 대로 욕심을 부려 기강을 무너뜨릴까 크게 근심스럽다. 이에 이것을 지어 후대의 왕들에게 전하고자 하니, 바라건대 아침저녁으로 펼쳐 보아 귀감으로 삼을 지어다.
> └훈요 10조
> 4조 중국 제도와 풍속을 배워야 하지만, 반드시 똑같게 할 필요가 없다. 거란은 짐승 같은 나라이다. 본받지 마라.
> 5조 서경은 우리나라 지맥의 근본이며 만대에 전할 땅이다. 반드시 3달마다 가서 100일 이상 머물도록 하라.
> –「고려사절요」–

① 국자감을 정비하였다. → 고려 성종
② 과전법을 실시하였다.
③ 향리제를 마련하였다. → 고려 성종
④ 발해 유민을 포용하였다.
⑤ 노비안검법을 실시하였다. → 고려 광종

출제 의도 파악하기

고려를 세운 태조의 정책을 이해한다.

문제 해결 Point 쏙쏙
- 후삼국 통일 → 왕건

선택지 바로 알기

② 과전법을 실시하였다.
→ 위화도 회군으로 정권을 장악한 이성계는 신진 사대부와 함께 과전법을 시행하였다.

④ 발해 유민을 포용하였다.
→ 고려 태조의 정책이다.

용어 +
- **국자감:** 고려의 중앙 유학 교육 기관
- **과전법:** 고려 공양왕 때 이성계와 신진 사대부가 주도하여 실시한 토지 제도
- **향리제:** 고려 성종 때 지방 호족 세력을 행정 실무층인 향리로 재편한 제도

06 고려의 불교 발전

(가), (나) 시기 사이에 불교계에서 있었던 사실로 옳은 것은?

> (가) 문종의 왕자로서 승려가 된 의천은 천태종을 창시하고 교종의 입장에서 선종을 통합하였다.
> (나) 권문세족과 연결된 사원이 많은 토지와 노비를 소유하고 고리대 등을 이용하여 백성들을 괴롭히자 신진 사대부들이 이를 크게 비판하였다.

① 혜초가 왕오천축국전을 남겼다.
② 지방에 9산 선문이 성립하였다.
③ 의상이 화엄 사상을 정립하였다.
④ 지눌이 수선사 결사를 제창하였다.
⑤ 원효가 아미타 신앙을 전파하였다.

문제 해결 Point 쏙쏙
- (가) 의천의 천태종 창시 → 고려 전기
- (나) 권문세족, 신진 사대부 → 고려 말

선택지 바로 알기

① 혜초가 왕오천축국전을 남겼다.
→ 통일 신라의 승려 혜초는 인도와 중앙아시아를 방문한 뒤 『왕오천축국전』을 남겼다.

② 지방에 9산 선문이 성립하였다.
→ 신라 말에 선종이 널리 확산되면서 선종 승려들은 지방 각지에 9산 선문을 형성하였다.

③ 의상이 화엄 사상을 정립하였다.
→ 통일 신라의 승려 의상은 당에서 불교를 공부하고 돌아와 화엄 사상을 정립하였다.

④ 지눌이 수선사 결사를 제창하였다.
→ 무신 정변을 전후하여 불교의 폐단이 발생하자 지눌은 불교 본연의 정신을 확립하자는 결사 운동을 전개하였다.

⑤ 원효가 아미타 신앙을 전파하였다.
→ 통일 신라의 승려 원효는 일심 사상과 화쟁 사상을 제시하고, 아미타 신앙을 전파하여 불교의 대중화에 이바지하였다.

07 조선 후기 정조의 정책

밑줄 친 '왕'의 업적으로 옳은 것만을 |보기|에서 고른 것은?

보기
ㄱ. 속대전을 편찬하였다. → 영조
ㄴ. 초계문신제를 실시하였다. → 정조
ㄷ. 노비종모법을 시행하였다. → 영조
ㄹ. 육의전을 제외한 금난전권을 폐지하였다. → 정조

① ㄱ, ㄴ ② ㄱ, ㄷ ③ ㄴ, ㄷ
④ ㄴ, ㄹ ⑤ ㄷ, ㄹ

출제 의도 파악하기
조선 후기 정조가 시행한 정책을 이해한다.

문제 해결 Point 쏙쏙

영조	정조
• 서원 정리 • 균역법 실시 • 『속대전』 편찬 • 노비종모법 실시	• 규장각, 장용영, 수원 화성 설치 • 초계문신제 시행 • 『대전통편』 편찬 • 통공 정책 시행

용어 +
- **초계문신제:** 과거에 급제한 문신들을 선발하여 규장각에서 재교육하는 제도이다. 정조는 이를 통해 젊은 문신들의 학문을 독려하고 친위 세력으로 포섭하고자 하였다.
- **노비종모법:** 노비의 자녀가 어머니의 신분을 따르도록 한 법으로 조선 후기 세금을 부담하는 양인의 수가 줄어드는 문제를 해결하고자 하였다.
- **금난전권:** 조선 후기 육의전을 비롯한 시전 상인들이 국가로부터 허가받지 않은 난전을 금지할 수 있었던 권리이다. 정조 때 육의전을 제외하고 금난전권을 폐지하는 통공 정책을 시행하여 자유로운 상업 활동을 보장하였다.

08 조선 후기 수취 체제의 개편

밑줄 친 '이 법'에 대한 설명으로 옳은 것은?

> 현물로 바칠 벌꿀 한 말의 값은 본래 목면 3필이지만, 모리배들은 이를 먼저 대납하고 4필 이상을 거두어 갑니다. 이런 폐단을 없애기 위해 이 법(대동법)을 시행하면 부유한 양반 지주가 원망하고, 시행하지 않으면 가난한 농민이 원망한다는데, 농민의 원망이 훨씬 더 큽니다. 경기와 강원도에서 이미 시행하고 있으니, 충청과 호남 지역에서도 하루빨리 시행해야 합니다.
> –『효종실록』–

① 공인이 등장하는 배경이 되었다.
② 풍흉에 관계없이 세액을 고정하였다.
③ 부족분 보충을 위해 결작을 징수하였다.
④ 집집마다 지역 토산물을 납부하게 하였다.
⑤ 양인 1인당 1년에 군포를 1필만 징수하였다.

출제 의도 파악하기
조선 후기 개편된 수취 제도의 특징을 이해한다.

문제 해결 Point 쏙쏙
방납의 폐단 시정 목적으로 시행, 양반 지주의 원망 → 대동법

선택지 바로 알기
① 공인이 등장하는 배경이 되었다.
→ 대동법 시행에 따라 정부의 물품을 조달하는 공인이 등장하였다.
② 풍흉에 관계없이 세액을 고정하였다.
→ 영정법에 대한 설명이다.
③ 부족분 보충을 위해 결작을 징수하였다.
→ 균역법에 대한 설명이다.
④ 집집마다 지역 토산물을 납부하게 하였다.
→ 공납에 대한 설명이다.
⑤ 양인 1인당 1년에 군포를 1필만 징수하였다.
→ 균역법에 대한 설명이다.

09 병인양요, 신미양요의 배경

(가) 시기에 일어난 사건으로 옳은 것은?

프랑스 선교사를 비롯한 천주교 신자 대거 처형
⬇
(가)
⬇
양헌수가 정족산성에서 프랑스군 격퇴
⬇
오페르트가 남연군의 묘 도굴 시도
⬇
미군이 초지진과 광성보 점령

① 임술 농민 봉기 발생
② 운요호의 강화도 침입
③ 제너럴셔먼호의 통상 요구
④ 동학 농민군의 전주성 점령
⑤ 청과 일본의 톈진 조약 체결

출제 의도 파악하기

조선 후기 양요와 관련된 사건의 시기를 파악한다.

문제 해결 Point 쏙쏙

병인박해(1866) → 제너럴셔먼호 사건(1866) → 병인양요(1866) → 오페르트 도굴 사건(1868) → 신미양요(1871)

선택지 바로 알기

① 임술 농민 봉기 발생
→ 1862년의 일이다.
② 운요호의 강화도 침입
→ 1875년의 일이다.
③ 제너럴셔먼호의 통상 요구
→ 1866년 8월의 일이다.
④ 동학 농민군의 전주성 점령
→ 1894년의 일이다.
⑤ 청과 일본의 톈진 조약 체결
→ 1884년 갑신정변 이후 1885년에 일어난 일이다.

10 임오군란

밑줄 친 '이 사건'에 대한 설명으로 옳은 것은?

> 대저 이 사건(임오군란)은 불과 이틀 동안에 질풍 우뢰와 같은 민첩한 행동을 하여 지난 10년 동안(1873년부터 친정을 시작함.) 철옹성같이 견고하였던 민씨 정권의 무대를 소탕하고 대원군을 다시 집정하게 한 것으로 누구나 경탄할 일이다. 그러나 일대 난관의 일이 돌발하였으니, 그것은 청국의 개입이다.(흥선 대원군의 재집권)

① 조선책략의 유포에 대한 반발로 일어났다.
② 개화당 정부를 수립하고 개혁 정강을 발표하였다.
③ 일본 공사관에 경비병이 주둔하는 배경이 되었다.
④ 전라도 일대에 집강소를 설치하는 계기가 되었다.
⑤ 조선과 일본이 한성 조약을 체결하는 원인이 되었다.

출제 의도 파악하기

임오군란의 전개 과정과 결과를 이해한다.

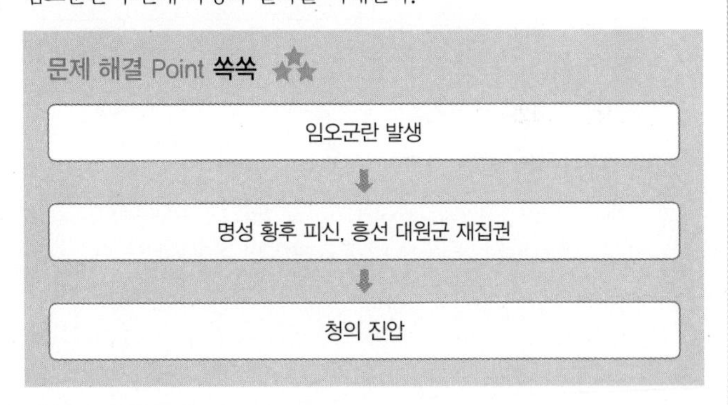

선택지 바로 알기

① 조선책략의 유포에 대한 반발로 일어났다.
→ 영남 만인소가 대표적이다.
② 개화당 정부를 수립하고 개혁 정강을 발표하였다.
→ 갑신정변에 해당한다.
③ 일본 공사관에 경비병이 주둔하는 배경이 되었다.
→ 임오군란의 결과 체결된 제물포 조약에 따른 것이다.
④ 전라도 일대에 집강소를 설치하는 계기가 되었다.
→ 전주 화약 체결 이후 동학 농민군이 추진한 사실이다.
⑤ 조선과 일본이 한성 조약을 체결하는 원인이 되었다.
→ 갑신정변의 결과에 해당한다.

11 갑신정변의 전개

밑줄 친 '이 사건'에 대한 설명으로 옳은 것은?

> 첫째, 임금을 위협한 것은 이치를 따른 것이 아니라 거스른 것이니 실패할 첫째 이유이다. 둘째, 외세를 믿고 의지하였으니 반드시 오래가지 못할 것이 실패할 둘째 이유이다. …… 이 사건은 반드시 실패할 터인데 도리어 스스로 깨닫지 못하고 있으니 어리석고 한스럽다.

(외세를 믿고 의지하였으니 – 일본의 군사 지원을 받은 사실을 말함.)
(이 사건 – 갑신정변)

① 제물포 조약이 체결되는 계기가 되었다.
② 우정총국 개국 축하연을 이용해 일어났다.
③ 강화도 조약 체결에 대한 반발로 일어났다.
④ 조청 상민 수륙 무역 장정의 체결을 가져왔다.
⑤ 구식 군인들이 차별 대우에 반발하여 일으켰다.

출제 의도 파악하기

갑신정변의 전개 과정을 이해한다.

선택지 바로 알기

① 제물포 조약이 체결되는 계기가 되었다.
→ 임오군란에 대한 설명이다.
② 우정총국 개국 축하연을 이용해 일어났다.
→ 갑신정변에 대한 설명이다.
③ 강화도 조약 체결에 대한 반발로 일어났다.
→ 왜양일체론을 주장한 최익현이 대표적이다.
④ 조청 상민 수륙 무역 장정의 체결을 가져왔다.
→ 임오군란의 결과에 해당한다.
⑤ 구식 군인들이 차별 대우에 반발하여 일으켰다.
→ 임오군란에 대한 설명이다.

12 일본의 경복궁 점령

자료의 사건이 일어난 시기를 연표에서 옳게 고른 것은?

> 일본 군사들이 대궐로 들어왔다. 이날 새벽에 일본군 2개 대대가 영추문으로 들어오자 시위 군사들이 총을 쏘면서 막았으나 임금이 중지하라고 명하였다. …… 일본 군사가 6월 21일 입궐하여 호위하였다. 이날 대원군이 명을 받고 입궐하여 개혁을 실시할 문제를 주관하였는데, 일본 공사 오토리 게이스케도 뒤에 입궐하였다.

(일본 군사들이 대궐로 들어왔다 – 일본의 경복궁 점령)

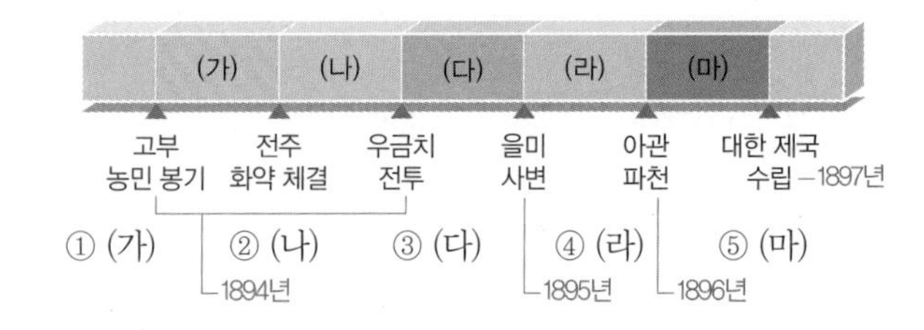

① (가) ② (나) ③ (다) ④ (라) ⑤ (마)

출제 의도 파악하기

동학 농민 운동 과정에서 일본군의 경복궁 점령이 있었던 시기를 파악한다.

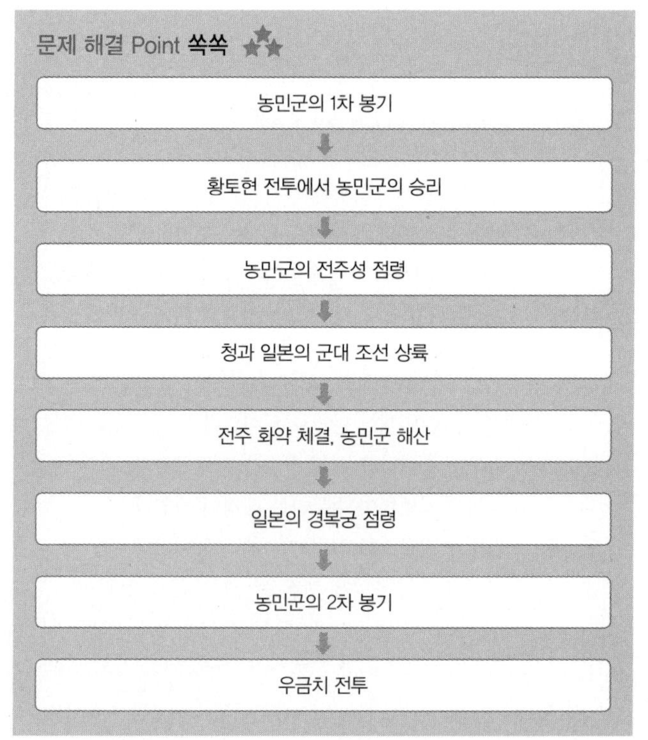

선택지 바로 알기

청과 일본의 군대가 상륙했다는 소식에 농민군은 외세의 개입을 막고자 전주 화약을 체결하고 해산하였다. 그러나 일본군이 조선의 철수 요구를 무시하고 경복궁을 점령하고 청일 전쟁을 일으키며 조선에 대한 내정 간섭을 강화하려 하자 농민군이 다시 봉기하였으나 공주 우금치 전투에서 패하였다.

13 일제의 국권 침탈

(가), (나) 조약이 체결된 시기 사이에 있었던 사실로 옳은 것은?

(가) **제2조** 일본국 정부는 한국과 타국 간에 현존하는 조약의 실행을 완수하는 임무를 담당하고, 한국 정부는 지금부터 일본국 정부의 중개를 거치지 않고서는 국제적 성질을 가진 어떤 조약이나 약속을 맺지 않을 것을 서로 약속한다.
– 을사늑약(1905)

(나) **제2조** 한국 정부의 법령 제정 및 중요한 행정상의 처분은 미리 통감의 승인을 거칠 것.
제5조 한국 정부는 통감이 추천한 일본인을 한국 관리로 임명할 것.
– 한일 신협약(1907)

① 단발령 등을 계기로 의병이 일어났다.
② 군사권 총괄을 위해 원수부가 설치되었다.
③ 러시아가 일본의 한반도 지배를 인정하였다.
④ 13도 창의군이 서울 진공 작전을 추진하였다.
⑤ 이준, 이위종 등이 헤이그에 특사로 파견되었다.

출제 의도 파악하기

일제가 국권을 침탈하는 과정에서 체결된 조약의 내용을 구분한다.

문제 해결 Point 쏙쏙

- 일본의 중개를 거치지 않고서 조약을 맺지 않음. → 외교권 박탈 → 을사늑약(1905)
- 통감이 추천한 일본인 관리 임명 → 차관 임명 → 한일 신협약(1907)

선택지 바로 알기

① 단발령 등을 계기로 의병이 일어났다.
→ 1895년에 일어난 을미의병에 해당한다.
② 군사권 총괄을 위해 원수부가 설치되었다.
→ 원수부 설치는 대한 제국 수립 이후 1899년에 이루어졌다.
③ 러시아가 일본의 한반도 지배를 인정하였다.
→ 포츠머스 조약으로 1905년의 사실에 해당한다. 이후 일본은 을사늑약을 강요하였다.
④ 13도 창의군이 서울 진공 작전을 추진하였다.
→ 13도 창의군은 1907년에 일어난 정미의병 시기에 조직되었다.
⑤ 이준, 이위종 등이 헤이그에 특사로 파견되었다.
→ 고종은 을사늑약의 부당함을 알리기 위해 헤이그 특사를 파견하였다. 이를 빌미로 일본은 고종을 강제로 퇴위시켰고, 이후 즉위한 순종에게 한일 신협약을 강요하였다.

14 독도

밑줄 친 ㉠을 반박하기 위한 방안으로 적절한 것만을 |보기|에서 고른 것은?

> 한국은 역사적으로 독도의 존재를 파악하지 못하였다. 반면, 우리 일본이 그간 독도를 영유하였음은 명백하다. 특히 1905년 시마네현 고시 40호에는 ㉠'<u>독도는 주인 없는 땅이므로 일본 시마네현 소속의 도서로 편입시킨다.</u>'라고 되어 있어 문헌상의 근거로 확실하다.

|보기|
ㄱ. 이범윤이 관리사로 파견된 지역을 찾아본다. → 간도
ㄴ. 이사부의 울릉도 정벌 관련 기록을 제시한다. → 독도
ㄷ. 안용복이 벌인 외교 활동의 성과를 보여 준다. → 독도
ㄹ. 일본의 남만주 철도 부설권 획득 과정을 정리한다. → 간도

① ㄱ, ㄴ　② ㄱ, ㄷ　③ ㄴ, ㄷ
④ ㄴ, ㄹ　⑤ ㄷ, ㄹ

출제 의도 파악하기

독도가 우리 영토임을 증명하는 역사적 근거를 안다.

문제 해결 Point 쏙쏙

- 독도가 우리 영토임을 알 수 있는 역사적 근거
  - 『삼국사기』, 『동국문헌비고』, 『세종실록지리지』, 『신증동국여지승람』의 기록
  - 일본 메이지 정부의 「태정관 지령」(1877)
  - 1900년 반포된 대한 제국 칙령 41호

선택지 바로 알기

ㄴ. 이사부의 울릉도 정벌 관련 기록을 제시한다.
→ 신라 지증왕 때 이사부가 우산국을 복속하였다.
ㄷ. 안용복이 벌인 외교 활동의 성과를 보여 준다.
→ 조선 시대 안용복은 일본에 건너가 독도가 조선 영토임을 확인받고 돌아왔다.

15 조일 통상 장정의 내용

다음 조약에 대한 설명으로 옳은 것은?

> 제9관 입항하거나 출항하는 각 화물이 세관을 통과할 때는 응당 본 조약 세칙에 따라 관세를 납부해야 한다.
> 관세 부과
>
> 제37관 만약 조선에 가뭄, 수해, 병란 등의 일이 있어 국내 식량 결핍을 우려하여 조선 정부가 잠정적으로 쌀의 수출을 금지하고자 할 때에는 반드시 먼저 1개월 전에 지방관이 일본 영사관에 통고해야 한다.
> 방곡령의 근거

① 일본에 최혜국 대우를 규정하였다.
② 부산 외 2개 항구 개항을 포함하였다.
③ 국채 보상 운동이 일어나는 배경이 되었다.
④ 조청 상민 수륙 무역 장정 체결에 영향을 주었다.
⑤ 조선의 해안을 측량할 수 있는 권리를 인정하였다.

출제 의도 파악하기
조일 통상 장정의 내용을 파악한다.

문제 해결 Point 쏙쏙
관세 부과, 쌀 수출 금지 → 조일 통상 장정(1883)

선택지 바로 알기
① 일본에 최혜국 대우를 규정하였다.
→ 조일 통상 장정의 주요 내용이다.
② 부산 외 2개 항구 개항을 포함하였다.
→ 강화도 조약의 주요 내용이다.
③ 국채 보상 운동이 일어나는 배경이 되었다.
→ 대한 제국이 진 빚을 갚아 국권을 회복하고자 국채 보상 운동이 일어났다.
④ 조청 상민 수륙 무역 장정 체결에 영향을 주었다.
→ 임오군란의 결과 조청 상민 수륙 무역 장정이 체결되었다.
⑤ 조선의 해안을 측량할 수 있는 권리를 인정하였다.
→ 강화도 조약의 주요 내용이다.

16 근대 언론 기관의 특징

(가), (나) 신문에 대한 설명으로 옳은 것은?

> (가) 우리가 오늘 처음으로 출판하는데, 조선 속에 있는 내외국 인민에게 우리 주의를 미리 말씀하여 아시게 하노라. …… 모두 언문으로 쓰기는 남녀 상하귀천이 모두 보게 함이요, 또 구절의 띄어쓰기는 알아보기 쉽도록 함이라. →『독립신문』 - 1896. 4. 7. -
> 순 한글
>
> (나) 이제 본사에서도 신문을 발간하려는 때를 맞아 국한문을 함께 쓰는 것은, 무엇보다도 대황제 폐하의 성칙(聖勅)을 따르기 위해서이며, 또한 옛글과 현재의 글을 함께 전하고 유생 등 많은 사람들에 읽히기 위함이다.
> →『황성신문』 - 1898. 9. 5. -

① (가) - 최초의 근대적 신문이다.
② (가) - 베델과 양기탁이 발행하였다.
③ (나) - 박문국에서 발행되었다.
④ (나) - 「시일야방성대곡」을 게재하였다.
⑤ (가), (나) - 국채 보상 운동을 지원하였다.

출제 의도 파악하기
근대 신문의 특징을 파악한다.

문제 해결 Point 쏙쏙
- 1896년 창간, 한글로 발행 →『독립신문』
- 1898년 창간, 유생 등이 읽음. →『황성신문』

선택지 바로 알기
① (가) - 최초의 근대적 신문이다.
→ 박문국에서 발행한『한성순보』에 해당한다.
② (가) - 베델과 양기탁이 발행하였다.
→『대한매일신보』에 해당한다.
③ (나) - 박문국에서 발행되었다.
→『한성순보』 등이 해당한다.
④ (나) - 「시일야방성대곡」을 게재하였다.
→『황성신문』이다.
⑤ (가), (나) - 국채 보상 운동을 지원하였다.
→『대한매일신보』 등에 해당한다.

수능전략

사·회·탐·구·영·역

한국사

BOOK 3

정답과 해설

Book 2

WEEK 1

Ⅲ. 일제 식민지 지배와 민족 운동의 전개

DAY 1 개념 돌파 전략 ① 8~11쪽

[1강] 일제의 식민지 지배 정책 ~ 다양한 민족 운동의 전개

01 조선 태형령 02 문화 통치 03 독립 의군부 04 문화 통치
05 연통제 06 미쓰야 협정 07 물산 장려 운동 08 신간회

[2강] 사회 · 문화의 변화와 사회 운동 ~ 광복을 위한 노력

01 백정 02 민족주의 사학 03 민족 말살 통치 04 한국 독립군
05 의열단 06 민족 혁명당 07 충칭 08 건국 강령

DAY 1 개념 돌파 전략 ② 12~13쪽

1 ⑤ 2 ⑤ 3 ③ 4 ② 5 ④ 6 ⑤

1 1910년대 일제의 무단 통치

제시된 사진은 조선 태형령에 따라 한국인에게 태형 처분을 내린 상황을 보여 준다. 조선 태형령은 1912년에 제정되어 1920년에 폐지되었다. ⑤ 이 시기 일제는 헌병 경찰이 정식 재판 없이 한국인을 처벌할 수 있게 하는 등 강압적인 무단 통치를 실시하였다.

오답 피하기 ① 남면북양 정책은 대공황 이후 일제가 한반도 남부에서는 면화를, 북부에서는 양을 사육할 것을 강요한 정책이다.
② 산미 증식 계획은 일본의 식량 부족을 해결하기 위해 1920년대~1930년대 초까지 추진되었다.
③ 일제는 1919년 3 · 1 운동 이후 이른바 '문화 통치'를 표방하며 문관 출신도 총독에 임명될 수 있도록 하였으나, 실제로 문관 총독이 임명된 적은 없다.
④ 치안 유지법은 1925년에 제정되었다.

2 3 · 1 운동의 배경

자료는 1919년 3 · 1 운동 당시 발표된 기미 독립 선언서이다. ⑤ 미국 대통령 윌슨이 주창한 민족 자결주의는 3 · 1 운동 등 약소민족의 독립 운동에 영향을 주었다.

오답 피하기 ① 일본은 1905년에 을사늑약을 강제로 체결하여 대한 제국의 외교권을 박탈하였다.
② 대한 제국의 군대는 1907년에 체결된 한일 신협약(정미 7조약) 비밀 각서의 내용에 따라 해산되었다.
③ 1945년 8월 일제가 미국 등 연합국에 항복하면서 36년간의 식민 지배가 종결되었다.
④ 일제는 3 · 1 운동 이후 이른바 '문화 통치'로 통치 방식을 변경하였다.

3 대한민국 임시 정부

(가)는 연해주의 대한 국민 의회, 국내의 한성 정부, 상하이의 임시 정부 등 3 · 1 운동을 전후로 각지에서 수립된 임시 정부를 통합하여 수립된 대한민국 임시 정부이다.

선택지 바로 보기

① 독립 공채를 발행하였다. (○)
→ 대한민국 임시 정부는 독립운동 자금을 모으기 위해 독립 공채를 발행하고 의연금을 모금하였다.
② 삼권 분립 제도를 채택하였다. (○)
→ 대한민국 임시 정부는 민주 공화제 정부이며, 입법권(임시 의정원)과 행정권(국무원), 사법권(법원)이 분립된 삼권 분립 체제로 이루어졌다.
③ 신흥 무관 학교를 설립하였다. (×)
→ 신흥 무관 학교는 1911년 서간도 지역에서 신민회가 설립한 독립군 양성 기관이다. 처음에는 신흥 강습소라는 명칭으로 설립되었으며 이후 신흥 무관 학교로 확대 개편되었다.
④ 3 · 1 운동을 계기로 수립되었다. (○)
→ 3 · 1 운동을 계기로 독립운동을 조직적으로 이끌어 나갈 지도부의 필요성이 제기되어 대한민국 임시 정부가 수립되었다.
⑤ 미국에 구미 위원부를 설치하였다. (○)
→ 대한민국 임시 정부는 미국에 구미 위원부를 설치하여 외교 활동을 벌였다.

4 전시 총동원 체제와 민족 말살 통치

제시된 법령은 1938년부터 시행된 국가 총동원법의 내용이다. 일제는 침략 전쟁을 확대하면서 전쟁에 필요한 자원을 효율적으로 조달하고자 국가 총동원법을 선포하고 이를 한국에도 적용하였으며, 한국인의 민족의식을 말살하여 전쟁에 동원하기 위해 민족 말살 통치를 실시하였다. ② 토지 조사 사업은 1910년대 시행되었다.

오답 피하기 ① 일제는 침략 전쟁에 한국인들을 동원하기 위해 내지(일본)와 조선이 하나라는 '내선일체'를 강조하였다.
③ 일제는 황국 신민화 정책의 일환으로 신사 참배와 궁성 요배를 강요하였다.
④ 일제는 전쟁 물자를 확보하고자 각종 자원과 식량을 수탈하는 공출 제도를 시행하였다.
⑤ 일제는 한국인의 민족의식을 말살하기 위해 한국인의 성과 이름을 일본식으로 바꾸도록 강요하였다.

더 알아보기 국가 총동원법(1938)

제1조 국가 총동원이란 전시에 국방 목적을 달성하기 위해 국가의 전력을 가장 유효하게 발휘하도록 인적 · 물적 자원을 통제 · 운용하는 것을 말한다.
제4조 정부는 전시에 국가 총동원상 필요할 때에는 칙령이 정하는 바에 따라 제국 신민을 징용하여 총동원 업무에 종사하게 할 수 있다.
제8조 정부는 전시에 국가 총동원상 필요할 때에는 칙령이 정하는 바에 따라 물지의 생산 · 수리 · 배급 · 양도 및 기타의 처분, 사용 · 소비 · 소지 및 이동에 관하여 필요한 명령을 내릴 수 있다.

-「조선 총독부 관보」 제3391호, 1938. 5. 10. -

5 한인 애국단

이봉창이 단원으로 활동한 (가) 단체는 1931년 상하이에서 조직된 한인 애국단이다. 한인 애국단의 또다른 단원인 윤봉길은 1932년 상하이 훙커우 공원에서 폭탄을 던져 일본 고위 관료와 군 지휘관 다수를 살상하였다. 한인 애국단은 대한민국 임시 정부의 국무령이었던 김구가 적극적인 의열 투쟁으로 독립운동의 활로를 모색하고자 조직한 단체이다.

오답 피하기 ㄱ. 1940년에 창설된 한국광복군은 해방 직전 미국 전략 첩보국(OSS)과 연계하여 국내 진공 작전을 계획하였다. 그러나 실행 직전 일본의 항복으로 무산되었다.

ㄷ. 1919년 만주 지린에서 조직된 의열단은 신채호가 작성한 「조선 혁명 선언」을 활동 지침으로 삼았다. 「조선 혁명 선언」에는 폭력 투쟁을 통한 민중의 직접 혁명을 추구하는 의열단의 기본 정신이 잘 나타나 있다.

6 광복을 준비하는 움직임

(가)는 옌안의 조선 독립 동맹, (나)는 충칭의 대한민국 임시 정부, (다)는 국내(서울)의 조선 건국 동맹이다.

선택지 바로 보기

① (가)- 조선 건국 준비 위원회로 발전하였다. (×)
→ (다) 조선 건국 동맹이 해방 이후 조선 건국 준비 위원회로 발전하였다.

② (나)- 여운형의 주도로 조직되었다. (×)
→ (다) 조선 건국 동맹은 1944년 여운형의 주도로 국내에서 비밀리에 조직되었다. 이 단체는 전국 10개 도에 지방 조직을 갖추었고, 국외 민족 운동 세력과 연계를 꾀하였다.

③ (다)- 산하 무장 조직으로 한국광복군을 갖추었다. (×)
→ (나) 대한민국 임시 정부는 1940년 산하 무장 조직으로 한국광복군을 창설하였다.

④ (나), (다)- 사회주의 계열이 중심이 되었다. (×)
→ (나) 대한민국 임시 정부와 (다) 조선 건국 동맹은 민족 협동 전선 단체의 성격을 지녔다. (가) 조선 독립 동맹은 화북 지역의 한국인 사회주의자들을 중심으로 결성되었다.

⑤ (가)~(다)- 민주 공화국 형태의 정부를 지향하였다. (○)
→ 세 단체가 발표한 건국 강령에서 민주 공화제를 지향하였음을 알 수 있다.

DAY 2 필수 체크 전략 ①

14~17쪽

01-1 ㄴ, ㄹ, ㅁ **02**-1 ㄱ, ㄷ, ㅁ **03**-1 ㄴ, ㄷ, ㄹ **04**-1 ㄷ, ㄹ
05-1 ⑤ **06**-1 (다) - (마) - (나) - (가) - (라)
07-1 ㄱ, ㄷ, ㄹ **08**-1 ㄱ, ㄴ, ㄷ

01-1 1910년대 일제의 무단 통치

일제는 1912년 조선 태형령을 제정하여 한국인에게만 태형을 적용하였다. 무단 통치 시기 일제는 보통학교 수업 연한을 일본 학제와 다르게 4년으로 하였다. 또한 이 시기 일제는 범죄 즉결례(1912)와 경찰범 처벌 규칙(1912)을 제정하여 헌병 경찰이 정식 재판 없이 한국인을 처벌할 수 있게 하였다.

오답 피하기 ㄱ. 3 · 1 운동 이후 일제는 조선 총독에 문관이 임명될 수 있도록 하였으나, 실제로 문관 총독이 임명된 적은 없다.

ㄷ. 치안 유지법은 1925년에 제정되었다. 일제는 치안 유지법을 이용하여 민족 운동에 대한 감시와 탄압을 강화하였다.

02-1 산미 증식 계획

일제는 자국의 부족한 식량 확보를 위해 1920년부터 한국에서 산미 증식 계획을 추진하였다. 산미 증식 계획으로 지주나 토지 회사는 일본으로 쌀을 팔아 경제적 이익을 얻은 반면, 종자 개량비, 비료 대금, 수리 조합비 등이 소작농에게 전가되면서 소작농의 경제적 부담은 늘어났다. 산미 증식 계획의 추진에도 불구하고 쌀 생산량은 계획한 대로 늘지 않았으나, 일본으로의 쌀 반출은 예정대로 진행되어 한국인의 1인당 쌀 소비량이 감소하였다.

오답 피하기 ㄴ. 일제는 토지 조사 사업을 시행하면서 농민의 관습적 경작권을 부정하였다.

ㄹ. 토지 조사 사업의 시행으로 미신고 토지 및 대한 제국의 황실 소유지가 조선 총독부의 소유로 편입되었다. 조선 총독부는 이렇게 확보한 토지를 일본 토지 회사나 일본인에게 싼값으로 넘겼다.

03-1 1910년대 국내외 독립운동 단체

선택지 바로 보기

ㄱ. 북로 군정서- 서간도 (×)
→ 북로 군정서는 북간도 지역에서 창립된 무장 독립 단체이다.

ㄴ. 신한 청년당- 상하이 (○)
→ 신한 청년당은 1918년 상하이에서 창설되었다.

ㄷ. 대한 국민 의회- 연해주 (○)
→ 대한 국민 의회는 1919년 3월 연해주의 전로 한족회 중앙 총회를 정부 형태로 개편한 조직이다.

ㄹ. 대한 광복회- 대구(국내) (○)
→ 대한 광복회는 1915년 대구에서 박상진 등이 공화정 수립을 목표로 결성한 비밀 결사이다.

ㅁ. 대한 광복군 정부- 북간도 (×)
→ 대한 광복군 정부는 1914년 연해주에서 조직되었다.

04-1 3·1 운동의 배경

제1차 세계 대전의 종전 무렵 미국 대통령 윌슨이 발표한 민족 자결주의는 3·1 운동을 비롯한 약소민족의 독립 운동에 영향을 주었고, 3·1 운동에 앞서 일본 도쿄의 한국인 유학생들이 조선 청년 독립단의 이름으로 2·8 독립 선언서를 발표하였다.

오답 피하기 ㄱ. 대한민국 임시 정부는 3·1 운동 이후 독립운동의 통일된 지도부가 필요하다는 의견에 따라 각지에서 수립된 임시 정부를 통합하여 수립되었다.

ㄴ. 일제는 3·1 운동을 통해 한국인의 저항 의지를 목격하고 통치 방식을 이른바 '문화 통치'로 바꾸었다.

05-1 대한민국 임시 정부의 활동

독립운동 자금을 마련하기 위해 독립 공채를 발행한 (가) 단체는 대한민국 임시 정부이다. ⑤ 의열단은 개별적 의열 투쟁의 한계를 인식하고 조직적 무장 투쟁을 준비하였으며, 이를 위해 황푸 군관 학교에 입학하여 군사 교육과 간부 훈련을 받았다. 또한 김원봉은 1932년 조선 혁명 간부 학교를 설립하였다.

오답 피하기 ① 대한민국 임시 정부는 활발한 외교 활동을 펼쳤으며, 파리 강화 회의 등에서 독립 청원서를 제출하였다.

② 1920년대 만주에서 대한민국 임시 정부 소속의 군정부인 (육군주만) 참의부가 성립되었다.

③ 대한민국 임시 정부는 임시 사료 편찬소를 두고 『한·일 관계 사료집』을 간행하여 일제 침략의 부당성을 알리고자 하였다.

④ 대한민국 임시 정부는 연통제와 교통국 조직을 운영하여 국내와 연락하였다.

더 알아보기 이륭 양행과 백산 상회

이륭 양행은 1919년 아일랜드계 영국인 조지 루이스 쇼가 중국 단둥에 설립한 무역 회사이다. 이 회사는 비밀리에 대한민국 임시 정부의 교통국 역할을 수행하였는데, 독립운동가들의 해외 망명과 독립운동 자금 모금을 도왔다.

백산 상회는 1914년 독립운동가 안희제가 부산에 설립한 회사이다. 겉으로는 곡물과 해산물 등을 파는 회사였지만, 실제로는 독립운동 자금을 지원하는 역할, 그리고 대한민국 임시 정부가 연통제 조직과 연락을 주고받는 통로 역할을 하였다.

06-1 1920년대 무장 독립 전쟁의 전개 과정

봉오동 전투에서 피해를 입은 일본군은 중국 마적단을 매수하여 훈춘 사건을 조작, 많은 군 병력을 만주에 투입할 구실을 만들었다(다). 일제는 대병력을 동원하여 만주의 독립군 근거지를 공격하였으나 김좌진의 북로 군정서 등 독립군 연합 부대가 청산리 일대에서 10여 차례 전투를 벌여 큰 승리를 거두었다(마). 독립군 부대는 일본군의 공세를 피해 북만주 밀산에 집결하여 대한 독립 군단을 결성하였다(나). 이후 독립군은 러시아의 지원을 기대하고 자유시로 이동하였으나 자유시 참변으로 큰 피해를 입었고(가), 다시 만주로 돌아온 독립군 세력은 정비 과정을 거쳐 참의부, 정의부, 신민부의 3부로 재편되었다(라).

07-1 물산 장려 운동

선택지 바로 보기

ㄱ. 일부 사회주의자에게 비난을 받았다. (○)
→ 사회주의자들 중 일부는 물산 장려 운동이 자본가와 상인의 이익만을 위한 운동이라고 비난하였다.

ㄴ. 국산품 가격을 하락시키는 효과가 있었다. (×)
→ 물산 장려 운동으로 토산품 애용 의식은 확대되었으나, 그에 걸맞은 생산력의 증대가 이루어지지 않아 국산품의 가격이 상승하는 문제점이 드러났다.

ㄷ. 한국인 자본을 보호·육성하고자 하였다. (○)
→ 물산 장려 운동은 민족 자본을 육성하는 것을 목표로 하였다.

ㄹ. 각지에 자작회, 토산 장려회 등 단체가 조직되었다. (○)
→ 평양에서 시작된 물산 장려 운동이 전국으로 확산되며 각지에서는 자작회, 토산 장려회 등 관련 단체가 조직되었다.

ㅁ. '한민족 1천만이 한 사람이 1원씩'이라는 구호를 내걸었다. (×)
→ 민립 대학 설립 운동 당시의 구호이다. 물산 장려 운동은 '내 살림 내 것으로', '조선 사람 조선 것' 등의 구호를 내걸었다.

더 알아보기 물산 장려 운동 관련 포스터

자료는 경성 방직 주식회사의 토산품 애용 광고이다. '우리가 만든 것 우리가 쓰자', '조선 사람 조선 광목' 등의 문구를 내세워 토산품 애용을 장려하였으며, 이는 산업 분야의 실력 양성 운동인 물산 장려 운동과 관련된 것이다. 물산 장려 운동은 토산품 애용과 근검저축, 금주, 단연 등을 통해 한국인 자본을 보호·육성하여 민족의 경제적 실력을 키우고자 한 민족 운동이었다.

08-1 민족 유일당 운동

자료의 강령을 내걸었던 단체는 신간회이다. 신간회는 1927년 창립된 민족 협동 전선 단체로, 비타협적 민족주의 계열과 사회주의 계열이 함께 결성하였다. 자치 운동 등 타협적 민족주의자들의 활동은 비타협적 민족주의 세력이 사회주의 세력과 연대하는 계기가 되었다. 사회주의 세력은 1925년 치안 유지법의 시행 등으로 일제의 강력한 탄압을 받자 민족주의 세력과 연합할 필요를 느끼게 되었고, 정우회 선언에서 비타협적 민족주의 세력과의 제휴를 주장하였다.

오답 피하기 ㄹ. 광주 학생 항일 운동은 신간회 창립 이후인 1929년에 일어났으며, 신간회가 광주 학생 항일 운동에 진상 조사단을 파견하는 등 지원 활동을 펼치기도 하였다.

DAY

2 필수 체크 전략 ②

18~19쪽

1 ④	2 ④	3 ⑤	4 ②	5 ③
6 ③	7 ①	8 ⑤		

1 토지 조사 사업의 결과

자료 분석

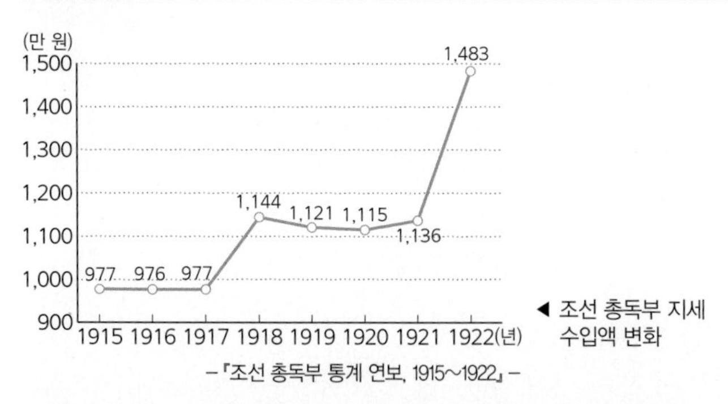

◀ 조선 총독부 지세 수입액 변화

–『조선 총독부 통계 연보, 1915~1922』–

토지 조사 사업이 마무리되는 1918년을 기점으로 조선 총독부의 지세 수입액이 크게 늘어나고 있음을 알 수 있다. 토지 조사 사업 실시 결과 조선 총독부의 지세 수입이 크게 늘어 식민 지배에 필요한 경제적 기반이 안정화되었다.

오답 피하기 ① 1910년에 제정된 회사령은 기업 설립과 관련된 것으로 지세 수입액 변화와 직접적인 관련성은 적다.

② 양전 지계 사업은 1898년부터 1904년까지 진행되었다.

③ 농촌 진흥 운동은 1930년대 실시되었다.

⑤ 미곡류 공출 제도는 중일 전쟁 발발(1937) 이후 전시 동원 체제하에서 실시되었다.

2 1920년대 일제의 통치 방식

제시된 법령은 1925년부터 시행되어 한국에도 적용된 치안 유지법이다. 치안 유지법은 일본의 국가 체제와 사유 재산 제도를 부정하는 사상을 통제하고 탄압하기 위해 제정되었으며, 한국인의 민족 운동을 탄압하는 데에도 이용되었다.

선택지 바로 보기

① 칼을 차고 수업하는 교사 (×)
→ 일제는 1910년대 무단 통치를 시행하면서 조선 총독부 관리와 교사들에게 칼을 차도록 하였다.

② 경찰서에서 태형 처분을 받은 한국인 (×)
→ 조선 태형령은 1912년에 제정되어 1920년에 폐지되었다.

③ 취임식에 참석하는 문관 출신 조선 총독 (×)
→ 식민 지배가 끝날 때까지 문관 출신 총독은 임명되지 않았다.

④ 일제의 검열로 기사가 삭제된 동아일보의 지면 (○)
→ 3 · 1 운동 이후 일제는 이른바 '문화 통치'를 표방하며 한국인에게 언론의 자유를 일부 허용하였으나, 기사 내용을 검열하였다.

⑤ 총독의 회사 설립 허가를 요청하는 한국 기업가 (×)
→ 회사 설립을 위해 조선 총독의 허가를 받아야 했던 회사령이 시행된 시기는 1910년부터 1920년까지이다.

3 대한 광복회

(가) 단체는 1915년 박상진을 총사령으로 하여 대구에서 조직된 대한 광복회이다. ⑤ 대한 광복회는 공화제 정부 수립을 목표로 만주에 사관 학교 설립을 추진하고 의연금을 모금하였다.

오답 피하기 ① 대동단결 선언은 1917년 박은식, 신채호 등 국외에서 활동하던 독립운동가들이 발표하였다.

② 구미 위원부는 대한민국 임시 정부가 외교 활동을 위해 미국에 설치하였다.

③ 애국 계몽 운동 단체인 신민회는 정주에 오산 학교를, 평양에 대성 학교를 세워 인재를 양성하려 하였다.

④ 임병찬 등이 고종의 밀지를 받아 복벽주의 단체인 독립 의군부를 조직하였다.

더 알아보기 대동단결 선언(1917)

> 융희 황제(순종)가 3보를 포기한 (1910년) 8월 29일은 우리들이 3보를 계승한 날이다. …… 황제의 주권 포기는 우리 국민에 대한 양위와 마찬가지이다. 우리는 당연히 3보를 계승하여 통치할 권리가 있다. 2천 만의 생령과 3천 리의 영토와 4천 년의 주권은 우리가 상속했고, 앞으로도 상속할 것이다.
>
> – 독립기념관 한국 독립운동 정보 시스템 –

박은식, 신채호 등은 대동단결 선언에서 독립의 의지를 밝히고 국민이 나라의 주인임을 확인하였다.

4 3 · 1 운동

(가) 민족 운동은 1919년에 전개된 3 · 1 운동이다. 화성 제암리 사건은 3 · 1 운동의 확산 과정에서 일제가 보복으로 자행한 양민 학살 사건이다. ② 3 · 1 운동은 미국의 대통령 윌슨이 주창한 민족 자결주의 등의 영향을 받아 일어났다.

오답 피하기 ① 신간회가 창립된 해는 1927년이다. 비타협적 민족주의 세력과 사회주의 세력이 함께 결성한 신간회는 원산 총파업, 광주 학생 항일 운동 등을 지원하였다.

③ 3 · 1 운동의 출발점이 된 독립 선언은 국내의 종교계 지도자들이 중심이 된 민족 대표들이 계획하였다.

④ 1920년 6월과 10월에 각각 봉오동과 청산리에서 독립군 연합 부대가 일본군을 상대로 크게 승리하였다.

⑤ 1920년대에 전개된 참정권 운동에 대한 설명이다. 일제의 이른바 '문화 통치' 아래 일제와 타협하여 한국인의 권리를 찾을 수 있다는 자치 운동이 대두하였다.

5 국민 대표 회의의 개최 배경

밑줄 친 '회의'는 대한민국 임시 정부의 활동이 침체에 빠진 상황 속에서 독립운동이 나아갈 방향을 모색하고자 소집된 국민 대표 회의이다. 국민 대표 회의는 1923년에 소집되었으며, 이 회의에서 임시 정부를 해산하고 새로운 정부를 수립하자는 창조파와 임시 정부를 존속시키자는 개조파 등이 대립하였다. 결국 회의는 결렬되었고 많은 독립운동가들이 임시 정부를 떠나면서 대한민국 임시 정부는 침체에 빠졌다.

선택지 바로 보기

① 한국광복군이 조직되었다. (×)
→ 한국광복군은 1940년에 창설되었다.
② 일제가 상하이 사변을 일으켰다. (×)
→ 상하이 사변은 1932년에 일어났다.
③ 연통제와 교통국 조직이 붕괴되었다. (○)
→ 대한민국 임시 정부는 1920년대 초 연통제와 교통국 조직이 붕괴되며 활동에 위기를 맞았다.
④ 임시 의정원에서 이승만을 탄핵하였다. (×)
→ 국민 대표 회의가 결렬된 이후인 1925년 임시 의정원에서 이승만을 탄핵하였다.
⑤ 삼균주의에 기초한 건국 강령이 발표되었다. (×)
→ 대한민국 임시 정부는 1941년 조소앙의 삼균주의에 기초한 건국 강령을 발표하였다.

6 1920년대 국외 독립운동

제시된 자료는 1925년 일제와 만주 군벌 사이에 체결된 미쓰야 협정의 내용이다. 일제는 만주 지역의 독립군 정비에 위협을 느끼고 미쓰야 협정을 체결하여 독립군 활동을 탄압하였으며, 협정 체결 이후 참의부, 정의부, 신민부의 활동은 위축되었다. 이러한 상황을 타개하고자 민족 유일당 운동의 일환으로 3부 통합 운동이 전개되었다.

7 문자 보급 운동(농촌 계몽 운동)

제시된 자료는 문자 보급 운동을 위해 『조선일보』가 보급한 『한글 원본』이다. ① 1920년대 후반~1930년대 초반 언론사의 주도로 문맹 퇴치와 생활 개선 등을 목표로 한 농촌 계몽 운동이 전개되었다. 『조선일보』는 문자 보급 운동, 『동아일보』는 브나로드 운동을 전개하였다.

오답 피하기 ②, ⑤ 물산 장려 운동, ③ 민립 대학 설립 운동, ④ 자치 운동에 대한 설명이다.

8 광주 학생 항일 운동

제시된 격문은 1929년 광주 학생 항일 운동 당시 발표된 격문으로, '검거된 학생의 탈환', '식민지 노예 교육 철폐', '일제 타도' 등의 내용을 담고 있다. ⑤ 통학 열차에서의 한 · 일 학생 간 충돌을 계기로 일어난 광주 학생 항일 운동은 신간회 등 여러 단체의 지원을 받는 가운데 전국으로 확산되었다.

오답 피하기 ① 조선 민흥회는 1926년 비타협적 민족주의자들이 일부 사회주의자와 함께 결성하였다.
② 1926년에 일어난 6 · 10 만세 운동에 대한 설명이다.
③ 3 · 1 운동을 계기로 민족 운동을 이끌어 갈 통일된 지도부의 필요성이 제기되어 대한민국 임시 정부가 수립되었다.
④ 1919년에 전개된 3 · 1 운동이 일제 강점기 최대 규모의 민족 운동이다.

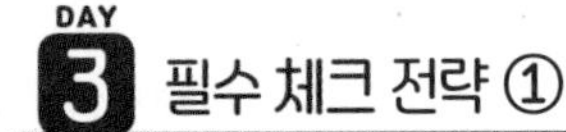

DAY 3 필수 체크 전략 ①

20~23쪽

01-1 ㄴ, ㄷ, ㄹ	02-1 ㄷ, ㄹ	03-1 ㄴ, ㄷ	04-1 ㄴ, ㄹ
05-1 ①	06-1 ⑤	07-1 ㄴ, ㄷ	08-1 ㄱ, ㄴ, ㄹ

01-1 형평 운동

제시된 포스터는 조선 형평사의 전 조선 정기 대회 포스터로, 형평 운동과 관련된 자료이다. 형평 운동은 백정에 대한 차별을 철폐하기 위한 운동이었으며, 소작 쟁의나 파업 등 여러 사회 운동과 연대하였다.

오답 피하기 ㄱ. 1920년대 국내의 민족 유일당 운동으로는 신간회 결성 등이 있다.

02-1 민족주의 사학

제시된 자료는 박은식이 저술한 『한국통사』의 일부이다. 박은식은 일제의 식민 사관에 대항하여 민족주의 역사학을 발전시켰으며, 『한국통사』를 저술하여 일제의 침략 과정을 폭로하고, 『한국독립운동지혈사』에서 한국 독립운동의 역사를 정리하였다.

오답 피하기 ㄱ. 1930년대에 민족주의 사학을 계승한 정인보, 안재홍, 문일평 등이 조선학 운동을 전개하였다.
ㄴ. 백남운 등 사회 경제 사학자들은 유물 사관의 입장에서 한국사를 연구하였다.

더 알아보기 일제 강점기 역사 연구

구분	대표 학자	특징, 활동
민족주의 사학	박은식, 신채호	• 한국사 발전의 주체가 우리 민족임을 강조 • 『한국통사』, 『한국독립운동지혈사』(박은식), 『조선사 연구초』, 『조선 상고사』(신채호) 등 저술 • 1930년대 안재홍, 정인보 등이 계승하여 조선학 운동 제창
사회 경제 사학	백남운	• 유물 사관에 바탕을 둔 역사학 • 우리 역사가 세계사의 보편적 발전 법칙에 따라 발전하였음을 강조하여 식민 사관의 정체성론 반박 • 『조선 사회 경제사』(백남운) 등
실증주의 사학	이병도, 손진태	• 문헌 고증을 통해 우리 역사를 객관적으로 서술 • 진단 학회 조직, 『진단 학보』 발간

03-1 민족 말살 통치

제시된 정책은 일제가 한국인의 민족의식을 말살하기 위해 한국인의 성과 이름을 일본식으로 바꾸도록 강요한 것이다. 일제는 1930년대 중반 이후 침략 전쟁을 확대하며 한국인을 전쟁에 손쉽게 동원하기 위해 황국 신민화 정책을 실시하면서 신사 참배를 강요하였다. 일제는 전쟁에 필요한 자원을 효율적으로 동원하기 위해 국가 총동원법을 제정하고 미곡과 금속류의 공출 제도를 실시하였다.

오답 피하기 ㄱ. 6 · 10 만세 운동은 1926년에 일어났다.
ㄹ. 헌병 경찰 제도는 1910년대에 실시되었다.

04-1 1930년대 만주의 한 · 중 연합 작전

(가)는 조선 혁명군, (나)는 한국 독립군이다. 1931년 일본이 만주를 침략한 이후 만주 지역의 독립군 세력은 중국의 항일 무장 세력과 함께 한 · 중 연합 작전을 전개하였다. 양세봉이 이끄는 조선 혁명군은 중국 의용군과 연합하여 영릉가, 흥경성 전투 등에서 승리하였으며, 지청천이 이끄는 한국 독립군은 중국 호로군과 연합하여 쌍성보, 대전자령, 동경성 전투 등에서 전과를 올렸다.

오답 피하기 ㄱ. 봉오동 전투는 1920년 6월에 있었던 전투으로, 조선 혁명군이 결성되기 전의 일이다.

ㄷ. 간도 참변 이후 독립군 연합 부대가 러시아로 이동한 것은 1920년대 일이다.

05-1 의열단

김원봉이 단장으로 활동한 (가) 단체는 의열단이다. 의열단은 1919년 만주 지린에서 결성되어 일제의 식민 통치 기관을 공격하는 등 의열 활동을 펼쳤다.

선택지 바로 보기

① 청산리 대첩을 승리로 이끌었다. (×)

→ 1920년 10월 북로 군정서 등 독립군 연합 부대가 청산리 일대에서 일본군을 격파하였다.

② 민족 혁명당의 결성에 참여하였다. (○)

→ 의열단은 1930년대 중반 중국 관내의 항일 단체를 통합한 민족 혁명당 결성을 주도하였다.

③ 조선 혁명 선언을 행동 강령으로 삼았다. (○)

→ 김원봉의 요청으로 신채호가 「조선 혁명 선언」을 작성하였으며, 여기에는 폭력 투쟁을 통한 민중 직접 혁명이라는 의열단의 기본 정신이 드러나 있다.

④ 조선 총독부와 종로 경찰서 등을 공격하였다. (○)

→ 단원인 김익상이 조선 총독부에, 김상옥이 종로 경찰서에 폭탄을 투척하였다.

⑤ 황푸 군관 학교에 입학하여 군사 훈련을 받았다. (○)

→ 개별적 의열 투쟁에 한계를 느낀 의열단원들은 황푸 군관 학교에서 군사 교육과 간부 훈련을 받았다.

06-1 한인 애국단

한인 애국단의 윤봉길은 상하이 훙커우 공원에서 의거를 일으켰다. 이 사건을 계기로 중국 국민당 정부는 군관 학교에 한국인 특별반을 설치하고 중국 관내에서 한국인의 무장 독립 투쟁을 허락하는 등 한국의 독립운동을 적극 지원하였다.

오답 피하기 ① 신간회는 1927년 국내에서 창립되었다.

② 대한민국 임시 정부는 1919년 상하이에서 수립되었다.

③ 「조선 혁명 선언」은 1923년 김원봉의 요청으로 작성되었다.

④ 1919년 3 · 1 운동을 계기로 일제는 무단 통치에서 이른바 '문화 통치'로 통치 방식을 바꾸었다.

07-1 민족 혁명당

1935년 중국 난징에서 의열단, 조선 혁명당, 한국 독립당 등의 단체가 참여하여 결성한 민족 운동 단체는 (조선) 민족 혁명당이다. 민족 혁명당은 민족주의 계열과 사회주의 계열이 연합하여 만든 중국 관내 최대 규모의 통일 전선 정당이었으나 조직 내부의 갈등으로 조소앙, 지청천 등 민족주의 계열 일부가 탈당하여 통일 전선 정당으로서의 성격이 약해지기도 하였다.

오답 피하기 ㄱ. 대한민국 임시 정부는 1940년에 충칭에 정착하였다.

ㄹ. 김구 등 대한민국 임시 정부 중심 세력은 대한민국 임시 정부 고수를 주장하며 처음부터 민족 혁명당에 참여하지 않았다.

08-1 한국광복군

대한민국 임시 정부 산하의 군사 조직인 (가)는 한국광복군이다. 한국광복군은 1940년 충칭에서 지청천을 총사령관으로 하여 창설되었다.

선택지 바로 보기

ㄱ. 인도 · 미얀마 전선에서 활약하였다. (○)

→ 1943년 영국군의 요청에 따라 인도 · 미얀마 전선에 한국광복군 대원이 파견되었으며, 선전 활동, 정보 수집 등을 담당하였다.

ㄴ. 미군과 연계하여 국내 진공 작전을 계획하였다. (○)

→ 태평양 전쟁의 막바지에 한국광복군 대원들이 미국 전략 첩보국(OSS)의 특수 훈련을 받은 뒤 국내 정진군을 조직하여 국내 진공 작전을 계획하였으나 일본이 그 전에 항복하여 실행되지는 못하였다.

ㄷ. 중국 공산당의 팔로군과 연합 작전을 전개하였다. (×)

→ 화북 지역에서 활동한 조선 의용대 화북 지대가 중국 공산당의 팔로군과 연합하여 타이항산 전투, 후자좡 전투 등에 참여하였다.

ㄹ. 조선 의용대의 일부가 합류하여 전투력이 강화되었다. (○)

→ 1942년 김원봉의 지휘 아래 조선 의용대의 일부가 한국광복군에 합류하였다.

BOOK 2

DAY 3 필수 체크 전략 ②

24~25쪽

1 ④	2 ⑤	3 ①	4 ④	5 ①
6 ④	7 ③	8 ③		

1 노동 운동(원산 총파업)

1929년에 일어난 원산 총파업은 일본인 현장 감독의 한국인 구타 사건을 계기로 일어나 4개월간 지속된 일제 강점기 최대 규모의 노동 운동이다. ④ 이 사건은 노동자들의 생존권 투쟁인 동시에 일제의 식민 통치에 반대하는 정치적 성격도 있었다.

오답 피하기 ① 이광수가 주장한 민족 개조론은 일본의 지배 아래 민족성을 개조하여 정치적 결사를 조직하자는 내용이었다.
② 남면북양 정책은 1930년대 이후 일본에 필요한 공업 제품의 원료를 생산하기 위해 남부 지방의 농민에게는 면화를, 북부 지방의 농민에게는 양을 기르도록 강요한 정책이다.
③ 조선 노동 총동맹은 1927년에 결성되었다.
⑤ 1930년대 농민 운동의 구호이다.

2 조선어 학회

(가)는 1931년에 창립된 조선어 학회이다. ⑤ 조선어 학회는 문자 보급 교재를 만들어 문맹 퇴치 운동을 지원하였고, 한글 맞춤법 통일안과 표준어, 외래어 표기법을 제정하였다.
오답 피하기 ①, ②, ④ 1921년에 주시경의 제자들이 조직한 조선어 연구회가 한글날의 시초인 가갸날을 제정하고 잡지 『한글』을 발행하였다.
③ 1930년대에 민족주의 역사학자인 정인보, 안재홍, 문일평 등이 조선학 운동을 전개하였다.

3 전시 동원 체제와 민족 말살 통치

제시된 법령은 1941년에 공포된 조선 사상범 예방 구금령으로, 일제가 침략 전쟁을 확대하던 시기 독립운동 세력에 대한 감시와 탄압을 더욱 강화하고 사상을 통제하기 위해 만들었다. ① 1941년 일제는 민족 말살 정책의 일환으로 초등 교육 기관의 명칭을 '황국 신민의 학교'라는 의미의 국민학교로 바꾸었다.
오답 피하기 ② 브나로드 운동은 1931년에 시작되었으며, 1935년에 조선 총독부에 의해 강제로 중지되었다.
③ 105인 사건은 1911년에 발생하였다.
④ 일제는 1940년 『조선일보』와 『동아일보』를 폐간시켰다.
⑤ 신간회는 1927년에 창립되어 1931년에 해소되었다.

4 1930년대 만주의 한 · 중 연합 작전

해당 인물은 1930년대에 남만주 지역에서 조선 혁명군을 이끌고 무장 투쟁을 전개한 양세봉이다. 조선 혁명군은 중국 의용군과 연합하여 영릉가, 흥경성 전투 등에서 일본군에 승리를 거두었다.
오답 피하기 ① 1936년 동북 항일 연군의 간부들을 중심으로 반일 민족 통일 전선 단체인 조국 광복회가 결성되었다.
② 1921년 대한 독립 군단이 러시아령 자유시로 이동하였다.
③ 한국 독립군과 조선 의용대의 일부 세력은 대한민국 임시 정부로 합류하였다.
⑤ 동북 인민 혁명군이 1936년 동북 항일 연군으로 개편되었다.

5 의열단

나석주가 소속되어 있던 (가) 단체는 의열단이다. 만주 지린에서 김원봉 등이 결성한 의열단은 민족의 독립을 목표로 요인 암살, 식민 통치 기관 파괴 등의 활동을 전개하였다.

선택지 바로 보기

① 조선 혁명 간부 학교를 설립하였다. (○)
→ 개별적 의열 투쟁에 한계를 느낀 의열단은 조직적 무장 투쟁을 준비하기 위해 조선 혁명 간부 학교를 설립하였다.
② 코민테른의 노선 변화에 따라 해소되었다. (×)
→ 1928년 코민테른이 민족보다 계급을 우선하는 노선을 채택한 후 일부 사회주의자들이 신간회 해소를 주장하였다.
③ 민족 유일당 운동의 일환으로 결성되었다. (×)
→ 신간회, 민족 혁명당 등이 민족 유일당 운동으로 결성되었다.
④ 한국 광복 운동 단체 연합회에 참여하였다. (×)
→ 김구의 한국 국민당, 조소앙의 한국 독립당, 지청천의 조선 혁명당 등이 한국 광복 운동 단체 연합회를 결성하였다.
⑤ 대한민국 임시 정부의 침체 극복을 위해 조직되었다. (×)
→ 1931년 김구가 조직한 한인 애국단에 대한 설명이다.

더 알아보기 의열단

구분	내용
결성	1919년 만주 지린에서 김원봉 등이 조직
지침	신채호의 「조선 혁명 선언」
목표	일제의 식민 통치 기관 파괴, 침략 원흉 응징
활동	• 김익상: 조선 총독부에 폭탄 투척 • 김상옥: 종로 경찰서에 폭탄 투척 • 나석주: 동양 척식 주식회사에 폭탄 투척
변화	1920년대 후반 핵심 단원들이 황푸 군관 학교 입학 → 1932년 조선 혁명 간부 학교 설립

6 윤봉길 의거

한인 애국단의 윤봉길은 1932년 4월 상하이 훙커우 공원에서 열린 일왕 생일 및 상하이 사변 전승 기념식 행사에 폭탄을 투척하여 일본 고위 관료와 일본군 지휘관 다수를 살상하였다. 광주 학생 항일 운동은 1929년에 일어났고, 한국광복군은 1940년에 창설되었다.

7 대한민국 임시 정부의 건국 준비 활동

제시된 자료는 대한민국 임시 정부가 1941년에 태평양 전쟁이 일어나자 발표한 대일 선전 포고문이다.

선택지 바로 보기

① 김두봉을 위원장으로 선출하였다. (×)
→ 옌안의 조선 독립 동맹이 김두봉을 위원장으로 선출하였다.
② 해방 이후 건국 준비 위원회로 발전하였다. (×)
→ 조선 건국 동맹이 조선 건국 준비 위원회로 발전하였다.
③ 삼균주의에 기초한 건국 강령을 발표하였다. (○)
→ 충칭에 정착한 대한민국 임시 정부는 1941년 조소앙의 삼균주의에 기초한 건국 강령을 발표하였다.
④ 일본군의 대공세로 소련 지역으로 이동하였다. (×)
→ 동북 항일 연군의 잔여 세력이 연해주 등으로 이동하였다.
⑤ 산하 무장 조직으로 조선 의용대를 창설하였다. (×)
→ 조선 의용대는 조선 민족 전선 연맹의 무장 조직이다.

8 조선 건국 동맹

제시된 건국 강령은 조선 건국 동맹이 발표한 것이다. 1944년 여운형 등 국내의 민족 지도자들은 비밀리에 조선 건국 동맹을 조직하였다. 조선 건국 동맹은 사회주의자와 민족주의자를 아우른 민족 연합 전선 단체였다.

오답 피하기 ① 3부 통합 운동의 결과 남만주에 국민부와 북만주에 혁신 의회가 결성되었다.
② 신간회 등이 광주 학생 항일 운동을 지원하였다.
④ 민족 혁명당과 중도 좌파 단체들이 연합하여 조선 민족 전선 연맹을 결성하였다.
⑤ 조선 의용대 화북 지대는 중국 공산당의 팔로군과 연합 전선을 형성하여 타이항산 전투, 후자좡 전투 등에서 일본군에 맞섰다.

누구나 합격 전략 | 26~27쪽

1 ③	2 ⑤	3 ③	4 ②
5 ②	6 ①	7 ④	8 ③

1 일제의 민족 분열 통치

자료는 제3대 조선 총독 사이토 마코토가 1920년에 발표한 「조선 민족 운동에 대한 대책」의 일부로 문화 통치와 관련된 것이다. 일제는 3 · 1 운동 이후 이른바 '문화 통치'를 표방하며 민족 운동 세력을 분열시키는 정책을 시행하였다.
③ 일제는 헌병 경찰제를 폐지하고 보통 경찰제를 시행하였으나 경찰 관서와 인원, 비용 등은 훨씬 늘어났다.

오답 피하기 ① 회사령은 1910년에 공포되어 1920년에 폐지되었다.
② 조선 태형령은 1912년 제정되었다.
④ 남한 대토벌 작전은 의병 토벌을 위해 1909년에 실행되었다.
⑤ 을사늑약은 1905년에 강제로 체결되었다.

2 3 · 1 운동의 영향

1919년 고종의 인산일에 즈음하여 일어난 대규모 만세 운동은 3 · 1 운동이다. 3 · 1 운동은 전 민족이 참여한 일제 강점기 최대의 민족 운동이다.

선택지 바로 보기

① 단발령의 실시에 반대했어요. (×)
→ 을미의병에 대한 설명이다.
② 삼정의 문란이 원인이 되었어요. (×)
→ 임술 농민 봉기 등 19세기에 일어난 민란에 대한 설명이다.
③ 선 실력 양성, 후 독립을 내세웠어요. (×)
→ 1920년대에 전개된 실력 양성 운동에 대한 설명이다.
④ 집강소를 설치하여 폐정 개혁을 실시했어요. (×)
→ 1894년에 일어난 동학 농민 운동에 대한 설명이다.
⑤ 대한민국 임시 정부 수립에 영향을 끼쳤어요. (○)
→ 3 · 1 운동을 계기로 독립운동의 구심점이 필요하다는 것에 공감대가 형성되어 대한민국 임시 정부가 수립되었다.

3 대한민국 임시 정부의 활동

제시된 임시 헌법은 대한민국 임시 정부가 1919년 9월에 공포한 것으로 국민 주권과 삼권 분립 등의 내용을 포함하고 있다. ③ 대한민국 임시 정부는 비밀 행정 조직인 연통제와 통신 기관인 교통국을 운영하여 정보를 수집하고 독립운동 자금을 모금하는 등의 활동을 벌였다.

오답 피하기 ① 광무개혁은 대한 제국 정부가 추진하였다.
② 토지 조사령은 조선 총독부에서 공포하였다.
④ 민족 혁명당은 의열단을 중심으로 결성되었다.
⑤ 반민족 행위 처벌법은 제헌 국회에서 제정하였다.

4 신간회

비타협적 민족주의자와 사회주의자의 협동 전선으로 창립된 (가) 단체는 신간회이다. 비타협적 민족주의자들은 자치 운동이 대두되는 상황을 경계하였고, 사회주의자들은 치안 유지법 시행 등으로 일제의 탄압이 강화되는 상황에서 상호 연대가 모색되었다. 그리하여 ② 1926년 조선 민흥회가 결성되고 정우회 선언이 발표되면서 신간회 결성의 토대가 마련되었다.

오답 피하기 ① 6 · 10 만세 운동은 신간회 창립 이전인 1926년에 일어났다. 6 · 10 만세 운동의 준비 과정에서 민족주의 세력과 사회주의 세력이 연대하여 민족 협동 전선 결성의 공감대가 형성되었다.
③ 1907년에 결성된 신민회의 활동이다.
④ 1923년에 결성된 조선 형평사가 백정에 대한 차별을 없애자는 형평 운동을 전개하였다.
⑤ 이광수, 최린 등 타협적 민족주의 세력이 자치 운동을 벌였다.

5 민족주의 역사학

독립운동가이면서 민족주의 역사 연구에 큰 업적을 남긴 보고서의 인물은 신채호이다. ② 신채호는 고대사 연구에 주력하여 『조선 상고사』, 『조선사 연구초』 등을 저술하였다.

오답 피하기 ① 1919년에 김원봉 등이 만주 지린에서 의열단을 결성하였다.
③ 1930년대에 민족주의 사학을 계승한 안재홍, 정인보 등이 정약용 서거 99주년을 기념하여 조선학 운동을 제창하였다.
④ 조선사 편수회는 조선 총독부가 설치한 기관으로 식민 사관을 바탕으로 한국사를 정리한 『조선사』를 편찬하였다.
⑤ 백남운 등 사회 경제 사학자들이 유물 사관을 토대로 역사를 연구하였다.

BOOK 2

6 전시 동원 체제

제시된 사진은 금속류 공출 장면이다. 일제는 1938년 국가 총동원법을 선포하고 한국에도 적용하였으며, 각종 자원을 수탈하는 공출을 실시하면서 각 가정의 농기구, 놋그릇, 가마솥까지 가리지 않고 빼앗아 갔다. ① 일제는 전쟁에 한국인을 손쉽게 동원하기 위해 한국인을 일왕에게 충성하는 황국 신민으로 만들고자 황국 신민 서사 암송과 신사 참배 등을 강요하였다.

오답 피하기 ② 화폐 정리 사업은 1905년에 추진되었다.
③ 105인 사건은 1911년에 일어났다.
④ 한국인에 대한 태형 집행은 1910년대에 이루어졌다.
⑤ 국채 보상 운동은 국권 피탈 이전인 1907년에 일어났다.

7 한인 애국단

일왕의 마차 행렬에 폭탄을 투척한 이봉창이 속한 밑줄 친 '이 단체'는 한인 애국단이다.

선택지 바로 보기

① 독립문 건설을 추진하였다. (×)
→ 1896년 조직된 독립 협회에 대한 설명이다.
② 김원봉의 주도로 결성되었다. (×)
→ 1919년 만주 지린에서 김원봉의 주도로 의열단이 결성되었다.
③ 서울 진공 작전을 전개하였다. (×)
→ 1907년 정미의병 당시 결성된 13도 창의군이 서울 진공 작전을 전개하였다.
④ 상하이 훙커우 공원 의거를 일으켰다. (○)
→ 1932년 한인 애국단 단원인 윤봉길이 상하이 훙커우 공원에서 의거를 일으켰다.
⑤ 조선 총독부와 종로 경찰서에 폭탄을 투척하였다. (×)
→ 의열단의 김익상과 김상옥이 각각 조선 총독부와 종로 경찰서에 폭탄을 투척하였다.

8 한국광복군

태평양 전쟁의 막바지에 대한민국 임시 정부는 산하 무장 조직인 한국광복군 제2 지대와 제3 지대에게 중국에 주둔한 미국 전략 첩보국(OSS)의 훈련을 받게 하였다. ③ 그리고 이 훈련을 받은 요원을 중심으로 국내 정진군을 조직하여 국내 진공 작전을 계획하였으나 일제의 패망으로 실현되지 못하였다.

오답 피하기 ① 1920년 10월 북로 군정서와 대한 독립군 등 독립군 연합 부대가 청산리 일대에서 일본군을 크게 물리쳤다.
② 6 · 25 전쟁은 1950년 북한의 남침으로 일어났으며, 유엔군과 한국군의 인천 상륙 작전으로 전세가 역전되었다.
④ 1942년 중국 화북 지역에서 조선 의용대 화북 지대를 개편하여 조선 독립 동맹의 무장 조직인 조선 의용군이 창설되었다.
⑤ 1930년대 초반 남만주 지역에서 양세봉이 이끄는 조선 혁명군이 중국의 항일 무장 세력과 연합 작전을 전개하였다.

창의·융합·코딩 전략 28~31쪽

01 ③	02 ③	03 ④	04 ①	05 ②	06 ⑤
07 ①	08 ②	09 ⑤	10 ④	11 ③	12 ④

01 '문화 통치'의 실상

자료 분석

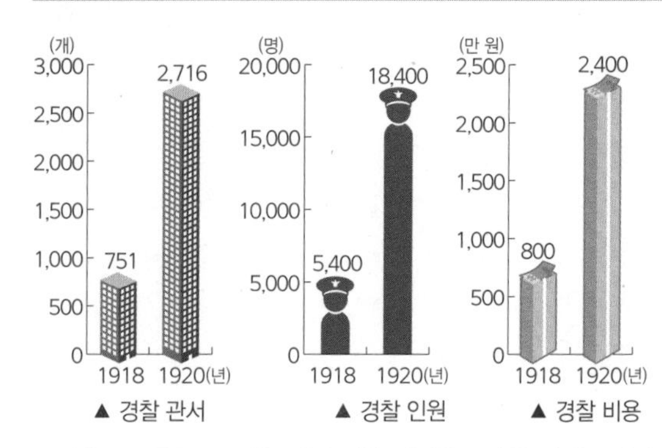

▲ 경찰 관서 ▲ 경찰 인원 ▲ 경찰 비용

1919년 3 · 1 운동으로 한국인의 저항 의식을 실감한 일제는 식민 통치 방식을 강압적인 무단 통치에서 이른바 '문화 통치'로 변경하였다. 일례로 일제는 헌병 경찰 제도를 폐지하고 보통 경찰제를 시행하였다. 그러나 경찰 관서와 인원, 비용 등은 이전보다 훨씬 늘어났다. 그밖에 문관 출신 총독을 임명 가능하게 하였으나 실제로 임명된 문관 출신 총독은 없었으며, 언론 · 출판 · 집회 · 결사의 자유를 일부 허용하였으나 검열 제도를 통해 식민 통치에 비판적인 기사들을 삭제하였다. 이러한 점을 통해 '문화 통치'의 기만성을 확인해 볼 수 있다.

일제가 표방한 문화 통치는 가혹한 식민 통치를 은폐하고 친일 세력을 적극 양성하려는 민족 분열 정책이다.

오답 피하기 ① 일제는 1910년대에 무단 통치를 실시하다가 3 · 1 운동을 계기로 통치 방식을 변경하였다.
④ 일제는 1937년 중일 전쟁, 1941년 태평양 전쟁 등으로 전쟁을 확대하면서 한국인을 전쟁에 효율적으로 동원하기 위해 황국 신민화 정책을 실시하였다.

02 대한민국 임시 정부

3 · 1 운동을 계기로 상하이에서 수립되었으며, 민주 공화제와 삼권 분립 제도를 채택하고 연통제와 교통국 조직을 운영한 단체는 대한민국 임시 정부이다. ③ 대한민국 임시 정부는 미국에 구미 위원부를 설치하여 외교 활동을 벌였다.

오답 피하기 ① 갑오개혁은 1894~1895년에 추진되었다.
② 홍범도의 대한 독립군, 안무의 국민회군, 최진동의 군무 도독부 등 독립군 연합 부대가 봉오동 전투에서 일본군에 승리하였다.
④ 신간회가 광주 학생 항일 운동 당시 진상 조사단을 파견하는 등 지원 활동을 펼쳤다.
⑤ 이광수, 최린 등 타협적 민족주의 세력이 일제의 식민 지배를 인정하는 가운데 자치 운동, 참정권 운동을 전개하였다.

03 실력 양성 운동

(가)는 1920년대 전개된 물산 장려 운동, (나)는 1931년부터 전개된 브나로드 운동과 관련된 포스터이다.

선택지 바로 보기

① (가)– 신간회의 지원하에 전국적으로 확산되었다. (×)
→ 1929년 광주 학생 항일 운동이 발생하자 신간회는 진상 조사단을 파견하고 민중 대회를 계획하였다.
② (가)– '한민족 1천만이 한 사람이 1원씩'이라는 구호를 내걸었다. (×)
→ 민립 대학 설립 운동의 구호이다. 물산 장려 운동은 '조선 사람 조선 것', '내 살림 내 것으로' 등의 구호를 내걸었다.
③ (나)– 한국인의 일본 의회 선거 참여를 청원하였다. (×)
→ 참정권 운동에 대한 설명이다.
④ (나)– 학생과 청년들이 농촌에서 계몽 운동을 전개하였다. (○)
→『동아일보』가 전개한 브나로드 운동은 학생과 청년이 농촌을 찾아 글을 가르치고 생활을 개선하려는 운동이었다.
⑤ (가), (나)– 종로 경찰서 등 일제의 식민 통치 기관을 공격하였다. (×)
→ 의열단 등이 전개한 의열 투쟁에 대한 설명이다.

더 알아보기 실력 양성 운동

구분	구호	내용
물산 장려 운동	'내 살림 내 것으로', '조선 사람 조선 것'	한국인 자본 보호 · 육성 목적, 토산품 애용과 근검저축 등 주장
민립 대학 설립 운동	'한민족 1천만이 한 사람이 1원씩'	한국인의 힘으로 대학 설립 시도, 조선 민립 대학 기성회가 모금 운동 전개
농촌 계몽 운동	'아는 것이 힘, 배워야 산다', '배우자 가르치자 다 함께 브나로드'	•『조선일보』의 문자 보급 운동, 『동아일보』의 브나로드 운동 전개 • 문맹 퇴치(문자 보급), 생활 개선, 미신 타파 등 계몽 운동 전개

04 전시 동원 체제

'가미가제 특별 공격 대원', '산더미 같은 미국 군함' 등의 내용을 통해 일제가 침략 전쟁을 확대하고 한국의 젊은이들을 전쟁에 동원한 1930년대 후반 이후의 상황임을 파악할 수 있다. 이 시기에 일본의 침략 전쟁을 찬양하는 등 일본에 협력하는 문인이 등장하기도 하였다. ① 일제는 전쟁에 필요한 물자를 동원하기 위해 공출 제도를 실시하였다.

오답 피하기 ② 군국기무처는 1894년 제1차 갑오개혁 때 설치되어 개혁을 추진하였다.
③ 1920년대 중반 만주 지역에서 3부가 결성되고 독립운동 세력의 역량을 모으기 위해 3부 통합 운동이 전개되었다. 그 결과 남만주에는 국민부가, 북만주에는 혁신 의회가 들어섰다.
④ 토지 조사 사업은 1912년부터 1918년까지 시행되었다.
⑤ 한국인에게 태형을 적용한 조선 태형령은 1912년에 제정되어 1920년에 폐지되었다.

05 의열단

단장인 김원봉, 단원인 김익상 · 김상옥 · 나석주, 행동 지침(강령)인 「조선 혁명 선언」, 공격 대상인 동양 척식 주식회사와 종로 경찰서 등을 통해 (가)는 의열단임을 파악할 수 있다. 의열단은 1935년 민족 혁명당의 결성을 주도하기도 하였다.

오답 피하기 ① 신간회는 비타협적 민족주의자와 사회주의자들이 함께 창립한 단체이다.
③ 대한 광복회는 1915년 공화제 정부 수립을 목표로 대구에서 결성된 비밀 결사이다.
④ 조선 의용대는 조선 민족 전선 연맹의 산하 무장 조직으로 1938년에 창설되었나.
⑤ 한인 애국단은 1931년 김구가 조직한 의열 단체이다.

06 건국 준비 활동

대한민국 임시 정부는 1932년 상하이를 떠나 중국 내륙으로 이동하였다. 그리고 1940년에 충칭에 정착하여 한국광복군을 창설하고 김구를 주석으로 하는 단일 지도 체제를 마련하였다.

선택지 바로 보기

① 국민 대표 회의를 소집했어. (×)
→ 국민 대표 회의는 1923년에 소집되었다.
② 국무령제로 정부를 개편했어. (×)
→ 대한민국 임시 정부는 1925년의 개헌으로 국무령제 형태의 정부 조직을 갖추었다.
③ 파리 강화 회의에 김규식을 파견했어. (×)
→ 파리 강화 회의는 1919년부터 1920년까지 개최되었다.
④ 한국 광복 운동 단체 연합회를 결성했어. (×)
→ 한국 광복 운동 단체 연합회는 김구의 한국 국민당, 조소앙의 한국 독립당, 지청천의 조선 혁명당 등이 연합하여 결성하였다.
⑤ 삼균주의를 바탕으로 한 건국 강령을 발표했어. (○)
→ 대한민국 임시 정부는 1941년에 건국 강령을 발표하였다.

07 1920년대 일제의 식민지 경제 정책

자료 분석 한국 내 일본인 회사와 한국인 회사의 자본금

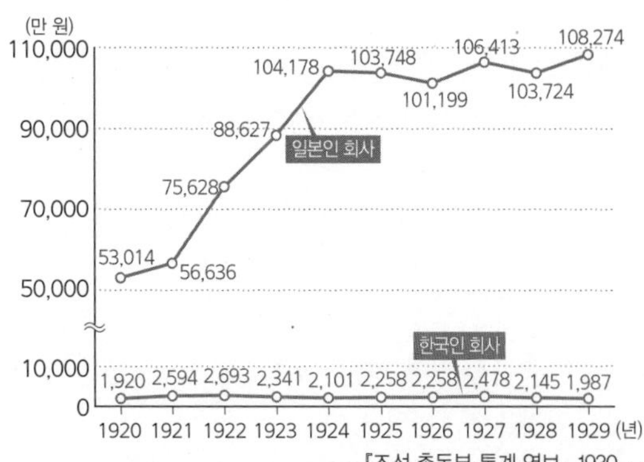

–『조선 총독부 통계 연보』, 1930. –

※ 일본인 회사의 자본금: 한국에 거점을 둔 일본인 회사와 일본 회사의 한국 지점 자본금을 모두 합친 수치임.

▲ 한국 내 일본인 회사와 한국인 회사의 자본금

제1차 세계 대전을 거치며 일본 경제는 빠르게 성장하였으며, 이 시기에 축적된 자본을 국외에 투자하려 하였다. 1920년 일제는 회사령을 폐지하고 회사 설립을 허가제에서 신고제로 바꾸어 일본 기업들이 한국에 쉽게 진출할 수 있도록 하였다. 이에 1920년대에 들어 많은 일본 기업들이 값싼 노동력을 찾아 한국에 진출하였다. 한편, 회사령의 폐지로 한국인의 회사 설립 건수도 늘어났으나 한국인 회사의 자본금이 전체에서 차지하는 비중은 미미한 수준이었다.

오답 피하기 ② 1920년대에 일본 기업이 한국에 본격적으로 진출하고, 한국과 일본 사이에 관세를 철폐하려는 움직임이 일어나자 물산 장려 운동이 전개되었다.
③ 1920년대 산미 증식 계획이 진행되며 전국 각지에 수리 조합이 조직되었으며, 이로 인해 농민들의 부담이 증가하였다.
④ 제1차 세계 대전 이후 산업화와 도시 인구 증가로 일본 내 식량 사정이 악화되었으며, 이 때문에 산미 증식 계획이 진행되었다.
⑤ 1920년대 기업이 늘어나면서 노동자의 수가 점차 증가함에 따라 노동 쟁의의 발생 건수도 많아졌다.

08 1910년대 국내 독립운동 단체

1910년대에 일제의 가혹한 무단 통치 속에서 국내의 독립운동가들은 비밀 결사를 조직하여 활동하였다. ② 고종의 밀지를 받아 조직된 독립 의군부는 고종을 황제로 복위시켜야 한다는 복벽주의를 목표로 하였다.

오답 피하기 ① 독립 의군부는 전라도 지역에서 조직되었다.
③ 국내 비밀 결사 중 대한 광복회가 공화제 정부 수립을 추구하였다.
④ 신민회 등이 전개한 활동이다.
⑤ 독립 의군부는 윌슨이 민족 자결주의를 제시하기 이전인 1912년에 조직되었다.

더 알아보기 1910년대 국내 비밀 결사

단체	주요 인물	특징 및 활동
독립 의군부	임병찬	• 복벽주의 • 고종 복위를 목표로 의병 계획 • 국권 반환 요구서 발송 계획
대한 광복회	박상진	• 공화제 정부 수립 목표 • 만주에 사관 학교 설립 계획 • 군자금 모금, 친일파 처단 활동

09 1920년대 무장 독립운동

1920년 6월 홍범도가 이끄는 대한 독립군, 최진동의 군무 도독부 등 독립군 연합 부대가 훈춘 부근 봉오동 골짜기로 일본군을 유인하여 격파하였다.

오답 피하기 ① 한국광복군은 1940년 충칭에서 대한민국 임시 정부의 산하 무장 조직으로 창설되었다.
② 북로 군정서는 청산리 전투 등에 참전하였다.
③ 1930년대 만주에서 조선 혁명군과 한국 독립군 등이 중국의 항일 무장 조직과 연합 작전을 전개하였다.
④ 청산리 대첩(1920. 10.)은 봉오동 전투보다 나중의 일이다. 김좌진의 북로 군정서를 비롯한 여러 독립군 부대는 청산리 일대에서 일본군을 상대로 큰 승리를 거두었다.

10 광주 학생 항일 운동

밑줄 친 '항일 운동'은 광주 학생 항일 운동이다. 1929년 통학 열차에서의 한 · 일 학생 간 충돌을 계기로 광주 지역의 학생들이 대규모 항일 시위를 전개하였다. 시위는 여러 단체의 지원을 통해 전국으로 확산되어 3 · 1 운동 이후 최대 규모의 항일 민족 운동으로 발전하였다.

선택지 바로 보기

① 순종의 장례일에 일어났다. (×)
→ 1926년 6 · 10 만세 운동에 대한 설명이다.
② 혁명적 농민 조합을 만들었다. (×)
→ 1930년대 들어 농민은 사회주의 세력과 연대하여 혁명적 농민 조합을 만들어 저항하였다.
③ '선 실력 양성, 후 독립'을 내세웠다. (×)
→ 1920년대에 전개된 실력 양성 운동에 대한 설명이다.
④ 신간회가 진상 조사단을 파견하였다. (○)
→ 광주 학생 항일 운동이 일어나자 신간회는 진상 조사단을 파견하고 민중 대회를 열려고 하였다.
⑤ 중국의 5 · 4 운동 등에 영향을 주었다. (×)
→ 3 · 1 운동이 중국의 5 · 4 운동 등 국외 민족 운동에 영향을 미쳤다.

11 일제 강점기 사회 · 문화의 변화

일제 강점기 근대 문물의 유입은 시간과 공간에 대한 의식을 바꾸어 놓았는데, 이를테면 정해진 시간에 출발하고 도착하는 철도의 이용은 보다 정확한 시간관념을 이용자들에게 요구하였다. 또한 일제 강점기에는 일상의 의식주 생활에도 많은 변화가 일어났으며, 문화 · 예술 분야에서는 영화, 연극, 대중가요 등이 발전하기도 하였다.
③ 프로 야구와 프로 축구는 1980년대에 출범하였다.

12 민족 혁명당

일제가 만주를 점령한 이후 만주 지역에서 활동하던 독립군의 대부분은 중국 관내로 이동하였고, 이들 사이에서는 항일 전선을 하나로 통합하려는 시도가 이어졌다. ④ 그 결과 김원봉의 의열단이 중심이 되고 조소앙, 지청천 등이 참여하여 1935년 난징에서 민족 혁명당이 결성되었다. 민족 혁명당은 민족주의계와 사회주의계가 모두 참여한 중국 관내 최대의 통일 전선 정당이었다. 그러나 김구 등 대한민국 임시 정부 고수 세력은 처음부터 참여하지 않았고, 노선 갈등으로 조소앙과 지청천 등 민족주의계 인사들이 탈당하였다는 한계가 있다.

오답 피하기 ① 신간회는 민족 유일당 운동의 결과 1927년에 국내에서 조직된 단체이다.
② 한국 국민당은 1935년 김구 등이 조직하였다.
③ 조선 민흥회는 1926년에 조직된 민족 협동 전선 단체이다.
⑤ 한국 광복 운동 단체 연합회는 한국 독립당, 조선 혁명당 등이 한국 국민당과 결성한 조직이다.

Book 2

WEEK

2

IV. 대한민국의 발전

DAY

1 개념 돌파 전략 ①

34~37쪽

[3강] 8·15 광복과 통일 정부 수립을 위한 노력 ~
4·19 혁명과 민주화를 위한 노력

01 조선 건국 준비 위원회 **02** 미소 공동 위원회 **03** 남북 협상
04 5 · 10 총선거 **05** 반민족 행위 특별 조사 위원회(반민 특위)
06 중국군 **07** 발췌 개헌 **08** 4 · 19 혁명

[4강] 경제 성장과 사회·문화의 변화 ~
남북 화해와 동아시아 평화를 위한 노력

01 5 · 16 군사 정변 **02** 광주 **03** 6월 민주 항쟁 **04** 노태우
05 경공업 **06** 김대중

DAY

1 개념 돌파 전략 ②

38~39쪽

1 ③ **2** ③ **3** ④ **4** ⑤ **5** ②

1 제헌 국회의 활동

이승만을 대통령, 이시영을 부통령으로 선출하였다는 내용과 반민 특위를 구성하였다는 내용을 통해 (가) 국회는 제헌 국회임을 알 수 있다. ③ 제헌 국회는 우리나라 최초의 민주주의 보통 선거로 치러진 5 · 10 총선거로 구성되었다.

오답 피하기 ① 1898년 독립 협회와 정부 대신이 참여한 관민 공동회에서 헌의 6조가 결의되었다.
② 여운형과 김규식 등이 주도한 좌우 합작 위원회에서 좌우 합작 7원칙을 발표하였다.
④ 조선 건국 준비 위원회는 미군이 한반도에 진주하기 전에 조선 인민 공화국 수립을 선포하였다.
⑤ 유신 헌법에서 대통령은 국회 의원 가운데 3분의 1을 추천할 수 있었다.

2 6 · 25 전쟁의 전개

미국과 중국, 북한 사이에 체결된 정전 협정으로 휴전된 밑줄 친 '전쟁'은 6 · 25 전쟁이다. ③ 북한의 남침으로 낙동강 전선까지 밀린 국군은 유엔군과 함께 인천 상륙 작전을 성공시켜 전세를 역전시키고 압록강까지 진출하였다.

오답 피하기 ① 1920년 일본군은 독립군의 근거지를 무너뜨리기 위해 간도 참변을 일으켰다.
② 일제는 중일 전쟁을 일으킨 이듬해인 1938년에 국가 총동원법을 제정하여 인력과 물자의 수탈에 나섰다.
④ 박정희 정부는 1972년 7 · 4 남북 공동 성명을 발표하여 통일을 위한 3대 원칙을 수립하였다.
⑤ 러일 전쟁 중인 1905년 일본은 시마네현 고시를 통해 독도를 자국 영토로 불법 편입하였다.

더 알아보기 6 · 25 전쟁의 전개 과정

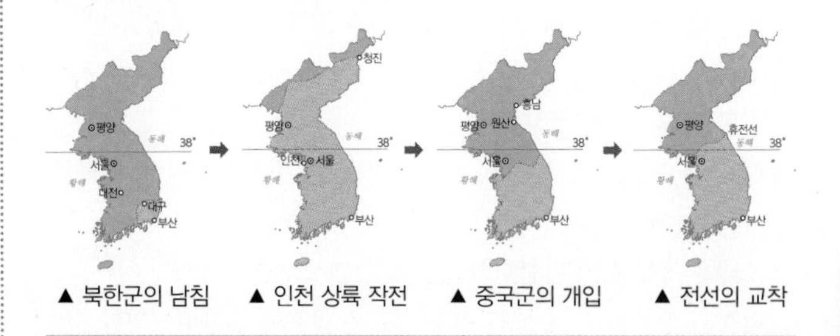

▲ 북한군의 남침 ▲ 인천 상륙 작전 ▲ 중국군의 개입 ▲ 전선의 교착

3 4 · 19 혁명

마산과 서울 등지에서 학생 시위가 일어났다는 내용과 3 · 15 선거는 불법 선거라고 선언하는 내용 등을 통해 자료에 나타난 민주화 운동은 4 · 19 혁명임을 알 수 있다.

선택지 바로 보기

① 유신 체제에 저항하여 일어났다. (×)
→ 박정희 정부의 유신 체제에 저항하여 개헌을 위한 100만 인 서명 운동, 3 · 1 민주 구국 선언 등이 일어났다.

② 신군부 세력의 퇴진을 요구하였다. (×)
→ 12 · 12 사태로 권력을 장악한 신군부 세력이 계엄령을 전국으로 확대하자 이에 저항하여 5 · 18 민주화 운동이 전개되었다.

③ 학생과 시민들이 시민군을 조직하였다. (×)
→ 5 · 18 민주화 운동 과정에서 계엄군의 무력 진압에 맞서 학생과 시민들이 시민군을 조직하였다.

④ 이승만 대통령이 하야하는 계기가 되었다. (○)
→ 4 · 19 혁명 과정에서 이승만의 하야 요구 주장이 제기되었으며, 결국 이승만은 대통령직에서 물러났다.

⑤ 6 · 29 민주화 선언이 발표되는 결과를 낳았다. (×)
→ 6월 민주 항쟁의 결과 6 · 29 민주화 선언이 발표되었다.

4 5 · 18 민주화 운동의 배경

당국이 18일 오후부터 공수 부대를 대량 투입하였다는 내용, 시민군이 조성된 점 등을 통해 궐기문이 발표된 민주화 운동은 5 · 18 민주화 운동임을 알 수 있다. ⑤ 5 · 18 민주화 운동은 전두환을 비롯한 신군부 세력이 계엄령을 전국으로 확대한 것에 반대하여 일어났다.

오답 피하기 ① 이승만 정부는 장기 독재 체제 구축을 위해 사사오입 개헌을 단행하였다.

② 전두환 정부의 4 · 13 호헌 조치 발표는 6월 민주 항쟁의 배경 중 하나이다.
③ 박정희 정권 시기 굴욕적인 한일 회담에 반대하여 6 · 3 시위가 발생하였다.
④ 전두환 정부 시기에 있었던 박종철 고문치사 사건은 6월 민주 항쟁의 배경이 되었다.

5 김영삼 정부의 정책

'역사 바로 세우기' 추진, 지방 자치제 전면 실시, 경제 협력 개발 기구[OECD] 가입 내용을 통해 자료의 정부는 김영삼 정부임을 알 수 있다. ② 김영삼 정부는 금융 실명제를 전면 시행하여 탈세와 부정 부패를 근절하고자 하였다.

오답 피하기 ① 농지 개혁법은 이승만 정부 시기에 제정되어 유상 매수, 유상 분배의 원칙으로 실시되었다.
③ 노태우 정부 시기 남북한이 동시에 유엔에 가입하였다.
④ 박정희 정부는 7 · 4 남북 공동 성명을 발표하여 자주 · 평화 · 민족 대단결의 통일 3대 원칙을 제시하였다.
⑤ 노태우 정부는 여소야대 정국 극복을 위해 여당인 민주 정의당이 김영삼의 통일 민주당, 김종필의 신민주 공화당과 합당하여 민주 자유당을 창당하였다.

DAY **2** 필수 체크 전략 ①

40~43쪽

01-1 ⑤	02-1 ㄴ, ㄹ	03-1 ①	03-2 ㄴ, ㄷ
04-1 ㄱ, ㄷ	05-1 ②	06-1 ⑤	07-1 ㄴ

01-1 미소 공동 위원회의 활동

제시된 자료는 모스크바 3국 외상 회의의 결의 내용으로 (가) 위원회는 미소 공동 위원회에 해당한다. ⑤ 미소 공동 위원회는 미국과 소련이 협의 대상을 둘러싸고 대립하여 두 차례 모두 결렬되었다.

오답 피하기 ① 여운형과 김규식 등을 중심으로 구성된 좌우 합작 위원회에서 좌우 합작 7원칙이 합의되었다.
② 대한민국 임시 정부는 1923년 상하이에서 국민 대표 회의를 개최하였으나 창조파와 개조파가 대립하여 성과 없이 끝나고 말았다.
③ 1907년 고종이 강제로 물러나자 대한 자강회 등이 고종 강제 퇴위 반대 운동을 전개하였다.
④ 1947년 유엔 총회에서 인구 비례에 따른 총선거 실시 등이 결정되었다.

02-1 좌우 합작 운동의 배경

선택지 바로 보기

ㄱ. 남북 협상이 추진되었다. (×)
→ 유엔 소총회에서 유엔 한국 임시 위원단이 접근 가능한 지역의 총선거 실시가 결의되자 김구와 김규식을 중심으로 남북 협상이 추진되었다.
ㄴ. 단독 정부 수립론이 대두하였다. (○)
→ 좌우 합작 운동은 이승만의 정읍 발언 등 단독 정부 수립론이 대두되는 상황에서 전개되었다.
ㄷ. 유엔 한국 임시 위원단이 내한하였다. (×)
→ 유엔 총회에서 유엔 한국 임시 위원단 내한이 결정되었으며, 이들의 감시하에 남한에서 5 · 10 총선거가 실시되었다.
ㄹ. 제1차 미소 공동 위원회가 결렬되었다. (○)
→ 제1차 미소 공동 위원회가 성과 없이 무기 휴회되고 단독 정부 수립론이 등장하는 가운데 좌우 합작 운동이 전개되었다.

03-1 제헌 국회의 활동

제시된 자료는 제헌 헌법으로 5 · 10 총선거를 통해 탄생한 제헌 국회에 의해 마련되었다. ① 제헌 국회는 2년간의 임기 동안 반민족 행위 처벌법과 농지 개혁법 등을 제정하였다.

오답 피하기 ② 독립 협회는 1898년 대한 제국 정부 대신들과 학생, 시민이 참석한 관민 공동회를 개최하였다.
③ 통리기무아문은 1880년에 개화 정책 기구로 설치되었다.
④ 대한민국 임시 정부는 1940년에 충칭에 정착하고 주석 중심제로 체제를 개편하면서 김구를 주석으로 선출하였다.
⑤ 장면 정부가 경제 개발 5개년 계획을 수립하였으며, 5 · 16 군사 정변 이후 박정희 정부가 이를 수정 · 보완하여 추진하였다.

03-2 제헌 국회의 활동

농지 개혁법을 통과시킨 밑줄 친 '국회'는 제헌 국회이다. 제헌 국회는 제헌 헌법에 따라 이승만을 대통령으로, 이시영을 부통령으로 선출하였고, 친일파 청산을 위해 반민족 행위 처벌법을 제정하였다.

오답 피하기 ㄱ. 제2대 총선에서 이승만에 비판적인 인물들이 당선되자, 1952년 대통령 선출을 직선제로 바꾸는 발췌 개헌이 단행되었다.
ㄹ. 1961년 5 · 16 군사 정변으로 권력을 장악한 군인 세력은 국가 재건 최고 회의를 통해 군정을 실시하였다.
ㅁ. 4 · 19 혁명으로 수립된 허정 과도 정부 시기에 내각 책임제와 양원제 국회를 골자로 한 헌법이 마련되었다.

04-1 5 · 10 총선거

1948년에 시행된 5 · 10 총선거를 통해 우리나라 제1대 국회인 제헌 국회 의원이 선출되어 활동하였다.

오답 피하기 ㄴ. 1960년 3월 15일에 열린 정 · 부통령 선거에서 이승만 정부는 이기붕을 부통령으로 당선시키기 위해 각종 부정을 자행하였다. 3 · 15 부정 선거는 4 · 19 혁명의 배경이 되었다.
ㄹ. 제헌 헌법에 따라 이승만 정부가 수립되었다.
ㅁ. 모스크바 3국 외상 회의에서는 민주주의 임시 정부 수립, 미소 공동 위원회 설치, 최고 5년 기한 4개국에 의한 한반도 신탁 통치가 결의되었다.

05-1 6 · 25 전쟁의 전개 과정

북한군의 남침으로 시작된 6 · 25 전쟁 초기 낙동강 전선까지 밀린 국군은 유엔군과 함께 인천 상륙 작전을 성공시켜 압록강까지 진출하였으나, ② 중국군의 참전으로 1 · 4 후퇴를 단행하였다.
오답 피하기 ① 1950년 6월 25일 북한군의 남침으로 6 · 25 전쟁이 시작되었다.
③ 1 · 4 후퇴 이후 전선이 교착 상태에 접어들자 정전 협상이 시작되어 1953년 정전 협정이 조인되었다.
④ 6 · 25 전쟁이 발발하기 전 미국이 태평양 방어선인 애치슨 선언을 발표하였다.
⑤ 제2차 미소 공동 위원회는 1947년에 개최되었으나 성과를 거두지 못하였다.

06-1 이승만 정부 시기의 사실

제헌 헌법에 따라 탄생한 이승만 정부는 6 · 25 전쟁 발발 직전인 1950년 5월에 시행된 제2대 총선에서 정부에 비판적인 의원들이 다수 당선되자 1952년 발췌 개헌을 단행하였다.
오답 피하기 ① 1948년 5 · 10 총선거를 통해 구성된 제헌 국회에서 제헌 헌법을 제정하였다.
② 1954년 이승만 정부는 장기 집권을 위해 개헌 당시 대통령에 한해 중임 제한을 적용하지 않는다는 개헌안을 사사오입의 논리를 내세워 통과했다고 발표하였다.
③ 1972년 냉전 체제가 완화되는 분위기 속에서 박정희 정부는 7 · 4 남북 공동 성명을 발표하고 이후 유신 체제를 수립하였다.
④ 1960년 4 · 19 혁명의 결과 이승만이 하야 성명을 발표하고 대통령직에서 물러났다.

07-1 4 · 19 혁명의 결과

부정 선거, 김주열 등이 사망한 내용 등을 통해 자료의 내용을 배경으로 일어난 민주화 운동은 4 · 19 혁명임을 알 수 있다. 4 · 19 혁명으로 수립된 허정 과도 정부 시기에 내각 책임제와 양원제 국회를 골자로 한 헌법이 제정되었다.
오답 피하기 ㄱ. 전두환 정부의 4 · 13 호헌 조치에 반대하여 6월 민주 항쟁이 일어났다.
ㄷ. 유신 체제에 저항하여 개헌을 위한 100만 인 서명 운동, 3 · 1 민주 구국 선언 등이 이루어졌다.
ㄹ. 1980년 5 · 18 민주화 운동 당시 신군부는 계엄군을 동원하여 무력으로 이를 진압하였다.

DAY 2 필수 체크 전략 ②

44~45쪽

1 ④	2 ④	3 ④	4 ③	5 ②
6 ③	7 ④	8 ②		

1 모스크바 3국 외상 회의의 내용

미소 공동 위원회의 과업을 민주주의적 조선 임시 정부를 수립하는 것으로 결정한 점 등을 통해 (가) 회의는 모스크바 3국 외상 회의임을 알 수 있다. ④ 모스크바 3국 외상 회의에서는 이 외에도 최대 5년간 4개국에 의한 신탁 통치가 결정되었다.
오답 피하기 ① 김구와 김규식은 남북 협상을 위해 평양을 방문하였다.
② 여운형과 김규식이 주도한 좌우 합작 위원회에서 좌우 합작 7원칙에 합의하였다.
③ 6 · 25 전쟁의 정전 협정 체결 이후 한국과 미국은 동맹 관계 강화를 위해 한미 상호 방위 조약을 체결하였다.
⑤ 유엔 소총회에서 유엔 한국 임시 위원단이 접근 가능한 지역의 총선거 실시가 결의되었다.

2 여운형의 활동

제시된 활동을 벌인 인물은 여운형이다. ④ 여운형은 김규식과 함께 좌우 합작 운동을 주도하며 좌우 합작 위원회 위원으로 활동하였다.
오답 피하기 ① 1946년 이승만은 정읍에서 단독 정부 수립이 필요하다고 발언하였다.
② 1947년 여운형이 암살당하였고, 1948년 5 · 10 총선거로 제헌 국회가 구성되었다.
③ 김구와 김규식이 남북 협상을 추진하여 평양에서 북측 인사들을 만났다.
⑤ 광복 이후 미국에서 귀국한 이승만은 독립 촉성 중앙 협의회를 구성하였다.

3 남북 협상의 내용

김구, 김규식 등이 참여하였으며, 평양에서 남측과 북측의 인사들이 모여 회의를 하고 공동 성명을 발표하였다는 내용 등을 통해 제시된 자료는 남북 협상에 관한 것임을 알 수 있다. ④ 남북 협상의 공동 성명서에는 단독 정부 수립 반대, 미 · 소 양군의 철수 요구 등의 내용이 담겨 있었다.
오답 피하기 ① 1953년 7월에 체결된 정전 협정에 따라 남북 군사 분계선(휴전선)이 설정되었다.
② 1952년 발췌 개헌, 1987년 6 · 29 민주화 선언에 따라 이루어진 개헌 등에서 대통령 직선제를 규정하였다.
③ 제2차 미소 공동 위원회가 결렬되자 미국은 한국 문제를 유엔에서 다루자고 제안하였다.
⑤ 모스크바 3국 외상 회의의 최대 5년간의 신탁 통치 결정에 대하여 좌익은 초기에 반대하였으나 총체적 지지로 입장을 바꾸었다.

4 제헌 국회의 활동

반민족 행위 처벌법을 제정한 밑줄 친 '국회'는 제헌 국회이다. ③ 제헌 국회는 임기 2년의 제헌 국회 의원들로 구성되어 반민족 행위 처벌법과 농지 개혁법 등을 제정하였다.

오답 피하기 ① 1899년에 대한 제국이 황제에게 절대적 권한을 부여한 대한국 국제를 발표하였다.

② 유신 헌법에 따라 통일 주체 국민 회의에서 임기 6년의 대통령을 선출하였다.

④ 허정 과도 정부 시기에 제정한 헌법에 따라 민의원과 참의원으로 구성된 양원제 국회가 구성되었다.

⑤ 1952년 발췌 개헌, 1987년 6 · 29 민주화 선언에 따라 이루어진 개헌 등에서 대통령 직선제를 규정하였다.

5 사사오입 개헌의 내용

자료 분석

> **제55조** 대통령과 부통령의 임기는 4년으로 한다. 단, 재선에 의하여 1차 중임할 수 있다. 대통령이 궐위된 때에는 부통령이 대통령이 되고 잔임 기간 중 재임한다.
> **부칙** 이 헌법 공포 당시의 대통령에 대하여는 제55조 제1항 단서의 제한을 적용하지 아니한다.

개헌안 제55조 내용에서 대통령과 부통령의 임기를 4년으로 규정함과 동시에 대통령의 중임 제한을 규정하였다. 그러나 부칙에서 헌법을 공포할 당시 대통령인 이승만에 대하여는 제55조 제1항 단서의 제한을 적용하지 않는다고 하여 중임 제한 규정을 적용하지 않았다. 이를 통해 이승만의 장기 집권이 가능하게 되었다.

부칙에서 개헌 당시 대통령에 한해 중임 제한을 적용하지 않는다는 내용을 통해 제시된 자료의 개헌안은 1954년 개정된 사사오입 개헌안임을 알 수 있다.

오답 피하기 ① 6 · 25 전쟁이 진행되고 있던 1952년에 발췌 개헌안이 가결되었다.

③ 6 · 29 민주화 선언에 따라 5년 단임의 대통령을 직선제로 선출하는 헌법이 마련되었다.

④ 유신 헌법에서 대통령에게 긴급 조치권이 부여되었다.

⑤ 유신 헌법에 따라 통일 주체 국민 회의에서 6년 임기의 대통령을 선출하였다.

6 이승만 정부 시기의 사실

1948년 치러진 5 · 10 총선거를 통해 제헌 국회가 구성되어 반민족 행위 처벌법(1948), 농지 개혁법(1949)을 제정하였다. 이후 1950년에 북한군의 남침으로 6 · 25 전쟁이 발발하였다.

오답 피하기 ㄱ. 6 · 25 전쟁 중인 1952년에 이승만 정부는 발췌 개헌안을 통과시켰다.

ㄹ. 4 · 19 혁명 이후 허정 과도 정부에서 내각 책임제와 양원제 국회를 골자로 한 헌법을 마련하였다.

7 6 · 25 전쟁의 전개 과정

(가)는 북한군의 남침으로 낙동강 전선이 형성된 시기이며, (나)는 국군과 유엔군이 인천 상륙 작전을 전개한 이후 압록강까지 북진한 시기를 보여 준다.

오답 피하기 ① 압록강 전선이 형성된 이후 중국군의 개입으로 국군과 유엔군이 후퇴하는 과정에서 1 · 4 후퇴가 단행되었다.

② 1 · 4 후퇴 이후 전선이 교착되면서 정전 회담이 진행되었고, 1953년에 정전 협정이 조인되었다.

③ 1948년 유엔 소총회의 결의에 따라 5 · 10 총선거가 실시되었다.

⑤ 1972년 냉전 체제가 완화되는 가운데 박정희 정부가 7 · 4 남북 공동 성명을 발표하였다.

8 4 · 19 혁명

부정 공개 투표, 마산 사건의 책임을 지라는 내용 등을 통해 자료가 발표된 민주화 운동은 4 · 19 혁명임을 알 수 있다. ② 4 · 19 혁명의 결과 이승만 대통령이 하야하고, 이후 이어진 내각 책임제 개헌에 따라 장면 정부가 들어섰다.

오답 피하기 ① 6월 민주 항쟁에서 학생과 시민들은 대통령 직선제 개헌을 요구하였다.

③ 제주 4 · 3 사건 등에서 남한만의 단독 정부 수립 반대를 주장하였다.

④ 전두환 정부 시기 대통령 직선제 개헌 요구가 거세지는 가운데 1987년 박종철 고문치사 사건이 일어나자 시민들이 이에 대한 진상 규명을 요구하면서 시위가 격화되었다.

⑤ 5 · 18 민주화 운동은 신군부의 계엄령 전국 확대에 반대하여 일어났다.

DAY 3 필수 체크 전략 ①

46~49쪽

01-1 ㄴ, ㄹ	02-1 ③	03-1 ④	04-1 ㄱ, ㄴ
05-1 ㄹ, ㅁ	06-1 ㄹ	07-1 ㄱ, ㄹ	08-1 ⑤

01-1 유신 헌법의 내용

1972년 10월에 국회를 해산하고 개정된 점 등을 통해 밑줄 친 '헌법'은 유신 헌법임을 알 수 있다. 유신 헌법에서는 대통령의 임기를 6년으로 하고 대통령에게 긴급 조치권을 부여하였다.

오답 피하기 ㄱ. 4 · 19 혁명 이후 허정 과도 정부 시기에 내각 책임제와 양원제 국회를 규정한 헌법이 제정되었다.

ㄷ. 1969년 박정희 정부에서 개정한 헌법에서 대통령의 3회 연임을 허용하였다(3선 개헌).

02-1 5 · 18 민주화 운동

계엄군의 진압에 광주 시민과 학생들이 저항하였다는 내용을 통해 (가) 민주화 운동은 1980년에 일어난 5 · 18 민주화 운동임을 알 수 있다. ③ 5 · 18 민주화 운동 당시 학생과 시민들은 신군부 세력의 퇴진을 요구하였다.

오답 피하기 ① 유신 헌법에 저항하여 개헌을 위한 100만 인 서명 운동, 3 · 1 민주 구국 선언 등이 전개되었다.
② 4 · 19 혁명은 이승만이 대통령직에서 물러나는 계기가 되었다.
④ 박정희 정부 시기 한일 협정 체결을 추진하자 이를 굴욕적인 한일 회담으로 본 학생과 시민들이 6 · 3 시위를 전개하였다.
⑤ 6월 민주 항쟁 당시 6 · 10 국민 대회를 통해 시위가 더욱 확산되었다.

03-1 6월 민주 항쟁의 특징

4 · 13 호헌 성명이 무효임을 선언하는 등의 내용을 통해 제시된 결의문이 작성된 민주화 운동은 6월 민주 항쟁임을 알 수 있다. ④ 6월 민주 항쟁은 대통령 직선제를 주요 내용으로 하는 6 · 29 민주화 선언을 이끌어 냈다.

오답 피하기 ① 제주 4 · 3 사건 등에서 단독 정부 수립을 반대하였다.
② 김영삼 정부 집권 말기에 외환 위기가 발생하여 국제 통화 기금[IMF]에 긴급 구제 금융 지원을 요청하였다.
③ 신군부의 계엄령 확대에 반대하여 5 · 18 민주화 운동이 발생하였으나 계엄군이 이를 무력으로 진압하였다.
⑤ 3 · 15 부정 선거에 저항하여 4 · 19 혁명이 일어났다.

04-1 박정희 정부 시기 경제 성장

제시된 자료는 박정희 정부 시기인 1970년에 일어난 전태일 분신 사건을 보도하는 신문 기사이다. 박정희 정부 시기에는 베트남 전쟁 특수로 경제가 크게 성장하였고, 1977년 말 100억 달러 수출을 달성하였다.

오답 피하기 ㄷ. 전두환 정부 시기인 1980년대 후반 저유가, 저금리, 저달러의 3저 호황을 바탕으로 경제가 지속적으로 성장하였다.
ㄹ. 이승만 정부 시기에 미국의 원조 물자를 바탕으로 면방직, 제분, 제당 등 삼백 산업이 발전하였다.

05-1 김영삼 정부 시기의 사실

김영삼 정부는 1995년에 지방 자치제를 전면적으로 실시하였고, 임기 말에 외환 위기를 맞아 국제 통화 기금[IMF]에 구제 금융 지원을 요청하였다.

오답 피하기 ㄱ. 6 · 3 시위는 박정희 정부 시기에 굴욕적인 한일 회담에 반대하여 일어났다.
ㄴ. 노태우 정부 시기인 1988년에 서울 올림픽이 개최되었다.
ㄷ. 김대중, 노무현, 문재인 정부 시기에 남북 정상 회담이 이루어졌다.

06-1 7 · 4 남북 공동 성명

남북한이 최초로 통일에 관한 사항을 합의하였다는 내용을 통해 밑줄 친 '공동 성명'은 1972년 발표된 7 · 4 남북 공동 성명임을 알 수 있다. 7 · 4 남북 공동 성명에서 자주, 평화, 민족적 대단결의 통일 3대 원칙이 합의되었다.

오답 피하기 ㄱ. 두 차례 석유 파동은 각각 1973년과 1978년에 발생하였다.
ㄴ. 노태우 정부 시기인 1991년 남북한 유엔 동시 가입 직후 남북 기본 합의서와 한반도 비핵화 공동 선언이 합의되었다.
ㄷ. 김대중 정부 시기 제1차 남북 정상 회담의 결과 6 · 15 남북 공동 선언이 발표되었다.

07-1 노태우 정부 시기의 사실

남북한이 함께 국제 연합에 가입한 시기인 밑줄 친 '이 정부'는 노태우 정부이다. 노태우 정부는 여소야대 정국 극복을 위해 3당 합당을 추진하여 민주 자유당을 창당하였다. 또 북방 외교를 추진하여 중국, 소련 등 사회주의 국가와 수교하였다.

오답 피하기 ㄴ. 김대중 정부 시기 제1차 남북 정상 회담이 개최되었다.
ㄷ. 박정희 정부 시기인 1972년에 제3차 경제 개발 5개년 계획이 시작되었다.

08-1 6 · 15 남북 공동 선언의 성과

제시된 자료는 개성에 대단위 공업 단지와 수출 공단 건설에 대한 내용이다. ⑤ 이러한 상황은 김대중 정부 시기 제1차 남북 정상 회담의 결과로 발표된 6 · 15 남북 공동 선언에 따라 나타났다.

오답 피하기 ① 남북 조절 위원회는 박정희 정부 시기 7 · 4 남북 공동 성명에 따라 설치되었다.
② 노태우 정부 시기에 남북한이 화해 및 불가침, 교류 협력 등에 관해 합의하면서 남북 기본 합의서가 채택되었다.
③ 박정희 정부 시기인 1965년에 한일 협정 체결을 통해 한일 국교 정상화가 이루어졌다.
④ 1990년대 북한의 핵 개발 의혹이 제기되는 가운데 1993년에 북한은 핵 확산 금지 조약[NPT]을 탈퇴하였다.

DAY 3 필수 체크 전략 ② 50~51쪽

1 ④	2 ④	3 ⑤	04 ②	5 ⑤
6 ④	7 ①			

1 유신 헌법의 내용

학도 호국단 폐지, YH 무역 사건 등의 내용을 통해 (가) 헌법은 유신 헌법임을 알 수 있다.

선택지 바로 보기

ㄱ. 대통령 직선제를 규정하였다. (×)

→ 대통령 직선제는 발췌 개헌안과 6 · 29 민주화 선언으로 마련된 헌법 등에서 규정되었다.

ㄴ. 비상 국무 회의에서 마련되었다. (○)

→ 유신 헌법은 1972년 비상 국무 회의에서 마련되었다.

ㄷ. 대통령은 5년 임기의 단임이었다. (×)

→ 1987년 6월 민주 항쟁의 결과 여야 합의로 마련된 개헌안에서 5년 단임의 대통령 직선제가 규정되었다. 유신 헌법에서는 대통령의 임기를 6년으로 규정하였다.

ㄹ. 대통령이 국회 의원의 3분의 1을 추천하였다. (○)

→ 유신 헌법은 대통령이 통일 주체 국민 회의의 의원을 추천하도록 하여 사실상 국회 의원의 1/3을 임명할 수 있게 하였다.

더 알아보기 유신 헌법

유신 헌법으로 대통령의 임기는 4년에서 6년으로 늘어나고 중임 횟수 제한도 사라졌다. 또한 통일 주체 국민 회의에서 간접 선거로 대통령을 선출하게 하였다. 대통령은 국회를 해산할 수 있고, 사실상 국회 의원의 3분의 1을 임명할 수 있었으며, 긴급 조치를 발동하여 각종 법률의 효력을 정지하고 국민의 자유를 마음대로 제약할 수 있었다.

2 신군부 세력

광주에 공수 부대를 투입하여 시위를 난폭하게 진압하였고, 계엄군의 과잉 진압에 다수의 사상자가 발생하였다는 내용 등을 통해 밑줄 친 '피고인들'은 전두환, 노태우 등 신군부 세력임을 알 수 있다. ④ 신군부 세력은 1979년 12 · 12 사태로 권력을 장악하였다.

오답 피하기 ① 박정희 정부 시기인 1965년에 한일 협정이 체결되어 한일 국교 정상화가 이루어졌다.

② 이승만 정부는 이승만과 이기붕을 각각 대통령과 부통령에 당선시키기 위해 3 · 15 부정 선거를 자행하였다.

③ 김영삼 정부는 조선 총독부 건물 철거, 전두환 · 노태우 구속 등 '역사 바로 세우기'를 추진하였다.

⑤ 여수에 주둔하던 군 내부 좌익 세력이 제주도 출동 명령에 반발하여 여수 · 순천 10 · 19 사건이 발생하였다.

3 6월 민주 항쟁의 내용

박종철 군 죽음의 진상을 밝힐 것과 호헌 철폐를 요구하는 점 등을 통해 제시된 자료는 6월 민주 항쟁을 보여 주고 있음을 알 수 있다. ⑤ 6월 민주 항쟁 당시 대통령 직선제 개헌이 요구되었다.

오답 피하기 ① 유신 헌법 반대 운동은 1970년대 펼쳐졌다.

② 3 · 15 부정 선거에 대한 진상 조사는 4 · 19 혁명 당시 요구 사항이었다.

③ 제주 4 · 3 사건 등에서 남한 단독 선거 반대 주장이 제기되었다.

④ 굴욕적인 한일 회담에 반대하는 6 · 3 시위는 박정희 정부 시기에 일어났다.

4 박정희 정부 시기의 사실

박정희 정부 시기인 1970년에 경부 고속 국도가 개통되었다. ② 박정희 정부는 자유 민주주의 수호를 내세우며 1964년부터 1973년까지 베트남 전쟁에 파병을 단행하였다.

오답 피하기 ① 유신 헌법은 1972년에 제정되었다.

③ 금강산 관광은 김대중 정부 시기인 1998년에 시작되었다.

④ 서울 올림픽은 노태우 정부 시기인 1988년에 개최되었다.

⑤ 2000년에 김대중 대통령이 평양을 방문하여 제1차 남북 정상 회담을 가졌다.

5 노태우 정부의 정책

서울 올림픽 개최와 5공 비리 청문회 개최 등을 통해 자료는 노태우 정부 시기에 관한 내용임을 알 수 있다. ⑤ 노태우 정부는 여소야대 정국을 극복하기 위해 김영삼의 통일 민주당, 김종필의 신민주 공화당과 3당 합당을 추진하였다.

오답 피하기 ① 1970년 박정희 정부 시기에 경부 고속 국도가 개통되었다.

② 전두환 정부 시기에 6 · 29 민주화 선언이 발표되었다.

③ 김대중 정부 시기에 제1차 남북 정상 회담이 개최되었다.

④ 김영삼 정부 시기에 우리나라는 경제 협력 개발 기구[OECD]에 가입하였다.

6 전두환 정부의 통일 정책

삼청 교육대를 설치하고 해외여행을 자유화하였으며, 4 · 13 호헌 조치를 발표한 밑줄 친 '이 정부'는 전두환 정부이다. ④ 전두환 정부 시기에 최초로 남북 이산가족 고향 방문이 이루어졌다.

오답 피하기 ① 김영삼 정부 시기에 '역사 바로 세우기'가 추진되었다.

② 노태우 정부 시기 남북 사이의 화해와 불가침 및 교류 · 협력에 관한 합의서인 남북 기본 합의서가 채택되었다.

③ 박정희 정부 시기에 자주 · 평화 · 민족 대단결의 통일 원칙에 합의한 7 · 4 남북 공동 성명이 발표되었다.

⑤ 김대중 정부는 최초의 선거를 통한 여야 간 평화적인 정권 교체를 통해 들어섰다.

7 김대중 정부의 통일 정책

김대중 정부 시기에 외환 위기 극복을 위해 금 모으기 운동이 추진되었으며, 금강산 관광이 시작되었다. ① 이 시기 제1차 남북 정상 회담으로 6 · 15 남북 공동 선언이 발표되었다.

오답 피하기 ② 박정희 정부 시기 7 · 4 남북 공동 성명에서 통일 3대 원칙이 최초로 합의되었다.

③ 노무현 정부 시기 제2차 남북 정상 회담이 개최되었다.

④ 전두환 정부 시기에 남북 이산가족 상봉이 처음으로 이루어졌다.

⑤ 1991년 노태우 정부 시기에 남북한이 동시에 유엔에 가입하였다.

누구나 합격 전략 52~53쪽

1 ③	2 ④	3 ①	4 ①
5 ④	6 ③	7 ①	8 ④

1 조선 건국 준비 위원회의 활동

제시된 자료는 조선 건국 준비 위원회에서 발표한 강령이다. ③ 조선 건국 준비 위원회는 미군 진주를 앞둔 1945년 9월 6일 조선 인민 공화국 수립을 선포하였다.

오답 피하기 ① 이승만 정부 시기 농지 개혁법에 따라 농지 개혁이 실시되었다.

② 김구와 김규식은 남북 협상을 위해 북측에 남북 정치 회담을 제안하였다.

④ 송진우, 김성수 등은 한국 민주당을 조직하였다.

⑤ 모스크바 3국 외상 회의의 결의 사항이 발표된 이후 김구, 이승만 등 우익은 신탁 통치에 반대하는 운동을 전개하였다.

2 제주 4·3 사건의 내용

이른바 '3·1 사건'에 대한 항의에서 비롯된 총파업 이후 4월 3일에 제주도의 좌익 세력과 일부 주민들이 무장봉기하였다는 내용을 통해 자료는 제주 4·3 사건에 관한 것임을 알 수 있다.

선택지 바로 보기

① 신군부 세력의 퇴진을 요구 (×)
→ 12·12 사태 이후 서울의 봄과 5·18 민주화 운동 당시 신군부 세력의 퇴진이 요구되었다.

② 굴욕적인 한일 회담에 반대 (×)
→ 박정희 정부 시기에 굴욕적인 한일 회담에 반대하여 6·3 시위가 일어났다.

③ 신탁 통치 결정의 취소를 요구 (×)
→ 모스크바 3국 외상 회의의 결정 사항에 반대하여 우익은 신탁 통치 결정의 취소를 요구하였다.

④ 남한만의 단독 정부 수립에 반대 (○)
→ 제주 4·3 사건 당시 5·10 총선거와 단독 정부 수립에 반대하는 주장이 제기되었다.

⑤ 한미 상호 방위 조약 체결을 요구 (×)
→ 이승만 정부의 요구에 따라 정전 협정 체결 직후 한미 상호 방위 조약이 체결되었다.

3 6·25 전쟁의 영향

유엔군이 살포한 삐라라는 점, 북한군 병사에게 귀순을 독려한다는 점 등을 통해 밑줄 친 '이 전쟁'은 6·25 전쟁임을 알 수 있다. ① 6·25 전쟁으로 수십만 명의 전쟁고아와 천만 명에 가까운 이산가족이 발생하였다.

오답 피하기 ② 1948년 5·10 총선거를 통해 제1대 국회인 제헌 국회가 구성되었다.

③ 1950년 1월에 발표된 미국의 애치슨 선언은 태평양 방어선에서 한반도를 제외하여 6·25 전쟁의 발발에 영향을 끼쳤다.

④ 일제는 중일 전쟁을 일으킨 후 1938년에 국가 총동원법을 제정하여 전쟁 수행에 필요한 인력과 물자를 동원하였다.

⑤ 제2차 세계 대전에서 일본이 무조건 항복을 선언하면서 한국은 일제의 식민 지배에서 벗어났다.

4 4·19 혁명의 배경

자료의 화자는 이승만 대통령으로 4·19 혁명 결과 하야하겠음을 선언하고 있다. 따라서 밑줄 친 '선거'는 3·15 부정 선거임을 알 수 있다. ① 이승만 정부는 장기 집권을 위해 1960년 정·부통령 선거에서 이승만과 이기붕을 각각 대통령과 부통령으로 당선시키기 위해 부정 선거를 자행하였다.

오답 피하기 ② 우리나라 최초의 민주주의 보통 선거는 1948년에 치러진 5·10 총선거이다.

③ 5·10 총선거는 유엔 소총회의 결의에 따라 유엔 한국 임시 위원단의 감시하에 치러졌다.

④ 최초의 선거를 통한 평화적인 여야 정권 교체로 김대중 정부가 들어섰다.

⑤ 6월 민주 항쟁 이후 치러진 대통령 선거에서 야권 분열로 민주정의당의 노태우 후보가 대통령에 당선되었다.

5 10·26 사태의 발생 시기

미국 정부가 비상시국에 대응하고 있는 점, 정승화 장군이 통행금지령을 내리고 있고, 용의자 김재규가 구금된 점, 대통령이 서거한 점 등을 통해 자료의 사건은 10·26 사태임을 알 수 있다. ④ 3선 개헌(1969)과 유신 체제 수립을 통해 장기 집권한 박정희 대통령은 10·26 사태(1979)로 피살되었다. 이후 12·12 사태(1979)가 발생하여 신군부 세력이 정권을 장악하였다.

6 6월 민주 항쟁

자료 분석

> 헌법 개정의 주체는 오로지 국민이다. 국민 이외의 어느 누구도 이 신성한 권리를 대행하거나 파기할 수 없다. 그러므로 국민적 의사를 전적으로 묵살한 4·13 폭거는 시대적 대세인 민주화를 거스르려는 음모요, 국가 권력의 주인인 국민을 향한 도전장이 아닐 수 없다. …… 그동안 마치 날치기 통과라도 강행할 것 같던 내각 책임제 개헌안도 국민의 대통령 직선제 개헌 열망을 무마하고 민주 세력을 이간시켜 탄압하면서 원래의 의도인 호헌의 명분을 만들기 위한 위장 전술에 지나지 않았다.

자료는 6·10 국민 대회 선언문의 일부이다. 시민들의 대통령 직선제 개헌 요구에 대해 현행 간선제를 유지하겠다는 전두환 정부의 4·13 호헌 조치를 4·13 폭거라고 언급하며, 헌법 개정의 주체인 국민의 요구를 묵살한다고 비판하고 있다. 박종철 고문치사 사건으로 시위가 전국으로 확대된 가운데 6월 10일 민주 헌법 쟁취 국민운동 본부의 주도로 '박종철 고문 살인 조작·은폐 규탄 및 호헌 철폐 국민 대회'가 개최되었다.

4 · 13 폭거를 비판하는 점, 국민의 대통령 직선제 개헌 열망 등의 내용을 통해 자료의 선언문이 발표된 민주화 운동은 1987년 6월 민주 항쟁임을 알 수 있다. ③ 박종철 고문치사 사건은 6월 민주 항쟁의 배경이 되었다.

오답 피하기 ① 서울 올림픽은 1988년 노태우 정부 시기에 개최되었다.
② 금 모으기 운동은 김대중 정부 시기에 전개되었다.
④ 개성 공단은 6 · 15 남북 공동 선언(2000)에 따라 조성되었다.
⑤ 5 · 18 민주화 운동 당시 계엄군에 맞서 광주 시민과 학생들이 시민군을 조직하였다.

7 박정희 정부의 경제 정책

농촌 생활 환경을 개선하기 위해 새마을 운동을 시작한 (가) 정부는 박정희 정부이다. ① 박정희 정부는 장면 정부 시기에 마련된 경제 개발 5개년 계획을 수정 · 보완하여 1962년부터 추진하였다.

오답 피하기 ② 이승만 정부 시기 미국의 원조 물자를 이용한 삼백 산업이 발전하였다.
③ 이승만 정부 시기에 농지 개혁이 실시되었다.
④ 김영삼 정부 말기에 외환 위기가 발생하여 국제 통화 기금[IMF]에서 구제 금융을 받았다.
⑤ 1980년대 후반에 저유가, 저금리, 저달러의 3저 호황에 힘입어 경제가 성장하였다.

8 김대중 정부의 통일 정책

금강산 관광 사업 시작, 개성 공단 조성 합의, 이산가족 상봉 등의 내용을 통해 자료는 김대중 정부의 통일 정책을 보여 주고 있음을 알 수 있다. ④ 이 시기 평양에서 제1차 남북 정상 회담이 개최되어 6 · 15 남북 공동 선언이 발표되었다.

오답 피하기 ① 남북한이 유엔에 동시 가입한 것은 노태우 정부 시기이다.
② 박정희 정부 시기인 1972년에 7 · 4 남북 공동 성명이 발표되었다.
③ 노무현 정부 시기에 개최된 제2차 남북 정상 회담의 결과 10 · 4 남북 공동 선언이 합의되었다.
⑤ 노태우 정부 시기에 한반도 비핵화 공동 선언이 발표되었다.

창의·융합·코딩 전략

54~57쪽

01 ③	02 ②	03 ⑤	04 ③	05 ①	06 ⑤
07 ④	08 ②	09 ④	10 ④	11 ④	12 ②

01 광복 이후 정치 세력의 동향

제시된 알고리즘은 광복 이후 귀국한 이승만과 김구의 활동을 나타내고 있다.

선택지 바로 보기

ㄱ. A– 찬탁 운동을 전개하였는가? (×)
→ 모스크바 3국 외상 회의에서 최대 5년간의 신탁 통치가 결정되자 이승만, 김구를 비롯한 우익은 반탁 운동을 전개하였다.

ㄴ. B– 단독 정부 수립을 주장하였는가? (○)
→ 제1차 미소 공동 위원회가 결렬되자 1946년 이승만은 정읍에서 단독 정부 수립이 필요하다고 발언하였다.

ㄷ. C– 남북 협상에 참여하였는가? (○)
→ 유엔 소총회에서 가능한 지역에서의 총선거가 결정되자 김구와 김규식은 평양을 방문하여 남북 협상을 전개하였다.

ㄹ. C– 좌우 합작 운동에 참여하였는가? (×)
→ 좌우 합작 운동은 여운형과 김규식 등 중도파 정치인들을 중심으로 전개되었다.

02 제헌 국회의 활동

우리나라 최초의 민주주의 보통 선거를 통해 구성된 2년 임기의 제헌 국회에서 ② 1949년에 농지 개혁법을 제정하였다.

오답 피하기 ① 모스크바 3국 외상 회의의 결의 사항이 알려지자 이승만, 김구 등의 우익은 반탁 운동을 전개하였다.
③ 1954년 이승만 정부는 장기 집권을 위해 사사오입 개헌을 단행하였다.
④ 비밀 결사 단체였던 신민회는 1911년 105인 사건을 계기로 와해되었다.
⑤ 1923년 대한민국 임시 정부의 활로를 모색하고자 국민 대표 회의가 개최되었으나 창조파와 개조파로 나뉘어 대립하면서 성과 없이 마무리되었다.

03 장면 정부의 성격

대한민국 역사에서 유일한 내각 책임제는 ⑤ 4 · 19 혁명 이후 허정 과도 정부에서 마련한 헌법에 규정되었으며, 이에 따라 장면 정부가 들어섰다.

오답 피하기 ① 유신 헌법은 통일 주체 국민 회의에서 임기 6년의 대통령을 선출하도록 규정하였다.
② 6월 민주 항쟁의 결과 대통령의 임기를 5년 단임으로 규정하고 직선제로 선출하도록 한 헌법이 제정되었다.
③ 12 · 12 사태 이후 서울의 봄 시기 학생과 시민들이 신군부의 퇴진과 유신 헌법 폐지를 요구하였다.
④ 모스크바 3국 외상 회의에서 한반도에 민주주의 임시 정부 수립, 이를 위한 미소 공동 위원회 설치, 최대 5년간 4개국에 의한 신탁 통치가 결정되었다.

04 6월 민주 항쟁

제시된 자료의 박종철, 4·13 호헌 조치, 이한열, 대통령 직선제 등을 통해 밑줄 친 '민주화 운동'은 6월 민주 항쟁임을 알 수 있다. ③ 6월 민주 항쟁의 결과 전두환 정부는 6·29 민주화 선언을 발표하였으며, 그에 따라 대통령 직선제 개헌이 이루어졌다.

오답 피하기 ① 4·19 혁명으로 이승만 대통령이 하야하였다.

② 부·마 민주 항쟁이 전개되는 과정에서 10·26 사태가 발생하여 박정희 대통령이 피살되었다.

④ 선거를 통한 평화적인 여야 정권 교체를 통해 김대중 정부가 출범하였다.

⑤ 1980년 5·18 민주화 운동 당시 신군부는 시민과 학생들의 시위를 계엄군을 동원해 무력으로 진압하였다.

05 6·15 남북 공동 선언의 결과

자료는 김대중 정부 시기에 있었던 제1차 남북 정상 회담에 대한 내용으로, (가)는 6·15 남북 공동 선언이다. ① 6·15 남북 공동 선언에 따라 개성 공단이 건설되는 등 남북 교류가 활성화되었다.

오답 피하기 ② 1972년 7·4 남북 공동 성명에 따라 남북 조절 위원회가 설치되었다.

③ 전두환 정부 시기 남북 이산가족이 최초로 상봉하였다.

④ 7·4 남북 공동 성명에서 자주, 평화, 민족 대단결의 통일 3대 원칙이 합의되었다.

⑤ 노태우 정부 시기인 1991년에 남북한이 동시에 유엔에 가입하였다.

더 알아보기 6·15 남북 공동 선언

▲ 평양에서 만난 김대중 대통령과 김정일 국방 위원장

대북 화해 협력 정책(햇볕 정책)을 펼치며 금강산 관광 사업을 시작하는 등 남북 교류를 활성화하던 김대중 대통령은 평양에서 최초의 남북 정상 회담을 갖고 6·15 남북 공동 선언을 발표하였다. 이 선언에는 남북 이산가족 문제의 조속한 해결, 경제 협력, 통일 문제의 자주적 해결 합의 등의 내용이 담겨 있다.

06 박정희 정부 시기 경제 상황

경부 고속 도로 건설 내용을 통해 (가) 정부는 박정희 정부임을 알 수 있다. 박정희 정부 시기인 1970년대에 두 차례에 걸쳐 석유 파동을 겪었으며, 전태일 분신 사건(1970)이 발생하는 등 노동 문제가 발생하였다.

오답 피하기 ㄱ. 미군정과 이승만 정부 시기에 귀속 재산 처리가 이루어졌으며, 이 과정에서 특정 기업에 편중되는 문제가 불거지기도 하였다.

ㄴ. 1980년대 후반에 저유가, 저금리, 저달러의 3저 호황이 나타나면서 경제 성장이 지속되었다.

07 모스크바 3국 외상 회의의 내용

미국, 소련, 영국의 외무 장관이 모여 한국 문제를 논의하고, 최고 5년 기한의 신탁 통치가 결정되었다는 내용을 통해 (가) 회의는 모스크바 3국 외상 회의임을 알 수 있다. ④ 1945년 12월에 열린 모스크바 3국 외상 회의에서는 이와 함께 미소 공동 위원회 설치가 결의되었다.

오답 피하기 ① 조선 건국 준비 위원회는 미군이 한반도에 진주하기 전에 조선 인민 공화국 수립을 선포하였다.

② 제2차 미소 공동 위원회가 결렬된 뒤 미국이 한반도 문제를 유엔으로 이관하였고, 1947년 유엔 총회는 한반도에서 인구 비례에 따른 총선거 실시와 선거 감시를 위한 유엔 한국 임시 위원단의 파견을 결정하였다.

③ 제헌 국회는 대통령에 이승만, 부통령에 이시영을 선출하였으며 1948년 8월 15일 대한민국 정부 수립이 선포되었다. 이후 유엔은 대한민국이 유일한 합법 정부임을 승인하였다.

⑤ 일본의 패망을 앞두고 미국이 북위 38도선을 기준으로 한반도 분할 점령을 소련에 제안하고 소련이 이를 수용하였다. 이로써 38도선이 그어졌다.

08 6·25 전쟁의 전개

낙동강과 장진호 전투, 북한군의 기습적인 남침으로 발발하였다는 내용을 통해 밑줄 친 '전쟁'은 1950년에 발발한 6·25 전쟁임을 알 수 있다.

선택지 바로 보기

ㄱ. 반공 포로가 석방되었다. (○)

→ 정전 협정이 장기화되는 가운데 이승만 정부는 1953년 휴전 반대 성명을 발표하고 독자적으로 반공 포로를 석방하였다.

ㄴ. 애치슨 선언이 발표되었다. (×)

→ 1950년 1월 미국 국무 장관 애치슨이 발표한 애치슨 선언은 6·25 전쟁 발발 전에 발표되었다.

ㄷ. 흥남 철수 작전이 단행되었다. (○)

→ 6·25 전쟁 중 국군과 유엔군은 인천 상륙 작전으로 서울을 수복하고 압록강까지 진출하였으나 중국군의 개입으로 흥남 철수를 단행하였다.

ㄹ. 한미 상호 방위 조약이 체결되었다. (×)

→ 6·25 전쟁의 정전 협정이 체결된 이후 1953년 10월에 한미 상호 방위 조약이 체결되어 한·미 동맹이 강화되었다.

09 유신 헌법의 내용

장준하 등 재야인사들이 개헌 청원 1백만 인 서명 운동을 전개하였지만, 정부에서 긴급 조치를 내려 탄압하였다는 내용을 통해 (가) 헌법은 유신 헌법임을 알 수 있다. ④ 유신 헌법에서는 대통령의 임기를 6년으로 하고 대통령의 중임 제한 조항을 없앴다.

오답 피하기 ① 4·19 혁명의 결과 수립된 허정 과도 정부는 내각 책임제와 양원제 국회 구성을 중심으로 한 개헌을 단행하였다. 새 헌법에 따라 실시된 총선거 결과 장면 내각이 수립되었다.
② 이승만 정부는 개헌 당시 대통령이던 이승만에 한하여 중임 제한을 철폐한다는 내용이 담긴 개헌안을 사사오입 논리를 동원하여 통과시켰다.
③ 1980년에 전두환 등 신군부 세력이 마련한 헌법 개정안에서 대통령의 임기가 7년으로 규정되었다.
⑤ 전두환 정부가 4·13 호헌 조치를 발표하고 박종철 고문치사 사건의 은폐·축소 사실이 알려지자 6·10 국민 대회가 개최되는 등 6월 민주 항쟁이 전개되었다.

10 5·18 민주화 운동의 전개

관련 기록물이 유네스코 세계 기록 유산으로 지정된 점, 광주의 학생과 시민들이 계엄령 철회를 외쳤다는 내용 등을 통해 (가) 민주화 운동은 5·18 민주화 운동임을 알 수 있다. ④ 당시 계엄군의 폭력적인 탄압에 맞서 광주의 학생과 시민들은 시민군을 조직하였으나 계엄군이 이를 무력으로 진압하였다.

오답 피하기 ① 1979년 12·12 사태가 일어나 전두환 등 신군부 세력이 권력을 차지하고, 비상계엄을 전국에 확대하자 5·18 민주화 운동이 일어났다.
② 6·10 국민 대회는 6월 민주 항쟁 과정에서 개최되었다.
③ 국민의 직선제 개헌 요구에 대해 전두환 정부가 발표한 4·13 호헌 조치는 6월 민주 항쟁의 배경이 되었다.
⑤ 이승만 정부 시기에 친일파 청산을 위한 반민족 행위 특별 조사 위원회(반민 특위)가 구성되었다. 반민 특위는 일제 강점기 반민족 행위를 벌인 사람을 조사하고 핵심 인물을 기소하였다.

더 알아보기 5·18 민주화 운동 기록물

▲ 광주 여고 주소연 학생의 일기

5·18 민주화 운동의 참상은 여고생의 일기, 기자의 취재 수첩을 비롯하여 각종 시민들의 선언서, 성명서, 증언, 병원 치료 기록과 사진 자료 등 많은 기록물에 담겼다. 이는 2011년 유네스코 세계 기록 유산으로 등재되어 5·18 민주화 운동의 실상을 파악하는 귀중한 자료로 활용되고 있다.

11 박정희 정부 시기 경제 상황

제1차 석유 파동이 일어나고, 당시 미국에서 베트남 전쟁을 둘러싼 갈등이 계속되었다는 내용을 통해 자료의 상황은 박정희 정부 시기인 1973년 무렵임을 알 수 있다. ④ 당시 1970년부터 시작된 새마을 운동이 전개되고 있었다. 새마을 운동은 농가의 소득 증대와 농촌의 환경 개선에 중점을 두고 추진되었다.

오답 피하기 ① 전두환 정부가 국민의 직선제 개헌 요구에 대해 4·13 호헌 조치를 발표하자 이에 반대하는 6월 민주 항쟁이 전개되었다.
② 4·19 혁명이 전개되자 이승만 대통령은 하야 성명을 발표하고 대통령직에서 물러났다.
③ 김대중 정부 시기 대북 화해 협력 정책이 추진되면서 금강산 관광 등을 비롯한 남북 교류가 활성화되었다.
⑤ 김대중 정부 시기에 외환 위기 극복을 위한 금 모으기 운동이 전개되었다.

12 노태우 정부의 통일 정책

소련 등 사회주의 정권이 붕괴되면서 정부가 적극적으로 북방 외교에 나섰으며, 남북한이 유엔에 동시에 가입하였다는 내용을 통해 밑줄 친 '이 정부'는 노태우 정부임을 알 수 있다. ② 1991년 노태우 정부는 남북 기본 합의서를 채택하였다.

오답 피하기 ① 김대중 정부 시기에 개성 공단 건설이 추진되었다.
③ 박정희 정부가 발표한 7·4 남북 공동 성명에 남북 조절 위원회 설치 내용이 담겨 있었다.
④ 김대중 대통령은 최초의 남북 정상 회담을 개최하고 6·15 남북 공동 선언을 발표하였다.
⑤ 박정희 정부 시기에 발표된 7·4 남북 공동 선언에서 자주, 평화, 민족 대단결의 통일 3대 원칙이 최초로 합의되었다.

후편 마무리 전략

신유형·신경향 전략

60~63쪽

01 ⑤	02 ④	03 ⑤	04 ①	05 ④
06 ④	07 ③	08 ⑤	09 ②	10 ⑤

01 1910년대 일제의 식민 통치

1910년대 일제는 강압적인 무단 통치를 실시하였다. 조선 태형령을 제정하여 한국인에게만 적용하였으며, 한국인의 언론 · 출판 · 집회 · 결사의 자유를 빼앗았다. 일제는 범죄 즉결례와 경찰범 처벌 규칙을 만들어 헌병 경찰이 정식 재판 없이 한국인에게 벌금이나 구류 등 처벌을 내릴 수 있게 하였고, 위협적인 분위기를 조성하기 위해 총독부 관리들과 교사들에게 제복을 입고 칼을 차게 하였다.

오답 피하기 ㄱ. 일제는 1925년에 치안 유지법을 제정하여 한국에도 적용하였다.

ㄴ. 1910년대 일제는 한국인이 다니는 보통학교의 교육 연한을 일본 학제와 다르게 4년으로 짧게 하였다.

02 3 · 1 운동의 영향

자료 분석

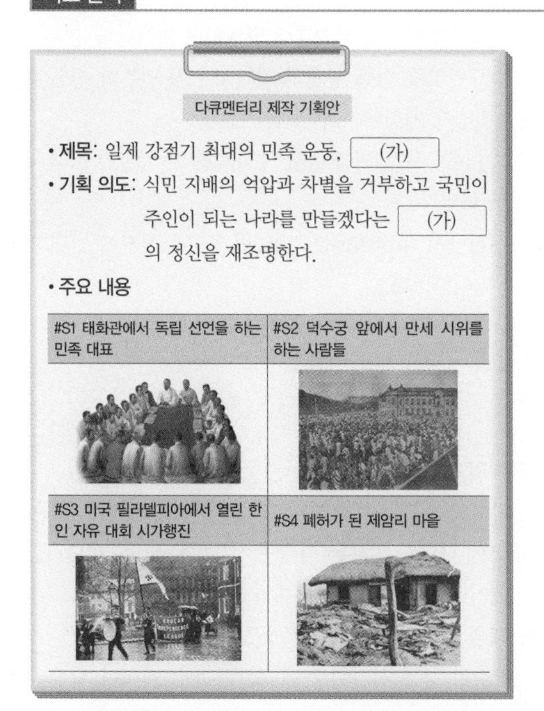

다큐멘터리 제작 기획안

• 제목: 일제 강점기 최대의 민족 운동, (가)

• 기획 의도: 식민 지배의 억압과 차별을 거부하고 국민이 주인이 되는 나라를 만들겠다는 (가)의 정신을 재조명한다.

• 주요 내용

#S1 태화관에서 독립 선언을 하는 민족 대표	#S2 덕수궁 앞에서 만세 시위를 하는 사람들
#S3 미국 필라델피아에서 열린 한인 자유 대회 시가행진	#S4 폐허가 된 제암리 마을

1919년 3월 1일 민족 대표들은 태화관이라는 음식점에서 독립 선언식을 가졌고, 탑골 공원에서는 수많은 학생과 시민이 따로 독립 선언식을 열고 시위를 전개하였다. 시위는 전국의 주요 도시를 넘어 농촌에서도 전개되었으며, 미국 필라델피아에서는 미주 지역에 거주하는 한인들이 시가행진을 벌였다. 일제는 헌병 경찰과 군인을 동원하여 시위를 무자비하게 진압하였고, 이 과정에서 화성 제암리에서는 일본군이 주민을 학살하는 사건이 일어나기도 하였다.

3 · 1 운동은 일제 강점기 최대의 민족 운동으로, 일제를 몰아내고 국민이 주권을 갖는 새로운 국가를 건설하고자 하였다. 민족 대표의 독립 선언으로 시작된 만세 운동은 전국의 도시와 농촌으로 퍼져 나갔으며, 간도와 미주 지역 등 국외로도 확산되었다. 일제는 3 · 1 운동을 무자비하게 진압하였으며, 이 과정에서 제암리 학살 사건 등이 벌어지기도 하였다. ④ 3 · 1 운동으로 강압적인 무단 통치의 한계를 느낀 일제는 이른바 '문화 통치'를 실시하며 민족 운동 세력의 분열을 도모하고 친일 세력을 양성하려 하였다.

오답 피하기 ① 신민회 해산의 직접 원인이 된 105인 사건은 1911년에 일어났다.

② 국외에서 활동하던 박은식, 신채호 등이 발표한 대동단결 선언은 1917년에 발표되었다.

③ 민족 유일당 운동은 1920년대 중반 이후 본격적으로 전개되었다.

⑤ 식민지 공업화 정책이 본격화된 1930년대 이후 북부 지방의 함흥 · 청진 등 공업 도시와 서울 · 부산 · 평양 등 대도시가 빠르게 성장하였다.

03 4 · 19 혁명의 결과

3 · 15 부정 선거에 반발하여 일어났다는 내용을 통해 (가) 민주화 운동은 4 · 19 혁명임을 알 수 있다. ⑤ 4 · 19 혁명으로 이승만이 대통령직에서 물러나고 내각 책임제와 양원제 국회를 골자로 한 개헌이 이루어졌다. 새 헌법에 따라 실시된 선거에서 윤보선이 대통령에 선출되고 장면 내각이 성립하였다.

오답 피하기 ① 1979년 부 · 마 민주화 운동이 전개되는 가운데 박정희 대통령이 피살되는 10 · 26 사태가 발생하였다.

② 6월 민주 항쟁의 결과 전두환 정부는 노태우를 통해 대통령 직선제를 골자로 한 6 · 29 민주화 선언을 발표하였다.

③ 1961년 박정희를 비롯한 군인 세력은 5 · 16 군사 정변을 일으키고 국가 재건 최고 회의를 설치하여 군정을 실시하였다.

④ 최초로 선거를 통한 평화적인 여야 정권 교체가 이루어져 김대중 정부가 수립되었다.

04 박정희 정부 시기의 사실

수출액 100억 불을 달성한 1977년은 박정희 정부 시기에 해당한다. ① 박정희 대통령은 1972년 비상 국무 회의에서 의결한 유신 헌법을 국민 투표로 확정하고 유신 체제를 성립하였다.

오답 피하기 ② 전두환 정부는 사회 정화의 명목으로 삼청 교육대를 운영하였으나 무고한 시민들이 끌려가 가혹하게 훈련을 당하기도 하였다.

③ 이승만 대통령은 4 · 19 혁명을 계기로 하야하였다.

④ 6 · 29 민주화 선언에 따라 이루어진 개헌에 따라 직선제로 치러진 대통령 선거에서 야권 분열로 민주 정의당 후보인 노태우 후보가 대통령에 당선되었다.

⑤ 김대중 정부는 남북 관계 개선을 위한 대북 화해 협력 정책(햇볕 정책)을 추진하였다.

05 제1차 남북 정상 회담의 결과

최초의 남북 정상 회담이 개최되었고, 시드니 올림픽이 열렸다는 내용 등을 통해 밑줄 친 '남북 정상 회담'은 김대중 정부 시기에 개최된 제1차 남북 정상 회담임을 알 수 있다. ④ 제1차 남북 정상 회담 결과 6 · 15 남북 공동 선언이 발표되었다.

오답 피하기 ① 1953년에 정전 협정이 체결되었다.

② 좌우 합작 위원회에서 좌우 합작 7원칙을 발표하였다.

③ 7 · 4 남북 공동 성명에 따라 남북 조절 위원회가 설치되었다.

⑤ 전두환 정부 시기에 남북 이산가족이 처음 상봉하였다.

06 민족 문화 수호 운동

(가)는 신채호가 저술한 『조선 상고사』의 일부로, 신채호는 민족주의 사학을 정립하였다. (나)는 백남운의 『조선 사회 경제사』로, 사회 경제 사학에 해당한다.

선택지 바로 보기

① (가)– 진단 학보를 발행하였다. (×)
→ 이병도, 손진태 등 실증 사학자들이 진단 학회를 조직하고 『진단 학보』를 발행하였다.

② (가)– 유물 사관에 근거하였다. (×)
→ 백남운이 역사 발전의 원동력을 생산력과 생산 관계의 변화로 보는 유물 사관에 바탕을 둔 사회 경제 사학을 연구하였다.

③ (나)– 조선학 운동을 제창하였다. (×)
→ 1934년 안재홍과 정인보 등 민족주의 사학자들이 조선학 운동을 제창하였다.

④ (나)– 식민 사관의 정체성론을 반박하였다. (○)
→ 백남운은 우리 역사가 세계사의 보편적 발전 법칙에 따라 발전하였음을 강조하며 식민 사관의 정체성론을 반박하였다.

⑤ (가), (나)– 조선사 편수회의 조선사 편찬에 참여하였다. (×)
→ 조선사 편수회는 타율성론, 당파성론, 정체성론에 뿌리를 둔 식민 사관을 바탕으로 『조선사』를 편찬하였다.

더 알아보기 식민 사관

타율성론	한국 역사는 중국, 일본 등 주변 나라의 지배와 간섭에 따라 이루어져 왔으므로 주체성과 독자성이 없다는 논리
정체성론	일본을 포함한 다른 지역이 시대별로 발전을 거듭한 데 반해 한국은 발전 없이 정체되어 있다는 논리
당파성론	조선 시대 붕당 정치를 당파 싸움으로 규정하여 한국 민족은 늘 편을 갈라 싸운다고 주장하는 논리

07 조선 의용대

(가) 단체는 조선 의용대이다. ③ 조선 의용대의 일부 대원은 더욱 적극적으로 항일 무장 투쟁을 펼치고자 화북 지역으로 이동하였고, 나머지 일부는 한국광복군에 합류하여 민족 협동 전선을 형성하였다.

오답 피하기 ① 미쓰야 협정은 1925년 일제가 만주 지역에서 활동하는 독립운동 세력을 탄압하기 위해 만주 군벌과 맺은 협정이다.

② 1920년에 독립군 연합 부대가 봉오동 전투에서 승리하였다.

④ 한인 애국단의 이봉창이 도쿄에서 일왕에게 폭탄을 던졌다.

⑤ 한국광복군은 미국 전략 첩보국(OSS)과 연계하여 국내 진공 작전을 계획하였으나 실행에 옮기지는 못하였다.

08 제헌 국회의 활동

제시된 자료는 1949년 제헌 국회에서 제정한 농지 개혁법에 따라 시행된 농지 개혁에 관한 내용이다. ⑤ 제헌 국회는 반민족 행위 처벌법을 제정하고(1948), 반민족 행위 특별 조사 위원회(반민 특위)를 구성하였다.

오답 피하기 ① 대한민국 임시 정부는 국민 대표 회의 결렬 이후 이승만 대통령을 탄핵하였다.

② 대한 제국 시기 헌의 6조에 따라 중추원 관제가 반포되었다.

③ 4 · 19 혁명 이후 마련된 헌법에서 민의원과 참의원으로 구성된 양원제 국회를 규정하였다.

④ 1961년 5 · 16 군사 정변을 일으킨 군인 세력이 국가 재건 최고 회의를 구성하여 군정을 실시하였다.

09 5 · 18 민주화 운동의 특징

학생들이 신군부 퇴진을 외쳤고, 공수 부대가 시민들을 탄압하였으며, 학생과 시민들이 시민군을 구성하는 내용 등을 통해 (가) 민주화 운동이 5 · 18 민주화 운동임을 알 수 있다. ② 5 · 18 민주화 운동은 신군부 세력의 비상계엄 확대와 휴교령에 반대하여 일어났다.

오답 피하기 ① 1987년 6월 민주 항쟁의 결과 6 · 29 민주화 선언이 발표되어 대통령 직선제 개헌이 이루어졌다.

③ 김대중 정부는 처음으로 선거를 통한 평화적인 여야 정권 교체가 이루어지면서 탄생하였다.

④ 정 · 부통령 선거에서 부정 행위가 있었던 3 · 15 선거에 반대하여 4 · 19 혁명이 발생하였다.

⑤ 4 · 19 혁명의 결과 내각 책임제와 양원제 국회를 중심으로 한 개헌이 단행되어 장면 정부가 들어섰다.

10 김대중 정부의 경제 정책

최초의 평화적 여야 정권 교체, 최초 남북 정상 회담, 금 모으기 운동 등을 통해 자료에 나타난 정부는 김대중 정부임을 알 수 있다. ⑤ 김대중 정부는 대기업과 금융 기관에 대한 구조 조정과 금 모으기 운동 등을 통해 외환 위기를 조기에 극복하였다.

오답 피하기 ① 박정희 정부 시기에 경제 개발 5개년 계획이 시작되었다.

② 이승만 정부는 미국의 원조 물자를 바탕으로 전후 복구를 추진하고 삼백 산업을 발전시켰다.

③ 노무현 정부 시기에 한 · 미 자유 무역 협정[FTA]을 체결하였다.

④ 김영삼 정부 시기인 1996년에 경제 협력 개발 기구[OECD]에 가입하였다.

01 ④ 02 ② 03 ③ 04 ② 05 ④ 06 ④ 07 ② 08 ② 09 ① 10 ③ 11 ① 12 ① 13 ④
14 ① 15 ③ 16 ①

01 산미 증식 계획

(가) 정책에 대한 설명으로 옳은 것은?

산미 증식 계획

> 소위 (가) (이)라는 이름으로 수리 조합이 만들어지고 있으나, 사실은 조합원들의 의사를 물어보지 않고 당국이 마음대로 만든 것이다. 조합원들은 수리 조합 때문에 크게 고통을 당하고 있는데, 경기도 부평 수리 조합의 경우에는 조합원들이 수리 시설로 얻는 이익보다 조합비 부담액이 크다고 한다. 어떤 조합원들은 수리 조합이 만들어지기 전에 거두던 수확보다 열 배나 많은 조합비를 내고 있다고 한다.
> – 『동아일보』, 1926. 12. 6. –

① 회사의 설립을 신고제로 변경하였다.
② 지주의 자의적인 소작권 이동을 금지하였다.
③ 춘궁 퇴치, 부패 근절 등을 목표로 내세웠다.
④ 일본의 식량 문제를 해결하기 위해 시행되었다.
⑤ 근대적 토지 소유권 확립을 명분으로 실시되었다.

출제 의도 파악하기

일제가 추진한 식민지 경제 정책의 내용을 파악한다.

문제 해결 Point 쏙쏙

수리 조합 결성, 조합비 부담, 1926년 기사 → 산미 증식 계획

선택지 바로 알기

① 회사의 설립을 신고제로 변경하였다.
→ 1920년 회사령 폐지에 대한 설명이다.
② 지주의 자의적인 소작권 이동을 금지하였다.
→ 1934년 제정된 조선 농지령에 대한 설명이다.
③ 춘궁 퇴치, 부패 근절 등을 목표로 내세웠다.
→ 1932년부터 시작된 농촌 진흥 운동에 대한 설명이다.
④ 일본의 식량 문제를 해결하기 위해 시행되었다.
→ 제1차 세계 대전 이후 산업화가 급속히 진행되면서 일본의 식량 사정이 악화되자 일제는 한국에서 산미 증식 계획을 추진하였다.
⑤ 근대적 토지 소유권 확립을 명분으로 실시되었다.
→ 1910년대에 실시된 토지 조사 사업에 대한 설명이다.

02 대한민국 임시 정부

(가) 단체에 대한 설명으로 옳은 것은?

① 2 · 8 독립 선언을 발표하였다.
② 3 · 1 운동을 계기로 조직되었다.
③ 고종의 복위를 목표로 활동하였다.
④ 광주 학생 항일 운동을 지원하였다.
⑤ 자치 운동과 참정권 운동을 주도하였다.

출제 의도 파악하기

대한민국 임시 정부의 수립 배경과 변화를 이해한다.

문제 해결 Point 쏙쏙

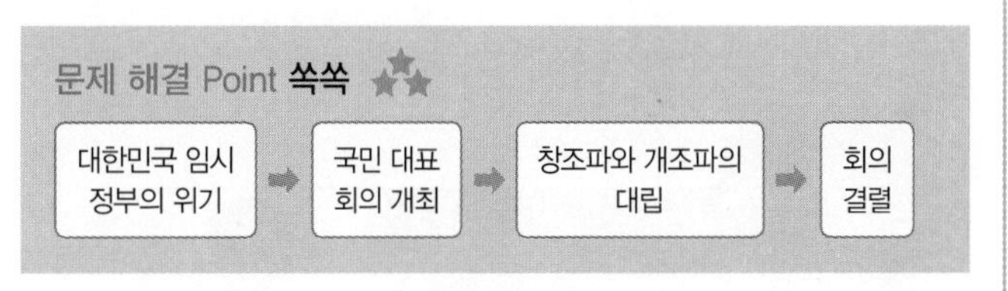

선택지 바로 알기

① 2 · 8 독립 선언을 발표하였다.
→ 1919년 도쿄의 한국인 유학생들이 발표하였다.
② 3 · 1 운동을 계기로 조직되었다.
→ 3 · 1 운동을 계기로 대한민국 임시 정부가 수립되었다.
③ 고종의 복위를 목표로 활동하였다.
→ 복벽주의를 추구한 단체로는 독립 의군부가 있다.
④ 광주 학생 항일 운동을 지원하였다.
→ 신간회 등이 광주 학생 항일 운동을 지원하였다.
⑤ 자치 운동과 참정권 운동을 주도하였다.
→ 이광수 등 타협적 민족주의자들에 대한 설명이다.

03 1920년대 국외 독립운동(무장 독립 전쟁)

(가)에 들어갈 내용으로 가장 적절한 것은?

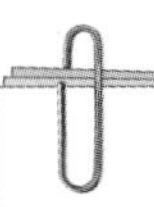

- 제목: ○○○○○○
- 기획 방향: 일제 강점기 만주 지역에서 펼쳐진 독립군의 활약과 시련을 시간 순으로 그려 낸다.
- 회차별 주제

회차	주제
1	일제의 강압적 통치와 이주하는 한국인
2	힘겨운 독립군 양성 과정
3	독립군의 첫 승리, 봉오동 전투 → 1920년
…	(가)
12	3부의 결성과 독립군의 재정비 → 1924~1925년

① 대한 광복회의 활동
② 대조선 국민 군단의 결성
③ 간도 참변과 독립군의 눈물
④ 영릉가 전투와 양세봉의 활약
⑤ 동북 항일 연군의 한인 유격대

출제 의도 파악하기
만주 지역 독립군의 활약과 시련을 시간 순서대로 파악한다.

문제 해결 Point 쏙쏙

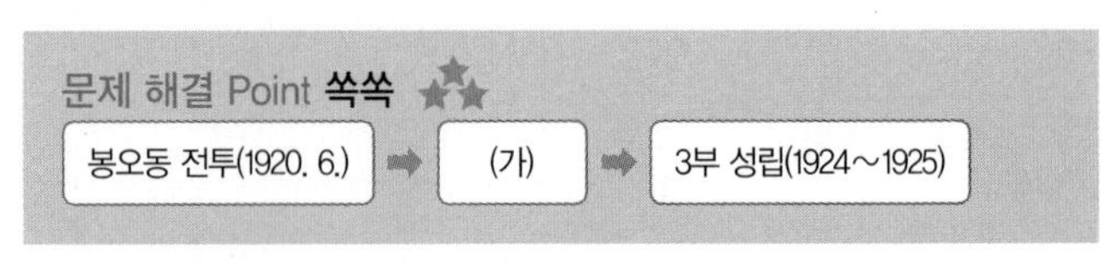

선택지 바로 알기

① 대한 광복회의 활동
→ 1915년 대구에서 조직된 대한 광복회는 만주에 사관 학교를 설립해 독립군을 양성하고자 부호들로부터 의연금을 거두었다.

② 대조선 국민 군단의 결성
→ 하와이에서 박용만을 중심으로 독립군을 양성하고자 대조선 국민 군단이 결성되었다.

③ 간도 참변과 독립군의 눈물
→ 1920년 봉오동 전투와 청산리 대첩에서 독립군에 패배한 일본군은 독립군의 근거지를 없앤다는 명분으로 간도의 한인 촌락을 습격하였다.

④ 영릉가 전투와 양세봉의 활약
→ 1932년 3월 양세봉이 이끄는 조선 혁명군이 중국 항일 무장 세력과 연합하여 영릉가 전투에서 승리하였다.

⑤ 동북 항일 연군의 한인 유격대
→ 동북 항일 연군의 한인 간부들을 중심으로 1936년에 조국 광복회를 결성하였다.

04 6·10 만세 운동

교사의 질문에 대한 답으로 적절한 것은?

① 토산품 애용과 절약을 강조했어요.
② 민족 협동 전선 결성의 계기가 되었어요.
③ 민족 대표 33인이 독립 선언서를 발표했어요.
④ 일본 의회에 한국인 대표를 파견하려 했어요.
⑤ 신간회가 진상 조사단을 파견하여 지원했어요.

출제 의도 파악하기
6·10 만세 운동의 배경과 전개 과정, 영향을 이해한다.

문제 해결 Point 쏙쏙
순종의 장례 행렬, 학생들의 시위 주도 → 6·10 만세 운동(1926)

선택지 바로 알기

① 토산품 애용과 절약을 강조했어요.
→ 물산 장려 운동에 대한 설명이다.

② 민족 협동 전선 결성의 계기가 되었어요.
→ 6·10 만세 운동 준비 과정에서 민족주의 계열과 사회주의 계열이 연대하여 민족 협동 전선 결성의 계기가 마련되었다.

③ 민족 대표 33인이 독립 선언서를 발표했어요.
→ 3·1 운동에 대한 설명이다.

④ 일본 의회에 한국인 대표를 파견하려 했어요.
→ 참정권 운동에 대한 설명이다.

⑤ 신간회가 진상 조사단을 파견하여 지원했어요.
→ 광주 학생 항일 운동에 대한 설명이다.

05 암태도 소작 쟁의(1923)

다음 사건이 일어난 시기에 볼 수 있는 모습으로 가장 적절한 것은?

> 지주 문재철과 소작 쟁의 중인 전남 무안군 암태도 소작인 남녀 500여 명은 지난 8일 오후 6시경에 범선 9척을 나누어 타고 또다시 목포로 건너와서 광주 지방 법원 목포지청에 몰려들어 왔는데 …… 우리가 결속하기를 이 문제가 해결토록까지 동맹하기 위하여 지금까지 혈서에 참가한 자가 수십 명에 달하였다 하며, 이번 운동의 결과를 얻지 못할 경우면 아사 동맹을 결속하고 자기들의 집에서 떠날 때부터 지금까지 식사를 폐지하였다고 한다.
>
> –「동아일보」–

① 강연회를 준비 중인 신간회 회원
② 간도 참변 소식에 안타까워하는 상인
③ 한 · 일 학생 간 충돌 소식에 동맹 휴학하는 학생
④ '내 살림 내 것으로'의 구호를 외치는 민족주의자
⑤ 순종의 장례일에 맞춰 시위를 준비하는 사회주의자

출제 의도 파악하기

암태도 소작 쟁의가 일어난 시기를 파악한다.

문제 해결 Point 쏙쏙
암태도 소작인들의 시위 → 암태도 소작 쟁의 → 1923년

선택지 바로 알기

① 강연회를 준비 중인 신간회 회원
→ 신간회는 1927년에 창립되었다.
② 간도 참변 소식에 안타까워하는 상인
→ 간도 참변은 1920년에 일어났다.
③ 한 · 일 학생 간 충돌 소식에 동맹 휴학하는 학생
→ 한 · 일 학생 간 충돌을 계기로 일어난 민족 운동은 1929년에 일어난 광주 학생 항일 운동이다.
④ '내 살림 내 것으로'의 구호를 외치는 민족주의자
→ '내 살림 내 것으로' 구호는 1920년에 시작되어 1923년에 전국으로 확산된 물산 장려 운동에서 내세운 것이다.
⑤ 순종의 장례일에 맞춰 시위를 준비하는 사회주의자
→ 순종의 장례일에 맞춰 전개된 민족 운동은 1926년에 일어난 6 · 10 만세 운동이다.

06 민족 말살 통치 시기의 모습

자료에 나타난 시기에 볼 수 있는 모습으로 옳은 것은?

1. 우리들은 대일본 제국의 신민입니다.
2. 우리들은 마음을 합하여 천황 폐하께 충의를 다합니다.
3. 우리들은 인고 단련하여 훌륭하고 강한 국민이 되겠습니다.

황국 신민 서사

① 제복을 입고 칼을 든 교사
② 원산 총파업에 참여하는 노동자
③ 한국인에게 태형을 가하는 헌병 경찰
④ 일본 경찰에 잡혀가는 조선어 학회 회원
⑤ 임시 토지 조사국에 토지를 신고하러 가는 농민

출제 의도 파악하기

민족 말살 통치 시기에 일어난 일을 파악한다.

문제 해결 Point 쏙쏙
황국 신민화 정책 → 황국 신민 서사 암송 강요, 신사 참배 의무화, 궁성 요배 강요, 창씨개명, 국민학교 등 → 1930년대 후반~1940년대 초

선택지 바로 알기

① 제복을 입고 칼을 든 교사
→ 1910년대 무단 통치 시기의 모습이다.
② 원산 총파업에 참여하는 노동자
→ 원산 총파업은 1929년에 전개되었다.
③ 한국인에게 태형을 가하는 헌병 경찰
→ 1910년대 무단 통치 시기의 모습이다.
④ 일본 경찰에게 잡혀가는 조선어 학회 회원
→ 일제는 한글 연구로 민족의식이 고취되는 것을 막고자 1942년에 조선어 학회 사건을 일으켰다.
⑤ 임시 토지 조사국에 토지를 신고하러 가는 농민
→ 1910년~1918년에 토지 조사 사업이 실시되었다.

07 한국 독립군의 활동

(가) 무장 단체의 활동으로 옳은 것은?

> 남대관 등은 중국인들이 그해 11월 만주의 빈현에서 맹렬한 반일 활동을 개시하자, 이 중국인 부대의 간부들과 함께 항일 무장 투쟁을 벌일 것을 모의하고, 전 한족 총연합회의 간부였던 지청천을 총사령, 남대관을 부사령으로 하는 (가) 을/를 편성하였다.
> └ 한국 독립군
>
> – 일본 외무성 문서 –

① 일부 세력이 화북 지역으로 이동하였다.
② 쌍성보, 대전자령에서 일본군을 물리쳤다.
③ 청산리에서 일본군을 상대로 승리하였다.
④ 타이항산 전투, 후자좡 전투에 참여하였다.
⑤ 황푸 군관 학교에 입학하여 군사 교육을 받았다.

출제 의도 파악하기

한국 독립군의 활동을 파악한다.

문제 해결 Point 쏙쏙

전 한족 총연합회, 총사령관 지청천 → 한국 독립군 → 쌍성보 전투, 대전자령 전투 승리

선택지 바로 알기

① 일부 세력이 화북 지역으로 이동하였다.
→ 조선 의용대의 일부 세력이 적극적인 무장 투쟁을 위해 중국 공산당의 근거지인 화북 지역으로 이동하였다.

② 쌍성보, 대전자령에서 일본군을 물리쳤다.
→ 한국 독립군은 중국 항일 무장 세력과 연합 작전을 벌여 쌍성보 전투, 대전자령 전투 등에서 일본군을 물리쳤다.

③ 청산리에서 일본군을 상대로 승리하였다.
→ 김좌진의 북로 군정서 등의 연합 부대가 1920년 청산리 일대에서 일본군을 상대로 크게 승리하였다.

④ 타이항산 전투, 후자좡 전투에 참여하였다.
→ 조선 의용대 화북 지대의 활동이다.

⑤ 황푸 군관 학교에 입학하여 군사 교육을 받았다.
→ 의열단의 핵심 단원들이 황푸 군관 학교에서 교육을 받았다.

08 중국 관내의 무장 독립운동

(가), (나) 무장 조직에 대한 설명으로 옳은 것은?

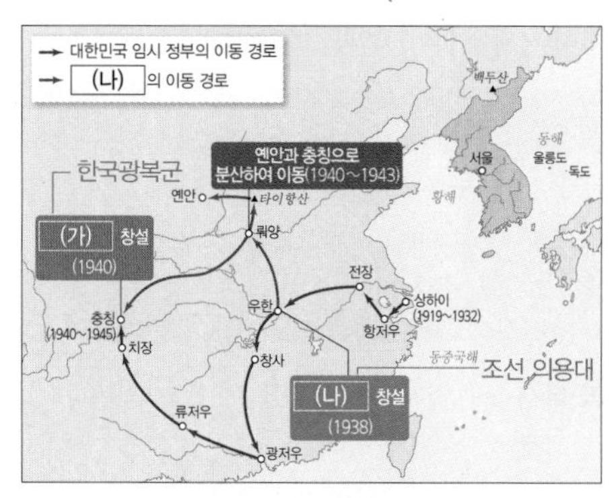

① (가)– 대전자령 전투에서 승리하였다.
② (가)– 인도 · 미얀마 전선에 참가하였다.
③ (나)– 러시아령 자유시로 이동하였다.
④ (나)– 미국 전략 첩보국의 특수 훈련을 받았다.
⑤ (가), (나)– 중국 공산당의 팔로군과 연합 작전을 전개하였다.

출제 의도 파악하기

한국광복군과 조선 의용대의 활동 및 이들의 관계를 안다.

문제 해결 Point 쏙쏙

- (가) 충칭에서 1940년에 창설 → 한국광복군
- (나) 우한에서 1938년에 창설, 옌안과 충칭으로 분산 이동 → 조선 의용대

선택지 바로 알기

① (가)– 대전자령 전투에서 승리하였다.
→ 1930년대 만주 지역에서 활약한 한국 독립군에 대한 설명이다.

② (가)– 인도 · 미얀마 전선에 참가하였다.
→ 한국광복군은 영국군의 요청에 따라 인도 · 미얀마 전선에 파견되었다.

③ (나)– 러시아령 자유시로 이동하였다.
→ 북만주 밀산에서 결성된 대한 독립 군단 등이 해당한다.

④ (나)– 미국 전략 첩보국의 특수 훈련을 받았다.
→ (가) 한국광복군에 대한 설명이다.

⑤ (가), (나)– 중국 공산당의 팔로군과 연합 작전을 전개하였다.
→ 조선 의용군에 대한 설명이다.

09 좌우 합작 운동

다음 주장이 반대하는 운동에 대한 설명으로 옳은 것은?

> • 유상으로 몰수한 토지를 무상으로 나누어 준다는 것은 국가 재정 파탄을 초래하게 될 것 …… 단호히 반대한다.
>
> 우익 세력이 조직한 정당— – 한국 민주당 –
>
> • 토지의 유상 몰수는 지주의 이익을 위한 것, 입법 기구의 결정이 미군정청의 거부권을 넘어설 수 없는 등의 이유로 반대한다.
>
> – 박헌영 –

좌익인 남조선 노동당의 대표 인물

① 미군정의 지원으로 시작되었다.
② 김구와 김규식의 주도로 전개되었다.
③ 조선 인민 공화국 수립을 선포하였다.
④ 남한만의 단독 정부 수립을 주장하였다.
⑤ 제헌 국회에서 정한 법에 따라 시행되었다.

출제 의도 파악하기

좌우 합작 운동의 배경과 내용을 이해한다.

문제 해결 Point 쏙쏙

좌우 합작 운동: 여운형, 김규식 등 중도 세력 주도로 좌우 합작 위원회 결성, 좌우 합작 7원칙 발표 → 미군정 지원 철회, 좌우익 세력 외면, 여운형 암살 등으로 중단

선택지 바로 알기

① 미군정의 지원으로 시작되었다.
→ 미군정의 지원을 바탕으로 좌우 합작 위원회가 조직되었다.
② 김구와 김규식의 주도로 전개되었다.
→ 남한의 단독 선거가 결정되자 김구, 김규식 등은 남북 협상을 위해 평양에 갔다.
③ 조선 인민 공화국 수립을 선포하였다.
→ 조선 건국 준비 위원회가 미군 진주 전에 조선 인민 공화국 수립을 선포하였다.
④ 남한만의 단독 정부 수립을 주장하였다.
→ 1946년 이승만이 정읍 발언을 통해 주장하였다.
⑤ 제헌 국회에서 정한 법에 따라 시행되었다.
→ 1949년 농지 개혁법에 따라 시행된 농지 개혁에 해당한다.

10 한미 상호 방위 조약 체결

다음 조약이 체결된 시기를 연표에서 옳게 고른 것은? — 한미 상호 방위 조약(1953)

> **제2조** 당사국 가운데 어느 한 나라의 정치적 독립 또는 안전이 외부로부터 무력 공격에 의하여 위협을 받고 있다고 어느 당사국이든지 인정할 때에는 언제든지 당사국은 서로 협의한다.
>
> **제4조** 상호적 합의에 의하여 미합중국의 육군, 해군과 공군을 대한민국의 영토 내와 그 부근에 배치하는 권리를 대한민국은 허락하고 미합중국은 수락한다.

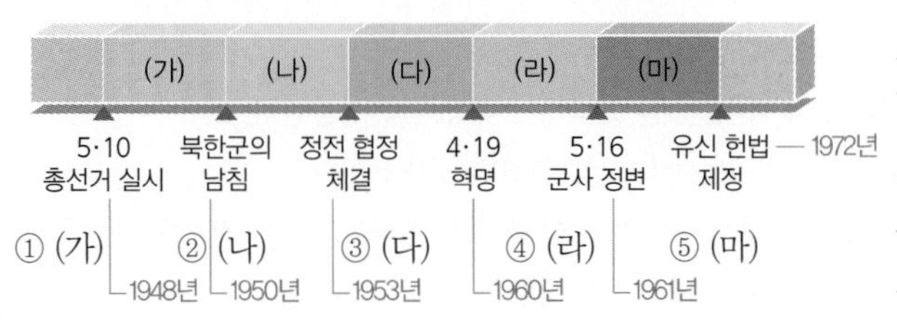

출제 의도 파악하기

한미 상호 방위 조약이 체결된 시기를 파악한다.

문제 해결 Point 쏙쏙

미합중국의 육군, 해군과 공군을 대한민국의 영토 내와 그 부근에 배치 → 한미 상호 방위 조약(1953. 10.) → 정전 협정 조인 이후 체결, 한국에 미군 주둔, 한국과 미국의 동맹 강화

선택지 바로 알기

6·25 전쟁의 정전 협정 체결 이후 미국은 한미 상호 방위 조약 체결로 미군을 한국에 주둔시키면서 냉전 체제 속에서 동아시아에 대한 영향력을 확대해 갔다. 한편 전쟁에 참전한 중국 역시 사회주의권에서 정치적 위상이 높아졌다. 일본은 6·25 전쟁 특수로 경제적 이득은 물론 반공을 위한 거점 국가로 자리하면서 자위대를 조직하는 명분을 마련하였다.

BOOK 2

11 베트남 전쟁 파병의 배경

다음 자료와 관련된 탐구 활동으로 가장 적절한 것은?

> 6·25 전쟁 당시 유엔군의 파병에 보답하고 자유 민주주의를 수호한다는 명분으로 이루어진 파병으로, 한국 정부는 미국으로부터 한국군의 현대화를 위한 군사 원조를 늘리고, 산업화에 필요한 기술과 차관을 제공받게 되었다.

① 브라운 각서의 내용을 알아본다.
② 금융 실명제 실시의 영향을 연구한다.
③ 발췌 개헌안이 통과되는 과정을 살펴본다.
④ 삼백 산업이 발전하게 된 배경을 탐구한다.
⑤ 신군부가 계엄령을 확대한 목적을 탐구한다.

출제 의도 파악하기

베트남 전쟁 파병의 배경을 파악한다.

문제 해결 Point 쏙쏙

유엔군의 파병에 보답, 자유 민주주의 수호 명분, 한국군의 현대화를 위한 군사 원조, 차관 제공 → 베트남 전쟁 파병

선택지 바로 알기

① 브라운 각서의 내용을 알아본다.
→ 베트남 전쟁 파병의 대가로 우리나라는 브라운 각서에 따라 미국의 군사적, 경제적 원조를 받았다.
② 금융 실명제 실시의 영향을 연구한다.
→ 금융 실명제는 김영삼 정부 시기에 실시되었다.
③ 발췌 개헌안이 통과되는 과정을 살펴본다.
→ 이승만 정부는 1952년 대통령 직선제를 규정한 발췌 개헌안을 통과시켰다.
④ 삼백 산업이 발전하게 된 배경을 탐구한다.
→ 이승만 정부 시기 미국의 원조 물자를 바탕으로 삼백 산업이 발전하였다.
⑤ 신군부가 계엄령을 확대한 목적을 탐구한다.
→ 12·12 사태로 권력을 장악한 신군부 세력은 민주화 시위가 거세지자 계엄령을 전국으로 확대하였다.

12 3선 개헌 실시

밑줄 친 '개헌안'의 내용으로 옳은 것은?

> 그해(1968년) 초 북한의 무장 게릴라가 휴전선을 뚫고 청와대 부근까지 나타난 것에 이어 원산 앞바다에서 미국 정보 수집함 푸에블로호가 북한에 나포되는 등 남북 관계 사이에 긴장이 흘렀다. 이러한 상황에 대비한다는 명분으로 이듬해 여당 의원들은 개헌을 추진하였고, 개헌에 반대하는 학생 시위는 전국으로 확산되었다. 결국 새벽까지 본회의장에서 농성하는 야당 의원들을 따돌리고 국회 제3별관에서 개헌안은 날치기로 통과되었으며 국민 투표를 거쳐 확정되었다.

① 대통령의 3회 연임을 허용한다.
② 대통령의 임기는 7년 단임으로 한다.
③ 내각 책임제와 양원제 국회를 채택한다.
④ 통일 주체 국민 회의에서 대통령을 선출한다.
⑤ 개헌 당시 대통령에 한해 중임 제한을 적용하지 않는다.

출제 의도 파악하기

3선 개헌의 배경과 내용을 이해한다.

문제 해결 Point 쏙쏙

북한의 도발, 지속적 경제 성장 명분 → 대통령 3회 연임을 허용하는 법안을 날치기로 통과(1969)

선택지 바로 알기

① 대통령의 3회 연임을 허용한다.
→ 3선 개헌으로 박정희 장기 집권의 토대가 마련되었다.
② 대통령의 임기는 7년 단임으로 한다.
→ 1980년 신군부 세력이 마련한 헌법에 해당한다.
③ 내각 책임제와 양원제 국회를 채택한다.
→ 4·19 혁명 이후 허정 과도 정부에서 제정한 헌법의 내용으로 이에 따라 장면 정부가 탄생하였다.
④ 통일 주체 국민 회의에서 대통령을 선출한다.
→ 1972년 제정된 유신 헌법의 내용이다.
⑤ 개헌 당시 대통령에 한해 중임 제한을 적용하지 않는다.
→ 1954년 사사오입 개헌의 내용이다.

13 6월 민주 항쟁의 전개 과정

(가)에 들어갈 사건으로 옳은 것은?

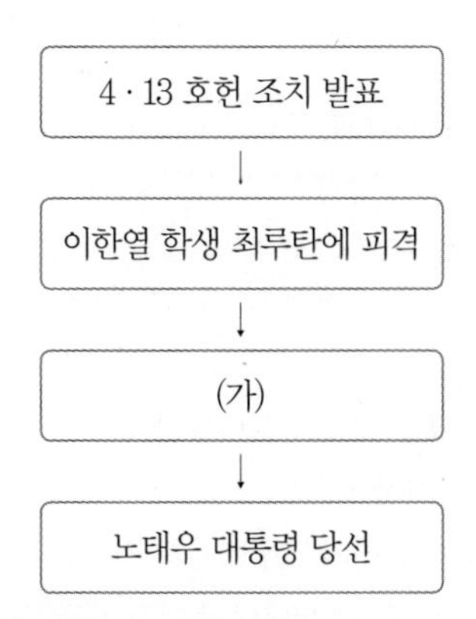

① 10 · 26 사태 발생 → 1979년
② 이승만 대통령 사임 → 1960년
③ 허정 과도 정부 수립 → 1960년
④ 6 · 10 국민 대회 개최 → 1987년 6월
⑤ 박종철 고문치사 사건 → 1987년 1월

출제 의도 **파악하기**

6월 민주 항쟁의 배경과 전개 과정, 결과를 파악한다.

문제 해결 Point **쏙쏙**

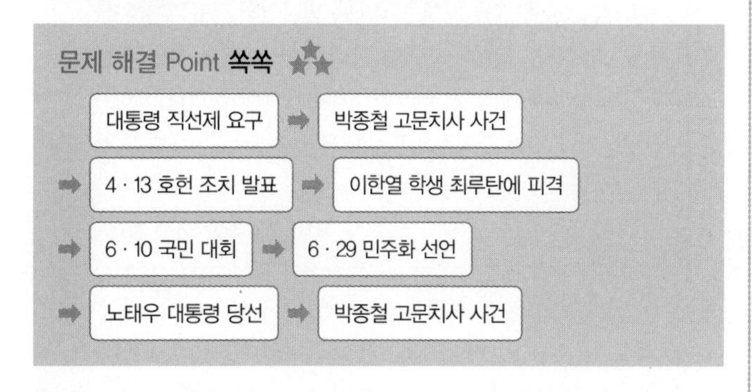

용어 +

4 · 13 호헌 조치: 1987년 4월 13일 전두환 대통령이 발표한 것으로 국민의 대통령 직선제 요구를 거부하고, 기존 헌법의 간선제에 따라 대통령 선거를 치른 뒤 정권을 이양하겠다고 한 조치를 말한다.

BOOK 2

14 노태우 정부의 3당 합당 배경

다음 상황을 배경으로 하여 나타난 사실로 옳은 것은?

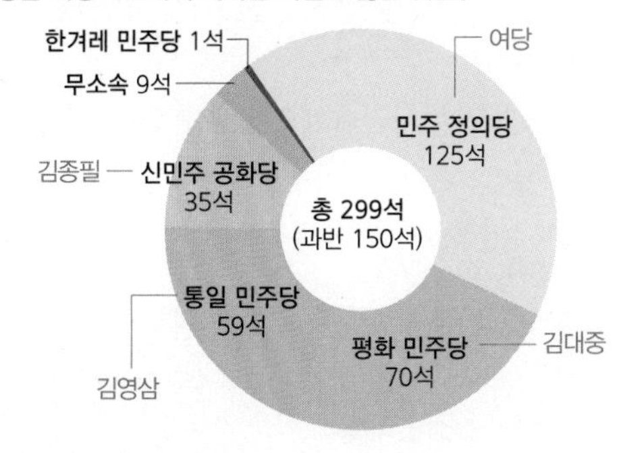

① 3당 합당이 추진되었다.
② 발췌 개헌안이 통과되었다.
③ 5 · 16 군사 정변이 일어났다.
④ 대통령 직선제 개헌이 시행되었다.
⑤ 유신 헌법 반대 운동이 전개되었다.

출제 의도 **파악하기**

노태우 정부의 3당 합당이 여소야대 정국을 배경으로 하였음을 이해한다.

문제 해결 Point **쏙쏙**

3당 합당의 배경: 노태우 정부 시기 여소야대 정국 타개 시도

선택지 **바로 알기**

① 3당 합당이 추진되었다.
→ 여소야대 정국으로 주도권을 빼앗긴 노태우 정부는 3당 합당으로 국면을 뒤집으려 하였다.

② 발췌 개헌안이 통과되었다.
→ 이승만 정부는 1952년에 대통령 선거를 직선제로 하는 발췌 개헌안을 통과시켰다.

③ 5 · 16 군사 정변이 일어났다.
→ 1961년에 박정희를 중심으로 한 군인 세력이 5 · 16 군사 정변을 일으켜 정권을 장악하였다.

④ 대통령 직선제 개헌이 시행되었다.
→ 이승만 정부가 추진한 발췌 개헌과 6 · 29 민주화 선언 이후 이루어진 개헌 등에서 대통령 직선제가 규정되었다.

⑤ 유신 헌법 반대 운동이 전개되었다.
→ 1970년대에 유신 헌법에 반대하여 개헌을 위한 100만 인 서명 운동, 3 · 1 민주 구국 선언 등이 전개되었다.

15 1960년대 경제 상황

다음 계획이 실시된 시기의 경제 상황에 대한 설명으로 옳은 것은?

1960년대

> 계획 기간 중 경제의 체제는 되도록 민간인의 자유와 창의를 존중하는 자유 기업의 원칙을 토대로 하되, 기간 산업 부문과 그 밖의 중요 산업 부문에 대해서는 정부가 직접적으로 관여하거나 또는 간접적으로 유도 정책을 쓰는 '지도받는 자본주의 체제'로 한다.
>
> – 제1차 경제 개발 5개년 계획 –

① 두 차례에 걸친 석유 파동이 일어났다.
② 저유가, 저금리, 저달러의 3저 호황기였다.
③ 경공업 중심의 수출 주도형 정책이 시행되었다.
④ 국제 통화 기금[IMF]의 긴급 금융 지원을 받았다.
⑤ 미국의 경제 원조를 바탕으로 한 삼백 산업이 발달하였다.

출제 의도 파악하기

제1차 경제 개발 계획이 실시된 시기의 경제 상황을 이해한다.

문제 해결 Point 쏙쏙

제1차 경제 개발 5개년 계획 → 1960년대 경공업 중심의 수출 주도형 정책 시행

선택지 바로 알기

① 두 차례에 걸친 석유 파동이 일어났다.
→ 1970년대에 일어난 일이다.
② 저유가, 저금리, 저달러의 3저 호황기였다.
→ 1980년대 중반부터 1990년대 초까지 해당한다.
③ 경공업 중심의 수출 주도형 정책이 시행되었다.
→ 1960년대 섬유, 가발 등 노동 집약적 경공업이 크게 성장하였다.
④ 국제 통화 기금[IMF]의 긴급 금융 지원을 받았다.
→ 1990년대 후반의 일이다.
⑤ 미국의 경제 원조를 바탕으로 한 삼백 산업이 발달하였다.
→ 1950년대에 해당한다.

16 김대중 정부의 통일 정책

밑줄 친 '정부' 시기 남북 관계에 대한 설명으로 옳은 것은?

> 오늘 저는 대한민국 제○○대 대통령에 취임하게 되었습니다. …… 이 땅에서 처음으로 민주적 정권 교체가 실현되는 자랑스러운 날입니다. 또한 민주주의와 경제를 동시에 발전시키려는 정부가 마침내 탄생하는 역사적인 날이기도 합니다. 이 정부는 국민의 힘에 의해 이루어진 참된 국민의 정부입니다. …… 노동자와 사용자, 그리고 정부는 대화를 통해 대타협으로 국난 극복의 주춧돌을 놓았습니다.

선거를 통한 여야 정권 교체

① 대통령이 평양을 방문하였다.
② 연평도 포격 사건이 발생하였다.
③ 남북 기본 합의서가 발표되었다.
④ 남북 조절 위원회가 설치되었다.
⑤ 남북한이 유엔에 동시 가입하였다.

출제 의도 파악하기

선거를 통한 최초의 여야 정권 교체로 탄생한 정부의 통일 정책을 파악한다.

문제 해결 Point 쏙쏙

김대중 정부의 통일 정책: 대북 화해 협력 정책(햇볕 정책) 추진, 금강산 관광 시작, 제1차 남북 정상 회담(6 · 15 남북 공동 선언 발표, 2000), 개성 공단 조성 합의 등

선택지 바로 알기

① 대통령이 평양을 방문하였다.
→ 김대중 대통령은 평양에서 열린 제1차 정상 회담에 참석하였다.
② 연평도 포격 사건이 발생하였다.
→ 이명박 정부 시기에 일어나 남북 관계가 경색되었다.
③ 남북 기본 합의서가 발표되었다.
→ 노태우 정부 시기인 1991년에 발표되었다.
④ 남북 조절 위원회가 설치되었다.
→ 박정희 정부 시기인 1972년 7 · 4 남북 공동 성명에 따라 설치되었다.
⑤ 남북한이 유엔에 동시 가입하였다.
→ 노태우 정부 시기에 해당한다.

01 ② 02 ⑤ 03 ③ 04 ① 05 ① 06 ⑤ 07 ① 08 ③ 09 ⑤ 10 ① 11 ② 12 ③ 13 ⑤
14 ② 15 ② 16 ⑤

01 토지 조사 사업

다음 법령의 시행 결과로 옳은 것은?

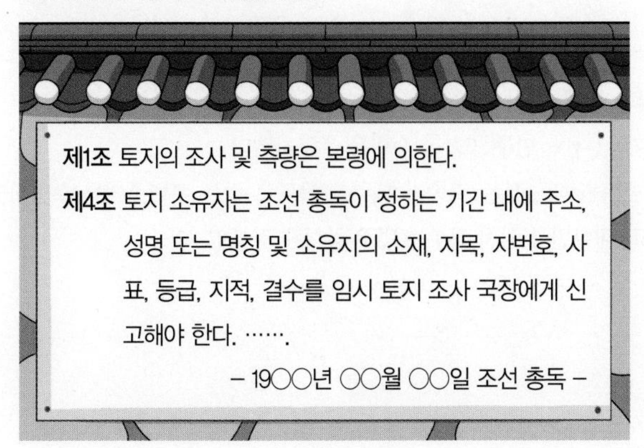
제1조 토지의 조사 및 측량은 본령에 의한다.
제4조 토지 소유자는 조선 총독이 정하는 기간 내에 주소, 성명 또는 명칭 및 소유지의 소재, 지목, 자번호, 사표, 등급, 지적, 결수를 임시 토지 조사 국장에게 신고해야 한다. …….
– 19○○년 ○○월 ○○일 조선 총독 –

① 일본으로의 쌀 반출량이 증가하였다. → 산미 증식 계획의 결과
② 소작농의 관습적 경작권이 부정되었다.
③ 미곡 공출과 식량 배급제가 시작되었다.
④ 작물에 따라 소작 기간을 3~7년으로 하였다.
⑤ 소작농의 비율이 줄고 자작농의 비율이 늘었다.

출제 의도 파악하기
토지 조사 사업의 내용과 시행 결과를 이해한다.

문제 해결 Point 쏙쏙
토지 소유자는~신고해야 한다. → 신고주의 원칙에 따라 이루어진 토지 조사 사업

선택지 바로 알기
② 소작농의 관습적 경작권이 부정되었다.
→ 토지 조사 사업 과정에서 일제가 지주의 토지 소유권만을 인정하면서 농민의 관습적인 경작권은 보호받지 못하게 되었다.
③ 미곡 공출과 식량 배급제가 시작되었다.
→ 일제는 침략 전쟁을 확대하면서 전쟁에 필요한 물자를 확보하고자 공출제와 배급제를 시행하였다.
④ 작물에 따라 소작 기간을 3~7년으로 하였다.
→ 일제는 소작 쟁의가 늘어나자 1934년 조선 농지령을 제정하였다.
⑤ 소작농의 비율이 줄고 자작농의 비율이 늘었다.
→ 토지 조사 사업 실시 이후 소작농의 비율이 늘어났다.

02 자치 운동의 등장 배경

다음 주장이 등장한 배경으로 가장 적절한 것은?

> 지금의 조선 민족에게는 왜 정치적 생활이 없나? 그 대답은 가장 간단하다. 일본이 한국을 병합한 이래로 조선인에게는 모든 정치적 활동을 금지한 것이 제1의 원인이요, 병합 이래로 조선인은 일본의 통치권을 승인하는 조건 밑에서 하는 모든 정치적 활동, 즉 참정권, 자치권 운동 같은 것은 물론, 일본 정부를 상대로 하는 독립운동조차도 원치 아니하는 강렬한 절개 의식이 있었던 것이 제2의 원인이다. …… 우리는 조선 내에서 허용하는 범위 내에서 일대 정치적 결사를 조직하여야 한다는 것이 우리의 주장이다.

① 신간회가 해소되었다. → 1931년
② 정우회 선언이 발표되었다. → 1926년
③ 국가 총동원법이 제정되었다. → 1938년
④ 대한민국 임시 정부가 수립되었다. → 1919년
⑤ 일제가 민족 분열 정책을 실시하였다.

출제 의도 파악하기
1920년대에 진행된 자치 · 참정권 운동의 등장 배경을 안다.

문제 해결 Point 쏙쏙

선택지 바로 알기
⑤ 일제가 민족 분열 정책을 실시하였다.
→ 3 · 1 운동 이후 일제가 정치 활동을 부분적으로 허용하자 일부 민족주의 계열 지식인들은 일제의 식민 지배를 인정하는 가운데 일제가 허용하는 범위 내에서 정치적 실력을 키워 나가야 한다고 주장하였다.

용어 +
자치 운동: 일본 제국의 지배를 받아들인 채 조선 총독부와 협력하여 자치 정부 또는 자치 의회를 구성하려는 운동으로 이광수, 최린 등이 주장하였다.

03 독립 의군부, 대한민국 임시 정부의 특징과 활동

(가), (나) 단체에 대한 설명으로 옳은 것은?

> 독립 의군부
> • 임병찬 등은 (가) 을/를 조직하고 서울에 중앙 순무 총장을 두었다. 이들은 일본 총리대신과 조선 총독에게는 국권 반환을 요구하고 한국인에게는 국권 회복의 여론을 일으키려 하였다. 이 단체의 관계자는 주로 의병 출신과 유생들이다.
>
> 대한민국 임시 정부
> • (나) 의 본부는 상하이에 있으며 수반은 이승만이다. 한국인들은 이 단체가 궁극적으로 장래 공화국의 기초를 마련하는 데 매우 중요한 역할을 할 것이라 여긴다.

① (가)- 13도 창의군을 결성하였다. → 정미의병(1907)
② (가)- 부호들에게 의연금을 거두어들였다. → 대한 광복회
③ (나)- 한 · 일 관계 사료집을 편찬하였다. → 대한민국 임시 정부
④ (나)- 광주 학생 항일 운동에 진상 조사단을 파견하였다. → 신간회
⑤ (가), (나)- 민주 공화정 수립을 추구하였다.

출제 의도 파악하기

독립 의군부, 대한민국 임시 정부의 특징을 알고 각 단체의 활동을 이해한다.

문제 해결 Point 쏙쏙

• (가) 임병찬 등이 조직, 국권 반환 요구 → 독립 의군부
• (나) 상하이에 수립, 대표 이승만 → 대한민국 임시 정부

선택지 바로 알기

⑤ (가), (나)- 민주 공화정 수립을 추구하였다.
→ 독립 의군부는 고종의 복위를 목표로 하는 복벽주의를 추구하였고, 대한민국 임시 정부는 민주 공화제 정부였다.

04 1920년대 국외 무장 독립운동의 위기

다음 그래프에 나타난 변화의 원인으로 옳은 것은?

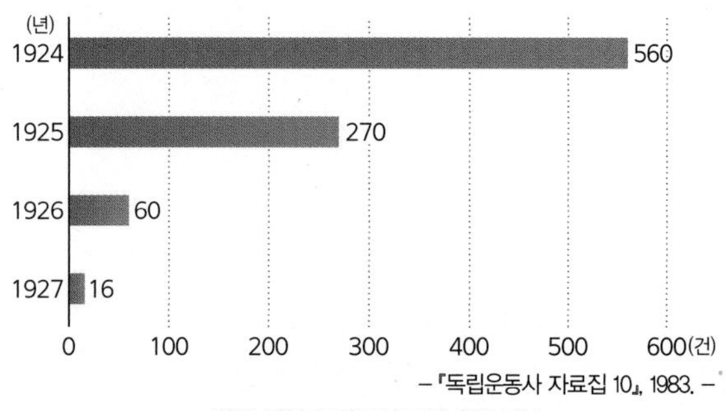

–『독립운동사 자료집 10』, 1983. –

▲ 만주 지역 독립군의 국내 침투 건수

① 미쓰야 협정이 체결되었다.
② 국민 대표 회의가 결렬되었다.
③ 남한 대토벌 작전이 실행되었다.
④ 독립군이 자유시 참변으로 피해를 입었다.
⑤ 양세봉이 일본군과의 전투 중 전사하였다.

출제 의도 파악하기

1925년을 기점으로 만주 지역의 독립군 활동이 급격히 줄어든 까닭을 파악한다.

문제 해결 Point 쏙쏙

미쓰야 협정 체결로 일제가 독립군 탄압을 위해 만주 군벌과 협조 체제 구축 → 만주 지역 독립군 활동 위축

선택지 바로 알기

① 미쓰야 협정이 체결되었다.
→ 1925년 일본은 한국의 독립운동가를 중국 관헌이 체포하여 일본에 넘긴다는 내용의 미쓰야 협정을 만주 군벌과 체결하였다. 이 때문에 독립군은 현상금을 노리는 만주 군벌도 피해야 했다.
② 국민 대표 회의가 결렬되었다.
→ 국민 대표 회의는 창조파와 개조파의 대립으로 결렬되었다.
③ 남한 대토벌 작전이 실행되었다.
→ 의병 활동 탄압을 위해 일제가 1909년에 전개하였다.
④ 독립군이 자유시 참변으로 피해를 입었다.
→ 자유시 참변은 1921년에 러시아 자유시에서 독립군 부대의 다툼에 러시아 혁명군까지 개입하면서 많은 사상자가 발생한 사건이다.
⑤ 양세봉이 일본군과의 전투 중 전사하였다.
→ 조선 혁명군을 이끌던 양세봉은 1934년에 전사하였다.

05 신채호의 「조선 혁명 선언」

다음 선언문을 작성한 인물에 대한 설명으로 옳은 것은?

└ 신채호

> 우리는 외교론, 준비론 등의 미몽을 버리고 민중 직접 혁명의 수단을 취함을 선언하노라. 강도 일본을 쫓아내려면 오직 혁명으로써 할 뿐이니, 혁명이 아니고는 강도 일본을 내쫓을 방법이 없는 바이다. …… 민중은 우리 혁명의 대본영(大本營)이다. 폭력은 우리 혁명의 유일한 무기이다.

① 독사신론을 저술하였다. → 신채호
② 청산리 대첩에 참여하였다. → 독립군 연합 부대
③ 조선어 학회에서 활동하였다. → 이극로, 최현배 등
④ 대한 광복군 정부를 조직하였다. → 이상설, 이동휘 등
⑤ 동양 척식 주식회사에 폭탄을 투척하였다. → 의열단의 나석주

출제 의도 파악하기

「조선 혁명 선언」을 작성한 신채호의 활동을 파악한다.

문제 해결 Point 쏙쏙

민중 직접 혁명 수단, 폭력을 통한 독립 쟁취 주장 → 신채호의 「조선 혁명 선언」

선택지 바로 알기

① 독사신론을 저술하였다.
→ 신채호는 「독사신론」을 통해 민족을 역사 서술의 주체로 내세워 민족주의 사학의 연구 방향을 제시하였다.

용어 +

- **외교론**: 강대국을 상대로 일제 식민 지배의 부당성과 한국인의 독립 열망을 알려 독립을 얻어 내자는 주장
- **준비론**: 독립 전쟁의 시기가 아직 오지 않았다고 보고 교육과 산업 발전, 군대 양성 등을 통해 우리 민족의 실력을 먼저 키워야 한다는 주장

06 한인 애국단

(가) 단체에 대한 설명으로 옳은 것은?

> Historia 오늘의 역사 인물
> 일왕의 마차에 폭탄을 던진 이봉창
> "나는 적성(赤誠: 참된 정성)으로써 조국의 독립과 자유를 회복하기 위하여, (가) 의 일원이 되어 적의 수괴를 도륙하기로 맹세하나이다."
> 대한민국 13년 12월 13일 선서인 이봉창
> ┌ 한인 애국단
> #선서 # (가) #이봉창 #김구

① 신흥 강습소를 설립하였다.
② 대동단결 선언을 발표하였다.
③ 김상옥, 김익상 등이 단원으로 활동하였다.
④ 조선 총독부와 종로 경찰서 등을 공격하였다.
⑤ 대한민국 임시 정부의 침체를 극복하기 위해 조직되었다.

출제 의도 파악하기

의열 단체의 소속 단원과 활동을 구분한다.

문제 해결 Point 쏙쏙

이봉창 → 한인 애국단 소속

선택지 바로 알기

① 신흥 강습소를 설립하였다.
→ 신흥 강습소는 1911년 신민회가 남만주 삼원보에 설립하였다.
② 대동단결 선언을 발표하였다.
→ 대동단결 선언은 1917년 박은식, 신채호 등이 작성하여 발표하였다.
③ 김상옥, 김익상 등이 단원으로 활동하였다.
→ 김상옥, 김익상 등은 의열단의 단원으로 활동하였다.
④ 조선 총독부와 종로 경찰서 등을 공격하였다.
→ 의열단 단원인 김익상, 김상옥이 벌인 활동이다.
⑤ 대한민국 임시 정부의 침체를 극복하기 위해 조직되었다.
→ 한인 애국단은 김구가 대한민국 임시 정부의 침체를 극복하고자 1931년에 조직한 단체이다.

07 조선 의용대의 활동

밑줄 친 '독립군 부대'에 대한 설명으로 옳은 것은?

중일 전쟁 발발 후 민족 혁명당은 중도 좌파 단체들과 함께 조선 민족 전선 연맹을 결성하고, 그 산하 독립군 부대를 창설하였어요.

조선 의용대

① 중국 국민당의 지원을 받았다.
② 국내 진공 작전을 계획하였다.
③ 영릉가, 흥경성 전투에서 활약하였다.
④ 중국 팔로군과 연합하여 전투를 벌였다.
⑤ 지청천의 지휘 아래 전투를 전개하였다.

출제 의도 파악하기

조선 의용대의 창설 배경과 활동을 파악한다.

문제 해결 Point 쏙쏙

조선 민족 전선 연맹의 산하 부대 → 조선 의용대

선택지 바로 알기

① 중국 국민당의 지원을 받았다.
→ 조선 의용대는 중국 국민당의 지원을 받아 주로 일본군에 대한 심리전이나 포로 심문, 후방 공작 활동을 전개하였다.
② 국내 진공 작전을 계획하였다.
→ 대한민국 임시 정부의 산하 부대인 한국광복군에 대한 내용이다.
③ 영릉가, 흥경성 전투에서 활약하였다.
→ 조선 혁명군에 대한 내용이다.
④ 중국 팔로군과 연합하여 전투를 벌였다.
→ 조선 의용대 화북 지대가 중국 팔로군과 연합 전선을 형성하여 타이항산 전투, 후자좡 전투 등에서 일본군에 맞섰다.
⑤ 지청천의 지휘 아래 전투를 전개하였다.
→ 지청천은 한국 독립군, 한국광복군의 지휘를 맡았다.

08 대한민국 임시 정부의 건국 강령

다음 강령을 발표한 단체에 대한 설명으로 옳은 것은?

대한민국 임시 정부

제3장 건국

4. 보통 선거제는 만 18세 이상 남녀로 선거권을 행사하되 신앙, 교육, 거주 기간, 사회 출신, 재정 상황과 과거 행동을 분별치 아니하며 …….
6. 대생산 기구와 공구의 수단을 국유로 하고 …… 대규모의 농·상기업과 도시 공업 구역의 공용적 주요 건물과 산업은 국유로 하고 소규모 혹 중등 기업은 사영으로 함.

① 조선 의용대를 창설하였다.
② 105인 사건으로 해체되었다.
③ 국내 진공 작전을 계획하였다.
④ 전국에 지회를 설치하고 강연회를 열었다.
⑤ 화북 지역의 사회주의자를 중심으로 조직되었다.

출제 의도 파악하기

대한민국 임시 정부, 조선 독립 동맹, 조선 건국 동맹이 발표한 건국 강령의 내용을 구분한다.

문제 해결 Point 쏙쏙

대한민국 임시 정부의 건국 강령(1941) → 조소앙의 삼균주의에 기초, 보통 선거에 의한 민주 공화국 건설, 토지와 중요 산업의 국유화, 무상 교육 실시 등

선택지 바로 알기

① 조선 의용대를 창설하였다.
→ 조선 의용대는 조선 민족 전선 연맹의 산하 무장 조직이다.
② 105인 사건으로 해체되었다.
→ 신민회가 1911년 105인 사건으로 해체되었다.
③ 국내 진공 작전을 계획하였다.
→ 대한민국 임시 정부는 산하 무장 조직인 한국광복군의 일부를 국내 정진군으로 조직하여 국내 진공 작전을 벌이려 했으나 일본의 항복으로 실행에 옮기지 못하였다.
④ 전국에 지회를 설치하고 강연회를 열었다.
→ 신간회에 대한 설명이다.
⑤ 화북 지역의 사회주의자를 중심으로 조직되었다.
→ 조선 독립 동맹에 대한 설명이다.

09 미소 공동 위원회

(가)에 들어갈 내용으로 가장 적절한 것은?

> 모스크바 3국 외상 회의에서 최고 5년간의 신탁 통치를 실시하고 한국 민족이 임시 정부를 세워 앞으로 독립 국가 건설을 준비하게 한다는 결정이 내려졌고, 이에 따라 미소 공동 위원회가 설치되어 제1차 위원회가 서울에서 열렸다. 소련은 임시 정부 수립을 위한 한국 내 협의 대상자의 선정 기준으로 첫째, 모스크바 3국 외상 회의의 결정을 지지할 것, 둘째, 진실로 민주주의적이어야 할 것, 셋째, 장차 한국을 대소련 침략 요새로 만들려는 반(反) 소련적인 집단이나 인물이 아닐 것 등을 제시하였다. 이에 대해 미국은 (가)

① 소련의 주장에 적극적으로 동의하였다.
② 한국과 한미 상호 방위 조약을 체결하였다.
③ 한국 문제를 유엔에 이관해야 한다고 주장하였다.
④ 태평양 지역의 극동 방위선에서 한반도를 제외하였다.
⑤ 한반도 내의 모든 정치 세력과 협의해야 한다고 주장하였다.

출제 의도 파악하기

미소 공동 위원회에서 제기된 미국과 소련의 주장을 파악한다.

문제 해결 Point 쏙쏙

미소 공동 위원회에서 소련과 미국의 대립 → 미소 공동 위원회 결렬

선택지 바로 알기

① 소련의 주장에 적극적으로 동의하였다.
→ 미국과 소련은 입장 차이를 좁히지 못하였다.

② 한국과 한미 상호 방위 조약을 체결하였다.
→ 1953년 정전 협정이 조인된 후 한국과 미국은 한미 상호 방위 조약을 체결하였다.

③ 한국 문제를 유엔에 이관해야 한다고 주장하였다.
→ 제2차 미소 공동 위원회가 결렬된 후 미국은 한국 문제를 유엔에 이관하였다.

④ 태평양 지역의 극동 방위선에서 한반도를 제외하였다.
→ 1950년 미국의 국무 장관 애치슨이 발표한 태평양 방어선(애치슨 라인)에서 한반도가 제외되었다.

⑤ 한반도 내의 모든 정치 세력과 협의해야 한다고 주장하였다.
→ 미소 공동 위원회에서 미국은 의사 표현의 자유를 내세워 모든 정치 세력의 참여를 보장하자고 주장하였다.

10 남북 협상의 전개

밑줄 친 '이 회의'에 대한 설명으로 옳은 것은?

> 금반 우리의 북행(김구, 김규식의 평양 방문)은 우리 민족의 단결을 의심하는 세계 인사에게는 물론이요, 조국의 통일을 갈망하는 다수의 동포들에게까지 금반 행동으로써 않은 기대를 이루어 준 것이다. …… 이 회의(남북 협상)는 자주적 · 민주적 통일 조국을 재건하기 위하여서 양 조선의 단독 선거 · 단독 정부를 반대하며 미 · 소 양군의 철퇴를 요구하는 데 의견이 일치하였다. 북조선 당국자도 단독 정부는 절대로 수립하지 아니하겠다고 약속하였다.

① 김구와 김규식이 참석하였다.
② 좌우 합작 7원칙에 합의하였다.
③ 최대 5년간의 신탁 통치를 결정하였다.
④ 가능한 지역에 대한 총선거를 결정하였다.
⑤ 모스크바 3국 외상 회의의 결정에 따라 개최되었다.

출제 의도 파악하기

남북 협상의 배경과 과정을 이해한다.

문제 해결 Point 쏙쏙

- 남북 협상의 배경 → 유엔 소총회가 가능한 지역의 총선거 결의
- 남북 협상의 전개 → 김구와 김규식의 평양 방문, 단독 정부 반대, 미 · 소 양군 철수 요구 등 결의

선택지 바로 알기

① 김구와 김규식이 참석하였다.
→ 김구, 김규식 등은 남북 협상을 위해 평양을 방문하였다.

② 좌우 합작 7원칙에 합의하였다.
→ 좌우 합작 위원회에서 좌우 합작 7원칙을 발표하였다.

③ 최대 5년간의 신탁 통치를 결정하였다.
→ 모스크바 3국 외상 회의에서 최대 5년간 4개국에 의한 신탁 통치를 결정하였다.

④ 가능한 지역에 대한 총선거를 결정하였다.
→ 유엔 소총회 결의 사항으로 남북 협상의 배경이 되었다.

⑤ 모스크바 3국 외상 회의의 결정에 따라 개최되었다.
→ 미소 공동 위원회에 해당한다.

11 6 · 25 전쟁의 전개 과정

밑줄 친 '이 전쟁' 중에 있었던 사실로 옳은 것만을 |보기|에서 고른 것은?

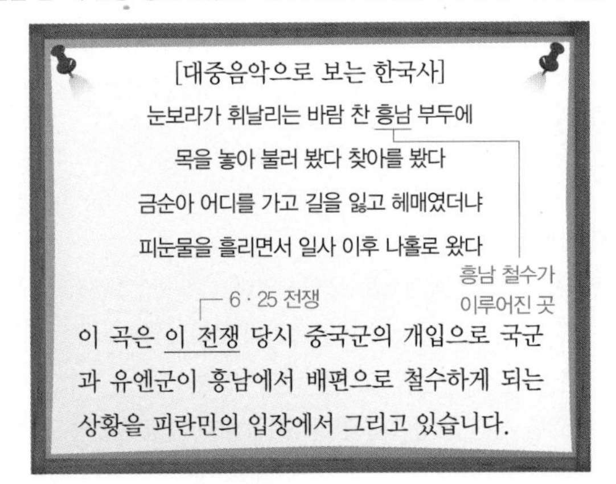

보기
ㄱ. 반공 포로가 석방되었다.
ㄴ. 애치슨 선언이 발표되었다.
ㄷ. 인천 상륙 작전이 전개되었다.
ㄹ. 한미 상호 방위 조약이 조인되었다.

① ㄱ, ㄴ ② ㄱ, ㄷ ③ ㄴ, ㄷ ④ ㄴ, ㄹ ⑤ ㄷ, ㄹ

출제 의도 **파악하기**

6 · 25 전쟁의 전개 과정을 이해한다.

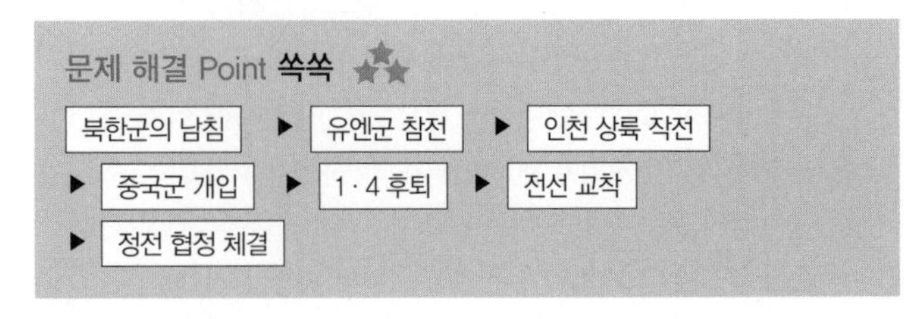

선택지 **바로 알기**

ㄱ. 반공 포로가 석방되었다.
→ 이승만 정부는 정전 회담에 반대하며 반공 포로를 석방하였다.

ㄴ. 애치슨 선언이 발표되었다.
→ 1950년 1월에 발표된 애치슨 선언은 6 · 25 전쟁 발발에 영향을 주었다.

ㄷ. 인천 상륙 작전이 전개되었다.
→ 국군과 유엔군은 인천 상륙 작전을 전개하여 서울을 수복하고 압록강까지 진격하였다.

ㄹ. 한미 상호 방위 조약이 조인되었다.
→ 정전 협정 체결 이후 1953년 10월 한미 상호 방위 조약이 조인되어 한 · 미 동맹이 강화되었다.

12 장면 정부의 정책

밑줄 친 '정부'에 대한 설명으로 옳은 것은?

…… 오직 하나밖에 다시 없는 국민과 영원히 존재해야 하는 국가를 위해서는 모두를 다 바치는 것이 젊은 학도들이 흘린 고귀한 피의 값을 보상하는 길인가 합니다. 4월 혁명(4 · 19 혁명)으로부터 정치적 자유의 유산을 물려받은 제2공화국 정부(장면 정부)는 이제 국민이 잘 먹고 잘살 수 있는 경제적 자유를 마련하지 않으면 안 되겠습니다. …… 피를 무서워했던 독재는 정녕코 물러났기 때문에 오늘 우리의 정치 활동은 자유로웠습니다.

– 제○대 대통령(윤보선 대통령) 취임사 –

① 10 · 26 사태로 붕괴되었다.
② 여소야대 정국이 나타났다.
③ 경제 개발 계획을 마련하였다.
④ 내각 책임제 개헌을 단행하였다.
⑤ 역사 바로 세우기를 추진하였다.

출제 의도 **파악하기**

4 · 19 혁명 이후 들어선 장면 정부의 정책을 파악한다.

문제 해결 Point **쏙쏙**

- 4 · 19 혁명 이후 헌법 개정 → 대통령 윤보선, 국무총리 장면 취임 → 장면 정부 수립
- 장면 정부의 정책 → 정부 규제 완화, 경제 개발 계획 마련

선택지 **바로 알기**

① 10 · 26 사태로 붕괴되었다.
→ 박정희 대통령이 10 · 26 사태로 피살되었다.

② 여소야대 정국이 나타났다.
→ 노태우 정부 시기 여소야대 정국이 나타났다.

③ 경제 개발 계획을 마련하였다.
→ 장면 정부는 경제 개발 계획안을 마련하고 국토 건설 사업을 추진하였다.

④ 내각 책임제 개헌을 단행하였다.
→ 4 · 19 혁명 이후 허정 과도 정부에서 내각 책임제 개헌을 하였다.

⑤ 역사 바로 세우기를 추진하였다.
→ 조선 총독부 건물 폭파, 전두환 · 노태우 구속 등을 실시한 김영삼 정부에 해당한다.

13 5 · 16 군사 정변

밑줄 친 '우리'에 대한 설명으로 옳은 것은?

> 1. 반공을 국시의 제일의로 삼고 지금까지 형식적이고 구호에만 그친 반공 태세를 재정비 강화한다.
> 2. 유엔 헌장을 준수하고 국제 협약을 충실히 이행할 것이며 미국을 위시한 자유 우방과의 유대를 더욱 공고히 한다.
> 6. 이와 같은 <u>우리</u>의 과업이 성취되면 참신하고도 양심적인 정치인들에게 언제든지 정권을 이양하고 우리 군인들 본연의 임무에 복귀할 준비를 갖춘다.

① 정전 협정에 조인하였다.
② 3 · 15 부정 선거를 자행하였다.
③ 12 · 12 사태를 통해 집권하였다.
④ 남한의 단독 선거에 반대하였다.
⑤ 국가 재건 최고 회의를 설치하였다.

출제 의도 파악하기

5 · 16 군사 정변의 전개 과정을 이해한다.

문제 해결 Point 쏙쏙

5 · 16 군사 정변(1961): 박정희 등 군인 세력이 정권 장악 → 혁명 공약 발표, 군정 실시(국가 재건 최고 회의 설치, 중앙정보부 설치, 경제 개발 5개년 계획 추진, 개헌 단행)

선택지 바로 알기

① 정전 협정에 조인하였다.
→ 1953년에 6 · 25 전쟁을 중단하는 정전 협정이 조인되었다.
② 3 · 15 부정 선거를 자행하였다.
→ 이승만 정부가 장기 집권을 위해 1960년 정 · 부통령 선거에서 부정을 자행하였다.
③ 12 · 12 사태를 통해 집권하였다.
→ 전두환, 노태우 등 신군부 세력에 해당한다.
④ 남한의 단독 선거에 반대하였다.
→ 남북 협상 등에 해당한다.
⑤ 국가 재건 최고 회의를 설치하였다.
→ 5 · 16 군사 정변을 일으킨 군인 세력은 국가 재건 최고 회의를 통해 군정을 실시하였다.

14 유신 체제의 붕괴와 신군부 세력의 정권 장악

(가), (나) 시기 사이에 있었던 사실로 옳은 것은?

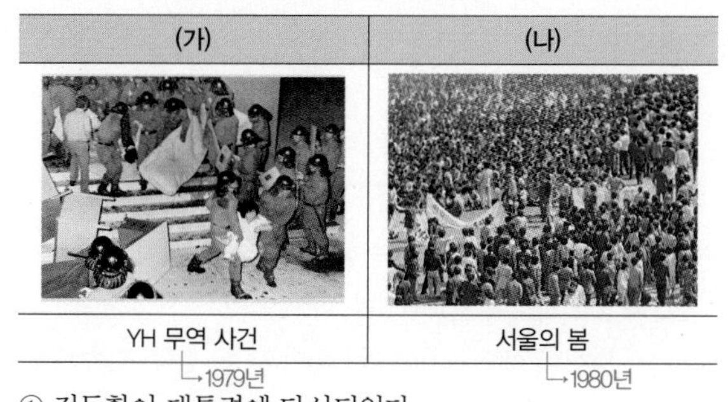

(가)	(나)
YH 무역 사건 (→1979년)	서울의 봄 (→1980년)

① 전두환이 대통령에 당선되었다.
② 김영삼이 국회 의원직에서 제명되었다.
③ 노태우가 6 · 29 민주화 선언을 발표하였다. → 1987년
④ 이한열이 경찰의 최루탄에 맞아 사망하였다. → 1987년
⑤ 전태일이 근로 기준법 준수를 요구하며 분신하였다. → 1970년

출제 의도 파악하기

1979~1980년에 일어난 사건을 안다.

문제 해결 Point 쏙쏙

유신 체제의 붕괴와 신군부 세력의 집권: 부 · 마 민주화 운동 → 10 · 26 사태 → 12 · 12 사태 → 서울의 봄 → 5 · 18 민주화 운동

선택지 바로 알기

① 전두환이 대통령에 당선되었다.
→ 서울의 봄과 5 · 18 민주화 운동 이후 1980년 8월 전두환이 통일 주체 국민 회의에서 대통령에 당선되었다.
② 김영삼이 국회 의원직에서 제명되었다.
→ 신민당 김영삼 총재가 YH 무역 여성 노동자 시위의 폭력적인 진압을 비판하자 여당은 김영삼을 의원직에서 제명하였다. 이 사건으로 부 · 마 민주화 운동이 일어났고, 10 · 26 사태로 유신 체제가 붕괴되었다.

15 5 · 18 민주화 운동

다음 자료와 관련된 민주화 운동에 대한 설명으로 옳은 것은?

> 우리는 왜 총을 들 수밖에 없었는가. 그 대답은 너무도 간단합니다. 너무나 무자비한 만행을 더 이상 보고 있을 수만 없어서 너도나도 총을 들고 나섰던 것입니다. …… 학생들은 17일부터 학업에, 시민들은 생업에 종사하고 있습니다. 그런데 계엄 당국은 18일(1980년 5월 18일) 오후부터 공수 부대를 대량으로 투입하여 시내 곳곳에서 학생, 젊은이들에게 무참히 살상을 자행하였다니!

① 4 · 13 호헌 조치에 반발하였다.
② 계엄군이 무력으로 진압하였다.
③ 이승만 정권의 퇴진을 요구하였다.
④ 박정희 등 군부 세력이 권력을 잡게 되었다.
⑤ 최초의 평화로운 여야 정권 교체를 이끌어 냈다.

출제 의도 파악하기

5 · 18 민주화 운동의 특징을 이해한다.

문제 해결 Point 쏙쏙

무자비한 만행, 공수 부대 → 5 · 18 민주화 운동

선택지 바로 알기

① 4 · 13 호헌 조치에 반발하였다.
→ 6월 민주 항쟁에 해당한다.
② 계엄군이 무력으로 진압하였다.
→ 5 · 18 민주화 운동은 계엄군의 무력 진압으로 막을 내렸다.
③ 이승만 정권의 퇴진을 요구하였다.
→ 4 · 19 혁명에 해당한다.
④ 박정희 등 군부 세력이 권력을 잡게 되었다.
→ 4 · 19 혁명 이후 헌법 개정으로 장면 정부가 들어섰으나, 5 · 16 군사 정변이 일어나 군부 세력이 정권을 장악하였다.
⑤ 최초의 평화로운 여야 정권 교체를 이끌어 냈다.
→ 선거에 의한 최초의 여야 정권 교체로 김대중 정부가 들어섰다.

16 노태우 정부의 통일 정책

다음 발표가 있었던 정부 시기에 있었던 일로 옳은 것은?

> …… 지난 올림픽(1988년 서울 올림픽)을 끝마치고 유엔(UN)에서 연설을 했을 때 그때처럼 내 자신이 민족의 자존심을 또 강한 우리나라의 주권 의식을 느낀 적이 없다 이렇게 생각합니다. …… 나는 이 임기 중에 여러 가지 이런 북방의 주요국과 관계를 수립하기를 희망을 하고 벌써 헝가리는 늦어도 금년 상반기 내에는 국교가 정상화되리라 이렇게 생각이 됩니다. 뿐만 아니고 동구권에 소련을 위시해서 폴란드라든가 불가리아라든가 혹은 또 이웃에 있는 중국이라든가 이런 나라들도 하나하나 관계 개선이 날이 갈수록 빨리 이렇게 촉진이 되어 가리라고 나는 생각을 합니다.

① 금강산 관광이 시작되었다.
② 남북 조절 위원회가 설치되었다.
③ 7 · 4 남북 공동 성명이 발표되었다.
④ 제2차 남북 정상 회담이 개최되었다.
⑤ 한반도 비핵화 공동 선언이 발표되었다.

출제 의도 파악하기

노태우 정부 시기에 북방 외교가 시행되었음을 파악하고 이 시기 통일 정책을 이해한다.

문제 해결 Point 쏙쏙

노태우 정부의 통일 정책: 남북한 유엔 동시 가입(1991), 남북 사이의 화해와 불가침 및 교류 · 협력에 관한 합의서(남북 기본 합의서), 한반도 비핵화 공동 선언 발표

선택지 바로 알기

① 금강산 관광이 시작되었다.
→ 김대중 정부 시기에 해당한다.
② 남북 조절 위원회가 설치되었다.
→ 박정희 정부 시기 7 · 4 남북 공동 성명에 따라 설치되었다.
③ 7 · 4 남북 공동 성명이 발표되었다.
→ 1972년 박정희 정부 시기에 발표되어 자유, 평화, 민족 대단결의 통일 3대 원칙을 밝혔다.
④ 제2차 남북 정상 회담이 개최되었다.
→ 노무현 정부 시기에 이루어졌으며 10 · 4 남북 공동 선언을 발표하였다.
⑤ 한반도 비핵화 공동 선언이 발표되었다.
→ 노태우 정부는 남북 관계 개선을 시도하여 남북 기본 합의서와 한반도 비핵화 공동 선언을 발표하였다.

◀ 정답은
이안에
있어!

실전에 강한

수능전략

사탐영역 **한국사**

수능에 꼭 나오는

필수 유형 ZIP 2

천재교육

수능전략

사·회·탐·구·영·역

한국사

수능에 꼭 나오는

필수 유형 ZIP 2

차례 2권

필수 유형

수능에 꼭 나오는
필수 유형 ZIP

필수 유형

01 무단 통치

문제 해결 전략

1910년대 일제는 헌병을 내세워 우리 민족을 강압적으로 다스리는 무단 통치를 하였다. 무단 통치 시기의 자료를 제시하고 1910년대 사실을 묻는 문제가 자주 출제되고 있다.

필수 유형

다음 법령이 시행된 시기에 있었던 사실로 옳은 것은?

제1조 조선 주둔 헌병은 치안 유지에 관한 경찰과 군사 경찰을 관장한다.
제3조 헌병 장교, 준사관, 하사, 상등병에게는 조선 총독이 정하는 바에 의하여 재직하면서 경찰관의 직무를 집행하게 한다.
제4조 경찰관의 직무를 집행하는 자가 그 경찰 사무에 관해 직권을 가진 상관의 명령을 받은 때에는 즉시 이를 복종하여 실행해야 한다.

-『조선 총독부 관보』-

일제는 한국 병합 후 종래의 통감부를 폐지하고 이보다 강력한 통치 기구인 ❶ [   ]를 두었다.

필수 자료 해석

1910년대에는 일본인 헌병 경찰이 우리 민족의 일상생활을 감시하였고, ❷ [   ]을 제정하여 한국인에게만 태형을 적용하였다. 교원은 제복을 입고 칼을 차야 했으며, 한국인의 집회, 결사가 금지되었다. 한편 일제는 이 시기에 ❸ [   ]을 실시하여 한국인의 토지를 강탈하였고, ❹ [   ]을 제정하여 한국인의 기업 활동을 제한하였다.

답 ❶ 조선 총독부 ❷ 조선 태형령 ❸ 토지 조사 사업 ❹ 회사령

필수 선택지

위 지문을 보고 옳으면 ○표, 틀리면 ×표를 하고, 그 까닭을 쓰시오.

① 회사령이 제정되었다. (   )
② 치안 유지법이 제정되었다. (   )
③ 조선 태형령이 시행되었다. (   )
④ 국가 총동원법이 제정되었다. (   )
⑤ 산미 증식 계획이 실시되었다. (   )
⑥ 토지 조사 사업이 실시되었다. (   )
⑦ 신탁 통치 반대 시위가 발생하였다. (   )
⑧ 독립 협회가 만민 공동회를 개최하였다. (   )

답 ① ○ ② ×(1925) ③ ○ ④ ×(1938) ⑤ ×(1920년대~1930년대 초) ⑥ ○ ⑦ ×(미군정기) ⑧ ×(1898)

필수 유형

02 일제 강점기 경제 정책

문제 해결 전략

일제는 1910년대에 우리 민족 자본의 성장을 막기 위해 회사령을 제정하여 회사 설립 시 조선 총독의 허가를 받도록 하였다. 회사령을 자료로 제시하고 1910년대 일제의 경제 정책과 통치 방식 전반을 묻는 문제가 출제되고 있다.

필수 유형

다음 법령이 시행된 시기에 볼 수 있는 모습으로 가장 적절한 것은?

제1조 회사의 설립은 조선 총독의 허가를 받아야 한다.

⋮

제5조 회사가 본 법령 및 이에 의거하여 내리는 명령과 허가 조건을 위반하거나, 또는 공공질서와 선량한 풍속을 위반하는 행위를 할 때, 조선 총독은 사업의 정지, 금지, 지점의 폐쇄 또는 회사의 해산을 명할 수 있다.

⋮

19△△년 △△월 △△일 조선 총독

→ 제시된 법령은 1910년 조선 총독부에서 공포한 ❶ [   ]이다. 이 법령은 한국에서 회사를 설립할 경우 조선 총독의 ❷ [   ]를 받도록 규정하였다.

필수 자료 해석

1910년대~1920년대 일제의 경제 정책은 다음과 같다.

1910년대	1920년대
❸ [ ]: 일본의 식민지 운영 자본 마련을 위해 실시, 미신고지는 조선 총독부 소유	❹ [ ]: 일본에 안정적으로 식량을 공급하기 위해 쌀 생산을 증대시키려는 사업 시행
회사령 시행	회사령 폐지

답 ❶ 회사령 ❷ 허가 ❸ 토지 조사 사업 ❹ 산미 증식 계획

필수 선택지

위 자료를 보고 옳으면 ○표, 틀리면 ×표를 하고, 그 까닭을 쓰시오.

① 군사 훈련을 받는 별기군 (   )

② 제복을 입고 칼을 찬 교원 (   )

③ 군국기무처에서 일하는 관리 (   )

④ 조선 태형령을 시행하는 헌병 경찰 (   )

⑤ 구식 군대의 봉기에 가세하는 도시 하층민 (   )

답 ① ×(1880년대) ② ○ ③ ×(1894) ④ ○ ⑤ ×(1882)

필수 유형

03 민족 분열 통치

문제 해결 전략

1920년대 일본은 이른바 '문화 통치'를 표방하였으나 이는 친일 세력을 양성하려는 민족 분열 통치였다. 1920년대 이른바 '문화 통치'의 특징을 자료로 제시하고 다른 시기의 통치 방식과 구분할 수 있는지 묻는 문제가 자주 출제된다.

필수 유형

(가) 통치 시기에 있었던 사실로 옳은 것은?

치안 유지법은 1925년 일제가 무정부주의 · 사회주의 운동을 비롯한 일체의 사회 운동을 조직하거나 선전하는 자에게 중벌을 가하도록 한 법이다.

이 그림은 일제가 우리 민족에게 적용한 치안 유지법을 풍자한 만화입니다. 일제는 무단 통치의 한계를 인식하고, 통치 방식을 이른바 (가) (으)로 전환하였습니다. 하지만 경찰의 수를 대폭 증가시키고, 치안 유지법을 적용하는 등 독립운동에 대한 탄압을 더욱 강화하였습니다.

'오늘부터 새 칼 한 개를 더 차 볼까'

필수 자료 해석

1920년대 일제는 이른바 ❶ [   ] 를 내세우며 헌병 경찰제를 ❷ [   ] 로 바꾸고 언론 · 출판 · 집회 · 결사의 자유를 인정하였다. 그러나 경찰의 수는 몇 배 더 늘어났고 신문에 대한 검열도 강화되었다. 또한 1925년에 치안 유지법을 제정하여 ❸ [   ] 운동뿐만 아니라 독립운동을 탄압하는 데 활용하였다.

답 ❶ 문화 통치 ❷ 보통 경찰제 ❸ 사회주의

필수 선택지

위 자료를 보고 옳으면 ○표, 틀리면 ×표를 하고, 그 까닭을 쓰시오.

① 회사령이 폐지되었다. (   )

② 징병제가 실시되었다. (   )

③ 3 · 1 운동이 발생하였다. (   )

④ 산미 증식 계획이 실시되었다. (   )

⑤ 경찰범 처벌 규칙이 제정되었다. (   )

⑥ 일본이 한국에 내던 관세가 철폐되었다. (   )

⑦ 쌀을 공출하고 식량 배급제를 시작하였다. (   )

답 ① ○ ② ×(1940년대) ③ ×(1919) ④ ○ ⑤ ×(1910년대) ⑥ ○ ⑦ ×(1930년대 후반~1940년대)

필수 유형

04 국외 독립운동 기지 건설

문제 해결 전략

1910년대 만주와 연해주에 독립운동 기지가 만들어졌다. 특히 연해주 지역에서는 신한촌에서 권업회가 조직되고 대한 광복군 정부가 수립되었다. 1910년대 서간도, 북간도, 연해주의 상황을 구분할 수 있는지 묻는 문제가 고난도 문제로 출제되고 있다.

필수 유형

(가) 지역에서 있었던 사실로 옳은 것은?

역사 동아리 국외 답사 계획서

1. **주제:** (가) 독립운동의 발자취를 찾아서
2. **기간:** 2021년 OO월 OO일~OO일
3. **답사 장소**
   - 신한촌 기념비
   - 권업회 본부 터 추정지
   - 대한 국민 의회 건물 추정지

신한촌은 일제 강점기에 러시아 ❶ [　　　] 의 블라디보스토크에 자리 잡고 있던 한인 집단 거주지이다.

권업회는 1911년 신한촌에서 조직된 항일 독립운동 단체이다.

필수 자료 해석

1910년대 국외 독립운동 기지 건설의 주요 내용은 다음과 같다.

연해주	성명회, 권업회, ❷ [　　　] (이상설, 이동휘 중심의 독립군 단체)
서간도	경학사, 부민단, 신흥 강습소(❸ [　　　] 로 개편)
북간도	중광단, 북로 군정서, 서전서숙, 명동 학교

답 ❶ 연해주 ❷ 대한 광복군 정부 ❸ 신흥 무관 학교

필수 선택지

위 자료를 보고 옳으면 ○표, 틀리면 ×표를 하고, 그 까닭을 쓰시오.

① 경학사가 조직되었다. ( )
② 구미 위원부가 설치되었다. ( )
③ 대한인 국민회가 조직되었다. ( )
④ 대한 광복군 정부가 수립되었다. ( )
⑤ 이상설, 최재형 등이 활동하였다. ( )
⑥ 서전서숙과 명동 학교가 세워졌다. ( )

답 ① ×(서간도) ② ×(미주 지역) ③ ×(미주 지역) ④ ○ ⑤ ○ ⑥ ×(북간도)

필수 유형

05 3·1 운동

문제 해결 전략

미국의 윌슨 대통령이 주창한 민족 자결주의 등의 영향을 받아 우리나라에서는 3·1 운동이 일어났다. 3·1 운동의 배경, 전개 과정, 결과를 연결하여 이해할 수 있는지 묻는 문제가 자주 등장한다.

필수 유형

다음 자료에 나타난 민족 운동에 대한 설명으로 옳은 것은?

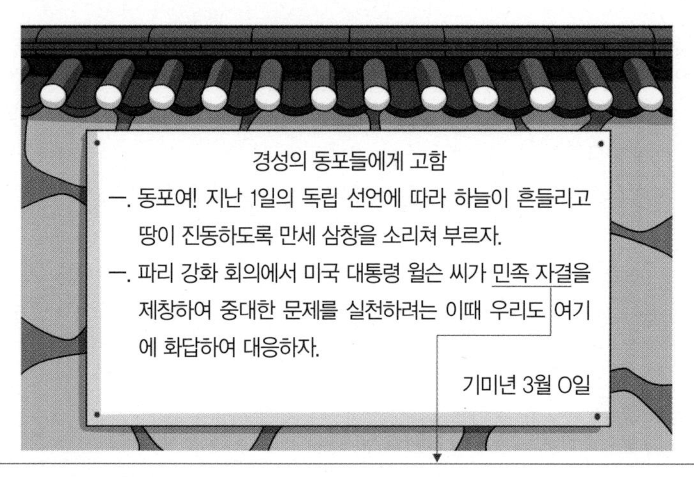

윌슨 대통령이 주창한 ❶ ( ) 는 한 민족이 그들 국가의 독립 문제를 스스로 결정짓게 하자는 원칙이다.

필수 자료 해석

3·1 운동 이후 국내에서는 여러 분야에서 사회 운동이 활발하게 일어났고, 국외에서 무장 독립군의 활동이 활발하게 전개되었다. 또한 조직적인 독립운동을 위해 상하이에서 ❷ ( ) 가 수립되었다. 3·1 운동은 일제의 통치 방식에도 영향을 주어 무단 통치가 이른바 ❸ ( ) 로 바뀌는 계기가 되었다.

답 ❶ 민족 자결주의 ❷ 대한민국 임시 정부 ❸ 문화 통치

필수 선택지

위 자료를 보고 옳으면 ○표, 틀리면 ×표를 하고, 그 까닭을 쓰시오.

① 4·13 호헌 조치 철폐를 촉구하였다. ( )

② 2·8 독립 선언 발표가 배경이 되었다. ( )

③ 3·15 부정 선거에 항의하여 일어났다. ( )

④ 러시아가 요구한 절영도 조차를 반대하였다. ( )

⑤ 전개 과정 중 화성 제암리 사건이 발생하였다. ( )

답 ① ×(6월 민주 항쟁) ② ○ ③ ×(4·19 혁명) ④ ×(독립 협회) ⑤ ○

필수 유형

06 국민 대표 회의

문제 해결 전략

대한민국 임시 정부가 수립되고 몇 년 후 새로운 활로를 모색하기 위해 국민 대표 회의가 열렸지만 창조파와 개조파의 대립으로 결국 결렬되었다. 대한민국 임시 정부의 활동을 시기별로 구분할 수 있는지 물어보는 문제가 자주 출제되고 있다.

필수 유형

다음 사건 이후의 상황에 대한 설명으로 옳은 것은?

대한민국 임시 정부의 활동이 침체에 빠지자 독립운동의 새로운 방향과 활로를 모색하기 위한 회의가 열렸다. 몇 개월 동안 진행된 이 회의에서는 임시 정부를 개편하자는 개조파와 새 정부를 조직하자는 창조파가 대립하였다. 결국 이 회의는 합의를 이루지 못한 채 결렬되었다.

대한민국 임시 정부는 수립 초기에 연통제, 교통국을 운영하고 독립 공채를 발행하였다. 또 미국에 ❶ (　　　)를 설치하는 등 외교 활동을 활발히 하였다.

1920년대 초 연통제와 교통국 조직이 파괴되고 외교 활동의 성과가 미미해지자 독립운동의 방향을 두고 대립이 격화되었다. 그리하여 ❷ (　　　)를 개최하였으나 결렬되었고, 대한민국 임시 정부도 침체기를 겪었다.

필수 자료 해석

국민 대표 회의에서 신채호 등 ❸ (　　　)는 임시 정부의 해체와 새로운 정부 수립을 주장하였고, 안창호 등 개조파는 현재의 임시 정부를 유지하면서 실정에 맞게 개조해야 한다고 주장하였다. 국민 대표 회의가 결렬된 이후 대한민국 임시 정부는 초대 대통령 ❹ (　　　)을 탄핵하고 박은식을 2대 대통령으로 추대한 뒤 여러 차례 개헌을 하였지만 세력이 매우 약화되었다.

답 ❶ 구미 위원부 ❷ 국민 대표 회의 ❸ 창조파 ❹ 이승만

필수 선택지

위 지문을 보고 옳으면 ○표, 틀리면 ×표를 하고, 그 까닭을 쓰시오.

① 한국광복군이 창설되었다. (　　　)
② 구미 위원부를 설치하였다. (　　　)
③ 연통제와 교통국이 조직되었다. (　　　)
④ 독립 공채를 발행하기 시작하였다. (　　　)
⑤ 김구가 한인 애국단을 조직하였다. (　　　)
⑥ 대한민국 임시 헌법이 공포되었다. (　　　)

답 ① ○ ② ×(국민 대표 회의 이전) ③ ×(국민 대표 회의 이전) ④ ×(국민 대표 회의 이전)
⑤ ○ ⑥ ×(국민 대표 회의 이전)

필수 유형

07 1920년대 국외 무장 투쟁

문제 해결 전략

1920년 봉오동 전투, 청산리 대첩에서 독립군이 일본군을 상대로 대승을 거두었다. 그러나 독립군은 간도 참변, 자유시 참변으로 고난을 겪은 뒤 만주에서 3부를 성립하였다. 1920년대 국외 무장 투쟁의 전개 과정을 묻는 문제가 자주 출제되고 있다.

필수 유형

(가), (나) 사이 시기에 있었던 사실로 옳은 것은?

필수 자료 해석

1920년대 국외 무장 투쟁의 전개 과정은 다음과 같다.

봉오동 전투	❶ ( )의 대한 독립군 등 여러 독립군 부대의 승리
❷ ( )	김좌진 등이 이끄는 북로 군정서 등 연합 부대가 이룬 대승
독립군의 시련	• ❸ ( ): 일본군이 간도의 한인 마을 방화, 주민 학살 • 자유시 참변: 자유시로 이동한 독립군이 당한 참변
3부 성립	참의부, 정의부, 신민부로 편성해 민정과 군정의 기능 담당

답 ❶ 홍범도 ❷ 청산리 대첩 ❸ 간도 참변

필수 선택지

위 자료를 보고 옳으면 ○표, 틀리면 ×표를 하고, 그 까닭을 쓰시오.

① 3 · 1 운동이 일어났다. ( )

② 자유시 참변이 일어났다. ( )

③ 시모노세키 조약이 체결되었다. ( )

④ 안중근이 이토 히로부미를 사살하였다. ( )

⑤ 간도 참변으로 한국인들이 학살당하였다. ( )

답 ① ×(1919) ② ○ ③ ×(1895) ④ ×(1909) ⑤ ○

필수 유형

08 청산리 대첩

문제 해결 전략

청산리 대첩은 봉오동 전투 이후 일본군의 대대적인 공격에 맞서 6일 동안 벌어진 10여 차례 전투에서 독립군 연합 부대가 일본군을 격파한 사건이다. 청산리 대첩을 포함하여 1920년대 만주에서 전개된 무장 투쟁의 흐름을 묻는 문제가 자주 출제된다.

필수 유형

다음 자료를 활용한 학습 주제로 가장 적절한 것은?

→ 청산리 일대

총사령 김좌진 장군은 부대를 백운평의 숲속에 매복시키고 왜군의 공격을 기다렸는데, 과연 왜군은 아군의 함정에 빠져서 진격하여 들어왔다. 이것을 본 아군은 시기가 적절할 때를 기다려 양쪽에서 일시에 공격하니 왜군은 그만 참패하였다. …… 그러나 이 패전에 분개한 왜군은 병력을 새로 동원하여 어랑촌 방면의 우리 진지를 향하여 공격해 왔다. …… 이 전투에서 왜군 사상자는 일천여 명에 이르렀고 기타 무기, 마필의 손실도 셀 수 없을 정도였다.

필수 자료 해석

1920년대 무장 독립군은 만주로 추격해 오는 일본군을 ❶ ________ 일대에서 기습 격파하여 첫 승리를 거두었다. 이후 일본군은 훈춘 사건을 구실로 대규모 병력을 동원하여 만주의 독립군 근거지를 공격하였다. 독립군 부대가 이를 피해 백두산 부근으로 이동하자, 일본군은 추격 부대를 파견하였다. ❷ ________ 이 이끄는 북로 군정서와 홍범도의 대한 독립군 등의 연합 부대는 백운평, 어랑촌 등 청산리 일대에서 추격해 온 일본군을 크게 격파하였다. 청산리 대첩은 독립군이 일본군을 상대로 한 가장 큰 승리였다.

답 ❶ 봉오동 ❷ 김좌진

필수 선택지

위 자료를 보고 옳으면 ○표, 틀리면 ×표를 하고, 그 까닭을 쓰시오.

① 청일 전쟁의 영향 (　　)
② 청산리 대첩의 경과 (　　)
③ 독립 의군부의 결성 계기 (　　)
④ 국외 무장 독립군의 활약 (　　)
⑤ 조선 혁명군의 한·중 연합 작전 전개 (　　)
⑥ 을사늑약에 반발하여 일어난 의병의 활동 (　　)

답 ① ×(1894~1895) ② ○ ③ ×(1910년대 비밀 결사) ④ ○ ⑤ ×(1930년대 만주)
⑥ ×(1905)

필수 유형

09 의열단

문제 해결 전략

의열단은 김원봉이 1919년 만주에서 창설한 의열 단체로 김익상, 최수봉, 나석주 등이 일본 고관을 암살하거나 관공서를 폭파하는 등의 활동을 하였다. 의열단의 활동과 한인 애국단의 활동을 구분하는 문제가 자주 등장하고 있다.

필수 유형

(가) 단체에 대한 설명으로 옳은 것은?

필수 자료 해석

의열단의 활동과 변화를 정리하면 다음과 같다.

조직	❶ [ ] 등이 만주에서 1919년에 조직, 신채호의 ❷ [ ] 을 활동 지침으로 삼음.
활동	• 김상옥: 종로 경찰서 폭탄 투척 • 김익상: 조선 총독부 폭탄 투척 • ❸ [ ]: 동양 척식 주식회사 폭탄 투척 • 최수봉: 밀양 경찰서 폭탄 투척
변화	황푸 군관 학교 입학, ❹ [ ] 운영

답 ❶ 김원봉 ❷「조선 혁명 선언」 ❸ 나석주 ❹ 조선 혁명 간부 학교

필수 선택지

위 자료를 보고 옳으면 ○표, 틀리면 ×표를 하고, 그 까닭을 쓰시오.

① 105인 사건으로 해체되었다. ( )

② 김원봉이 만주에서 창설하였다. ( )

③ 조선 혁명 선언을 활동 지침으로 삼았다. ( )

④ 대한민국 임시 정부 침체를 타개하기 위해 조직되었다. ( )

답 ① ×(신민회) ② ○ ③ ○ ④ ×(한인 애국단)

필수 유형

10 한인 애국단

문제 해결 전략

김구는 침체된 대한민국 임시 정부의 위기를 타개하기 위해 1931년 상하이에서 의열 단체인 한인 애국단을 조직하였다. 한인 애국단과 의열단을 구분할 수 있는지 묻는 문제가 자주 출제된다.

필수 유형

(가) 단체에 대한 설명으로 옳은 것은?

→ 한인 애국단

이것은 일제가 (가) 소속인 이봉창에 대하여 작성한 신상 카드입니다. 사진 왼쪽에는 도쿄에서 육군 열병식을 끝내고 돌아오는 일왕 행렬을 향해 그가 폭탄을 던졌다고 기록되어 있습니다.

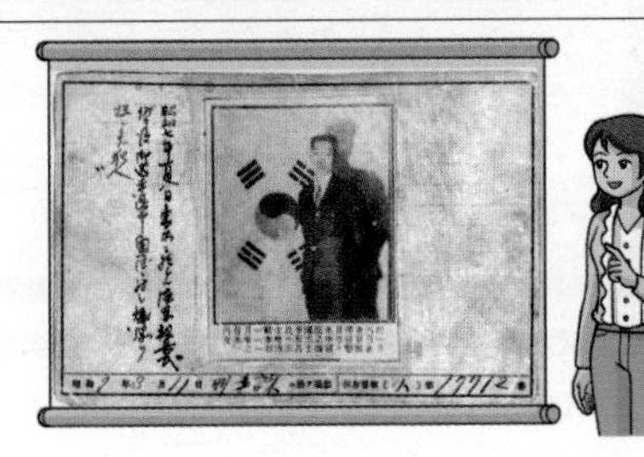

필수 자료 해석

한인 애국단의 주요 내용을 정리하면 다음과 같다.

조직	❶ ______ 가 상하이에서 1931년에 조직
활동	• 이봉창: 도쿄에서 천황이 탄 마차에 폭탄 투척 • ❷ ______ : 상하이 훙커우 공원 의거
영향	윤봉길의 의거를 계기로 중국 국민당 정부가 대한민국 임시 정부 적극 지원

답 ❶ 김구 ❷ 윤봉길

필수 선택지

위 자료를 보고 옳으면 ○표, 틀리면 ×표를 하고, 그 까닭을 쓰시오.

① 김구가 상하이에서 조직하였다. ( )

② 김원봉이 만주에서 조직한 단체이다. ( )

③ 신채호의 조선 혁명 선언을 활동 지침으로 삼았다. ( )

④ 대한민국 임시 정부의 위기를 타개하고자 조직되었다. ( )

⑤ 소속 단원 윤봉길이 상하이 훙커우 공원에서 의거를 일으켰다. ( )

답 ① ○ ② ×(의열단) ③ ×(의열단) ④ ○ ⑤ ○

필수 유형

11 물산 장려 운동

문제 해결 전략

1923년 평양에서 시작된 물산 장려 운동은 '내 살림 내 것으로' 등을 구호로 내세우며 토산품 애용을 목표로 전국적으로 전개되었다. 물산 장려 운동의 배경, 전개 과정을 이해하고 있는지 묻는 문제가 출제되고 있다.

필수 유형

(가)에 들어갈 내용으로 가장 적절한 것은?

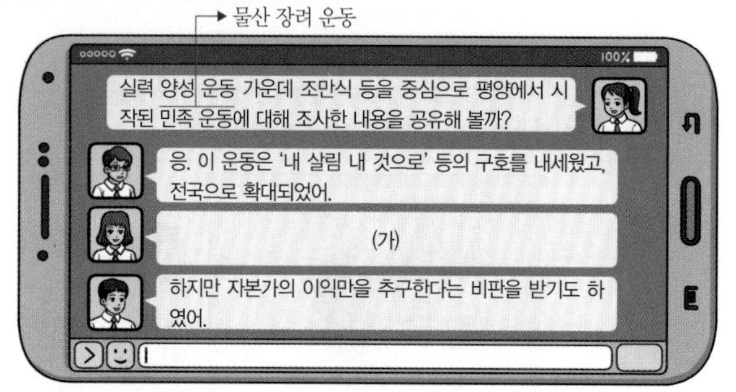

필수 자료 해석

물산 장려 운동의 전개 과정을 정리하면 다음과 같다.

배경	❶ [ ] 철폐, 한국과 일본 사이의 관세 철폐 움직임
전개	• 시작: ❷ [ ]에서 조만식이 조선 물산 장려회 조직 • 구호: 내 살림 내 것으로, 조선 사람 조선 것으로 • 특징: 토산품 애용, 근검절약, 생활 개선, 금주 · 금연 운동, 일본 상품 배격
결과	• 토산품 애용 의식 확대, 민족 기업 상품의 가격 상승 • 자본가들의 이익만 추구한다는 사회주의자들의 비판

답 ❶ 회사령 ❷ 평양

필수 선택지

위 자료를 보고 옳으면 ○표, 틀리면 ×표를 하고, 그 까닭을 쓰시오.

① 토산품 애용을 강조하였어. (　　)

② 조선 물산 장려회가 조직되었어. (　　)

③ 대한매일신보가 주도적으로 참여하였어. (　　)

④ 일본의 관세 철폐에 반발하여 시작되었어. (　　)

⑤ 대한민국 임시 정부가 수립되는 계기가 되었어. (　　)

답 ① ○ ② ○ ③ ×(국채 보상 운동, 1907) ④ ○ ⑤ ×(3 · 1 운동, 1919)

필수 유형

12 광주 학생 항일 운동

문제 해결 전략

광주 학생 항일 운동은 한국인과 일본인 학생의 충돌로 촉발되어 3·1 운동 이후 최대 항일 운동으로 발전하였다. 광주 학생 항일 운동과 신간회의 활동이 관련되어 있다는 점을 알고 있는지 묻는 문제가 자주 출제된다.

필수 유형

(가) 민족 운동에 대한 설명으로 옳은 것은?

독립 유공자 공훈록

• 성명: ○○○

• 훈격: 건국포장

공훈록

1929년 10월 나주역에서 일본인 중학생이 광주여자고등보통학교 학생들을 희롱하였다. 이것이 발단이 되어 일어난 일본인 학생과 한국인 학생 간 충돌은 (가) (으)로 발전하였다. 광주여자고등보통학교 학생이었던 ○○○은 11월 3일 광주 지역 학생들의 시위에 학생들을 이끌고 적극 참여하였다. 이후 식민지 교육 철폐 등을 요구하는 시위가 전국으로 확산되자, 이에 호응하여 백지 동맹을 주도하였다.

학생들은 일본의 식민 지배에 저항하면서 동시에 식민지 ❶ [　　] 문제에 반발하였다.

필수 자료 해석

광주 학생 항일 운동은 1929년 한·일 학생의 충돌에서 시작되어 광주와 일대 학생들의 시위와 동맹 휴학으로 이어졌다. ❷ [　　]는 광주에 진상 조사단을 파견하여 전국적인 민중 대회를 준비하였고, 조선 청년 총동맹은 전국의 학생 단체, 청년 운동 단체와 연락하여 시위를 이끌어 냈다. 그 영향으로 동맹 휴학과 시위는 서울을 비롯한 수백여 개의 학교로 번져 나갔다.

답 ❶ 교육 ❷ 신간회

필수 선택지

위 자료를 보고 옳으면 ○표, 틀리면 ×표를 하고, 그 까닭을 쓰시오.

① 순종 서거를 계기로 계획되었다. (　　)

② 헌병 경찰제가 시행되는 결과를 가져왔다. (　　)

③ 신간회가 진상 조사단을 파견하여 지원하였다. (　　)

④ 3·1 운동 이후 최대 규모의 항일 운동으로 발전하였다. (　　)

⑤ 민족 협동 전선 결성의 공감대가 형성되는 계기가 되었다. (　　)

답 ① ×(6·10 만세 운동) ② ×(1910년대) ③ ○ ④ ○ ⑤ ×(6·10 만세 운동)

필수 유형

13 신간회

문제 해결 전략

신간회는 민족 유일당 운동의 결과로 1927년에 조직된 단체로 '기회주의 부인' 등을 강령으로 삼아 활동하였다. 신간회의 강령 등을 자료로 제시하고 신간회의 대표적인 활동을 묻는 문제가 자주 출제된다.

필수 유형

밑줄 친 '이 단체'에 대한 설명으로 옳은 것은?

〈판결문〉

• 주문

피고 허헌 · 홍명희 · 이관용 3인은 징역 1년 6월에 처하고, 조병옥 · 이원혁 · 김동준은 징역 1년 4월에 처한다.

• 이유

이 단체는 정우회 선언을 계기로 1927년 2월 경성 종로에서 피고 이관용 · 홍명희 등의 주도로 조직되었다. 이들은 '우리는 정치적 · 경제적 각성을 촉구함', '우리는 단결을 공고히 함', '우리는 기회주의를 일체 부인함'이라는 강령을 내세우고서 실제로는 현 정치에 대한 강한 불만과 민족 자결의 사상을 품고 활동하였다.

사회주의 단체인 정우회가 발표한 선언은 신간회 결성의 기폭제가 되었다.

기회주의는 ❶ ( ) 을 주장하는 타협적 민족주의자들을 가리킨다.

필수 자료 해석

신간회의 특징은 다음과 같다.

배경	자치론에 대한 반감, ❷ ( ) 선언
주도	비타협적 민족주의 세력과 사회주의 세력의 연합
활동	전국에 지회 설치, 순회강연 개최, 사회 운동 지원, ❸ ( ) 에 진상 조사단 파견

답 ❶ 자치론 ❷ 정우회 ❸ 광주 학생 항일 운동

필수 선택지

위 자료를 보고 옳으면 ○표, 틀리면 ×표를 하고, 그 까닭을 쓰시오.

① 광주 학생 항일 운동을 지원하였다. ( )

② 공화정을 지향하는 비밀 결사였다. ( )

③ 4 · 13 호헌 조치 철폐를 요구하였다. ( )

④ 민족 유일당 운동의 결과로 결성되었다. ( )

답 ① ○ ② ×(신민회) ③ ×(6월 민주 항쟁) ④ ○

필수 유형

14 노동 운동

문제 해결 전략

1920~1930년대 저임금 문제, 노동 환경 문제 등의 해결을 촉구하는 노동 운동이 일어났다. 일제 강점기 대표적인 노동 운동에 대한 자료를 제시하고 노동 운동의 개념을 묻거나 노동 운동이 일어난 시기의 시대상을 묻는 문제가 출제되고 있다.

필수 유형

다음 자료를 활용한 탐구 활동으로 가장 적절한 것은?

▲ 을밀대 지붕 위의 강주룡

평양의 2천 3백 명 고무직공의 살이 깎이지 않기 위하여 내 한 몸이 죽는 것은 아깝지 않습니다. 그래서 나는 죽음을 각오하고 이 지붕 위에 올라왔습니다. 나는 평원 고무 공장 사장이 임금을 삭감하겠다는 입장을 철회하기 전에는 결코 내려가지 않겠습니다.

– 『강주룡 회견기』(1931) –

강주룡은 일제 강점기 평원 고무 공장 여공으로 동맹 파업을 벌였다. 그녀는 을밀대 지붕 위에서 고공 투쟁을 벌이다 일본 경찰에 체포되어 단식 투쟁 끝에 30세에 요절하였다.

필수 자료 해석

일제 강점기 공업화가 진행되면서 노동자의 비율이 빠르게 증가하였다. 한국인 노동자들은 혹독한 노동 조건과 과도한 노동 시간으로 고통을 받았다. 그리하여 1920년대 민족 차별과 부당 해고에 반대하고 임금 인상을 요구하는 ❶ (   )가 일어났고, 노동 운동이 활발해졌다. 1920년대 대표적인 노동 운동으로는 ❷ (   )이 있다. 1930년대 들어 노동 운동은 ❸ (   ) 노동조합 운동으로 급진화되었고, 항일 투쟁으로 발전하였다.

답 ❶ 노동 쟁의 ❷ 원산 총파업 ❸ 혁명적

필수 선택지

위 자료를 보고 옳으면 ○표, 틀리면 ×표를 하고, 그 까닭을 쓰시오.

① 대한 자강회의 활동을 찾아본다. (   )

② 국채 보상 운동의 과정을 정리한다. (   )

③ 한인 애국단에 소속된 인물을 알아본다. (   )

④ 민립 대학 설립 운동의 표어를 분석한다. (   )

⑤ 일제 강점기 노동 쟁의의 원인을 조사한다. (   )

답 ① ×(애국 계몽 단체) ② ×(국권 회복 운동) ③ ×(의열 투쟁) ④ ×(실력 양성 운동) ⑤ ○

필수 유형

15 형평 운동

문제 해결 전략

1920년대에는 다양한 대중 운동이 등장하였는데 그중 하나인 형평 운동은 백정에 대한 사회적 차별을 없애려는 운동이다. 형평 운동의 개념과 역사적 의미를 잘 이해했는지 묻는 문제가 출제되고 있다.

필수 유형

다음 자료에 나타난 사회 운동에 대한 설명으로 옳은 것은?

내가 취직을 하기 위해 경성에 갔습니다. 호적 등본이 필요하다고 하여 발급받아서 보니, 직업이 '도한(백정)'이라고 쓰여 있기에 차마 그것을 내놓기가 부끄러워 그만두었습니다. …… 아이들을 학교에 보내려면 호적이 필요한데, '도한(백정)'이라는 것이 적혀 있으면 쫓아냅니다.

– ○○일보, 1923. 5. –

갑오개혁으로 신분제가 폐지된 후에도 백정에 대한 사회적 차별은 여전하였다. ❶ ( )에서 1923년에 결성된 조선 형평사는 백정에 대한 사회적 차별 철폐를 주장하였다. 조선 형평사는 ❷ ( )의 수평사와도 국제적 연대를 가졌다.

필수 자료 해석

1920년대에는 다양한 분야에서 사회적 차별을 거부하는 대중 운동이 일어났다. 갑오개혁으로 ❸ ( )가 폐지되었지만 백정에 대한 사회적 차별은 여전하였다. 백정은 호적에 붉게 표시하였으며, 교육의 권리도 제한되었다. 이를 해결하기 위해 1923년 진주에서 조선 형평사가 결성되었다. 조선 형평사는 백정이라는 모욕적인 칭호를 없애고 백정 자녀에 대한 사회적 차별을 철폐하기 위해 ❹ ( ) 운동을 전국적으로 확대하였다.

답 ❶ 진주 ❷ 일본 ❸ 신분제 ❹ 형평

필수 선택지

위 자료를 보고 옳으면 ○표, 틀리면 ×표를 하고, 그 까닭을 쓰시오.

① 진주에서 시작되었다. ( )
② 의회 설립을 추진하였다. ( )
③ 조선 형평사를 창립하였다. ( )
④ 국산품 애용을 주장하였다. ( )
⑤ 농촌 계몽 운동을 전개하였다. ( )
⑥ 집강소를 중심으로 개혁을 시도하였다. ( )
⑦ 사회적 차별을 철폐하기 위한 운동이다. ( )

답 ① ○ ② ×(독립 협회) ③ ○ ④ ×(물산 장려 운동) ⑤ ×(문자 보급 운동, 브나로드 운동) ⑥ ×(동학 농민 운동) ⑦ ○

필수 유형

16 조선어 학회

문제 해결 전략

조선어 학회는 한글 맞춤법 통일안과 표준어를 제정하는 등 한글 연구로 우리 민족의 정신을 지키려 하였다. 일제 강점기 민족 문화 수호 운동을 벌인 단체와 인물의 활동을 구분하는 문제가 자주 출제된다.

필수 유형

(가) 단체에 대한 설명으로 옳은 것은?

○○ 신문 ○○○○년 ○월 ○일

일제에 압수되었던 '큰사전' 원고 되찾아

경성역의 창고에서 방대한 양의 우리말 '큰사전' 원고가 발견되었다. 이 원고는 일제의 탄압 속에서도 우리말을 지키고자 노력했던 (가) 에서 사전 편찬을 위해 작성한 것이었으나, 1942년 (가) 사건으로 일제 경찰에 압수되어 3년 동안 그 행방을 알 길이 없었다. 이번 발견을 계기로 사전 편찬 작업이 본격적으로 재개될 전망이다.

조선어 학회는 1931년에 우리말과 글을 연구하기 위해 이윤재, 최현배 등이 만든 단체이다.

필수 자료 해석

일제 강점기 우리 민족은 우리말을 지키고자 ❶ (　　　) 를 조직해 한글 보급 운동을 전개하고 가갸날을 제정하였다. 이를 계승한 조선어 학회는 가갸날을 ❷ (　　　) 로 바꾸고 '한글 맞춤법 통일안'과 ❸ (　　　) 를 제정하였다. 또 우리말 『큰사전』을 편찬하기 위해 애썼으나 1942년 조선어 학회 사건으로 완성하지 못하였다.

답 ❶ 조선어 연구회 ❷ 한글날 ❸ 표준어

필수 선택지

위 자료를 보고 옳으면 ○표, 틀리면 ×표를 하고, 그 까닭을 쓰시오.

① 표준어를 제정하였다. (　　　)
② 105인 사건으로 해체되었다. (　　　)
③ 한글 맞춤법 통일안을 제정하였다. (　　　)
④ 민족 유일당 운동 결과 성립하였다. (　　　)
⑤ 조선어 연구회를 계승하여 조직되었다. (　　　)

답 ① ○ ② ×(신민회) ③ ○ ④ ×(신간회) ⑤ ○

필수 유형

17 황국 신민화 정책

문제 해결 전략

1930~1940년대 일제는 한국인들을 전쟁에 동원하기 위해 창씨개명, 궁성 요배, 신사 참배, 황국 신민 서사 암송 강요 등 민족 말살 통치를 실시하였다. 이 시기의 특징을 1910~1920년대 통치 방식과 구분할 수 있는지 묻는 문제가 자주 출제된다.

필수 유형

다음과 같은 행사가 실시된 시기에 대한 설명으로 옳은 것은?

연간 월중 행사

○○농업학교

훈련 요목	실시일	지도 내용
조회	매주 화, 목, 금	• 궁성 요배 • 황국 신민 서사 제창
신사 참배	매월 1일, 15일	• 국민이라는 자각 • 신을 공경하는 마음 함양
국방헌금 및 황군 위문	매월 1일	• 황군 위문문 발송 • 출정 군인 가족 위문

일제는 일본 민간 종교인 신도의 사원인 ❶ [ ]를 곳곳에 세우고 한국인들을 강제로 참배하게 하였다.

필수 자료 해석

일제는 침략 전쟁을 확대하면서 한국인들을 천황에 충성하는 백성으로 만들어 전쟁에 동원하고자 ❷ [ ] 정책을 추진하였다. 한국인에게 신사 참배를 강요하고 ❸ [ ]를 외우게 하였으며, 궁성 요배와 창씨개명을 강요하였다. 이 시기 한국어 교육이 폐지되고 우리말 사용도 금지되었다.

답 ❶ 신사 ❷ 황국 신민화 ❸ 황국 신민 서사

필수 선택지

위 자료를 보고 옳으면 ○표, 틀리면 ×표를 하고, 그 까닭을 쓰시오.

① 회사령이 제정되었다. (　　　)

② 창씨개명이 실시되었다. (　　　)

③ 식량 배급제가 시행되었다. (　　　)

④ 토지 조사 사업이 추진되었다. (　　　)

⑤ 국가 총동원법이 시행되었다. (　　　)

⑥ 조선 태형령이 제정되었다. (　　　)

⑦ 소학교의 명칭이 국민학교로 변경되었다. (　　　)

답 ① ×(1910년대) ② ○ ③ ○ ④ ×(1910년대) ⑤ ○ ⑥ ×(1912) ⑦ ○

필수 유형

18 전쟁과 수탈

문제 해결 전략

일본은 중일 전쟁 이후 국가 총동원법을 제정하여 인적·물적 자원을 수탈하였다. 국가 총동원법이 적용되던 시기의 특징을 다른 시기와 구분할 수 있는지 묻는 문제가 자주 출제되고 있다.

필수 유형

다음 밑줄 친 '시기'에 일제가 실시한 정책으로 옳은 것은?

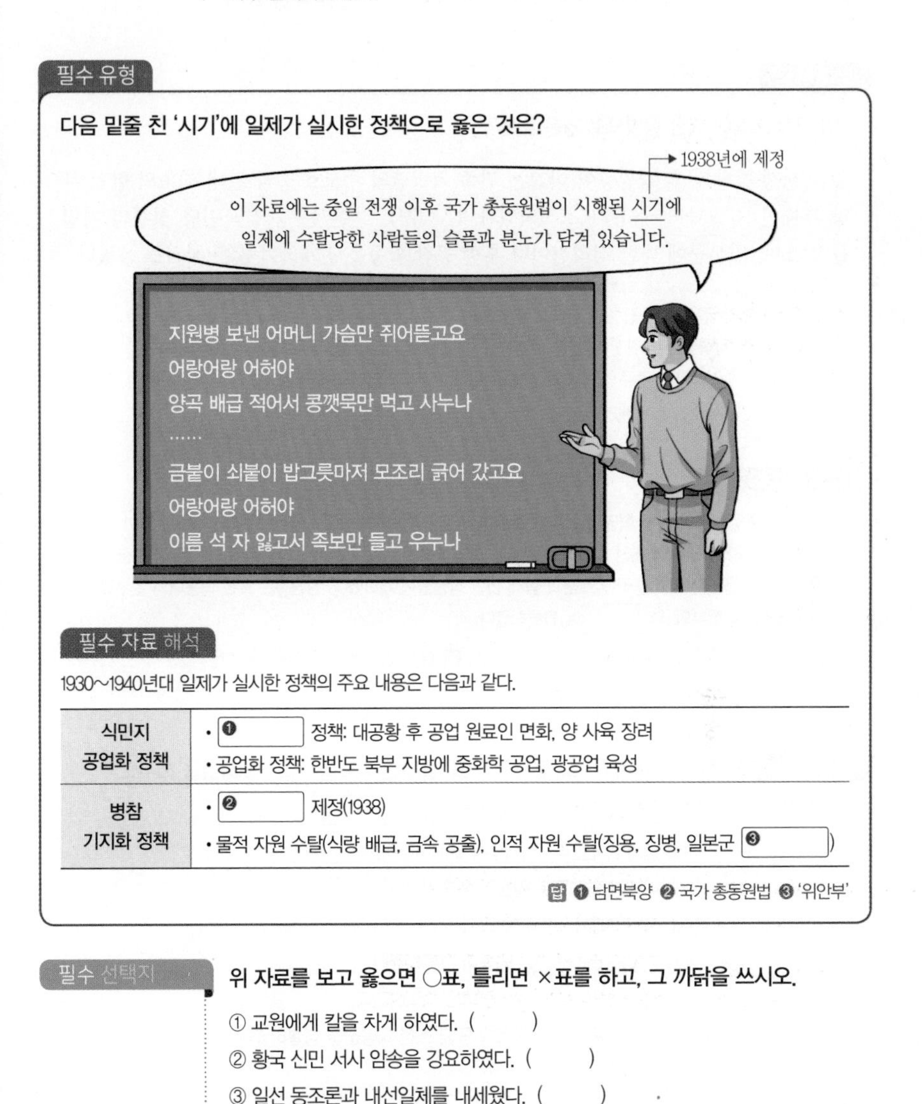

필수 자료 해석

1930~1940년대 일제가 실시한 정책의 주요 내용은 다음과 같다.

식민지 공업화 정책	• ❶ [　　　] 정책: 대공황 후 공업 원료인 면화, 양 사육 장려 • 공업화 정책: 한반도 북부 지방에 중화학 공업, 광공업 육성
병참 기지화 정책	• ❷ [　　　] 제정(1938) • 물적 자원 수탈(식량 배급, 금속 공출), 인적 자원 수탈(징용, 징병, 일본군 ❸ [　　　])

답 ❶ 남면북양 ❷ 국가 총동원법 ❸ '위안부'

필수 선택지

위 자료를 보고 옳으면 ○표, 틀리면 ×표를 하고, 그 까닭을 쓰시오.

① 교원에게 칼을 차게 하였다. (　　　)

② 황국 신민 서사 암송을 강요하였다. (　　　)

③ 일선 동조론과 내선일체를 내세웠다. (　　　)

④ 여성을 일본군 '위안부'로 동원하였다. (　　　)

답 ① ×(1910년대) ② ○ ③ ○ ④ ○

필수 유형

19 조선 의용대

문제 해결 전략

조선 의용대는 1938년에 결성된 중국 관내 최초의 한인 무장 부대로 김원봉의 주도로 만들어졌다. 조선 의용대를 비슷한 시기에 활동하였던 대한민국 임시 정부의 한국광복군과 구분할 수 있는지 묻는 문제가 자주 출제되고 있다.

필수 유형

(가) 군사 조직에 대한 설명으로 옳은 것은?

중일 전쟁 발발 이후 김원봉이 이끄는 민족 혁명당의 주도로 중국 관내 최초의 한인 무장 부대인 (가) 이/가 조직되었다. (가) 은/는 중국 국민당 정부의 지원을 받으며, 일본군에 대한 심리전이나 후방 공작 활동을 전개하여 많은 성과를 올렸다.

1930년대 후반 중국 관내 독립운동 단체들이 1935년 난징에서 민족 혁명당을 결성하였다. 이 단체는 ❶ ( ) 을 중심으로 민족주의 세력과 사회주의 세력이 함께 만든 독립운동 단체이다.

중국 관내 최초의 한국인 무장 부대로 창설된 ❷ ( ) 는 중국 국민당 정부의 지원을 받아 후방에서 일본군에 관한 정보를 수집하여 심리전을 수행하였다.

필수 자료 해석

조선 의용대는 김원봉의 민족 혁명당을 기반으로 1938년에 창설되어 중국 국민당 정부의 지원을 받아 대일 항전 활동을 전개하였다. 이후 조선 의용대의 일부는 화북 지역으로 이동하여 김두봉을 의장으로 하는 군사 조직인 ❸ ( ) 을 창설하고 중국 팔로군과 함께 연합 작전을 전개하였다. 김원봉은 조선 의용대의 일부를 이끌고 대한민국 임시 정부의 ❹ ( ) 에 합류하였다.

답 ❶ 의열단 ❷ 조선 의용대 ❸ 조선 의용군 ❹ 한국광복군

필수 선택지

위 지문을 보고 옳으면 ○표, 틀리면 ×표를 하고, 그 까닭을 쓰시오.

① 황룡촌 전투에서 승리를 거두었다. ( )
② 참의부, 신민부, 정의부를 조직하였다. ( )
③ 미쓰야 협정으로 활동이 위축되었다. ( )
④ 청산리에서 일본군에 크게 승리하였다. ( )
⑤ 한국광복군에 일부 병력이 합류하였다. ( )
⑥ 문수산성에서 프랑스 군대를 격퇴하였다. ( )
⑦ 일부 세력이 화북으로 이동해 조선 의용군을 창설하였다. ( )

답 ① ×(동학 농민 운동) ② ×(1920년대 만주 독립군) ③ ×(1920년대 만주 독립군) ④ ×(1920년 북로 군정서 등) ⑤ ○ ⑥ ×(병인양요 때 한성근 부대) ⑦ ○

필수 유형

20 한국광복군

문제 해결 전략

대한민국 임시 정부가 1940년에 창설한 한국광복군은 미국 전략 첩보국(OSS)의 특수 공작 훈련을 받기도 하였다. 한국광복군을 조선 의용대 등 당시 여타 무장 투쟁 세력과 구분하는 문제가 자주 출제된다.

필수 유형

밑줄 친 '부대'에 대한 설명으로 옳은 것은?

3개월간의 미국 전략 정보국(OSS) 특수 공작 훈련이 끝났다. 나는 무전 기술 등의 시험에서 괜찮은 성적을 받았고 모든 공작을 수행할 수 있는 자신감을 얻었다. …… 나는 백범 선생, 부대의 총사령관인 지청천 장군이 계속 의논하는 것을 옆에서 들었기 때문에 더욱 일의 중대성을 절감하였다. 독립 투쟁 수십 년에 조국을 탈환하는 결정적 시기가 온 것이다.

한국광복군은 ❶ ______의 산하 부대이다. ❷ ______이 발발하자 대한민국 임시 정부는 연합국 측에서 일본에 선전 포고를 하고 영국군의 요청에 따라 인도 · 미얀마 전선에 한국광복군 대원을 파견하였다. 그리고 일본의 패망이 가까워 오자 일부 대원을 미국 전략 첩보국(OSS)의 훈련을 받게 하고 국내 진공 작전을 계획하였다.

필수 자료 해석

1940년 대한민국 임시 정부의 정규군으로 창설된 한국광복군은 ❸ ______의 일부가 합류하면서 세력이 더욱 강해졌다. 한국광복군은 영국군의 요청으로 인도 · 미얀마 전선에 대원을 파견하였고, 미국 전략 첩보국(OSS)의 특수 훈련에 참여하고 국내 정진군을 조직하여 ❹ ______을 계획하였으나 일본의 항복으로 실행에 옮기지는 못하였다.

답 ❶ 대한민국 임시 정부 ❷ 태평양 전쟁 ❸ 조선 의용대 ❹ 국내 진공 작전

필수 선택지

위 지문을 보고 옳으면 ○표, 틀리면 ×표를 하고, 그 까닭을 쓰시오.

① 청산리에서 큰 승리를 거두었다. (　　　)
② 조선 의용대 일부가 합류하였다. (　　　)
③ 대한민국 임시 정부 산하 부대이다. (　　　)
④ 의열 투쟁을 통해 일본에 저항하였다. (　　　)
⑤ 중국 관내 최초로 결성된 한국인 부대이다. (　　　)
⑥ 영릉가, 흥경성 전투에서 승리하였다. (　　　)
⑦ 제2차 세계 대전 중 인도 · 미얀마 전선에 파견되었다. (　　　)

답 ① ×(북로 군정서 등) ② ○ ③ ○ ④ ×(의열단, 한인 애국단) ⑤ ×(조선 의용대)
⑥ ×(조선 혁명군) ⑦ ○

필수 유형

21 대한민국 임시 정부의 변화

문제 해결 전략

대한민국 임시 정부는 1919년 상하이에서 성립된 민주 공화정 정부이다. 대한민국 임시 정부의 역사를 성립된 시기부터 1940년대까지 흐름에 따라 파악하고 있는지 묻는 문제가 자주 출제된다.

필수 유형

(가) 정부에 대한 설명으로 옳은 것은?

주소 http://www.history.com

웹툰으로 보는 독립운동 – (가) 편

3 · 1 운동 이후 수립된 (가) 의 시기별 주요 활동을 그린 만화

→ 대한민국 임시 정부

[1화] 1910년대
– 중국 상하이에 수립

[2화] 1920년대
– 국민 대표 회의를 통해 활동 방향 모색

[3화] 1930년대
– 여러 차례에 걸친 근거지 이동

[4화] 1940년대
– 대일 선전 포고와 한국광복군의 활약

필수 자료 해석

1919년 상하이에서 수립된 대한민국 임시 정부는 분열된 독립운동 전선을 통일하기 위해 ❶ ______ 를 개최하였지만 성과 없이 결렬되고 세력이 약화되었다. 이후 1940년 ❷ ______ 에 정착한 뒤 한국광복군을 창설하여 제2차 세계 대전에 참전하였고 미국 OSS의 훈련을 받고 ❸ ______ 을 계획하기도 하였다.

답 ❶ 국민 대표 회의 ❷ 충칭 ❸ 국내 진공 작전

필수 선택지

위 자료를 보고 옳으면 ○표, 틀리면 ×표를 하고, 그 까닭을 쓰시오.

① 원수부를 설치하였다. (　　)

② 구미 위원부를 설치하였다. (　　)

③ 2 · 8 독립 선언을 주도하였다. (　　)

④ 연통제와 교통국을 조직하였다. (　　)

⑤ 삼균주의를 바탕으로 한 건국 강령을 발표하였다. (　　)

답 ① ×(대한 제국) ② ○ ③ ×(도쿄 유학생) ④ ○ ⑤ ○

필수 유형

22 정부 수립을 위한 준비 과정

문제 해결 전략

대한민국 임시 정부는 광복에 앞서 삼균주의를 바탕으로 한 건국 강령을 발표하는 등 새로운 정부 수립을 위한 준비를 하였다. 건국 강령을 제시하고 대한민국 임시 정부에 대하여 묻는 문제가 출제되고 있다.

필수 유형

밑줄 친 '우리 정부'에 대한 설명으로 옳은 것은?

우리 정부는 혁명적 삼균 제도로써 복국(復國)과 건국을 통하여 일관한 최고 공리인 정치 · 경제 · 교육의 균등과 독립 · 민주 · 균치(均治)의 3종 방식을 동시에 실시할 것임.

조소앙이 만든 ❶ [　　] 는 대한민국 임시 정부의 건국 강령에 반영된 사상으로 보통 선거제, 국유제, 의무 교육제를 균등하게 보장받는 국가를 지향하고 있다.

필수 자료 해석

일본이 패망이 가까워 오자 독립운동 단체들은 새로운 정부 수립을 위한 준비를 다음과 같이 하였다.

대한민국 임시 정부	조소앙의 삼균주의에 기초하여 대한민국 건국 강령 발표
조선 독립 동맹	❷ [　　] 에서 건국 강령 발표 → 민주 공화국 건설, 토지 개혁 명시
조선 건국 동맹	• 국내에서 ❸ [　　] 을 중심으로 조직 • 전국에 지부를 두고 농민, 부인, 청년, 노동자 등으로 세력 확장 • 건국 강령 발표

답 ❶ 삼균주의 ❷ 옌안 ❸ 여운형

필수 선택지

위 지문을 보고 옳으면 ○표, 틀리면 ×표를 하고, 그 까닭을 쓰시오.

① 김구를 주석으로 하였다. (　　)
② 한국광복군을 조직하였다. (　　)
③ 지계 발급 사업을 추진하였다. (　　)
④ 일본과 한일 협정을 체결하였다. (　　)
⑤ 반민족 행위 특별법을 통과시켰다. (　　)
⑥ 소속 부대의 국내 진공 작전을 계획하였다. (　　)
⑦ 오랜 피난 생활을 거쳐 충칭에 정착하였다. (　　)
⑧ 국내에서 여운형이 중심이 되어 조직하였다. (　　)

답 ① ○ ② ○ ③ ×(대한 제국) ④ ×(박정희 정부) ⑤ ×(제헌 국회) ⑥ ○
⑦ ○ ⑧ ×(조선 건국 동맹)

필수 유형

23 대한민국 정부 수립 과정

문제 해결 전략

광복 후 한반도 문제를 논의한 모스크바 3국 외상 회의에서 신탁 통치와 미소 공동 위원회 개최 등의 내용이 결정되었다. 특히 신탁 통치 결정은 한반도에서 좌우 대립이 격화되는 결과를 가져왔다는 점이 중요하며 이와 관련된 문제가 자주 출제되고 있다.

필수 유형

(가) 회의에 대한 설명으로 옳은 것은?

→ 모스크바 3국 외상 회의

> 당신의 의무와 권리! 지금 말씀하십시오.
>
> (가) 의 결정 사항에 따라 설치된 미소 공동 위원회에서 질문서를 준비하였습니다. 이 질문서에 대한 대답은 장차 수립될 민주주의 임시 정부의 성격 등을 결정하는 데 중요합니다. 지금 소속 정당이나 사회단체의 본부를 통하여 당신이 어떠한 정부를 원하는지 말씀하십시오.

필수 자료 해석

1945년 12월에 열린 모스크바 3국 외상 회의에서 미국, 영국, 소련의 대표들은 한국의 임시 민주 정부 수립과 이를 위한 ❶ [　　　] 설치, 최대 5년간의 ❷ [　　　]를 결의하였다. 신탁 통치 소식이 알려지자 우익 세력은 ❸ [　　　] 운동을 전개한 반면, 좌익 세력은 처음에는 반대 입장을 취하다가 모스크바 3국 외상 회의의 결정을 지지하는 운동을 전개하였다. 그 가운데 두 차례에 걸쳐 열린 미소 공동 위원회는 임시 정부 수립 협의에 참여할 단체 선정 문제를 두고 미국과 소련이 대립하면서 결렬되었다.

답 ❶ 미소 공동 위원회 ❷ 신탁 통치 ❸ 반탁

필수 선택지

위 자료를 보고 옳으면 ○표, 틀리면 ×표를 하고, 그 까닭을 쓰시오.

① 모스크바에서 개최되었다. (　　)

② 미국, 영국, 소련 외무 장관이 참여하였다. (　　)

③ 한반도 신탁 통치 실시 문제가 논의되었다. (　　)

④ 이상설, 이준, 이위종이 특사로 파견되었다. (　　)

⑤ 창조파와 개조파의 대립 등으로 결렬되었다. (　　)

⑥ 한국을 적당한 시기에 독립시키자는 논의가 최초로 진행되었다. (　　)

답 ① ○ ② ○ ③ ○ ④ ×(헤이그 만국 평화 회의) ⑤ ×(국민 대표 회의) ⑥ ×(카이로 회담)

필수 유형

24 5·10 총선거

문제 해결 전략

유엔 소총회에서 38도선 이남 지역만의 총선거가 결정된 후 시행된 5·10 총선거로 우리 역사상 최초의 국회인 제헌 국회가 성립하였다. 제헌 국회의 성립 과정과 주요 활동을 묻는 문제가 자주 출제된다.

필수 유형

밑줄 친 '국회'에 대한 설명으로 옳은 것은?

유권자의 날 검색

요약 선거의 의미를 되새기고 투표 참여를 독려하기 위해 제정한 법정 기념일

날짜 매년 5월 10일

이날은 우리나라 역사상 최초로 실시된 보통 선거를 기념하기 위해 지정되었다. 이 선거는 유엔 한국 임시 위원단이 참관한 가운데 시행되었으며, 제주도 2곳의 선거구를 제외하고 총 198명의 국회 의원이 선출되었다. 당시 선거에서는 문맹자가 많아 후보자의 기호를 막대기 개수로 표기하기도 하였다. 이 선거로 구성된 국회는 2년 동안 활동하였다.

→ 1948년에 시행된 ❶ [ ]에 유래를 두고 있다.

→ 제헌 국회는 농지 개혁법을 제정하였고, 반민족 행위 처벌법을 제정하고 ❷ [ ]를 구성하였다.

필수 자료 해석

유엔 소총회 결의에 따라 1948년 5월 10일 남한에서 총선거가 실시되었다. 5·10 총선거에 따라 성립된 ❸ [ ]는 이승만을 대통령으로 선출하였고, 1948년 8월 15일 대한민국 정부 수립이 선포되었다.

답 ❶ 5·10 총선거 ❷ 반민족 행위 특별 조사 위원회(반민 특위) ❸ 제헌 국회

필수 선택지

위 자료를 보고 옳으면 ○표, 틀리면 ×표를 하고, 그 까닭을 쓰시오.

① 제헌 헌법을 제정하였다. ( )

② 유신 헌법을 통과시켰다. ( )

③ 농지 개혁법을 제정하였다. ( )

④ 사사오입 개헌을 단행하였다. ( )

⑤ 반민족 행위 처벌법을 제정하였다. ( )

⑥ 전두환을 대통령으로 선출하였다. ( )

답 ① ○ ② ×(박정희 정부) ③ ○ ④ ×(이승만 정부, 제3대 국회) ⑤ ○ ⑥ ×(1980)

필수 유형

25 제헌 국회

문제 해결 전략

제헌 국회는 친일파 처벌을 위해 반민족 행위 처벌 특별법을 제정하고 반민족 행위 특별 조사 위원회를 구성하여 친일파에 대한 체포·조사 작업을 벌이기도 하였다. 제헌 국회와 관련된 자료를 제시하고 이 국회의 활동을 묻는 문제가 자주 출제되고 있다.

필수 유형

(가) 국회에 대한 설명으로 옳은 것은?

❶ 임명된 조사관 성명
❷ 반민족 행위 특별 조사 위원회 위원장 성명

이 문서는 반민족 행위 특별 조사 위원회(반민 특위) 조사관 임명장이다. 반민 특위는 일제 강점기에 반민족 행위를 한 자를 체포·조사하기 위하여 반민족 행위 처벌법에 따라 [(가)]에서 설치한 위원회이다.

유엔 소총회의 결정에 따라 진행된 1948년 5월 10일 선거로 선출된 국회 의원들로 구성된 [❶] 이다.

제헌 국회에서는 친일파 청산을 헌법에 규정하고 반민족 행위 처벌법을 제정하였다. 그리고 반민족 행위 특별 조사 위원회, 이른바 [❷]를 설치하였다.

필수 자료 해석

제헌 국회는 5·10 총선거로 조직된 우리 역사상 최초의 국회로 임기는 [❸]이었다. 제헌 국회는 반민족 행위 처벌법을 만들어 친일파를 청산하려 하였다. 그러나 반민 특위의 활동은 친일 경찰의 반민 특위 습격, 이승만 정부의 해산 요구, 국회의 공소 시효 단축 등으로 큰 성과를 거두지 못하였다.

답 ❶ 제헌 국회 ❷ 반민 특위 ❸ 2년

필수 선택지

위 자료를 보고 옳으면 ○표, 틀리면 ×표를 하고, 그 까닭을 쓰시오.

① 농지 개혁법을 제정하였다. (   )
② 좌우 합작 7원칙을 발표하였다. (   )
③ 사사오입 개헌안을 통과시켰다. (   )
④ 5·10 총선거를 통해 조직되었다. (   )
⑤ 경제 개발 5개년 계획을 추진하였다. (   )
⑥ 국회 프락치 사건으로 다수의 국회 의원이 체포되었다. (   )

답 ① ○ ② ×(좌우 합작 위원회) ③ ×(이승만 정부, 제3대 국회) ④ ○ ⑤ ×(박정희 정부) ⑥ ○

필수 유형

26 이승만 정부 시기 경제

문제 해결 전략

이승만 정부 시기 지주에게 유상으로 농지를 매입하여 농민에게 유상으로 분배하는 농지 개혁이 단행되었다. 농지 개혁의 내용과 특징을 자료로 제시하고 이 시기 상황을 묻는 문제가 자주 출제된다.

필수 유형

다음 증권을 발행한 정부 시기에 있었던 사실로 옳은 것은?

▲ 지가 증권

정부는 지주로부터 농지를 사들이면서 재정이 부족하여 현금 대신 지가 증권을 발급하였다. 사진의 지가 증권에는 정부에서 추후 5년에 걸쳐 대금을 나누어 지급한다는 내용이 기재되어 있다.

제헌 국회는 제헌 헌법의 '농지를 농민에게 분배'하도록 하는 규정에 따라 ❶ ________ 을 제정하고 농지 개혁을 추진하였다.

농지 개혁은 유상 매수, ❷ ________ 의 원칙에 따라 시행되었다. 그리고 지가를 지주에게 5년간 나누어 낼 수 있도록 증명하는 문서인 지가 증권이 발행되었다.

필수 자료 해석

이승만 정부는 실경작자가 토지를 소유해야 한다는 ❸ ________ 의 원칙에 따라 1949년 농지 개혁법을 제정하고, 이듬해 이를 시행하였다. 농지 개혁은 유상 매수 · 유상 분배의 방법으로 추진되어 정부가 지주에게 농지를 매입하고 농민은 받은 토지에서 나오는 소출량의 150%를 5년에 나누어 갚도록 하였다. 농지 개혁은 대부분의 농민들이 ❹ ________ 이 되었다는 점에서 의미가 있다.

답 ❶ 농지 개혁법 ❷ 유상 분배 ❸ 경자유전 ❹ 자작농

필수 선택지

위 자료를 보고 옳으면 ○표, 틀리면 ×표를 하고, 그 까닭을 쓰시오.

① 6 · 25 전쟁이 발발하였다. (　　)
② 새마을 운동이 추진되었다. (　　)
③ 농지 개혁법이 제정되었다. (　　)
④ 5 · 18 민주화 운동이 일어났다. (　　)
⑤ 반민족 행위 특별법이 제정되었다. (　　)
⑥ 경제 개발 5개년 계획이 추진되었다. (　　)

답 ① ○ ② ×(박정희 정부) ③ ○ ④ ×(1980) ⑤ ○ ⑥ ×(박정희 정부)

필수 유형

27 6·25 전쟁

문제 해결 전략

북한의 남침으로 6·25 전쟁이 일어나자 국제 연합군(유엔군)이 참전하여 국군과 함께 서울을 탈환하고 압록강까지 진격하였다. 6·25 전쟁의 전개 과정을 시간 순으로 이해하고 있는지 묻는 문제가 자주 출제되고 있다.

필수 유형

밑줄 친 '전쟁' 중에 있었던 사실로 옳은 것은?

이것은 이 전쟁 당시 북한군의 항복을 유도하기 위해 제작된 전단이다. 서울에 태극기가 꽂혀 있는 모습은 국제 연합군(유엔군)과 국군이 서울을 탈환한 상황을 보여 주고 있다. 또한 북쪽의 공장과 남쪽의 북한군을 이어 주는 선이 가위로 잘린 모습은 북한군의 주요 보급로가 차단된 상황을 나타내고 있다.

6·25 전쟁은 1950년 북한의 남침으로 시작되어 3년간 지속되었다. 이 전쟁으로 많은 군인과 민간인이 희생되었고 분단이 고착화되었다.

전쟁이 일어나자 국제 연합은 유엔군 참전을 결의하여 유엔군을 파병하였다. 국군과 유엔군은 ❶ ______ 으로 전세를 역전하여 서울을 되찾고 38도선을 넘어 압록강까지 진격하였다.

필수 자료 해석

6·25 전쟁에서 국군과 유엔군은 압록강까지 진격하였으나 ❷ ______ 이 참전하면서 후퇴하였고, 전쟁은 38도선 근처에서 교착 상태에 빠졌다. 1953년 유엔군과 중국, 북한은 ❸ ______ 을 체결하였다.

답 ❶ 인천 상륙 작전 ❷ 중국군 ❸ 정전 협정

필수 선택지

위 자료를 보고 옳으면 ○표, 틀리면 ×표를 하고, 그 까닭을 쓰시오.

① 중국군이 참전하였다. (   )

② 자유시 참변이 일어났다. (   )

③ 인천 상륙 작전이 전개되었다. (   )

④ 7·4 남북 공동 성명이 발표되었다. (   )

⑤ 모스크바 3국 외상 회의가 개최되었다. (   )

⑥ 정전 회담 중 포로 교환 문제로 대립하였다. (   )

⑦ 한미 상호 방위 조약이 체결되었다. (   )

답 ① ○ ② ×(1921) ③ ○ ④ ×(1972) ⑤ ×(1945) ⑥ ○ ⑦ ×(정전 협상 체결 이후)

필수 유형

28 이승만 정부의 독재

문제 해결 전략

이승만 정부는 장기 집권을 위해 발췌 개헌과 사사오입 개헌 등 여러 차례 개헌을 단행하였다. 이승만 정부가 장기 집권을 위해 시도한 것을 일어난 순서대로 알고 있는지 묻는 문제가 자주 출제된다.

필수 유형

(가), (나) 사이 시기에 있었던 사실로 옳은 것은?

(가) 제헌 국회 의원을 선출하기 위한 선거가 5월 10일 오전 7시부터 유엔 한국 임시 위원단의 감시하에 남한 전역에서 시작되었다. 수백 만의 남녀 유권자는 국회 의원을 선출하기 위해 투표장으로 향하였다.

(나) 지난 11월 27일 부결되었던 헌법 개정안이 정족수 계산 착오를 이유로 부결이 취소되었다. 정부는 야당의 반대에도 불구하고 사사오입의 논리를 내세워 '재적 의원 3분의 2는 135이므로 이번 개헌안은 통과된 것이다.'라고 발표하였다.

1948년에 치러진 ❶ ( ) 에 대한 설명이다. 우리 역사상 최초의 국회 의원 선거로 200개의 의석 중 2석은 제주 4 · 3 사건으로 채워지지 못하였다.

사사오입 개헌은 1954년 ❷ ( ) 대통령의 3선 제한을 철폐하기 위해 자유당이 사사오입의 논리를 적용시켜 불법 통과시킨 제2차 헌법 개정이다.

필수 자료 해석

이승만 정부는 6 · 25 전쟁 중이었던 1951년 12월 임시 수도인 부산에서 자유당을 창당하였고, 1952년에는 대통령 ❸ ( ) 를 핵심으로 하는 개헌안을 통과시켰는데 이를 ❹ ( ) 이라고 한다. 이후 이승만 정부는 장기 집권을 위해 1954년에 개헌 당시 대통령의 중임 제한을 철폐하는 개헌안을 제출해 사사오입(반올림)을 적용하여 다음 날 통과시켰다.

답 ❶ 5 · 10 총선거 ❷ 이승만 ❸ 직선제 ❹ 발췌 개헌

필수 선택지

위 지문을 보고 옳으면 ○표, 틀리면 ×표를 하고, 그 까닭을 쓰시오.

① 발췌 개헌이 단행되었다. ( )
② 한일 협정이 체결되었다. ( )
③ 6 · 25 전쟁이 발발하였다. ( )
④ 부 · 마 민주화 운동이 일어났다. ( )
⑤ 대한민국 정부 수립이 선포되었다. ( )
⑥ 조선 건국 준비 위원회가 결성되었다. ( )
⑦ 제1차 미소 공동 위원회가 개최되었다. ( )
⑧ 반민족 행위 특별 조사 위원회가 결성되었다. ( )

답 ① ○ ② ×(1965) ③ ○ ④ ×(1979) ⑤ ○ ⑥ ×(1945) ⑦ ×(1946) ⑧ ○

필수 유형

29 4·19 혁명

문제 해결 전략

이승만 정부가 장기 집권을 위해 자행한 3·15 부정 선거에 반대해 일어난 4·19 혁명으로 이승만 대통령이 물러나고 장면 정부가 수립되었다. 4·19 혁명의 배경, 전개 과정, 결과를 연결할 수 있는지 묻는 문제가 자주 출제된다.

필수 유형

밑줄 친 '민주화 운동'에 대한 설명으로 옳은 것은?

이 자료는 1960년 4월에 일어난 민주화 운동 당시 대학교수단이 발표한 시국 선언문의 일부입니다.

4. 누적된 부패와 부정과 횡포로써 민족적 대참극, 대치욕을 초래케 한 현 정부와 집권당은 그 책임을 지고 물러나라.
5. 3·15 선거는 불법 선거이다. 공명선거에 의하여 정·부통령 선거를 다시 실시하라.

제4대 정 · 부통령 선거에서 이기붕을 부통령으로 당선시키기 위해 ❶ [　　　]가 자행되었다.

1960년 발생한 ❷ [　　　]으로 장기 집권하던 이승만이 대통령 자리에서 물러났다.

필수 자료 해석

독재를 이어가던 이승만 정부는 1960년에 열린 선거에서 대대적인 부정을 저질렀다. 이에 3 · 15 부정 선거에 항의하는 시위가 일어났고, 마산에서 경찰의 발포로 숨진 ❸ [　　　] 군의 시신이 발견되자 시민의 분노가 폭발하였다. 4월 19일 전국 곳곳에서 시위가 일어났고, 4월 25일에는 대학교수들이 시국 선언문을 발표하였다.

답 ❶ 3 · 15 부정 선거 ❷ 4 · 19 혁명 ❸ 김주열

필수 선택지

위 자료를 보고 옳으면 ○표, 틀리면 ×표를 하고, 그 까닭을 쓰시오.

① 유신 헌법 철폐를 요구하였다. (　　　)

② 4 · 13 호헌 조치에 저항하였다. (　　　)

③ 시민들이 시민군을 조직하여 맞섰다. (　　　)

④ 장면 정부가 수립되는 계기가 되었다. (　　　)

⑤ 김주열의 죽음을 계기로 촉발되었다. (　　　)

⑥ 이승만 대통령이 하야하는 계기가 되었다. (　　　)

답 ① ×(개헌 청원 100만 인 서명 운동 등) ② ×(6월 민주 항쟁) ③ ×(5 · 18 민주화 운동) ④ ○ ⑤ ○ ⑥ ○

필수 유형

30 박정희 정부

문제 해결 전략

박정희 정부는 1960년대 경제 개발 5개년 계획을 추진하였고, 도시·농촌 간 소득 격차가 커지자 1970년에 새마을 운동을 추진하였다. 박정희 정부의 경제 정책을 다른 정부의 정책과 구분할 수 있는지 묻는 문제가 자주 등장한다.

필수 유형

(가) 정부에 대한 설명으로 옳은 것은?

이것은 새마을 운동 홍보 포스터입니다. (가) 정부는 농촌 환경 개선과 농가 소득 증대를 목표로 내세워 새마을 운동을 시작하였습니다.

박정희 정부는 1970년부터 근면 · 자조 · 협동 정신과 '잘 살아보세'라는 구호를 내세워 농촌 소득 증대를 목표로 ❶ ☐을 전개하였다.

필수 자료 해석

박정희 정부 시기 경제 정책을 정리하면 다음과 같다.

구분	제1, 2차 경제 개발 5개년 계획	제3, 4차 경제 개발 5개년 계획
방향	❷ ☐ 중심, 경부 고속 국도 개통	중화학 공업 중심, 새마을 운동 병행
특징	한일 협정 체결, 베트남 전쟁 특수	제1, 2차 ❸ ☐으로 위기를 겪음.

답 ❶ 새마을 운동 ❷ 경공업 ❸ 석유 파동

필수 선택지

위 자료를 보고 옳으면 ○표, 틀리면 ×표를 하고, 그 까닭을 쓰시오.

① 한일 협정을 추진하였다. (　　)
② 농지 개혁법을 제정하였다. (　　)
③ 서울 올림픽을 개최하였다. (　　)
④ 해외여행 자유화를 선언하였다. (　　)
⑤ 베트남 전쟁에 군인을 파병하였다. (　　)
⑥ 경제 개발 5개년 계획을 추진하였다. (　　)

답 ① ○ ② ×(이승만 정부) ③ ×(노태우 정부) ④ ×(전두환 정부) ⑤ ○ ⑥ ○

필수 유형

31 7·4 남북 공동 성명

문제 해결 전략

1969년 닉슨 독트린으로 냉전이 완화되는 분위기가 형성되자 박정희 정부는 반공을 강조하던 대결 위주의 대북 정책을 수정하고 최초의 남북 대화를 추진하였다. 이 시기 통일 정책을 여타 정부의 통일 정책과 구분하는 문제가 자주 출제된다.

필수 유형

(가)에 들어갈 내용으로 옳은 것은?

역사의 한 장면: 7·4 남북 공동 성명

- 1972년 서울과 평양에서 동시 발표
- (가)
- 남북 조절 위원회 설치 합의
- 남북 간 직통 전화 개통 합의

→ 남북 조절 위원회는 ❶ (　　　)의 합의 사항들을 추진하고 통일 문제를 해결할 목적으로 설립되었으나 성과 없이 종료되었다.

필수 자료 해석

7·4 남북 공동 성명을 정리하면 다음과 같다.

배경	❷ (　　　) 독트린 이후 냉전 질서 완화
주요 내용	자주·평화·❸ (　　　)의 3대 통일 원칙에 합의, 남북 조절 위원회 설치
결과	남북한 독재 체제 강화에 이용

답 ❶ 7·4 남북 공동 성명 ❷ 닉슨 ❸ 민족 대단결

필수 선택지

위 자료를 보고 옳으면 ○표, 틀리면 ×표를 하고, 그 까닭을 쓰시오.

① 개성 공단 조성 합의 (　　　)
② 남북 기본 합의서 채택 (　　　)
③ 남북 적십자 회담 추진 (　　　)
④ 미소 공동 위원회 개최 결정 (　　　)
⑤ 자주, 평화, 민족 대단결의 통일 원칙 표방 (　　　)

답 ① ×(김대중 정부) ② ×(노태우 정부) ③ ○ ④ ×(모스크바 3국 외상 회의) ⑤ ○

필수 유형

32 유신 헌법

문제 해결 전략

통일 주체 국민 회의는 1972년 12월 유신 헌법에 의해 공포·조직된 헌법 기관으로 대통령을 간접 선출하는 권한이 있었다. 통일 주체 국민 회의나 유신 헌법의 내용을 제시하고 이 시기 상황 전반을 묻는 문제가 출제되고 있다.

필수 유형

다음 헌법이 시행된 시기에 있었던 사실로 옳은 것은?

제39조
① 대통령은 통일 주체 국민 회의에서 토론 없이 무기명 투표로 선거한다.
……
제40조
① 통일 주체 국민 회의는 국회 의원 정수의 3분의 1에 해당하는 수의 국회 의원을 선거한다.
② 제1항의 국회 의원의 후보자는 대통령이 일괄 추천하며, 후보자 전체에 대한 찬반을 투표에 부쳐 재적 대의원 과반수의 출석과 출석 대의원 과반수의 찬성으로 당선을 결정한다.

→ 유신 헌법의 일부

필수 자료 해석

유신 헌법으로 성립한 유신 체제의 주요 내용을 정리하면 다음과 같다.

배경	냉전 체제 완화, 경제 침체에 따른 국민 불만 고조
내용	• 대통령 간선제: ❶ [　　] 에서 선출, 임기 6년, 중임 제한 조항 삭제, 영구 집권 가능 • 대통령 권한의 절대 강화: 초헌법적 ❷ [　　] 부여, 국회 의원 1/3 추천권, 국회 해산권, 법관 인사권 부여

답 ❶ 통일 주체 국민 회의 ❷ 긴급 조치권

필수 선택지

위 자료를 보고 옳으면 ○표, 틀리면 ×표를 하고, 그 까닭을 쓰시오.

① 긴급 조치가 발동되었다. (　　)
② 금융 실명제가 시행되었다. (　　)
③ 6월 민주 항쟁이 일어났다. (　　)
④ 부 · 마 민주화 운동이 전개되었다. (　　)
⑤ 서울 올림픽 대회가 개최되었다. (　　)
⑥ 3 · 1 민주 구국 선언이 발표되었다. (　　)

답 ① ○ ② ×(김영삼 정부) ③ ×(전두환 정부) ④ ○ ⑤ ×(노태우 정부) ⑥ ○

필수 유형

33 5·18 민주화 운동

문제 해결 전략

신군부 독재에 맞선 광주 시민들의 무차별 학살이 자행되었던 5·18 민주화 운동은 이후 전개된 민주화 운동의 중요한 밑거름이 되었다. 5·18 민주화 운동의 배경과 전개 과정을 연결하여 이해할 수 있는지 묻는 문제가 자주 등장하고 있다.

필수 유형

다음 민주화 운동에 대한 설명으로 옳은 것은?

→ 5 · 18 민주화 운동

우리는 유신 독재의 연장인 군부 독재에
맞서 투쟁하고 있는 광주 민주 시민들입니다.
지난 1주일간 투쟁에서 수많은 목숨이 계엄군의
총칼에 희생되었고 우리는 스스로를 지키기 위해
무장하지 않을 수 없었습니다.

필수 자료 해석

1980년 신군부의 계엄령 전국 확대에 반발하여 ❶ ______ 에서 시위가 일어나자 계엄군이 시민을 향해 발포를 자행해 많은 희생자가 발생하였다. 시민들은 스스로 무장해 ❷ ______ 이 되어 맞서다 헬기 사격 등을 동원한 계엄군에 무차별 학살되었다. 5 · 18 민주화 운동은 이후 민주화 운동의 중요한 밑거름이 되었다.

답 ❶ 광주 ❷ 시민군

필수 선택지

위 자료를 보고 옳으면 ○표, 틀리면 ×표를 하고, 그 까닭을 쓰시오.

① 시민군과 계엄군이 대립하였다. (　　)

② 박종철 고문치사 사건이 배경이 되었다. (　　)

③ 3 · 15 부정 선거에 반발하여 촉발되었다. (　　)

④ 이승만 대통령이 하야하는 결과를 이끌어 냈다. (　　)

⑤ 신군부의 비상계엄 조치에 반발하며 시작되었다. (　　)

답 ① ○ ② ×(6월 민주 항쟁) ③ ×(4 · 19 혁명) ④ ×(4 · 19 혁명) ⑤ ○

필수 유형

34 6월 민주 항쟁

문제 해결 전략

박종철 고문치사 사건과 4·13 호헌 조치 발표로 촉발된 6월 민주 항쟁으로 6·29 민주화 선언이 발표되고 대통령 직선제 개헌이 이루어졌다. 6월 민주 항쟁의 배경, 전개 과정에 대한 자료를 제시하고 그 결과를 묻는 문제가 자주 출제된다.

필수 유형

밑줄 친 '이 운동'의 영향으로 옳은 것은?

→ 6월 민주 항쟁

[기자 수첩]

□□시 민주화 운동 사업회 관계자와의 인터뷰

문: 박종철 고문치사 사건의 진상이 알려지면서 격화된 이 운동이 □□시에서는 어떻게 전개되었는지 말씀해 주세요.

답: 우리 지역민들은 박종철 추도식을 열었으며, 정부의 4 · 13 호헌 조치에 항의하는 내용이 담긴 현수막을 내걸었습니다. 또한 국민 평화 대행진 때 호헌 철폐, 독재 타도 등을 외치며 이 운동에 참여하였습니다.

4 · 13 호헌 조치는 ❶ (　　　) 이 정권 유지를 위해 일체의 개헌 논의를 중단시키고 현행 헌법을 유지한다고 선언한 것이다.

필수 자료 해석

6월 민주 항쟁의 전개 과정은 다음과 같다.

대통령 직선제 개헌 운동 전개 → 4 · 13 호헌 조치 발표 → ❷ (　　　) 고문치사 사건 축소, 은폐 발각 → 시민의 분노 폭발 → 대학생 ❸ (　　　) 이 경찰의 최루탄에 피격 → 6월 10일 전국적 민주화 시위 → ❹ (　　　) 발표 → 직선제 개헌

답 ❶ 전두환 ❷ 박종철 ❸ 이한열 ❹ 6 · 29 민주화 선언

필수 선택지

위 자료를 보고 옳으면 ○표, 틀리면 ×표를 하고, 그 까닭을 쓰시오.

① 장면 내각이 수립되었다. (　　　)

② 미소 공동 위원회가 개최되었다. (　　　)

③ 6 · 29 민주화 선언이 발표되었다. (　　　)

④ 통일 주체 국민 회의가 설치되었다. (　　　)

⑤ 대통령 직선제로 헌법이 개정되었다. (　　　)

답 ① ×(4 · 19 혁명, 1960) ② ×(1946, 1947) ③ ○ ④ ×(1972) ⑤ ○

필수 유형

35 김영삼 정부

문제 해결 전략

김영삼 정부 시기 역사 바로 세우기 정책의 일환으로 조선 총독부 청사가 철거되고 전두환, 노태우 등 신군부 세력에 대한 처벌도 이루어졌다. 김영삼 정부 시기의 정책을 다른 정부의 정책과 구분할 수 있는지 묻는 문제가 출제되고 있다.

필수 유형

(가) 정부 시기에 있었던 사실로 옳은 것은?

〈한국사 수행 평가 보고서〉

(가) 정부의 '역사 바로 세우기' 사례 조사

→ 김영삼

1. 조선 총독부 청사 철거

조선 총독부의 청사는 광복 이후에 정부 종합 청사, 국립 중앙 박물관 등으로 사용되다가, 일제 식민 잔재의 청산을 위해 1996년에 완전히 철거되었다. 아래는 철거 전후의 사진이다.

2. 전두환, 노태우 두 전직 대통령을 반란 및 내란죄로 처벌

필수 자료 해석

김영삼 정부는 ❶ ______ 이후 처음으로 민간인 출신 대통령을 수반으로 하였다. 이 시기 시행된 '❷ ______' 정책으로 조선 총독부 건물을 철거하였다. 또 전직 대통령인 전두환과 노태우가 내란죄로 법정에 서기도 하였다.

답 ❶ 5 · 16 군사 정변 ❷ 역사 바로 세우기

필수 선택지

위 자료를 보고 옳으면 ○표, 틀리면 ×표를 하고, 그 까닭을 쓰시오.

① 금융 실명제가 실시되었다. (　　)

② 사사오입 개헌이 단행되었다. (　　)

③ 한미 상호 방위 조약이 체결되었다. (　　)

④ 6 · 15 남북 공동 선언이 발표되었다. (　　)

⑤ 지방 자치제를 전면적으로 시행하였다. (　　)

답 ① ○ ② ×(이승만 정부) ③ ×(이승만 정부) ④ ×(김대중 정부) ⑤ ○

필수 유형

36 노태우 정부의 통일 정책

문제 해결 전략

소련이 붕괴되고 사회주의 국가들이 무너지던 시기에 노태우 정부는 북방 외교를 추진하면서 남북 관계 진전을 위한 각종 노력을 기울였다. 노태우 정부의 통일 관련 정책을 여타 정부의 정책과 구분하는 문제가 자주 출제된다.

필수 유형

밑줄 친 '이 정부' 시기에 있었던 사실로 옳은 것은?

→ 노태우

남북 관계 진전을 위한 노력

– ○○○ 정부 편 –

이 정부 시기에는 남북한이 국제 연합(UN)에 동시 가입하고, 한반도 비핵화 공동 선언을 채택, 발표하였다.

▲ 남북한 유엔 동시 가입을 축하하는 거리 행진

▲ 한반도 비핵화 공동 선언문을 교환하는 남북 대표

필수 자료 해석

노태우 대통령 시기 남북한이 ❶ ______ 에 동시 가입하고 남북 총리급 회담을 열어 남북 기본 합의서를 채택하였다. 남북 기본 합의서에서 남과 북은 서로 상대방의 체제를 인정하고 ❷ ______ 원칙을 확인하였다. 또 남북은 한반도 ❸ ______ 공동 선언에 합의하였다.

답 ❶ 유엔 ❷ 상호 불가침 ❸ 비핵화

필수 선택지

위 자료를 보고 옳으면 ○표, 틀리면 ×표를 하고, 그 까닭을 쓰시오.

① 중국, 베트남과 수교하였다. (   )

② 남북 기본 합의서가 채택되었다. (   )

③ 좌우 합작 위원회가 결성되었다. (   )

④ 금강산 관광 사업이 시작되었다. (   )

⑤ 최초의 남북 정상 회담이 개최되었다. (   )

⑥ 북한과 상호 체제 인정과 상호 불가침에 합의하였다. (   )

답 ① ○ ② ○ ③ ×(1946) ④ ×(김대중 정부) ⑤ ×(김대중 정부) ⑥ ○

필수 유형

37 김대중 정부의 통일 정책

문제 해결 전략

김대중 정부 시기 이루어진 최초의 남북 정상 회담으로 이산가족 상호 방문과 남북 교류가 확대되었다. 각 정부의 통일을 위한 노력을 구분할 수 있는지 묻는 문제가 자주 출제되고 있다.

필수 유형

다음 선언문을 발표한 정부의 통일 노력으로 옳은 것은?

→ 제1차 남북 정상 회담

남북 정상들은 분단 역사상 처음으로 열린 이번 상봉과 회담이 서로 이해를 증진시키고 남북 관계를 발전시키며 평화 통일을 실현하는 데 중대한 의의를 가진다고 평가하고 다음과 같이 선언한다.

……

3. 남과 북은 올해 8 · 15에 즈음하여 흩어진 가족, 친척 방문단을 교환하며 비전향 장기수 문제를 해결하는 등 인도적 문제를 조속히 풀어 나가기로 하였다.
4. 남과 북은 경제 협력을 통하여 민족 경제를 균형적으로 발전시키고 사회, 문화, 체육, 보건, 환경 등 제반 분야의 협력과 교류를 활성화하여 서로의 신뢰를 다져 나가기로 하였다.

필수 자료 해석

김대중 정부 시기 추진된 대북 화해 협력 정책을 이른바 '❶ '이라고 부른다. 이 시기 우리나라 역사상 최초로 남북의 정상이 만나 회담을 열고 ❷ 을 발표하였다. 이 선언에 따라 남북 간의 교류가 활발해졌고, 개성 공단 조성이 추진되었다.

답 ❶ 햇볕 정책 ❷ 6 · 15 남북 공동 선언

필수 선택지

위 자료를 보고 옳으면 ○표, 틀리면 ×표를 하고, 그 까닭을 쓰시오.

① 금강산 관광이 시작되었다. ( )
② 개성 공단 조성에 합의하였다. ( )
③ 남북 조절 위원회를 설치하였다. ( )
④ 남북 기본 합의서를 채택하였다. ( )
⑤ 한반도 비핵화 선언에 합의하였다. ( )
⑥ 남북한 유엔 동시 가입을 이루었다. ( )
⑦ '햇볕 정책'을 추진해 남북 교류를 확대하였다. ( )

답 ① ○ ② ○ ③ ×(박정희 정부) ④ ×(노태우 정부) ⑤ ×(노태우 정부) ⑥ ×(노태우 정부) ⑦ ○

필수 개념

일제 식민지 지배와 민족 운동의 전개

개념 01

1910년대 일제의 통치 방식

(1) **조선 총독부**: 식민 통치의 최고 기구, 입법 · 사법 · 행정 · 군사에 관한 모든 권한 행사

(2) **무단 통치**

- 헌병 경찰제: 헌병이 행정 업무도 담당
- 기본권 제한: 한국인의 언론 · 출판 · 집회 · 결사의 자유 박탈
- 조선 태형령: 한국인에게만 태형 적용

(3) **토지 조사 사업**: 식민지 지배의 경제적 기반 확보를 위해 실시, ❶ [ ] 방식으로 진행 → 미신고 토지, 국유지와 공유지 등은 조선 총독부가 차지

(4) **회사령**: 회사를 설립할 때 조선 ❷ [ ]의 허가를 받도록 함. → 한국인의 기업 설립 억제

답 ❶ 신고주의 ❷ 총독

개념 02

1920년대 일제의 통치 방식

(1) **민족 분열 통치**: ❶ [ ]을 계기로 변화

- 목적: 한국인의 반발 무마, 친일 세력 양성
- 내용: 일제가 이른바 '문화 통치' 표방

구분	표면적 내용	실제 내용
총독	문관 총독 임명 가능	임명된 적 없음.
경찰	❷ [ ] 실시	경찰 관서와 인원, 비용 등 증가, 치안 유지법 제정(1925)
언론	한국인의 신문과 잡지 발행 허용	신문 검열 강화, 탄압
교육	제2차 조선 교육령 제정	학교 수 여전히 부족, 비용을 주민들이 부담

(2) **산미 증식 계획**

- 목적: ❸ [ ]의 식량 문제 해결
- 내용: 한국에서 쌀 생산을 늘려 일본으로 반출
- 결과: 조선의 식량 사정 악화, 몰락 농민 증가

(3) **회사령 철폐**: 일본 자본과 기업의 자유로운 한국 진출 가능, 일본 대기업의 한국 진출

답 ❶ 3 · 1운동 ❷ 보통 경찰제 ❸ 일본

개념 03

1910년대 국내외 민족 운동

(1) 국내

- 독립 의군부: 임병찬이 고종의 밀지를 받아 조직
- ❶ [   ] : 공화정 수립 목표, 군대식 조직

(2) 국외

- 만주: ❷ [   ] 학교 설립, 북로 군정서 조직 등
- 연해주: 권업회, 대한 광복군 정부 등 조직

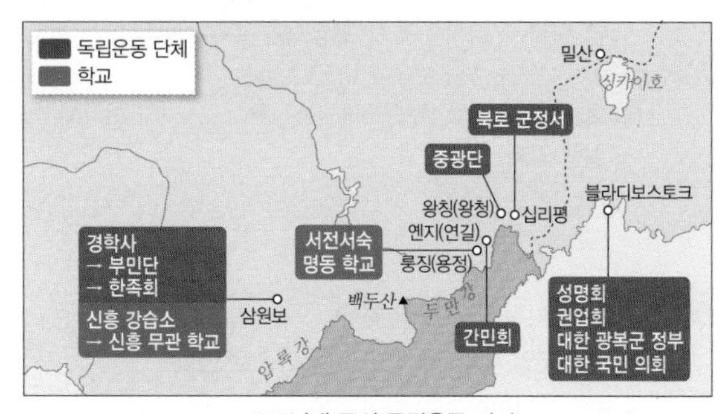

▲ 1910년대 국외 독립운동 기지

답 ❶ 대한 광복회 ❷ 신흥 무관

개념 04

3 · 1 운동

(1) 배경

- 국내: 일제의 무단 통치에 대한 반발, 고종의 서거
- 국외: 미국 윌슨 대통령의 ❶ [   ] 주창, 2 · 8 독립 선언

(2) 전개: 민족 대표 33인의 독립 선언서 발표, 탑골 공원에서 만세 시위 전개 → 주요 도시 및 농촌으로 확산 → 만주, 연해주, 미주 등에서 시위 전개

(3) 의의 및 영향

- 모든 계층이 참여한 최대 규모의 민족 운동
- 독립운동의 구심점 필요 → ❷ [   ] 수립
- 일제가 통치 방식을 이른바 '문화 통치'로 전환
- 중국의 5 · 4 운동 등 다른 나라의 민족 운동에 영향

답 ❶ 민족 자결주의 ❷ 대한민국 임시 정부

개념 05 대한민국 임시 정부

(1) **수립**: 대한 국민 의회(연해주), 대한민국 임시 정부(상하이), ❶ [　　　] (서울) 등이 통합되어 상하이에 수립 → 민주 공화제 정부, 삼권 분립 채택

(2) **활동**: 연통제(비밀 행정 조직)와 교통국(비밀 통신 기관) 운영, 독립 공채 발행, 미국에 ❷ [　　　] 설치, 『한 · 일 관계 사료집』 간행 등

(3) **국민 대표 회의(1923)**

- 배경: 연통제와 교통국 와해, 외교 활동 부진, 이승만의 위임 통치 청원에 대한 비판 고조
- 전개: 임시 정부의 새로운 방향 모색을 위해 개최 → 창조파와 ❸ [　　　] 대립 → 회의 결렬
- 결과: 임시 정부 활동 침체, 국무령 중심 체제로 전환

답 ❶ 한성 정부 ❷ 구미 위원부 ❸ 개조파

개념 06 1920년대 무장 독립 투쟁

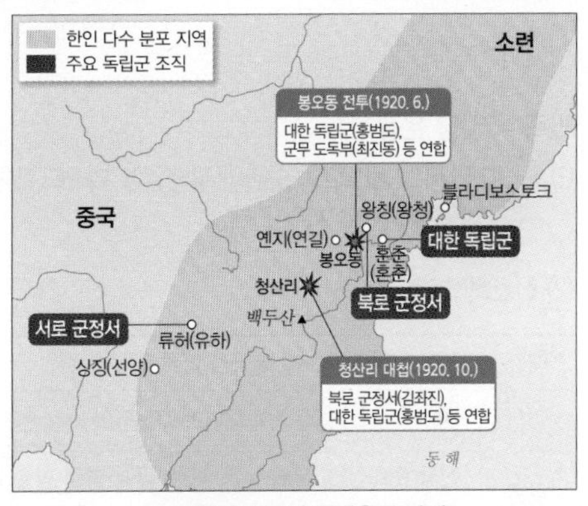

▲ 1920년대 무장 독립운동 단체

(1) **독립군의 승리**: 봉오동 전투, ❶ [　　　] 대첩

(2) **독립군의 시련**: ❷ [　　　] (1920) → 독립군 밀산 집결 후 러시아령 자유시로 이동 → 자유시 참변(1921)

(3) **독립군의 재편**: 3부(참의부, 정의부, ❸ [　　　]) 성립 → 미쓰야 협정(1925) 체결 이후 통합 운동 전개

답 ❶ 청산리 ❷ 간도 참변 ❸ 신민부

개념 07

실력 양성 운동

(1) 물산 장려 운동

- 배경: ❶ [　　　] 폐지와 관세 철폐 움직임
- 전개: 조만식 등이 평양에서 조선 물산 장려회 조직 → 일본 상품 배격, 토산품 애용 주장 → 전국으로 확산 → 가격 상승, 일부 사회주의자들의 비난

(2) 민립 대학 설립 운동

- 배경: 제2차 조선 교육령 공포
- 전개: 조선 민립 대학 기성회 조직, 대학 설립을 위한 모금 운동 전개 → 총독부의 방해, 자연재해로 모금 활동 저조 → 일제가 ❷ [　　　] 설립

(3) **농촌 계몽 운동**: 야학 설립, 강습회 개최, 문자 보급 운동(『조선일보』), ❸ [　　　] 운동(『동아일보』)

답 ❶ 회사령 ❷ 경성 제국 대학 ❸ 브나로드

개념 08

민족 유일당 운동

(1) **6 · 10 만세 운동(1926)**: 순종의 장례일에 대규모 만세 시위 계획 → 사전 발각 → 학생 단체를 중심으로 시위 전개

(2) 신간회(1927)

배경	자치 운동 대두, 제1차 국공 합작, 정우회 선언
결성	❶ [　　　] 민족주의 세력과 사회주의 세력 연합(1927), 각지에 지회 설치
활동	전국 순회강연, 사회 운동 지원, 광주 학생 항일 운동에 조사단 파견, 민중 대회 개최 시도
해소	일제의 탄압, 새 집행부의 타협적 합법 운동 추진, 코민테른의 노선 변화 → 사회주의자들의 주장으로 해소(1931)

(3) **광주 학생 항일 운동(1929)**: 일본인 남학생의 한국인 여학생 희롱 사건 → 한 · 일 학생 간 충돌 → 일본 경찰의 편파적 사건 처리 → 민족 차별 중지와 식민지 교육 철폐를 주장하며 시위 전개 → 전국과 국외로 확산, ❷ [　　　] 이후 최대 규모의 항일 민족 운동

답 ❶ 비타협적 ❷ 3 · 1운동

개념 09

대중 운동

(1) 농민 운동과 노동 운동

구분	농민 운동(소작 쟁의)	노동 운동(노동 쟁의)
요구	소작료 인하, 소작권 이동 반대	임금 인상, 노동 조건 개선
대표 사례	❶ (1923)	원산 총파업(1929)
단체	조선 농민 총동맹	조선 노동 총동맹

(2) **청년 운동**: 조선 청년 총동맹 조직(1924) → 노동 운동과 농민 운동 지원

(3) **여성 운동**: 통합 단체인 ❷ 결성(1927)

(4) **소년 운동**: 천도교 소년회에서 어린이날 제정

(5) **형평 운동**: 백정에 대한 차별 폐지 요구, 진주에서 조선 형평사 조직, 여러 사회 운동과 연대

답 ❶ 암태도 소작 쟁의 ❷ 근우회

개념 10

민족 문화 수호 운동

(1) 한글 연구

- 조선어 연구회: 가갸날 제정, 잡지 『한글』 간행
- 조선어 학회: 한글 맞춤법 통일안 제정, 우리말 사전 편찬 시작, ❶ (1942)으로 해산

(2) **한국사 연구**: 식민 사관에 대항

- 민족주의 사학: 한국사의 독자성 강조, 박은식(『한국통사』, 『한국독립운동지혈사』) · 신채호(『조선 상고사』, 『조선사 연구초』), 안재홍 · 정인보가 조선학 운동 제창
- 사회 경제 사학: 유물 사관에 바탕, ❷ 이 한국사가 세계사의 보편적인 발전 법칙에 따라 발전하였음을 강조 → 식민 사관의 정체성론 비판
- 실증 사학: 객관적 사실 강조, 이병도 · 손진태 등이 진단 학회 조직, 『진단 학보』 발행

답 ❶ 조선어 학회 사건 ❷ 백남운

개념 11

전시 동원 체제와 민족 말살 통치

(1) 전시 동원 체제

- 병참 기지화 정책: 식민지 공업화, 남면북양 정책
- 자원 수탈: ❶ [ ] 제정(1938)

인력 수탈	징병제, 지원병제, 국민 징용령, 일본군 '위안부' 등
물자 수탈	미곡 · 금속류 공출 제도, 배급제 실시

(2) 민족 말살 통치: 한국인의 민족의식을 말살하여 침략 전쟁에 동원하려는 목적

- 황국 신민화 정책: 일선동조론과 내선일체 강조, ❷ [ ] 암송과 창씨개명 강요
- 교육과 사상 통제: 한국어와 한국사 과목 폐지, 『동아일보』와 『조선일보』 폐간 등

1. 우리들은 대일본 제국의 신민입니다.
2. 우리들은 마음을 합하여 천황 폐하께 충의를 다합니다.
3. 우리들은 인고 단련하여 훌륭하고 강한 국민이 되겠습니다.

◀ 황국 신민 서사를 외우는 학생들

답 ❶ 국가 총동원법 ❷ 황국 신민 서사

개념 12

1930년대 한 · 중 연합 작전

(1) 배경: ❶ [ ] (1931) 이후 중국인과 한국인의 항일 연합 전선 형성

(2) 한국 독립군과 조선 혁명군

- 한국 독립군(지청천): 북만주에서 쌍성보 전투와 대전자령 전투에서 승리
- 조선 혁명군(양세봉): 남만주에서 영릉가 전투와 ❷ [ ] 전투에서 승리

(3) 동북 항일 연군: 사회주의자들의 유격대 규합

답 ❶ 만주 사변 ❷ 흥경성

개념 13 의열단과 한인 애국단

(1) 의열단

- 결성: 김원봉 등이 만주 지린에서 조직(1919)
- 활동 강령: 신채호의 ❶ [   ]
- 활동: 식민 통치 기관 파괴, 일제 요인 암살 등
- 변화: 조직적 무장 투쟁 준비 → 황푸 군관 학교 입학, 조선 혁명 간부 학교 설립

(2) 한인 애국단

- 결성: ❷ [   ]가 대한민국 임시 정부의 침체를 극복하고자 상하이에서 조직(1931)
- 활동: 이봉창의 일왕 암살 시도, ❸ [   ]의 상하이 훙커우 공원 의거(1932) → 훙커우 공원 의거 이후 중국 국민당 정부가 임시 정부 적극 지원

답 ❶ 「조선 혁명 선언」 ❷ 김구 ❸ 윤봉길

개념 14 민족 혁명당과 조선 의용대

(1) 민족 혁명당

- 결성(1935): 김원봉의 ❶ [   ]을 중심으로 조소앙, 지청천 등 참여
- 변화: 조소앙, 지청천 등 민족주의 계열 이탈 → 조선 민족 전선 연맹 결성(1937)

(2) 조선 의용대

- 특징: 조선 민족 전선 연맹의 산하 무장 조직으로 ❷ [   ] 정부의 지원을 받아 활동
- 활동: 일본군에 대한 심리전이나 포로 심문, 후방 공작 활동 전개

▲ 조선 의용대 창설 기념 사진

답 ❶ 의열단 ❷ 중국 국민당

개념 15 대한민국 임시 정부의 재정비

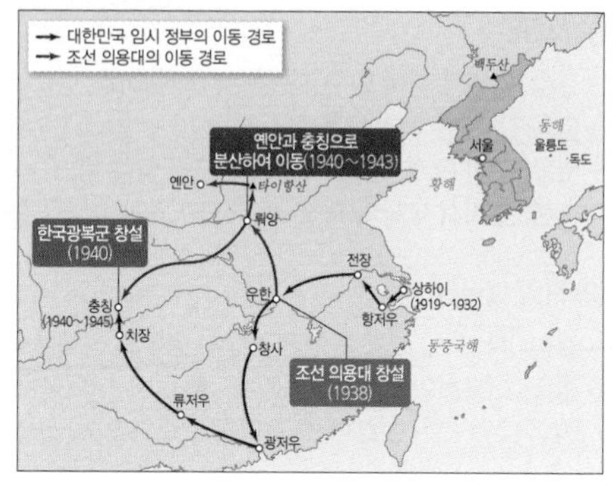

▲ 대한민국 임시 정부와 조선 의용대의 이동 경로

(1) **통일 정부 구성**: 충칭 정착 → 김구 · 조소앙 등이 참여하여 ❶ ______ 결성(1940) → 조선 민족 전선 연맹의 임시 정부 참여

(2) **한국광복군**: 대한민국 임시 정부의 정규군으로 창설(1940), 총사령관 지청천, ❷ ______의 일부 합류

답 ❶ 한국 독립당 ❷ 조선 의용대

개념 16 광복을 준비하는 움직임

(1) 대한민국 임시 정부

- 대한민국 건국 강령 발표: 조소앙의 ❶ ______에 기초, 민주 공화국 건설 지향
- 한국광복군: 대일 선전 포고, 영국군의 요청으로 인도 · 미얀마 전선 파견, 미국 전략 첩보국(OSS)과 연계한 국내 진공 작전 계획

(2) 조선 독립 동맹

- 결성(1942): 김두봉 등 화북 지역 사회주의자 중심, 건국 강령 발표
- 활동: 산하의 조선 의용군이 항일 무장 투쟁 전개

(3) **조선 건국 동맹**: 국내에서 ❷ ______의 주도로 조직(1944), 건국 강령 발표

답 ❶ 삼균주의 ❷ 여운형

Ⅳ 대한민국의 발전

개념 17 8 · 15 광복과 미 · 소 양군의 진주

(1) **8 · 15 광복**: 일제의 항복으로 광복을 맞이함.

(2) **조선 건국 준비 위원회**: 광복 직후 여운형, 안재홍 등이 ❶ (　　　) 을 바탕으로 조직
→ 전국 각지에 지부 조직, 치안 유지와 행정 업무 담당, 조선 인민 공화국 수립 선포

(3) **국토의 분단과 군정 실시**

- 국토 분단: 북위 ❷ (　　　) 을 경계로 미국과 소련이 각각 남과 북을 분할 점령
- 군정 실시: 남한 지역은 미군의 직접 통치, 북한 지역은 소련군의 간접 통치

▲ 38도선이 그어진 마을

답 ❶ 조선 건국 동맹 ❷ 38도선

개념 18 새로운 국가 건설을 둘러싼 갈등

(1) **모스크바 3국 외상 회의**

- 결정 사항: 한반도에 민주주의 임시 정부 수립, 미소 공동 위원회 개최, 최대 5년간 4개국에 의한 ❶ (　　　) 실시 등
- 국내 대응: 우익은 ❷ (　　　) 운동 전개, 좌익은 총체적 지지로 입장 변화

(2) **미소 공동 위원회**: 참여 정당과 사회단체 구성을 둘러싼 대립으로 1, 2차 모두 결렬
→ 미국이 한반도 문제를 유엔에 이관

(3) **좌우 합작 운동**

배경	제1차 미소 공동 위원회 결렬, 이승만의 ❸ (　　　) 발언
전개	여운형, 김규식 등 중도 세력이 좌우 합작 위원회 조직, 좌우 합작 7원칙 발표
결과	미군정의 지원 철회, 좌우익 세력 모두 외면, 제2차 미소 공동 위원회 결렬, 여운형 암살 등으로 중단

답 ❶ 신탁 통치 ❷ 반탁 ❸ 정읍

개념 19

단독 정부 수립 반대 움직임

(1) 남북 협상

- 배경: ❶ ______ 에서 인구 비례에 따른 총선거 실시 결의 → 소련의 유엔 한국 임시 위원단 입북 거부 → 유엔 소총회에서 선거 가능한 지역의 총선거 결의
- 전개: 김구와 김규식 등이 남북 협상 추진 → 평양 방문, 단독 정부 수립 반대 내용이 담긴 공동 성명서 발표

(2) **제주 4 · 3 사건**: 제주도 남로당(남조선 노동당) 세력과 일부 주민이 ❷ ______ 에 반대하며 무장 봉기 → 진압 과정에서 수만 명의 제주도민 희생

(3) **여수 · 순천 10 · 19 사건**: 제주도에 파견되려던 여수 주둔 국군 부대가 출동 명령을 거부하고 봉기 → 진압 과정에서 민간인 희생

답 ❶ 유엔 총회 ❷ 남한 단독 선거

개념 20

대한민국 정부 수립

(1) **5 · 10 총선거**: 유엔 한국 임시 위원단의 감시 아래 남한에서 시행, 우리나라 최초의 민주주의 보통 선거 → 제헌 국회 의원 선출

(2) 대한민국 정부 수립

- 제헌 국회: 국호를 '대한민국'으로 결정, ❶ ______ 를 핵심으로 하는 제헌 헌법 공포
- 정부 수립: 제헌 헌법에 따라 ❷ ______ 을 대통령으로 선출 → 초대 내각 구성 → 대한민국 정부 수립 선포(1948. 8. 15.)

▲ 제헌 국회 개원식　　▲ 대한민국 정부 수립 국민 축하식

답 ❶ 민주 공화제 ❷ 이승만

개념 21

농지 개혁과 친일파 청산 노력

(1) **농지 개혁**: 농지 개혁법 제정(1949) → 가구당 농지 소유 상한을 3정보로 제한, 3정보 이상의 토지는 정부가 ❶ [ ] · 유상 분배 → 지주제 해체, 자영농 증가

▲ 지가 증권

(2) **친일파 청산을 위한 노력**

- 전개: 반민족 행위 처벌법(반민법) 제정(1948), 반민족 행위 특별 조사 위원회(반민 특위) 구성 → 주요 친일파 조사, 기소 → 친일 경찰의 반민 특위 습격, 정부의 반민 특위 해산 요구, 반민법 공소 시효 단축 → 반민 특위 해체
- 한계: ❷ [ ] 정부의 소극적 태도, 친일 세력의 방해로 성과를 거두지 못함.

답 ❶ 유상 매수 ❷ 이승만

개념 22

6 · 25 전쟁

(1) **배경**: 38도선 일대의 남북한 소규모 군사 충돌, 미국의 ❶ [ ] 발표, 북한의 전쟁 준비 등

(2) **전개**: 북한의 남침 → 서울 함락 → 국군이 낙동강 유역까지 후퇴 → 국군과 유엔군의 ❷ [ ] 전개 → 서울을 수복하고 압록강까지 진격 → 중국군의 개입 → 1 · 4 후퇴 → 38도선 부근에서 전선 교착, 정전 협상 시작 → 정전 협정 체결

(3) **피해와 영향**

- 피해: 수백만 명의 군인과 민간인 희생, 전쟁고아와 이산가족 발생, 사회 기반 시설 파괴
- 영향: 남북 분단의 고착화, 이념 대립 심화, 남북한에서 각각 독재 체제 강화, ❸ [ ] 체결로 한국에 미군 주둔, 북한에 대한 중국의 영향력 증가, 일본의 경제 성장

답 ❶ 애치슨 선언 ❷ 인천 상륙 작전 ❸ 한미 상호 방위 조약

개념 23

이승만 정부의 독재와 원조 경제

(1) **발췌 개헌(1952)**: 제2대 국회 의원 선거 결과 국회 내 이승만 지지 세력 급감 → 대통령 ❶ ______ 를 골자로 하는 개헌안 통과

(2) **사사오입 개헌(1954)**: 이승만 대통령의 장기 집권을 위해 개헌 당시 대통령에 한해 ❷ ______ 철폐 개헌안 상정 → 부결 → 자유당이 사사오입의 논리를 내세워 통과 선포

(3) **원조 경제**

- 배경: 6 · 25 전쟁 직후 미국의 경제 원조
- 성과: 식량 문제 해결, ❸ ______ (면방직, 제분, 제당) 발달
- 한계: 국내 농산물 가격 하락, 미국의 원조 감소와 유상 차관으로 지원 방식이 바뀌면서 경제 침체

답 ❶ 직선제 ❷ 중임 제한 ❸ 삼백 산업

개념 24

4 · 19 혁명(1960)

(1) **배경**: ❶ ______ (이승만 정부가 이승만과 이기붕을 대통령과 부통령으로 당선시키기 위해 부정 자행)

(2) **전개**: 부정 선거 규탄 시위 → 마산 시위 중 실종된 ❷ ______ 학생 시신 발견 → 시위의 전국 확산 → 비상계엄 선포 → 대학교수단의 시국 선언문 발표 → 이승만 대통령 하야 성명 발표

(3) **결과**: 내각 책임제와 양원제 국회 구성 개헌 → 장면 정부 출범

▲계엄군의 탱크에 오른 시민들

답 ❶ 3 · 15 부정 선거 ❷ 김주열

개념 25

박정희 정부

(1) **5 · 16 군사 정변**(1961): 박정희를 비롯한 군인들이 정변을 일으켜 정권 장악, 군정 실시(국가 재건 최고 회의 설치) → 민주 공화당 조직, 헌법 개정 → 박정희가 대통령으로 당선

(2) **박정희 정부의 주요 활동**

- 한 · 일 국교 정상화(1965): 한 · 미 · 일 안보 체제 강화를 위한 미국의 요구, 경제 개발 자금 필요 → 김종필과 오히라의 비밀 회담 → 6 · 3 시위 전개 → 계엄령 선포와 시위 진압, ❶ ______ (한일 기본 조약) 체결
- 베트남 전쟁 파병: 미국의 요청, 브라운 각서 체결 → 1960~1970년대 대규모 병력 파병 → 미국의 자원과 자금 확보, 수출 증가, 베트남 민간인 희생, 고엽제 피해 문제 등 발생

▲ 한 · 일 회담 반대 시위

▲ 베트남 파병

- 3선 개헌(1969): 북한의 도발 → 국가 안보 강화와 경제 개발을 명분으로 3선 개헌안 통과 → 대통령의 3회 연임 허용
- 유신 체제 성립(1972)

배경	냉전 체제 완화, 경제 침체로 인한 국민 불안 등
전개	비상계엄 선포, 국회 해산 → 비상 국무 회의에서 유신 헌법 예고 → 국민 투표로 확정
주요 내용	• 대통령 간선제 → ❷ ______ 에서 임기 6년 대통령 선출 • 대통령의 중임 제한 철폐 • 대통령에게 긴급 조치권, 국회 해산권, 통일 주체 국민 회의 의원 1/3 추천 권한 부여
저항	• 개헌 청원 1백만 인 서명 운동, 3 · 1 민주 구국 선언 발표, YH 무역 사건 • ❸ ______ 발생 → 시위 진압 대책을 두고 내부 대립 → 10 · 26 사태(1979)

답 ❶ 한일 협정 ❷ 통일 주체 국민 회의 ❸ 부 · 마 민주화 운동

개념 26

5 · 18 민주화 운동(1980)

(1) **배경**: ❶ [ ](1979)로 전두환을 비롯한 신군부 세력이 정권 장악, 서울의 봄(1980) 이후 비상계엄 전국 확대

(2) **전개**: 광주 학생과 시민들이 신군부 세력 퇴진과 계엄령 철회를 요구하며 시위 전개 → 계엄군의 발포와 폭력적 진압 → 학생과 시민들이 ❷ [ ] 조직, 광주 시민들은 자치적으로 치안과 질서 유지 → 계엄군의 무력 진압

(3) **영향**: 1980년대 민주화 운동의 밑거름, 반미 운동의 배경, 아시아 여러 나라의 민주화 운동에 영향

답 ❶ 12 · 12 사태 ❷ 시민군

개념 27

6월 민주 항쟁(1987)

(1) **전두환 정부**: 대통령 7년 단임제 · 간선제 개헌, 강압 정책(언론 통폐합, 삼청 교육대 설치 등), 유화 정책(야간 통행금지 해제, ❶ [ ] 자유화 등)

(2) **6월 민주 항쟁**

- 배경: 대통령 직선제 요구 확산, 전두환 정부의 ❷ [ ] 발표, 박종철 고문치사 사건 축소 · 은폐 시도 발각
- 전개: 호헌 반대 시위, 민주 헌법 쟁취 국민운동 본부 조직 → 이한열 학생의 최루탄 피격 → 6 · 10 국민 대회 개최, 시위 확산
- 결과: 당시 여당의 대통령 후보였던 노태우가 ❸ [ ] 발표 → 5년 단임의 대통령 직선제 개헌

▲ 명동 성당에서 시위하는 사람들

답 ❶ 해외여행 ❷ 4 · 13 호헌 조치 ❸ 6 · 29 민주화 선언

개념 28

직선제 개헌 후 정부

(1) **노태우 정부**: 서울 올림픽 개최(1988), 여소야대 정국 극복을 위한 3당 합당, 북방 외교 추진

(2) **김영삼 정부**

정치	'역사 바로 세우기' 추진(조선 총독부 건물 폭파, 전두환 · 노태우 구속 등), 지방 자치제 전면 실시
경제	❶ [ ] 전면 시행, 경제 협력 개발 기구[OECD] 가입, 임기 말 외환 위기로 국제 통화 기금[IMF] 구제 금융 신청

(3) **김대중 정부**: 평화적인 ❷ [ ] 로 성립, 기업의 구조 조정, 금 모으기 운동 등을 통해 국제 통화 기금[IMF]의 지원금 조기 상환

답 ❶ 금융 실명제 ❷ 여야 정권 교체

개념 29

산업화와 경제 성장

(1) **경제 개발 5개년 계획 추진**: ❶ [ ] 정부 시기 계획 수립, 박정희 정부 시기 추진

- 제1, 2차 경제 개발 5개년 계획(1962~1971): 경공업 육성, 경부 고속 국도 개통(1970)
- 제3, 4차 경제 개발 5개년 계획(1972~1981): 중화학 공업 육성, 수출액 100억 달러 달성(1977), 제1 · 2차 ❷ [ ] 으로 위기

▲ 경부 고속 국도 개통식

▲ 100억 달러 수출 기념 아치

(2) **3저 호황**: 1980년대 중반 저금리, 저유가, 저달러에 힘입어 지속적인 경제 성장

(3) **새마을 운동**: 박정희 정부 주도로 농촌의 환경 개선과 소득 증대를 목표로 추진, 근면 · 자조 · 협동 강조, 전국적인 의식 개혁 운동으로 확대

(4) **노동 문제**: 저임금, 장시간 노동 등 열악한 노동 환경 개선 요구 → ❸ [ ] 분신 사건(1970) 이후 노동 운동 본격화

답 ❶ 장면 ❷ 석유 파동 ❸ 전태일

개념 30

통일을 위한 노력

(1) **박정희 정부**: 7 · 4 남북 공동 성명(자주 · 평화 · 민족 대단결의 원칙에 합의)

(2) **전두환 정부**: 남북 이산가족 고향 방문

(3) **노태우 정부**: 남북한 ❶ ______ 동시 가입(1991), 남북 사이의 화해와 불가침 및 교류 · 협력에 관한 합의서(남북 기본 합의서) 채택(1991), 한반도 비핵화 공동 선언 합의(1992)

(4) **김대중 정부**: 대북 화해 협력 정책(❷ ______) 추진, 금강산 관광 사업 시작(1998), 제1차 남북 정상 회담(6 · 15 남북 공동 선언 발표, 2000) → ❸ ______ 조성 합의, 이산가족 상봉 등 교류 확대

〈6 · 15 남북 공동 선언〉

1. 남과 북은 나라의 통일 문제를 그 주인인 우리 민족끼리 힘을 합쳐 자주적으로 해결해 나가기로 하였다.
2. 남과 북은 나라의 통일을 위한 남측의 연합제 안과 북측의 낮은 연방제 안이 서로 공통성이 있다고 인정하고 앞으로 이 방향에서 통일을 지향해 나가기로 하였다.
4. 남과 북은 경제 협력을 통하여 민족 경제를 균형적으로 발전시키고 사회 · 문화 · 체육 · 보건 · 환경 등 제반 분야의 협력과 교류를 활성화하여 서로의 신뢰를 다져 나가기로 하였다.

–『대한민국 관보』 제14546호, 2000. 7. 5. –

▲ 남북 철도 열차 시험 운행(2007)

(5) **노무현 정부**: 제2차 남북 정상 회담(10 · 4 남북 공동 선언 채택, 2007)

(6) **이명박, 박근혜 정부**: 북한의 핵 실험 등으로 인해 남북 관계 냉각

(7) **문재인 정부**: 제3차 남북 정상 회담(4 · 27 판문점 선언 발표)

답 ❶ 유엔 ❷ 햇볕 정책 ❸ 개성 공단

수능전략 | 한국사

수능에 꼭 나오는

필수 유형 ZIP 2

실 전 에 강 한

수능전략

사탐 영역 한국사

수능에 꼭 나오는

필수 유형 ZIP 1

천재교육

수능전략

사·회·탐·구·영·역

한국사

수능에 꼭 나오는

필수 유형 ZIP 1

구성과 특징

본책인 BOOK 1과 BOOK2의 구성은 다음과 같습니다.

수능 필수 유형 ZIP은 수능에 빈출되는 문제 유형을 주제별로 파악할 수 있도록 지문, 그래프 등을 철저하게 분석하였고, 발문, 자료와 연결하여 출제할 수 있는 선택지를 직접 풀어 봄으로써 수능 문제에 대한 적응력을 최대한 높이고자 하였다.

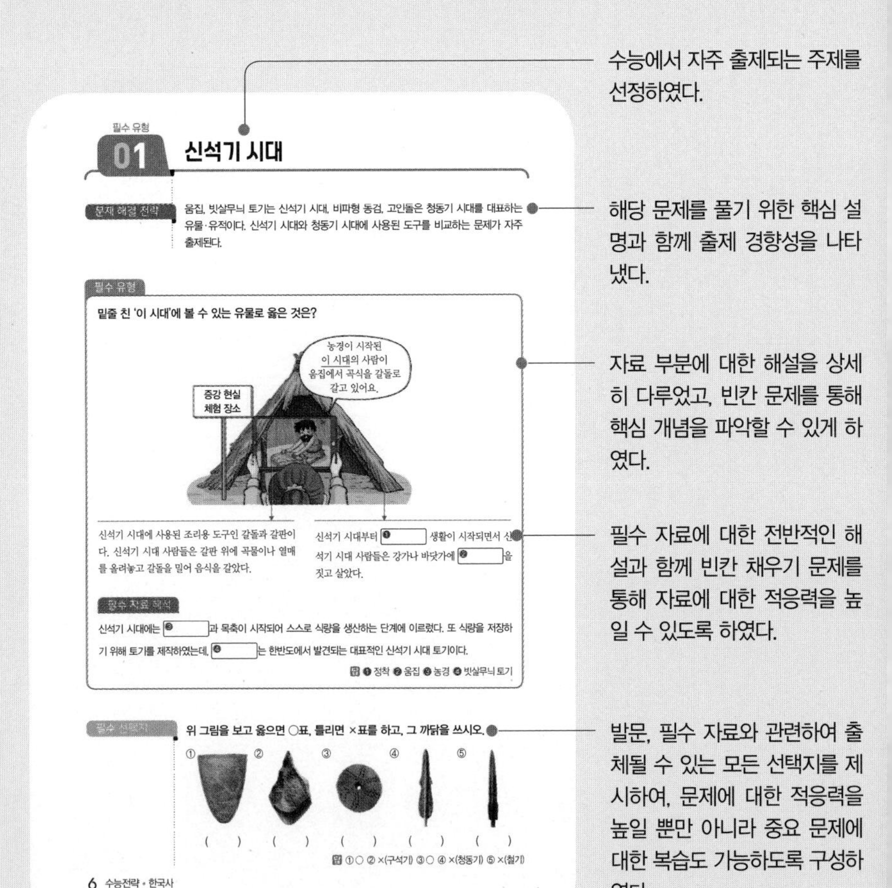
필수 유형 01 신석기 시대

문제 해결 전략 움집, 빗살무늬 토기는 신석기 시대, 비파형 동검, 고인돌은 청동기 시대를 대표하는 유물·유적이다. 신석기 시대와 청동기 시대에 사용된 도구를 비교하는 문제가 자주 출제된다.

필수 유형

밑줄 친 '이 시대'에 볼 수 있는 유물로 옳은 것은?

신석기 시대에 사용된 조리용 도구인 갈돌과 갈판이다. 신석기 시대 사람들은 갈판 위에 곡물이나 열매를 올려놓고 갈돌을 밀어 음식을 갈았다.

신석기 시대부터 ❶ [ ] 생활이 시작되면서 신석기 시대 사람들은 강가나 바닷가에 ❷ [ ]을 짓고 살았다.

필수 자료 학석

신석기 시대에는 ❸ [ ]과 목축이 시작되어 스스로 식량을 생산하는 단계에 이르렀다. 또 식량을 저장하기 위해 토기를 제작하였는데, ❹ [ ]는 한반도에서 발견되는 대표적인 신석기 시대 토기이다.

답 ❶ 정착 ❷ 움집 ❸ 농경 ❹ 빗살무늬 토기

필수 선택지 위 그림을 보고 옳으면 ○표, 틀리면 ×표를 하고, 그 까닭을 쓰시오.

① ( ) ② ( ) ③ ( ) ④ ( ) ⑤ ( )

답 ①○ ② ×(구석기) ③○ ④ ×(청동기) ⑤ ×(철기)

6 수능전략 • 한국사

수능에서 자주 출제되는 주제를 선정하였다.

해당 문제를 풀기 위한 핵심 설명과 함께 출제 경향성을 나타냈다.

자료 부분에 대한 해설을 상세히 다루었고, 빈칸 문제를 통해 핵심 개념을 파악할 수 있게 하였다.

필수 자료에 대한 전반적인 해설과 함께 빈칸 채우기 문제를 통해 자료에 대한 적응력을 높일 수 있도록 하였다.

발문, 필수 자료와 관련하여 출제될 수 있는 모든 선택지를 제시하여, 문제에 대한 적응력을 높일 뿐만 아니라 중요 문제에 대한 복습도 가능하도록 구성하였다.

필수 개념은 수능에서 출제될 수 있는 핵심 개념을 최대한 압축적으로 정리하여 빠른 시간 내에 주제의 핵심을 쉽게 파악할 수 있도록 구성하였다.

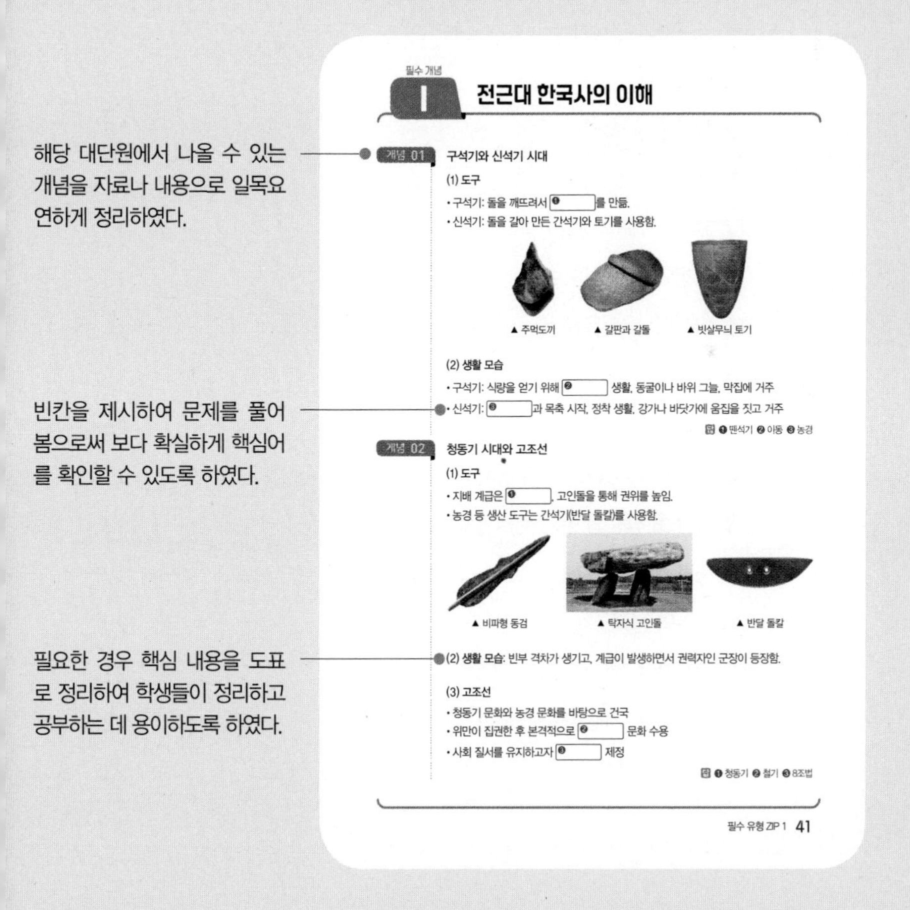

차례 1권

필수 유형

수능에 꼭 나오는
필수 유형 ZIP

필수 유형

01 신석기 시대

문제 해결 전략

움집, 빗살무늬 토기는 신석기 시대, 비파형 동검, 고인돌은 청동기 시대를 대표하는 유물·유적이다. 신석기 시대와 청동기 시대에 사용된 도구를 비교하는 문제가 자주 출제된다.

필수 유형

밑줄 친 '이 시대'에 볼 수 있는 유물로 옳은 것은?

신석기 시대에 사용된 조리용 도구인 갈돌과 갈판이다. 신석기 시대 사람들은 갈판 위에 곡물이나 열매를 올려놓고 갈돌을 밀어 음식을 갈았다.

신석기 시대부터 ❶ [　　　] 생활이 시작되면서 신석기 시대 사람들은 강가나 바닷가에 ❷ [　　　]을 짓고 살았다.

필수 자료 해석

신석기 시대에는 ❸ [　　　]과 목축이 시작되어 스스로 식량을 생산하는 단계에 이르렀다. 또 식량을 저장하기 위해 토기를 제작하였는데, ❹ [　　　]는 한반도에서 발견되는 대표적인 신석기 시대 토기이다.

답 ❶ 정착 ❷ 움집 ❸ 농경 ❹ 빗살무늬 토기

필수 선택지

위 그림을 보고 옳으면 ○표, 틀리면 ×표를 하고, 그 까닭을 쓰시오.

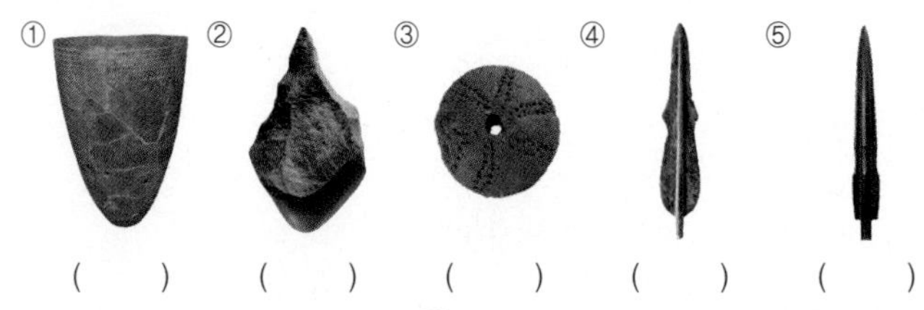

① (　　) ② (　　) ③ (　　) ④ (　　) ⑤ (　　)

답 ①○ ② ×(구석기) ③○ ④ ×(청동기) ⑤ ×(철기)

필수 유형

02 청동기 시대

문제 해결 전략

고인돌은 청동기 시대에 계급이 발생하였음을 잘 보여 주는 지배층의 무덤이다. 청동기 시대의 특징을 신석기 시대와 구분하여 이해할 수 있는지 묻는 문제가 자주 출제되고 있다.

필수 유형

밑줄 친 '이 시대'에 볼 수 있는 모습으로 옳은 것은?

청동기 시대 지배층이 죽으면 그 권력을 상징하는 ❶ [ ]이나 돌널무덤을 만들었다.

유네스코 세계 유산 카드

고창, 화순, 강화
고인돌 유적

- 국가: 대한민국
- 등재 연도: 2000년

▲ 고인돌(인천 강화 부근리)

사유 재산과 계급이 발생한 이 시대를 대표하는 유적이다. 고인돌의 규모를 통해 당시 지배층의 권력과 경제력을 짐작할 수 있다.

필수 자료 해석

청동기 시대에는 빈부 격차와 지배·피지배 관계가 생기면서 점차 ❷ [ ]이 분화되었다. 그리고 막강한 정치적 권력과 경제력을 가진 ❸ [ ]이 등장하였다. 청동기 시대 지배층은 청동기로 제기나 무기를 만들어 제사와 전쟁에 사용하였다.

답 ❶ 고인돌 ❷ 계급 ❸ 군장

필수 선택지

위 자료를 보고 옳으면 ○표, 틀리면 ×표를 하고, 그 까닭을 쓰시오.

① 비파형 동검을 들고 있는 군장 (   )

② 반달 돌칼로 이삭을 자르는 사람 (   )

③ 주자감에서 유학을 공부하는 학생 (   )

④ 석굴암 본존불상 앞에서 절하는 승려 (   )

⑤ 주먹도끼를 이용해 사냥에 성공하는 사람 (   )

⑥ 청동 방울을 흔들며 제사를 지내는 제사장 (   )

⑦ 미송리식 토기를 제작해 곡식을 저장하는 사람 (   )

답 ① ○ ② ○ ③ ×(발해) ④ ×(통일 신라) ⑤ ×(구석기) ⑥ ○ ⑦ ○

필수 유형

03 고구려의 전성기

문제 해결 전략

광개토 대왕릉비는 고구려 광개토 대왕의 업적을 기리고자 장수왕이 세운 것이다. 4세기~6세기는 삼국 간 항쟁이 심화된 시기로 특히 5세기 상황을 묻는 문제가 출제될 경우 당시 전성기를 맞은 고구려의 광개토 대왕과 장수왕의 업적이 자주 출제된다.

필수 유형

(가) 국가에 대한 설명으로 옳은 것은?

광개토 대왕은 4세기 말~5세기 초 고구려의 영토를 크게 넓힌 왕이다. 광개토 대왕릉비에는 그가 신라를 침입한 ❶ ______ 를 격퇴한 사실이 새겨져 있다.

천손 의식은 고구려 왕실의 시조가 하늘에서 온 존재라는 의식으로 고구려가 ❷ ______ 과 별개로 독자적 천하관을 지녔음을 잘 보여 준다.

필수 자료 해석

고구려는 4세기 ❸ ______ 이 체제를 정비하여 안정을 찾은 후 광개토 대왕과 장수왕 시기에 넓은 영토를 차지하였다. 광개토 대왕은 만주 일대를 장악하고 한강 이북 지역을 차지하였으며, 한반도 남부까지 영향력을 행사하였다. 장수왕은 평양으로 천도하고 남진 정책을 추진하여 ❹ ______ 유역을 점령하였다.

답 ❶ 왜 ❷ 중국 ❸ 소수림왕 ❹ 한강

필수 선택지

위 자료를 보고 옳으면 ○표, 틀리면 ×표를 하고, 그 까닭을 쓰시오.

① 진대법을 실시하였다. (　　　)
② 우산국을 정벌하였다. (　　　)
③ 경국대전을 반포하였다. (　　　)
④ 쌍성총관부를 공격하였다. (　　　)
⑤ 국내성에서 평양으로 천도하였다. (　　　)
⑥ 태학을 설립하여 유교 교육을 실시하였다. (　　　)
⑦ 당과 군사 동맹을 맺고 백제를 멸망시켰다. (　　　)
⑧ 수의 침입을 받았으나 살수에서 대승을 거두었다. (　　　)

답 ① ○ ② ×(신라) ③ ×(조선) ④ ×(고려) ⑤ ○ ⑥ ○ ⑦ ×(신라) ⑧ ○

필수 유형

04 통일 신라

문제 해결 전략

동아시아 해상 무역권을 장악하였던 장보고는 통일 신라의 사람이다. 장보고와 관련된 자료를 제시하고 통일 신라의 정치, 경제, 문화적 특성을 다른 국가와 구분할 수 있는지 묻는 문제가 출제될 수 있다.

필수 유형

밑줄 친 '우리나라'에서 볼 수 있는 장면으로 적절한 것은?

장보고가 귀국하여 흥덕왕을 뵙고 아뢰기를, "중국을 두루 돌아보니 우리나라 사람들을 잡아가 노비로 삼고 있습니다. 바라건대 청해(淸海)에 진을 설치하여 도적들이 사람을 붙잡아 중국으로 데려가지 못하도록 하시기 바랍니다."라고 하였다. 이에 왕이 장보고에게 군사 1만 명을 주었다.
– 『삼국사기』 –

→ 장보고는 당에서 성공한 후 신라로 귀국해 오늘날 완도 앞바다에 ❶ ______ 을 설치하고 동아시아 해상 무역을 주도하였다.

필수 자료 해석

통일 신라의 주요 내용을 정리하면 다음과 같다.

구분	내용
정치	• ❷ ______ 시기에 귀족 세력 숙청, 국학 설치, 녹읍 폐지, 관료전 지급 • 신라 말에 왕위 쟁탈전으로 중앙 정부의 지방 통제력 약화, 농민 봉기 발생, 지방에서 호족 성장
경제	• 세금 징수를 위해 ❸ ______ 작성 • 장보고가 청해진을 설치해 동아시아 해상 무역 주도
문화	• 경주 토함산에 ❹ ______ 와 석굴암 건립 • 원효와 의상의 활약으로 불교 대중화

답 ❶ 청해진 ❷ 신문왕 ❸ 촌락 문서 ❹ 불국사

필수 선택지

위 지문을 보고 옳으면 ○표, 틀리면 ×표를 하고, 그 까닭을 쓰시오.

① 형평 운동에 참여하는 백정 (   )
② 국학에서 유학을 배우는 학생 (   )
③ 불국사에서 불공을 드리는 귀족 (   )
④ 수도를 사비로 옮길 것을 결정하는 왕 (   )
⑤ 당의 공격을 받아 안시성을 지키는 군인 (   )
⑥ 촌락 문서를 작성해 세금 징수에 활용하는 관리 (   )
⑦ 골품제의 한계로 당 유학을 선택하는 6두품 학자 (   )

답 ① ×(일제 강점기) ② ○ ③ ○ ④ ×(백제) ⑤ ×(고구려) ⑥ ○ ⑦ ○

필수 유형

05 신라 말 사회상

문제 해결 전략 신라 말 왕위 쟁탈전이 심화되면서 나라가 혼란스러워진 가운데 지방에서 호족이 성장하고, 선종과 풍수지리설이 유행하였다. 호족의 특징을 보여 주는 자료를 제시하고 이를 토대로 신라 말 사회상 전반을 묻는 문제가 자주 출제된다.

필수 유형

밑줄 친 '이 시기'에 대한 설명으로 옳은 것은?

이 비석은 성주사 터에 남아 있는 낭혜화상의 탑비이다. 낭혜화상은 당에서 선종을 공부하고 돌아와 9산 선문 중 하나인 성주산문을 개창하였다. 진골 귀족의 왕위 쟁탈전이 극심했던 이 시기에 그는 김헌창의 난에 연루된 아버지로 인하여 진골에서 6두품으로 신분이 낮아졌는데, 이러한 내용이 비문에 기록되어 있다.

김헌창이 아버지 김주원이 왕위에 오르지 못한 것을 명분으로 삼아 반란을 일으켰다가 진압된 사건으로 신라 말 중앙에서 왕위 쟁탈전이 전개되었다는 사실을 잘 보여 준다.

참선을 강조하는 불교의 일파인 선종은 신라 말 ❶ (   )들을 중심으로 확산되었다.

필수 자료 해석

신라 말 상황을 정리하면 다음과 같다.

왕위 쟁탈전	❷ ( ) 피살 이후 진골 귀족 간의 왕위 쟁탈전 전개 → 150여 년간 20명의 왕 교체
지방 사회의 동요	• 중앙의 지방 통제력 약화 • 지방에서 호족 세력 성장 • 선종과 풍수지리설 유행 • ❸ ( ) 세력이 골품제 비판, 호족과 연계 • ❹ ( ) 등 농민 봉기 발생

답 ❶ 호족 ❷ 혜공왕 ❸ 6두품 ❹ 원종·애노의 봉기

필수 선택지 **위 자료를 보고 옳으면 ○표, 틀리면 ×표를 하고, 그 까닭을 쓰시오.**

① 향약이 보급되었다. (   )

② 풍수지리설이 유행하였다. (   )

③ 호족 세력이 성장하였다. (   )

④ 전민변정도감이 설치되었다. (   )

⑤ 권문세족이 성장하였다. (   )

⑥ 원종·애노의 봉기가 일어났다. (   )

⑦ 승탑, 철불 조성이 유행하였다. (   )

답 ① ×(조선) ②○ ③○ ④ ×(고려) ⑤ ×(고려) ⑥○ ⑦○

필수 유형

06 발해의 발전

문제 해결 전략

발해는 고구려 계승을 내세운 국가로 고구려 문화를 계승하면서도 주변 국가의 문화를 수용하여 독자적인 문화를 발달시켰다. 발해의 통치 제도, 문화유산을 다른 국가의 것과 구분할 수 있는지 묻는 문제가 출제될 수 있다.

필수 유형

(가)에 들어갈 내용으로 가장 적절한 것은?

정혜 공주 묘는 ❶ [   ] 양식으로 만들어져 고구려의 고분 문화를 계승하였음을 알 수 있다.

묘 내부에서는 고구려의 고분에서 주로 나타나는 ❷ [   ] 구조도 확인할 수 있다.

필수 자료 해석

발해의 주요 내용을 정리하면 다음과 같다.

건국	고구려 출신의 ❸ [ ]이 동모산에서 건국
무왕	당의 산둥 지방 공격, 독자적 연호 사용(인안)
문왕	당과 친선 관계 수립, 당의 문물을 수용하여 체제 정비, 신라도 개설, 독자적 연호 사용(대흥)
선왕	지방 행정 제도 완비(5경 15부 62주), 당으로부터 '❹ [ ]'이라 불림.
멸망	거란의 침입으로 멸망

답 ❶ 굴식 돌방무덤 ❷ 모줄임천장 ❸ 대조영 ❹ 해동성국

필수 선택지

위 자료를 보고 옳으면 ○표, 틀리면 ×표를 하고, 그 까닭을 쓰시오.

① 대가야를 병합하였어요. (　　　)

② 해동성국이라 불렸어요. (　　　)

③ 고구려를 계승한 국가예요. (　　　)

④ 광개토 대왕릉비를 세웠어요. (　　　)

⑤ 한의 공격으로 멸망하였어요. (　　　)

⑥ 과거제가 도입되었어요. (　　　)

답 ① ×(신라) ② ○ ③ ○ ④ ×(고구려) ⑤ ×(고조선) ⑥ ×(고려)

필수 유형

07 고려 초 체제 정비

문제 해결 전략

고려를 세우고 후삼국을 통일한 태조 왕건은 호족 세력을 견제하고자 사심관 제도, 기인 제도 등을 시행하였다. 태조 왕건의 정책을 광종, 성종의 정책과 구분할 수 있는지 묻는 문제가 자주 출제된다.

필수 유형

(가) 왕에 대한 설명으로 옳은 것은?

(가) 은/는 박수경 등과 함께 신검의 군대를 격파하고 후삼국을 통일하였다. 이후 (가) 은/는 역분전을 제정하면서 사람들의 성품·행동의 선악과 공로의 대소를 살펴 차등 있게 토지를 나누어 주었다. 특별히 박수경에게는 토지 2백 결을 내려 주었다.

역분전은 940년(태조 23)에 후삼국 통일에 공을 세운 신하, 군사들에게 공로를 기준으로 지급한 토지이다. 이는 이후 관등에 따라 토지를 차등 지급하는 토지 제도인 ❶ [　　] 로 개편되었다.

왕건은 발해 유민을 적극적으로 포섭하고 신라의 항복을 받아들였다. 그리고 왕위 계승 분쟁으로 내분이 일어난 ❷ [　　] 군대를 물리쳐 후삼국을 통일하였다.

필수 자료 해석

태조 왕건의 주요 정책은 다음과 같다.

구분	내용
민생 안정책	취민 유도: 생산량의 1/10로 세금 감면
북진 정책	❸ [　　] 계승 의식, 거란에 적대적, 평양 중시
호족 관련 정책	• 호족 포섭 정책: 혼인 정책, 사성 정책 • 호족 견제 정책: 사심관 제도(유력 세력을 자기 출신 지역 관리로 임명), ❹ [　　] (호족의 자제를 수도로 불러 인질로 잡아 두는 제도)

답 ❶ 전시과 ❷ 후백제 ❸ 고구려 ❹ 기인 제도

필수 선택지

위 지문을 보고 옳으면 ○표, 틀리면 ×표를 하고, 그 까닭을 쓰시오.

① 과거제를 도입하였다. (　　)

② 교정도감을 신설하였다. (　　)

③ 노비안검법을 시행하였다. (　　)

④ 호족의 자녀와 혼인하였다. (　　)

⑤ 사심관 제도를 시행하였다. (　　)

⑥ 최승로의 시무 28조를 채택하였다. (　　)

⑦ 발해를 멸망시킨 거란을 적대시하였다. (　　)

답 ① ×(광종) ② ×(최충헌) ③ ×(광종) ④ ○ ⑤ ○ ⑥ ×(성종) ⑦ ○

필수 유형

08 묘청의 서경 천도 운동

문제 해결 전략

고려 전기 문벌 사회가 동요하는 과정에서 나타난 묘청의 서경 천도 운동은 김부식이 이끈 관군에 의해 진압되었다. 이 시기 묘청으로 대표되는 서경 세력과 김부식으로 대표되는 개경 세력의 주장을 비교하는 문제가 출제될 수 있다.

필수 유형

(가) 인물에 대한 설명으로 옳은 것은?

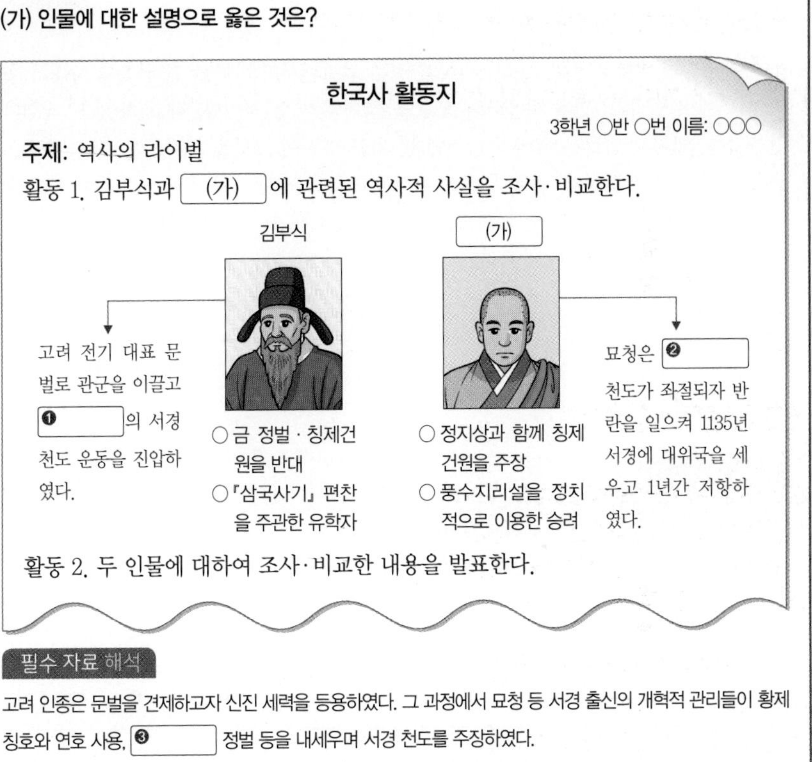

필수 자료 해석

고려 인종은 문벌을 견제하고자 신진 세력을 등용하였다. 그 과정에서 묘청 등 서경 출신의 개혁적 관리들이 황제 칭호와 연호 사용, ❸ 정벌 등을 내세우며 서경 천도를 주장하였다.

답 ❶ 묘청 ❷ 서경 ❸ 금

필수 선택지

위 자료를 보고 옳으면 ○표, 틀리면 ×표를 하고, 그 까닭을 쓰시오.

① 금을 정벌할 것을 주장하였다. (　　　)

② 서경으로 천도할 것을 주장하였다. (　　　)

③ 고려 전기 대표 문벌이었다. (　　　)

④ 인종 시기 새롭게 등용된 신진 세력이었다. (　　　)

⑤ 서경 천도 운동을 진압하였다. (　　　)

답 ① ○ ② ○ ③ ×(김부식) ④ ○ ⑤ ×(김부식)

필수 유형

09 거란의 고려 침입

문제 해결 전략

10세기에 부족을 통일하고 세력을 키운 거란은 세 차례에 걸쳐 고려를 침입하였으나 고려는 서희의 담판, 강감찬의 귀주 대첩 등으로 이를 물리쳤다. 거란의 고려 침입과 관련된 자료를 제시하고 거란에 관해 묻는 문제가 출제될 수 있다.

필수 유형

밑줄 친 '우리' 민족 또는 국가에 대한 설명으로 옳은 것은?

소손녕이 말하기를, "너희 고려가 우리와 접해 있으면서도 바다를 건너 송에 사대하니, 이 때문에 정벌하러 왔다. 우리에게 조공을 하면 무사할 것이다."라고 하였다. 서희가 말하기를 "압록강 안팎은 우리의 영역인데, 지금 여진이 그곳을 차지하여 길이 막혀 조공을 하지 못하는 것이다. 만약 우리가 여진을 쫓아내고 옛 고구려 땅을 되찾아 성을 쌓고 길이 통하도록 해 준다면, 어찌 조공을 하지 않겠는가."라고 하였다. …… 소손녕이 이를 보고하자, 거란 황제가 "고려가 강화를 요청해 왔으니 마땅히 군사 행동을 중지하라."라고 하였다.

993년 ❶ ( ) 의 1차 침입 때 군대를 이끈 장수이다.

서희는 거란의 침입 의도를 알아차리고 ❷ ( ) 과 외교 관계를 끊을 것을 약속하였다.

필수 자료 해석

거란의 고려 침입 과정을 정리하면 다음과 같다.

1차 침입	❸ ( ) 의 외교 담판으로 거란군이 물러나고 강동 6주 확보
2차 침입	양규의 활약
3차 침입	강감찬이 이끄는 고려군이 ❹ ( ) 에서 승리

답 ❶ 거란 ❷ 송 ❸ 서희 ❹ 귀주 대첩

필수 선택지

위 지문을 보고 옳으면 ○표, 틀리면 ×표를 하고, 그 까닭을 쓰시오.

① 발해를 멸망시켰다. ( )

② 강동 6주를 넘겨주었다. ( )

③ 고려에 우호 관계를 맺을 것을 요구하였다. ( )

④ 황룡사 9층 목탑을 소실시켰다. ( )

⑤ 세 차례에 걸쳐 고려를 침입하였다. ( )

⑥ 고려의 영토에 쌍성총관부를 설치하였다. ( )

답 ①○ ②○ ③○ ④ ×(몽골) ⑤○ ⑥ ×(몽골(원))

필수 유형

10 원 간섭기

문제 해결 전략

원 간섭기에 고려는 왕실 호칭, 부서 명칭이 제후국의 지위에 맞추어 격하되었다. 원 간섭기에 나타난 고려의 사회 변화를 다른 시기와 구분할 수 있는지 묻는 문제가 출제되고 있다.

필수 유형

다음 상황이 전개된 시기에 볼 수 있는 모습으로 가장 적절한 것은?

다루가치가 말하기를 "왕의 명령을 선지(宣旨)라 하고 왕이 스스로를 짐(朕)이라 하니, 어찌 분수에 넘치는 표현을 씁니까?"라고 하였다. 충렬왕이 김방경과 박항을 시켜 "그저 옛 관례를 따르고 있을 뿐입니다."라고 해명하고, 제후국에 맞게 선지를 왕지(王旨)로, 짐을 고(孤)로 낮추어 쓰기로 하였다.

다루가치는 몽골의 총독, 지사를 가리키는 호칭으로, 원 간섭기에 ❶ ____ 에 파견되어 내정 간섭을 하였다.

원 간섭기에 고려의 왕호는 조, 종 같은 명칭 대신 충○왕 이라고 하였다.

필수 자료 해석

원 간섭기 고려의 통치 체제 변화와 고려인에 대한 수탈을 정리하면 다음과 같다.

국가 지위 하락	• 원의 부마국으로 격하 • 왕실 호칭 격하(충○왕), 관제 격하(중서문하성, 상서성 → ❷ ____ , 6부 → 4사)
영토 침탈	❸ ____ , 동녕부, 탐라총관부 설치
내정 간섭	• ❹ ____ : 일본 원정 기구 → 내정 간섭 기구 • 다루가치 파견
경제 수탈	금, 은, 인삼, 매 등 징발, 공녀와 환관 요구

답 ❶ 고려 ❷ 첨의부 ❸ 쌍성총관부 ❹ 정동행성

필수 선택지

위 지문을 보고 옳으면 ○표, 틀리면 ×표를 하고, 그 까닭을 쓰시오.

① 공녀로 원에 끌려가는 여인 (　　)
② 홍경래의 난에 참여하는 농민 (　　)
③ 응방에 소속되어 매를 잡는 사냥꾼 (　　)
④ 황룡사 9층 목탑 건립에 동원된 장인 (　　)
⑤ 한산도 해전에서 일본군을 격퇴하는 장군 (　　)
⑥ 정동행성에 소속되어 내정을 간섭하는 관리 (　　)

답 ①○ ②×(조선) ③○ ④×(신라) ⑤×(조선) ⑥○

필수 유형

11 고려의 불교

문제 해결 전략

의천과 지눌은 고려 시대 불교계 통합 운동을 주도한 인물이다. 의천, 지눌과 관련된 자료를 토대로 고려 시대 불교의 특징을 묻거나 두 승려의 활동을 비교하는 문제가 자주 출제된다.

필수 유형

(가) 왕조의 문화에 대한 설명으로 옳은 것은?

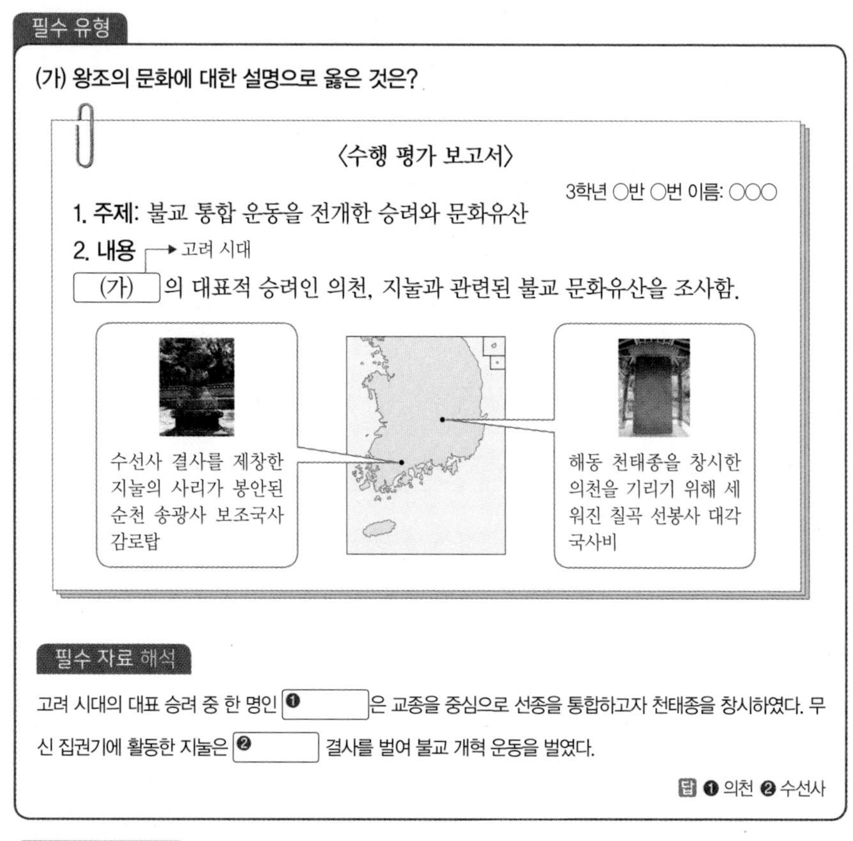

필수 자료 해석

고려 시대의 대표 승려 중 한 명인 ❶ [　　　] 은 교종을 중심으로 선종을 통합하고자 천태종을 창시하였다. 무신 집권기에 활동한 지눌은 ❷ [　　　] 결사를 벌여 불교 개혁 운동을 벌였다.

답 ❶ 의천 ❷ 수선사

필수 선택지

위 자료를 보고 옳으면 ○표, 틀리면 ×표를 하고, 그 까닭을 쓰시오.

① 천태종이 창시되었다. (　　　)

② 승과가 실시되었다. (　　　)

③ 지눌이 수선사 결사 운동을 벌였다. (　　　)

④ 원효가 일심 사상을 주장하였다. (　　　)

⑤ 혜초가 왕오천축국전을 남겼다. (　　　)

⑥ 불국사와 석굴암이 건립되었다. (　　　)

답 ①○ ②○ ③○ ④ ×(통일 신라) ⑤ ×(통일 신라) ⑥ ×(통일 신라)

필수 유형

12 조선 초 태종과 세조의 통치 체제 정비

문제 해결 전략

조선 초 태종과 세조는 왕권을 강화하기 위해 6조 직계제 등의 정책을 추진하였다. 태종과 세조의 정책을 왕권과 신권의 조화를 추구한 세종, 성종의 정책과 구분할 수 있는지 묻는 문제가 자주 출제되고 있다.

필수 유형

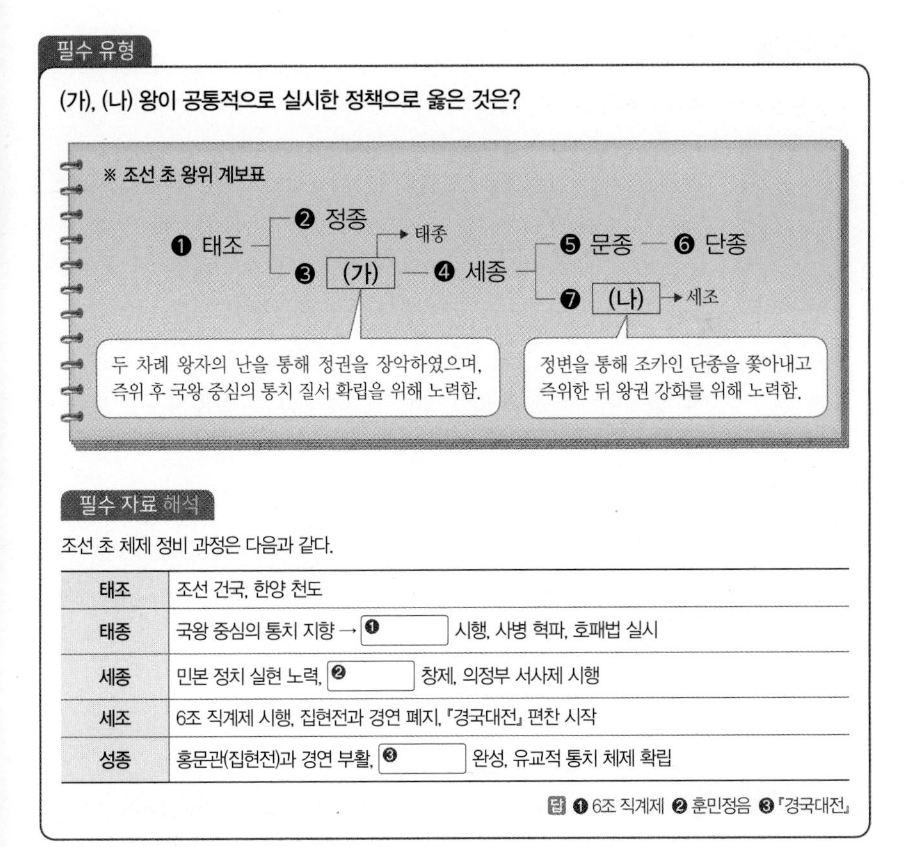

(가), (나) 왕이 공통적으로 실시한 정책으로 옳은 것은?

필수 자료 해석

조선 초 체제 정비 과정은 다음과 같다.

태조	조선 건국, 한양 천도
태종	국왕 중심의 통치 지향 → ❶ ( ) 시행, 사병 혁파, 호패법 실시
세종	민본 정치 실현 노력, ❷ ( ) 창제, 의정부 서사제 시행
세조	6조 직계제 시행, 집현전과 경연 폐지, 『경국대전』 편찬 시작
성종	홍문관(집현전)과 경연 부활, ❸ ( ) 완성, 유교적 통치 체제 확립

답 ❶ 6조 직계제 ❷ 훈민정음 ❸ 『경국대전』

필수 선택지

위 자료를 보고 옳으면 ○표, 틀리면 ×표를 하고, 그 까닭을 쓰시오.

① 대동법을 실시하였다. ( )

② 골품제를 정비하였다. ( )

③ 6조 직계제를 시행하였다. ( )

④ 왕권을 강화하였다. ( )

⑤ 홍문관을 설치하였다. ( )

⑥ 훈민정음을 창제하였다. ( )

답 ① ×(광해군) ② ×(신라 법흥왕) ③ ○ ④ ○ ⑤ ×(성종) ⑥ ×(세종)

필수 유형

13 조선 초 성종의 통치 체제 정비

문제 해결 전략

조선 초 세종과 성종은 집현전(이후 홍문관)을 설치해 학문을 연구하게 하고 경연을 실시하였으며, 의정부 서사제를 실시해 왕권과 신권의 조화를 추구하였다. 조선 초 세종, 성종 등 국왕들의 주요 업적을 구분하는지 묻는 문제가 자주 출제된다.

필수 유형

(가) 왕의 정책으로 옳은 것은?

이 책은 홍문관의 연혁, 편제, 기능 등이 기록되어 있는 『홍문관지』이다. 이 책에는 조선 9대 왕인 (가) 이/가 집현전을 계승한 홍문관을 두었다는 내용을 비롯하여, 홍문관의 주요 기능인 경연의 절차에 대한 규정 등이 담겨 있다. (가) 이/가 훈구 세력을 견제하고자 중용한 김종직 등 사림은 홍문관 등에서 언론 활동을 하였다.

세종 때 학문과 정책을 연구하고자 세워진 집현전은 성종 때 홍문관으로 부활하였다. 홍문관은 왕에게 유교 경전과 역사를 가르치는 ❶ ______ 을 담당하였다.

세조 때 공을 세운 훈구 세력이 권력을 독점하고 왕권을 위협하자 성종은 김종직 등 ❷ ______ 세력을 등용해 훈구 세력을 견제하려 하였다.

필수 자료 해석

조선 9대 왕인 성종은 세조 때 편찬을 시작한 ❸ ______ 을 완성하여 유교적 통치 체제를 확립하였다. 또한 집현전을 홍문관으로 부활시키고 경연도 다시 시행하였다. 한편 성종 때부터 김종직 등 사림 세력이 정계에 등장하여 언론 기관인 ❹ ______ 의 언관직에 있으면서 훈구 세력의 비리를 비판하고 왕도 정치와 향촌 자치를 내세웠다.

답 ❶ 경연 ❷ 사림 ❸ 『경국대전』 ❹ 3사

필수 선택지

위 자료를 보고 옳으면 ○표, 틀리면 ×표를 하고, 그 까닭을 쓰시오.

① 경연을 부활하였다. (　　)

② 화랑도를 개편하였다. (　　)

③ 홍문관을 설치하였다. (　　)

④ 호패법을 실시하였다. (　　)

⑤ 경국대전을 완성하였다. (　　)

⑥ 쌍성총관부를 공격하였다. (　　)

⑦ 노비안검법을 실시하였다. (　　)

⑧ 통리기무아문을 설치하였다. (　　)

답 ①○ ② ×(신라 진흥왕) ③○ ④ ×(태종) ⑤○ ⑥ ×(고려 공민왕) ⑦ ×(고려 광종) ⑧ ×(고종)

필수 유형

14 붕당 정치의 전개

문제 해결 전략

조선 선조 때부터 전개된 붕당 정치는 현종 때 예송을 거치면서 붕당 간의 대립이 격화되고 변질되기 시작하였다. 붕당 정치의 전개 과정과 그 역사적 의미가 무엇인지 확인하는 문제가 출제되고 있다.

필수 유형

(가)에 대한 설명으로 옳은 것은?

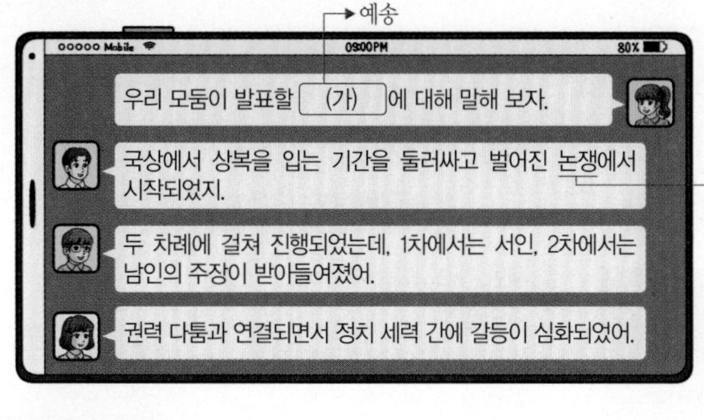

효종과 효종비의 사망 후 자의 대비의 상복 입는 기간을 둘러싸고 서인과 남인이 대립하였다.

필수 자료 해석

붕당 정치의 전개 과정은 다음과 같다.

선조	동인이 정국 주도, 동인은 남인과 북인으로 분화
광해군	❶ (　　　)이 권력 장악, 중립 외교 전개
인조	서인이 북인을 몰아내고 집권, 서인이 남인 일부와 연합해 정국 운영
현종	두 차례 ❷ (　　　) 발생, 서인과 남인의 대립 심화
숙종	❸ (　　　)으로 서인과 남인이 번갈아 집권 → 상대 붕당에 대한 탄압과 보복으로 붕당 정치 변질

답 ❶ 북인 ❷ 예송 ❸ 환국

필수 선택지

위 자료를 보고 옳으면 ○표, 틀리면 ×표를 하고, 그 까닭을 쓰시오.

① 사림이 훈구의 공격으로 피해를 입은 사건이다. (　　　)

② 성리학에 대한 해석의 차이로 대립하였다. (　　　)

③ 조선 현종 때 발생하였다. (　　　)

④ 서인과 남인 사이에 일어났다. (　　　)

⑤ 서인이 북인을 몰아내고 집권하였다. (　　　)

답 ① ×(사화) ② ○ ③ ○ ④ ○ ⑤ ×(인조반정)

필수 유형

15 영조의 정책

문제 해결 전략

붕당 간의 대립이 격화되자 영조는 탕평책을 실시해 붕당 간의 균형을 맞추려 하였고, 강화된 왕권을 바탕으로 여러 개혁을 실시하였다. 영조와 정조의 정책을 비교하는 문제가 자주 출제된다.

필수 유형

(가) 왕이 실시한 정책으로 옳은 것은?

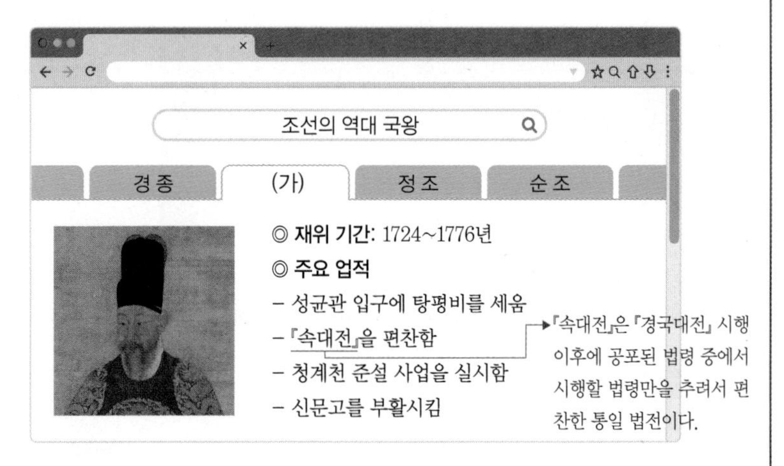

필수 자료 해석

영조와 정조의 주요 정책을 정리하면 다음과 같다.

영조의 정책	정조의 정책
• 붕당의 기반 약화: ❶ ( ) 정리, 이조 전랑의 권한 약화, 탕평파 육성 • 민생 안정책: 균역법 추진 • 체재 정비: 신문고 부활, 『속대전』 편찬	• 왕권 강화: 탕평책 계승, 초계문신제 시행, 장용영과 규장각 설치, ❷ ( ) 건설 • 지방 사림의 영향력 약화: 수령의 권한 강화 • 상업 정책: 통공 정책 → 상공업 육성

답 ❶ 서원 ❷ 수원 화성

필수 선택지

위 자료를 보고 옳으면 ○표, 틀리면 ×표를 하고, 그 까닭을 쓰시오.

① 균역법을 실시하였다. (   )
② 녹읍을 폐지하였다. (   )
③ 장용영을 설치하였다. (   )
④ 수원 화성을 건설하였다. (   )
⑤ 이조 전랑의 권한을 약화시켰다. (   )

답 ① ○ ② ×(통일 신라 신문왕) ③ ×(정조) ④ ×(정조) ⑤ ○

필수 유형

16 임진왜란

문제 해결 전략

임진왜란 중 이순신이 이끈 수군의 활약은 위기에 몰린 조선을 구해 내는 데 큰 역할을 하였다. 이순신이 이끈 수군, 곽재우 등 의병의 활약상을 자료로 제시하고 임진왜란의 전개 과정과 영향을 묻는 문제가 자주 출제되고 있다.

필수 유형

밑줄 친 '이 전쟁' 중에 있었던 사실로 옳은 것은?

한국사 신문

→한산도 대첩 ○○○○년 ○월 ○일

조선 수군, 한산도에서 승리하다!

▲ 학익진을 펼쳐 일본 수군을 공격하는 조선 수군

조선 수군이 한산도 앞바다로 일본의 수군을 유인한 후 학익진을 펼쳐 공격하여 큰 전과를 올렸다. 이번 승리는 일본의 침략으로 시작된 이 전쟁의 판도가 바뀌는 계기가 될 것이다. →임진왜란

필수 자료 해석

조선을 침략한 일본은 새로운 무기인 ❶ [ ] 을 앞세워 20일 만에 한성을 함락하였다. 그러나 ❷ [ ] 이 이끄는 수군이 해전에서 여러 차례 승리하고 전국 각지에서 ❸ [ ] 이 일어나 일본군에 타격을 주었다. 여기에 명이 참전하면서 전세가 바뀌었다.

답 ❶ 조총 ❷ 이순신 ❸ 의병

필수 선택지

위 자료를 보고 옳으면 ○표, 틀리면 ×표를 하고, 그 까닭을 쓰시오.

① 윤관이 별무반을 편성하였다. (　　)

② 계백이 황산벌에서 항전하였다. (　　)

③ 훈련도감이 설치되었다. (　　)

④ 김윤후가 처인성에서 적장을 사살하였다. (　　)

⑤ 조·명 연합군이 구성되었다. (　　)

⑥ 을지문덕이 살수에서 승리하였다. (　　)

답 ① ×(고려, 여진 정벌) ② ×(백제, 황산벌 전투) ③○ ④ ×(고려, 처인성 전투) ⑤○ ⑥ ×(고구려, 살수 대첩)

필수 유형

17 조선 후기 세금 제도의 변화

문제 해결 전략

조선 광해군 때 방납의 폐단을 없애고자 대동법이 경기도에 처음 시행되었으나, 방납 업자와 지방 지주들의 반대로 전국에서 시행되는 데 100여 년이 걸렸다. 대동법의 시행으로 등장한 공인의 활동으로 상품 화폐 경제가 발달하였다는 내용이 자주 출제되고 있다.

필수 유형

밑줄 친 '이 법'에 대한 설명으로 옳은 것은?

광해군 때 이원익이 방납의 폐단을 혁파하고자 이 법의 시행을 건의하였다. …… 우선 경기도에 시범적으로 실시하였는데 백성은 이 법이 편하다고 여겼다. 그러나 권세가와 부호는 방납의 이익을 잃기 때문에 온갖 방법으로 저지하려 하였다.

– 『국조보감』 –

조선 전기 세금 중 ❶ [   ]은 토산물을 징수하는 제도이다. 방납이란 상인이나 아전이 농민에게 대가를 받고 공납을 대신 납부해 주는 제도로 엄청난 수수료를 취해 그 폐단이 심하였다.

광해군 때 도입된 ❷ [   ]은 토지를 소유한 사람에게 1결당 쌀 12두, 혹은 삼베, 무명, 동전 등으로 공납을 내게 하는 방식으로 백성의 호응을 얻은 반면, 지주들의 반발을 샀다.

필수 자료 해석

조선 후기 세금 제도 개혁 내용은 다음과 같다.

영정법(전세)	토지 1결당 쌀 4~6두 부과
균역법(군역)	• 장정 1인이 매년 군포 1필 납부 • 부족한 군비는 ❸ [ ], 어장세, 소금세, 선박세 등으로 충당
대동법(공납)	• 토지 1결당 쌀 12두 또는 삼베, 무명, 동전 등으로 부과 • ❹ [ ]이 등장하여 국가에 필요한 물품 구입 → 상품 화폐 경제 발달

답 ❶ 공납 ❷ 대동법 ❸ 결작 ❹ 공인

필수 선택지

위 지문을 보고 옳으면 ○표, 틀리면 ×표를 하고, 그 까닭을 쓰시오.

① 공인이 성장하는 계기가 되었다. (   )

② 세금 납부 기준이 가호에서 토지로 바뀌었다. (   )

③ 관리들에게 전지와 시지가 지급되었다. (   )

④ 지계아문을 통해 지계가 발급되었다. (   )

⑤ 양반 지주들의 반발이 심하였다. (   )

⑥ 유상 매입, 유상 분배를 원칙으로 하였다. (   )

답 ①○ ②○ ③×(고려, 전시과) ④×(대한 제국, 광무개혁) ⑤○ ⑥×(대한민국, 농지 개혁)

필수 유형

18 임술 농민 봉기

문제 해결 전략

세도 정치와 삼정의 문란을 배경으로 1862년 진주에서 농민 봉기가 일어나 전국적으로 확산되었다. 임술 농민 봉기의 전개 과정을 보여 주는 자료를 토대로 이 시기의 사회적 상황을 묻는 문제가 자주 출제된다.

필수 유형

다음 자료를 활용한 탐구 주제로 가장 적절한 것은?

- 진주민 수만 명이 무리를 지어 서리들의 가옥을 불사르고 부수자 경상 우병사 백낙신이 이들을 해산시키려 하였다. 이때 백성이 그를 둘러싸고 삼정의 문란에 대해 항의하였다.
- 임술년에 경상도 단성, 함양, 개령, 인동 등 여러 고을에서 백성이 소동을 일으켰다. 이들은 수령을 포위하고 조세를 줄여 줄 것을 요구하거나 향리들을 쫓아내고 환곡 장부를 빼앗았다.

임술 농민 봉기는 경상우병사 백낙신의 부정부패에 저항하여 ❶ ( ) 에서 시작되어 전국적으로 확대되었다.

삼정의 문란이란 전정, 군정, ❷ ( ) 의 문란을 뜻하며 임술 농민 봉기의 직접적인 원인이 되었다.

필수 자료 해석

세도 정치 시기 정치 기강이 문란해지면서 백성에 대한 수탈이 더욱 심해졌다. 1862년 임술 농민 봉기는 경상우병사 백낙신의 수탈에 저항하여 진주에서 일어난 민란이 전국으로 확대된 사건이다. 조선 정부에서는 ❸ ( ) 를 파견하여 봉기의 원인을 찾게 하였고, 삼정의 문란이 봉기의 원인이라는 결론이 나왔다. 이에 따라 정부는 ❹ ( ) 을 설치하여 문제를 해결하려 하였으나 미봉책에 불과하였다.

답 ❶ 진주 ❷ 환곡 ❸ 안핵사 ❹ 삼정이정청

필수 선택지

위 지문을 보고 옳으면 ○표, 틀리면 ×표를 하고, 그 까닭을 쓰시오.

① 신라 말 지방 호족의 성장 ( )
② 개화파의 형성 과정과 분화 ( )
③ 조선 후기 농민 봉기의 발생 ( )
④ 고려 전기 문벌 사회의 동요 ( )
⑤ 조선 전기 훈구와 사림의 대립 ( )
⑥ 무신 집권기 농민, 천민의 봉기 ( )
⑦ 조선 후기 삼정의 문란과 그 결과 ( )

답 ① ×(9세기) ② ×(19세기) ③ ○ ④ ×(12세기) ⑤ ×(16세기) ⑥ ×(12세기) ⑦ ○

필수 유형

19 조선 후기 서민 문화의 발달

문제 해결 전략

조선 후기 서민 문화가 발달하면서 한글 소설이 유행하자 이를 읽어 주는 전기수가 활약하였다. 서민 문화 발달과 관련된 자료가 제시되고 이를 토대로 조선 후기 각 분야의 사회적 변동을 전반적으로 묻는 문제가 출제되고 있다.

필수 유형

다음 상황이 나타난 시기에 볼 수 있는 모습으로 적절한 것은?

조선 후기 ❶ [   ] 교육이 확산되고 농업 생산성이 높아지면서 서민들이 한글 소설을 즐기게 되었다.

상평통보는 17세기부터 발행된 화폐로 점차 전국적으로 확대 유통되었다.

필수 자료 해석

조선 후기 농업 생산력 향상과 상품 화폐 경제 발달로 서민의 경제력이 높아지면서 서민 문화가 발달하였다. 문학에서는 한글 소설이 유행하여 책 대여업을 하는 세책가와 책을 읽어 주는 직업인 ❷ [   ]가 활약하기도 하였다. 미술에서는 서민의 일상을 담은 ❸ [   ]와 개인의 소망을 담은 그림인 ❹ [   ]가 유행하였다.

답 ❶ 서당 ❷ 전기수 ❸ 풍속화 ❹ 민화

필수 선택지

위 자료를 보고 옳으면 ○표, 틀리면 ×표를 하고, 그 까닭을 쓰시오.

① 모내기를 하는 농민 (   )
② 서당에서 공부하는 서민 (   )
③ 광산 채굴을 감독하는 덕대 (   )
④ 만민 공동회에 참여하는 백정 (   )
⑤ 사회 개혁론을 연구하는 실학자 (   )
⑥ 만권당에서 성리학을 연구하는 학자 (   )

답 ①○ ②○ ③○ ④×(1898) ⑤○ ⑥×(고려 말)

필수 유형

20 통상 수교 거부 정책과 양요

문제 해결 전략

어린 나이에 즉위한 고종을 대신하여 실권을 잡은 흥선 대원군은 병인양요와 신미양요를 겪은 후 척화비를 세워 통상 수교 거부 강화 의지를 내세웠다. 병인양요와 신미양요의 전개 과정과 결과를 묻는 문제가 자주 등장하고 있다.

필수 유형

(가) 사건에 대한 설명으로 옳은 것은?

→ 병인양요(1866)

이 비석은 강화도 덕진진에 있는 경고비이다. 프랑스는 함대를 보내 통상을 요구하며 (가) 을/를 일으켰다. 조선은 한성근, 양헌수 등의 활약으로 프랑스군을 물리쳤다. 이후 흥선 대원군은 통상 수교 거부의 의지를 담아 '바다의 관문을 지키고 있으니 외국 배는 함부로 지나가지 말라.'라는 내용의 비를 세웠다.

흥선 대원군은 병인양요와 신미양요를 겪은 후 전국의 주요 지점에 ❶ ______ 를 세워 통상 수교 거부 의지를 강하게 밝혔다.

병인양요 당시 강화도를 점령한 프랑스군에 저항해 한성근 부대는 ❷ ______ 에서, 양헌수 부대는 정족산성에서 완강히 저항하였다.

필수 자료 해석

병인양요의 전개 과정은 다음과 같다.

구분	내용
배경	프랑스 선교사를 비롯한 천주교도를 처형한 ❸ ______
전개	프랑스 극동 함대가 강화도 침략 → 한성근 부대와 양헌수 부대가 프랑스군 격퇴
결과	프랑스군이 철수하는 과정에서 강화도에 있는 ❹ ______ 의 의궤와 도서 등을 약탈

답 ❶ 척화비 ❷ 문수산성 ❸ 병인박해 ❹ 외규장각

필수 선택지

위 자료를 보고 옳으면 ○표, 틀리면 ×표를 하고, 그 까닭을 쓰시오.

① 병인박해가 배경이 되었다. (　　　)

② 외규장각 도서가 약탈되었다. (　　　)

③ 러시아의 주도로 삼국 간섭이 일어났다. (　　　)

④ 영국이 거문도를 불법으로 점령하였다. (　　　)

⑤ 조청 상민 수륙 무역 장정이 체결되었다. (　　　)

⑥ 통상 수교 거부 정책이 강화되는 결과로 이어졌다. (　　　)

⑦ 파리 강화 회의에 김규식이 대표로 파견되었다. (　　　)

답 ①○ ②○ ③ ×(삼국 간섭, 1895) ④ ×(거문도 사건, 1885) ⑤ ×(임오군란, 1882) ⑥○ ⑦ ×(1919)

필수 유형

21 조미 수호 통상 조약

문제 해결 전략

1882년에 체결된 조미 수호 통상 조약은 조선이 서양과 체결한 최초의 조약이다. 조미 수호 통상 조약의 체결 과정과 내용을 강화도 조약 등 여타 조약과 비교할 수 있는지 묻는 문제가 자주 출제된다.

필수 유형

밑줄 친 '조약'에 대한 설명으로 옳은 것은?

▲ 자유 공원의 조형물

▲ 페리 공원의 조형물

인천의 자유 공원과 샌프란시스코의 페리 공원에는 같은 모양의 조형물이 전시되어 있다. 조선은 서양 국가 중 처음으로 미국과 조약을 체결한 후 미국 공사 파견에 대한 답례로 보빙사를 파견하였다. 위의 조형물은 보빙사가 거쳐 간 두 도시에 한·미 우호의 상징으로 만들어졌다.

조미 수호 통상 조약은 거중 조정을 비롯하여 ❶ (   ) 대우, 치외 법권, 협정 관세 등을 규정한 불평등 조약이다.

보빙사는 조선이 1883년 민영익을 대표로 ❷ (   )에 파견한 외교 사절이다.

필수 자료 해석

강화도 조약 체결 이후 수신사로 일본에 파견된 김홍집은 ❸ (   )을 가져왔다. 이 책에서는 ❹ (   )를 견제하려면 조선이 미국과 연대해야 한다는 내용이 실려 있었고, 이에 따라 조선에서는 미국과 조약을 체결하려는 움직임이 일어났다. 조선은 청의 알선으로 미국과 조미 수호 통상 조약을 체결하였다(1882).

답 ❶ 최혜국 ❷ 미국 ❸ 『조선책략』 ❹ 러시아

필수 선택지

위 자료를 보고 옳으면 ○표, 틀리면 ×표를 하고, 그 까닭을 쓰시오.

① 청이 적극적으로 알선하였다. (   )

② 일본군 주둔을 허용하는 계기가 되었다. (   )

③ 조선책략 유포를 계기로 체결되었다. (   )

④ 최혜국 대우를 규정하였다. (   )

⑤ 운요호 사건을 계기로 체결되었다. (   )

⑥ 천주교 포교를 허용하였다. (   )

답 ①○ ② ×(제물포 조약) ③○ ④○ ⑤ ×(강화도 조약) ⑥ ×(조프 수호 통상 조약)

필수 유형

22 위정척사 운동

문제 해결 전략

위정척사 운동은 1860년대 통상 반대, 1870년대 개항 반대, 1880년대 개화 반대로 구분할 수 있다. 위정척사 운동의 각 시기별 특징을 구분할 수 있는지 묻는 문제가 자주 출제되고 있다.

필수 유형

(가), (나) 주장에 대한 설명으로 옳은 것은?

(가) 지금의 왜인들은 서양 옷을 입고 서양 대포를 사용하며 서양 배를 탔으니, 이는 서양과 왜가 일체인 증거입니다. 따라서 왜와 강화를 맺는 날이 바로 곧 서양과 화친을 맺는 날이 될 것입니다. -『면암집』-

(나) 황준헌의 사사로운 책자를 보노라면 어느새 털끝이 일어서고 쓸개가 떨리며 울음이 북받치고 눈물이 흐릅니다. …… 러시아, 미국, 일본은 다 같은 오랑캐입니다. 그들 중 누구는 후하게 대하고 누구는 박하게 대하기는 어려운 일입니다. - 영남 만인소 -

1876년 위정척사파 최익현이 강화도 조약 체결에 반대하여 ❶ ______ 을 근거로 올린 상소이다.

1881년 『조선책략』의 내용에 반대하여 ❷ ______ 이 영남 유생들과 함께 올린 상소이다. 『조선책략』은 조선이 미국과 조약을 체결하는 데 영향을 미쳤다.

필수 자료 해석

위정척사 운동의 전개 과정은 다음과 같다.

시기	배경	특징	대표 인물
1860년대	양요 발발	통상 수교 반대 운동	이항로, 기정진
1870년대	강화도 조약 체결	개항 반대 운동	❸
1880년대	개화 정책 추진, ❹ ______ 유포	개화 반대 운동, 미국과 수교 여론 반대	이만손

답 ❶ 왜양일체론 ❷ 이만손 ❸ 최익현 ❹『조선책략』

필수 선택지

위 지문을 보고 옳으면 ○표, 틀리면 ×표를 하고, 그 까닭을 쓰시오.

① (가) – 강화도 조약 체결에 반대하였다. (　　　)
② (가) – 최익현 등의 유생층이 주장하였다. (　　　)
③ (나) – 갑신정변을 일으킨 세력의 입장이다. (　　　)
④ (나) – 조미 수호 통상 조약 체결에 반대하였다. (　　　)
⑤ (가), (나) – 위정척사파의 주장이다. (　　　)

답 ①○ ②○ ③×(급진 개화파) ④○ ⑤○

필수 유형

23 임오군란

문제 해결 전략

신식 군대인 별기군과의 차별 문제로 구식 군인들이 일으킨 임오군란의 결과 청의 간섭이 심화되고 조청 상민 수륙 무역 장정과 제물포 조약이 체결되었다. 임오군란의 전개 과정과 관련된 자료가 제시되고 그 결과를 묻는 문제가 출제되고 있다.

필수 유형

밑줄 친 '이 사건'의 영향으로 옳은 것은?

자료는 명성 황후의 피난 과정이 적혀 있는 일기이다. 구식 군인들이 별기군과의 차별 대우에 반발하여 일으킨 이 사건으로 명성 황후는 피난을 가야 했다. 일기에는 명성 황후가 궁궐로 돌아오기까지의 이동 경로 등이 기록되어 있다.

별기군은 개화 정책이 시행되던 1881년 통리기무아문에서 창설한 신식 부대로 ❶ [   ] 교관의 근대식 훈련을 받고 대우도 좋았다.

임오군란이 일어나자 신변에 위협을 느낀 명성 황후는 궁궐을 탈출하여 피신하였고, 민씨 일파는 ❷ [   ]에 군대를 보내 줄 것을 요청하였다.

필수 자료 해석

개화 정책으로 창설된 신식 군대인 별기군과의 차별에 분노하여 구식 군인들이 난을 일으키자 여기에 도시 하층민이 가세하였다. 임오군란으로 흥선 대원군이 일시적으로 집권하여 개화 정책을 중단하였으나, 민씨 일파의 요청으로 조선에 들어온 청군이 군란을 진압하였다. 이후 청은 조선에 군대를 주둔시키고 ❸ [   ]을 체결하였다. 한편 일본은 ❹ [   ]을 체결하여 배상금을 얻고 서울에 경비병을 주둔시키게 되었다.

답 ❶ 일본인 ❷ 청 ❸ 조청 상민 수륙 무역 장정 ❹ 제물포 조약

필수 선택지

위 자료를 보고 옳으면 ○표, 틀리면 ×표를 하고, 그 까닭을 쓰시오.

① 단발령이 중단되었다. (　　　)

② 광무개혁이 추진되었다. (　　　)

③ 제물포 조약이 체결되었다. (　　　)

④ 영국이 거문도를 차지하였다. (　　　)

⑤ 청의 내정 간섭이 심화되었다. (　　　)

⑥ 청과 일본의 군대가 출병하였다. (　　　)

⑦ 조청 상민 수륙 무역 장정이 체결되었다. (　　　)

답 ① ×(1896) ② ×(대한 제국) ③ ○ ④ ×(거문도 사건, 1885) ⑤ ○ ⑥ ×(동학 농민 운동) ⑦ ○

필수 유형

24 조청 상민 수륙 무역 장정

문제 해결 전략

임오군란의 결과 체결된 조청 상민 수륙 무역 장정으로 청 상인이 내륙(양화진)으로 진출하여 영업을 할 수 있게 되었다. 임오군란과 조청 상민 수륙 무역 장정의 인과 관계를 묻는 문제가 출제되고 있다.

필수 유형

다음 가상 대화가 나타나게 된 배경으로 가장 적절한 것은?

청은 ❶ [ ] 때 군대를 파견하여 진압한 뒤 내정 간섭을 강화하였고, 조청 상민 수륙 무역 장정이 체결되어 청 상인들의 내륙 진출이 가능해졌다.

조청 상민 수륙 무역 장정 체결로 외국 상인들이 내륙으로 진출할 수 있게 되면서 외국 상인과 조선 상인을 연결하던 개항장의 조선인 ❷ [ ]가 몰락하였다.

필수 자료 해석

강화도 조약 이후 일본 상인의 활동 범위는 개항장에서 10리(약 4km)로 제한되어 ❸ [ ] 무역이 이루어졌다. 이에 따라 일본 상인과 내륙의 조선 상인을 중개하는 객주가 활약하였다. 그러나 임오군란 이후 체결된 ❹ [ ]으로 청 상인이 내륙에 진출할 수 있게 되면서 거류지 무역의 의미는 상실되었다.

답 ❶ 임오군란 ❷ 객주 ❸ 거류지 ❹ 조청 상민 수륙 무역 장정

필수 선택지

위 자료를 보고 옳으면 ○표, 틀리면 ×표를 하고, 그 까닭을 쓰시오.

① 갑신정변이 일어났다. (　　)
② 갑오개혁이 추진되었다. (　　)
③ 임오군란이 진압되었다. (　　)
④ 청군과 일본군이 들어왔다. (　　)
⑤ 일본이 경복궁을 점령하였다. (　　)
⑥ 청의 내정 간섭이 강화되었다. (　　)
⑦ 별기군과 구식 군인에 대한 차별이 심하였다. (　　)

답 ① ×(1884) ② ×(1894~1895) ③ ○ ④ ×(1894) ⑤ ×(1894) ⑥ ○ ⑦ ○

필수 유형

25 갑신정변

문제 해결 전략

급진 개화파는 우정총국 개국 축하연에서 정변을 일으켜 근대적 개혁을 시도하려 하였다. 갑신정변의 주요 인물, 전개 과정 등을 자료로 제시하고 이를 여타 근대 국가 수립을 위한 노력들과 비교할 수 있는지 묻는 문제가 자주 출제되고 있다.

필수 유형

자료에 나타난 사건에 대한 설명으로 옳은 것은?

10월 17일, 조선의 여러 관리 및 각국의 외교 사절이 우정총국에 모여 연회를 열었다. 술잔이 여러 차례 돌아간 후 불길이 일어나고 난당(亂黨)이 들이닥쳐 자리에 있던 조정의 관원들을 살해하였다. 밤중에 일본 병사들이 문을 밀치고 경우궁으로 들어가고, 김옥균, 박영효, 서광범 등은 창덕궁으로 들어가 왕을 호위하며 청 군사가 쳐들어왔다고 거짓말을 하였다. -『청사고』-

갑신정변을 일으킨 김옥균, 박영효, 서광범 등은 ❶ [   ] 개화파로 일본의 메이지 유신을 모델로 한 개혁을 지향하였다.

갑신정변을 일으킨 세력은 새로운 정부를 수립하고 혁신 정강을 발표하였다. 이들은 ❷ [   ]에 대한 사대 관계 폐지와 인민 평등권 등을 주장하였다.

필수 자료 해석

갑신정변의 전개 과정을 정리하면 다음과 같다.

배경	일본 차관 도입 실패로 급진 개화파의 세력 위축, 청프 전쟁 발발로 국내에 주둔하던 청군 일부 철수
전개	❸ [ ] 개국 축하연을 이용하여 정변 → 새 내각 수립, 혁신 정강 발표 → 청군의 개입으로 3일 만에 실패
결과	• 한성 조약(조선–일본): 배상금 지불, 공사관 신축비 부담 • ❹ [ ](청–일본): 일본과 청군 공동 철수, 파병 시 상호 고지 규정

답 ❶ 급진 ❷ 청 ❸ 우정총국 ❹ 톈진 조약

필수 선택지

위 지문을 보고 옳으면 ○표, 틀리면 ×표를 하고, 그 까닭을 쓰시오.

① 톈진 조약이 체결되었다. (   )

② 신간회의 지원을 받았다. (   )

③ 급진 개화파가 주도하였다. (   )

④ 삼정이정청 설치에 영향을 끼쳤다. (   )

⑤ 청의 간섭이 심화되는 결과로 이어졌다. (   )

⑥ 인민 평등권을 보장하는 개혁을 시도하였다. (   )

답 ① ○ ② ×(광주 학생 항일 운동) ③ ○ ④ ×(임술 농민 봉기) ⑤ ○ ⑥ ○

필수 유형

26 동학 농민 운동

문제 해결 전략

동학 농민 운동은 1, 2차에 걸쳐 일어났다. 정부와 전주 화약을 맺고 개혁을 시도하던 농민군은 일본의 침략에 맞서 다시 봉기하였다. 동학 농민 운동에 대한 자료를 제시하고 다른 근대 국가 수립 운동과 구분할 수 있는지 묻는 문제가 자주 출제된다.

필수 유형

밑줄 친 '창의군'에 대한 설명으로 옳은 것은?

창의군의 영수 전봉준이 충청 감사에게 글을 올립니다.
→ 전봉준은 고부 농민 봉기, 동학 농민 운동의 주동자이다.
일본 도적놈이 전쟁을 일으키고 군사를 움직여 우리 임금을 핍박하고 우리 백성을 어지럽히고 있는데, 차마 무슨 말을 할 수 있겠습니까? …… 일편단심 죽음을 무릅쓰고 조선 왕조 오백 년 동안 길러 주신 은혜에 보답하겠습니다. 삼가 바라건대 충청 감사께서도 창의군과 의(義)로써 함께한다면 매우 다행이겠습니다.

갑오(甲午)년 논산에서 삼가 드립니다.

일본군이 경복궁을 장악하고 청일 전쟁을 일으키자 농민군은 논산에서 재집결하였다.

필수 자료 해석

동학 농민 운동의 전개 과정을 정리하면 다음과 같다.

1차	• 배경: 고부 농민 봉기 가담자 처벌 • 전개: 전봉준 등이 이끄는 농민군이 무장에서 봉기 → 전주성 점령 → 정부의 요청에 따라 청군 파견 → 일본군 상륙 → ❶ [ ] 체결 → 농민 자치 조직인 ❷ [ ] 설치
2차	• 배경: ❸ [ ]의 경복궁 점령, 청일 전쟁 발발 • 전개: 농민군 재봉기 → 논산 집결(남 · 북접 연합 부대) → 공주 우금치 전투 패배 → 지도부 체포

답 ❶ 전주 화약 ❷ 집강소 ❸ 일본

필수 선택지

위 지문을 보고 옳으면 ○표, 틀리면 ×표를 하고, 그 까닭을 쓰시오.

① 세도 정치에 반발하였다. (　　)
② 한산도에서 대승을 거두었다. (　　)
③ 공주 우금치에서 전투를 벌였다. (　　)
④ 집강소를 중심으로 자치 개혁을 추진하였다. (　　)
⑤ 전주성을 점령하고 관군과 화약을 체결하였다. (　　)

답 ① ×(임술 농민 봉기 등) ② ×(임진왜란) ③○ ④○ ⑤○

필수 유형

27 청일 전쟁

문제 해결 전략

1894년에는 동학 농민 운동이 일어났고, 이를 배경으로 조선에 들어온 일본군의 도발로 청일 전쟁이 시작되었다. 제1차 갑오개혁 역시 1894년에 일어났다. 1894년에 있었던 각종 사건들을 묻는 문제가 자주 출제된다.

필수 유형

밑줄 친 '전쟁'이 전개된 시기에 볼 수 있었던 장면으로 적절한 것은?

청군은 아산에, 일본군은 부산과 제물포에 상륙하였다. 이어 8천 명의 병력을 실은 11척의 청 군함이 아산과 압록강 입구로 향하였다. 풍도 앞바다에서 일본 군함이 청 군함을 향해 포를 쏘면서 전쟁이 발발하였다. …… 평양 전투에서 승리한 일본군은 압록강을 건너 청군을 패주시켰다.

– 헐버트 회고록 –

조선 정부는 전주 화약 체결 이후 청·일 양국 군대의 철수를 요구하였다. 그러나 일본군은 경복궁을 기습 점령하고 아산만 풍도 앞바다에 있는 청의 군함을 공격하여 ❶ [　　　]을 일으켰다.

헐버트는 1886년 내한한 미국인으로 ❷ [　　　]에서 외국어를 가르쳤고, 을사늑약 후 고종의 밀서를 가지고 미국에 돌아가 대통령을 면담하려 했으나 실패하였다.

필수 자료 해석

청일 전쟁의 전개 과정을 정리하면 다음과 같다.

배경	동학 농민 운동을 구실로 조선에 상륙한 일본군의 청 군함 기습 공격
전개	풍도 해전, 평양 전투 등에서 일본군이 승기를 잡음.
결과	일본 승리, ❸ [　　　] 조약 체결 → 청은 조선이 독립 자주국임을 인정, 일본에 막대한 배상금 지불, ❹ [　　　]와 타이완을 일본에 할양

답 ❶ 청일 전쟁 ❷ 육영 공원 ❸ 시모노세키 ❹ 랴오둥반도

필수 선택지

위 지문을 보고 옳으면 ○표, 틀리면 ×표를 하고, 그 까닭을 쓰시오.

① 신분제 철폐에 기뻐하는 노비 (　　)
② 일본 공사관을 습격하는 구식 군인 (　　)
③ 쌍성보에서 한·중 연합 작전을 벌이는 독립군 (　　)
④ 집강소에서 폐정 개혁을 추진하는 동학 농민군 (　　)
⑤ 군국기무처를 중심으로 갑오개혁을 추진하는 관료 (　　)
⑥ 관민 공동회에 참석하여 연설을 듣고 있는 정부 관리 (　　)
⑦ 을미사변과 단발령에 반발하여 의병을 일으키는 유생 (　　)

답 ① ○ ② ×(1882) ③ ×(1930년대) ④ ○ ⑤ ○ ⑥ ×(1898) ⑦ ×(1895)

필수 유형

28 갑오개혁

문제 해결 전략

군국기무처를 중심으로 진행된 제1차 갑오개혁에서 신분제가 폐지되었다. 갑오개혁에서 추진된 각종 근대적 개혁 내용을 묻는 문제가 자주 출제되며, 고난도 문제로 제1, 2차 개혁의 구체적인 내용을 구분할 수 있는지 묻는 문제도 나올 수 있다.

필수 유형

(가)에 들어갈 내용으로 가장 적절한 것은?

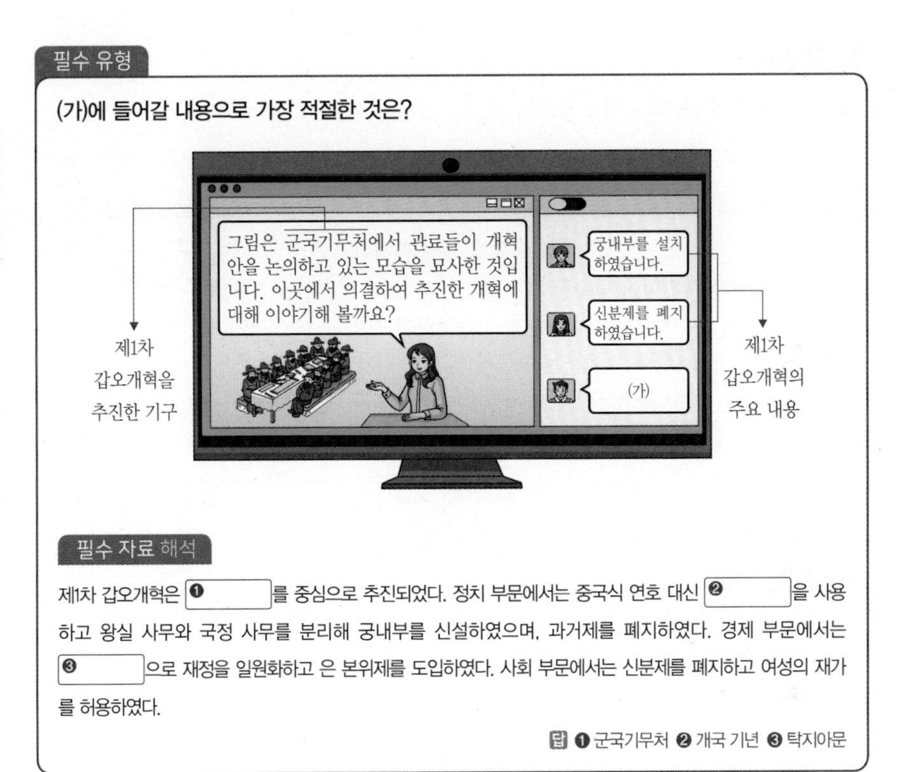

필수 자료 해석

제1차 갑오개혁은 ❶ [ ] 를 중심으로 추진되었다. 정치 부문에서는 중국식 연호 대신 ❷ [ ] 을 사용하고 왕실 사무와 국정 사무를 분리해 궁내부를 신설하였으며, 과거제를 폐지하였다. 경제 부문에서는 ❸ [ ] 으로 재정을 일원화하고 은 본위제를 도입하였다. 사회 부문에서는 신분제를 폐지하고 여성의 재가를 허용하였다.

답 ❶ 군국기무처 ❷ 개국 기년 ❸ 탁지아문

필수 선택지

위 자료를 보고 옳으면 ○표, 틀리면 ×표를 하고, 그 까닭을 쓰시오.

① 단발령이 시행되었습니다. ( )
② 과거제가 폐지되었습니다. ( )
③ 태양력을 사용하였습니다. ( )
④ 재판소를 설치하였습니다. ( )
⑤ 은 본위제를 도입하였습니다. ( )
⑥ 과부의 재가를 허용하였습니다. ( )
⑦ 중국식 연호 사용을 중지하였습니다. ( )

답 ① ×(을미개혁) ② ○ ③ ×(을미개혁) ④ ×(제2차 갑오개혁) ⑤ ○ ⑥ ○ ⑦ ○

필수 유형

29 대한 제국과 광무개혁

문제 해결 전략

러시아 공사관에서 환궁한 고종은 환구단에서 황제 즉위식을 거쳐 대한 제국의 수립을 선포하였다. 대한 제국이 추진한 광무개혁의 내용을 다른 개혁의 내용과 비교하는 문제가 자주 출제되고 있다.

필수 유형

(가) 정부에 대한 설명으로 옳은 것은?

한국사 신문

○○○○년 ○월 ○일

고종 황제 즉위식 재현

고종의 황제 즉위식이 덕수궁 일대에서 재현된다. 120여 년 전 고종은 환구단에 나아가 하늘에 제사를 지내고 황제에 등극하였으며, (가) 의 성립을 대내외에 선포하였다. 행사 관계자는 고종의 황제 즉위가 가지는 의미를 되새길 수 있는 기회가 될 것이라고 설명하였다.

고종은 대한 제국을 선포하고 연호를 '광무'라고 하였다.

필수 자료 해석

고종은 황제 즉위식을 거행하고 대한 제국 수립을 선포하였다. 대한 제국은 ❶ [ ] 를 설치하여 황제 중심으로 군사 체제를 개편하고, ❷ [ ] 을 원칙으로 삼아 점진적인 개혁을 추진하였다. 대한 제국은 식산흥업 정책을 추진하고 실업 학교를 설립하였으며, 해외에 유학생을 파견하였다. 토지 분야에서는 근대적 토지 소유권을 확립하기 위해 양전 사업을 실시하고 ❸ [ ] 발급 사업을 추진하였다.

답 ❶ 원수부 ❷ 구본신참 ❸ 지계

필수 선택지

위 지문을 보고 옳으면 ○표, 틀리면 ×표를 하고, 그 까닭을 쓰시오.

① 원수부를 설치하였다. (　　)

② 홍범 14조를 반포하였다. (　　)

③ 우편 사무를 재개하였다. (　　)

④ 지계 발급 사업을 추진하였다. (　　)

⑤ 회사와 공장 설립을 추진하였다. (　　)

⑥ 군국기무처를 설치해 개혁을 추진하였다. (　　)

답 ①○ ②×(제2차 갑오개혁) ③×(을미개혁) ④○ ⑤○ ⑥×(제1차 갑오개혁)

필수 유형

30 을사늑약

문제 해결 전략

대한 제국의 외교권을 박탈한 을사늑약에 저항하여 고종은 헤이그에서 열린 만국 평화 회의에 이위종 등 특사를 파견하였다. 을사늑약의 내용과 그에 대한 저항을 묻는 문제가 자주 출제된다.

필수 유형

밑줄 친 ㉠ 이후에 나타난 사실로 옳은 것은?

이위종: 대한 제국이 왜 이곳 헤이그에서 열리는 만국 평화 회의의 참가국에서 제외되었다고 생각하십니까?

영국 기자: 그것은 귀국과 일본 사이에 체결된 조약으로 대한 제국이 외교권을 일본에 위탁했기 때문이지 않습니까?

이위종: 방금 조약이라고 하셨나요? 뭔가 잘못 알고 계십니다. ㉠우리 황제 폐하의 재가도 없이 일본의 강압에 의해 불법적으로 맺어진 것이므로 국제법적 효력이 없습니다.

고종이 ❶ (　　　) 만국 평화 회의에 파견한 특사 중 한 명이다. 나머지 두 명은 이상설, 이준이다. 이들은 을사늑약 체결의 부당함을 세계에 알리려고 노력하였으나 성과를 거두지 못하였다.

1905년 체결된 을사늑약은 고종의 재가 없이 불법적으로 체결되었다. 을사늑약으로 일본은 대한 제국의 외교권을 박탈하고 ❷ (　　　)를 설치하여 외교권뿐만 아니라 내정 간섭도 자행하였다.

필수 자료 해석

을사늑약에 우리 민족이 벌인 대표적인 저항은 다음과 같다.

- 고종의 헤이그 특사 파견
- 민영환, 조병세의 순국
- 장지연의 『황성신문』 논설, ❸ (　　　)
- 나철, 오기호의 ❹ (　　　) 조직, 이재명의 이완용 살해 시도

답 ❶ 헤이그 ❷ 통감부 ❸ 「시일야방성대곡」 ❹ 자신회

필수 선택지

위 지문을 보고 옳으면 ○표, 틀리면 ×표를 하고, 그 까닭을 쓰시오.

① 독립문이 건립되었다. (　　　)

② 통감부가 설치되었다. (　　　)

③ 아관 파천이 일어났다. (　　　)

④ 동학 농민 운동이 일어났다. (　　　)

⑤ 나철과 오기호가 자신회를 조직하였다. (　　　)

⑥ 장지연이 황성신문에 시일야방성대곡을 기고하였다. (　　　)

답 ① ×(1897) ② ○ ③ ×(1896) ④ ×(1894) ⑤ ○ ⑥ ○

필수 유형

31 신민회

문제 해결 전략

비밀 조직으로 결성된 신민회는 태극 서관, 자기 회사를 설립하고 대성 학교, 오산 학교를 세우는 등 계몽 운동을 하였다. 신민회가 다른 애국 계몽 단체와 달리 서간도에 독립운동 기지를 건설하였다는 점을 알고 있는지 묻는 문제가 자주 출제된다.

필수 유형

밑줄 친 '이 단체'에 대한 설명으로 옳은 것은?

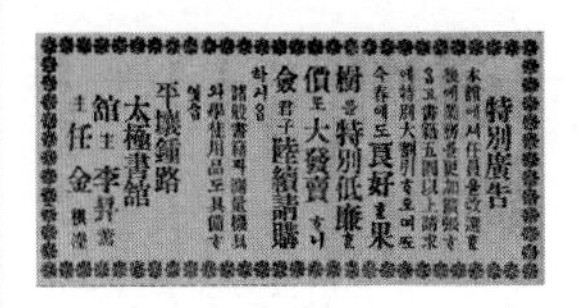

(→ 신민회가 세운 출판 회사)

사진은 대한매일신보에 실린 태극 서관의 광고로, 서적을 5원 이상 구매하면 특별 할인을 한다는 내용 등이 나타나 있다. 태극 서관은 안창호, 양기탁 등이 국권 회복을 목적으로 결성한 이 단체가 운영하였다. 또한 이 단체는 인재 양성을 위해 오산 학교, 대성 학교를 설립하기도 하였지만, 105인 사건을 계기로 해산되었다.

필수 자료 해석

신민회와 관련된 주요 내용을 정리하면 다음과 같다.

구분	내용
조직	안창호, 양기탁 등을 중심으로 성립된 비밀 결사
목표	국권 회복과 근대적 국민 국가 건설, ❶ (　　　) 추구
활동	대성 학교, 오산 학교 설립, 태극 서관(출판), 자기 회사 운영
특징	국외 독립운동 기지 건설 추진, ❷ (　　　) 설립
해산	일제가 날조한 ❸ (　　　)으로 조직 와해

답 ❶ 공화정 ❷ 신흥 강습소 ❸ 105인 사건

필수 선택지

위 자료를 보고 옳으면 ○표, 틀리면 ×표를 하고, 그 까닭을 쓰시오.

① 진단 학보를 발간하였다. (　　　)

② 신흥 강습소를 설립하였다. (　　　)

③ 국민 대표 회의를 개최하였다. (　　　)

④ 국외 독립운동 기지를 건설하였다. (　　　)

⑤ 공화정 건설을 목표로 조직되었다. (　　　)

⑥ 일제의 황무지 개간권 철회를 요구하였다. (　　　)

⑦ 광주 학생 항일 운동에 조사단을 파견하였다. (　　　)

답 ① ×(진단 학회) ② ○ ③ ×(대한민국 임시 정부) ④ ○ ⑤ ○ ⑥ ×(보안회) ⑦ ×(신간회)

필수 유형

32 항일 의병 운동

문제 해결 전략

19세기 말부터 일본의 침략에 저항하여 결성된 대표적인 의병으로는 을미의병, 을사의병, 정미의병이 있다. 각 의병이 결성된 배경과 특징을 비교하는 문제가 자주 출제되고 있다.

필수 유형

(가) 인물에 대한 설명으로 옳은 것은?

한국사 인물 연보

→ 최익현

(가)

1873년 서원 철폐를 비롯한 흥선 대원군의 정책을 비판하고 퇴진을 요구하는 상소를 올림.
1876년 강화도 조약 체결에 반대하며 위정척사 운동에 앞장섬.
1895년 을미사변 이후 시행된 단발령에 반대하는 상소를 올림.
1905년 을사늑약에 반대하여 궐기를 촉구하며 의병을 일으킴.
1906년 쓰시마섬에 끌려가 순국함.

필수 자료 해석

의병 투쟁의 배경과 특징을 정리하면 다음과 같다.

의병	배경	주요 인물	특징
을미의병	단발령, 을미사변	유인석, 이소응	위정척사파 유생들이 주도
을사의병	❶	최익현	❷ 등 평민 의병장 등장
정미의병	❸ 강제 퇴위, 군대 해산	이인영	해산 군인 가담, ❹ 시도

답 ❶ 을사늑약 ❷ 신돌석 ❸ 고종 ❹ 서울 진공 작전

필수 선택지

위 자료를 보고 옳으면 ○표, 틀리면 ×표를 하고, 그 까닭을 쓰시오.

① 한국통사를 저술하였다. ( )
② 왜양일체론을 주장하였다. ( )
③ 한인 애국단을 조직하였다. ( )
④ 이토 히로부미를 처단하였다. ( )
⑤ 조선 혁명 선언을 작성하였다. ( )

답 ① ×(박은식) ② ○ ③ ×(김구) ④ ×(안중근) ⑤ ×(신채호)

필수 유형

33 근대 문물의 도입

문제 해결 전략

우리나라 최초의 철도는 노량진과 제물포(인천)를 잇는 경인선으로 1899년에 개통되었다. 19세기 말~20세기 초 우리나라에 도입된 근대 문물에는 어떤 것들이 있는지 묻는 문제가 출제된다.

필수 유형

밑줄 친 '최초의 철도'가 개통되었던 시기에 볼 수 있는 장면으로 옳은 것은?

> **초청장**
>
> → 1899년에 개통된 경인선
>
> 노량진과 제물포를 잇는 우리나라 최초의 철도가 개통된 지 올해로 ○○○년이 되었습니다. 우리 학회는 이를 기념하여 학술 대회를 개최하려 합니다.
>
> **※ 발표 내용 ※**
>
> 1. 제국주의 열강의 이권 침탈과 철도
> 2. 철도 개통에 따른 생활의 변화
> 3. 일본의 철도 부설 의도와 과정
>
> • 일시: 2019년 ○○월 ○○일 14:00~18:00 • 장소: △△대학 ○○호실 • 주관: □□학회

필수 자료 해석

우리나라의 근대 문물 수용 과정은 다음과 같다.

우편	우정총국 설치 → ❶ ( )으로 중단 → 을미개혁 때 재개 → 만국 우편 연합 가입(1900)
전화	❷ ( )에 처음 가설 → 1900년대 들어 서울 시내 상류 사회에 점차 보급
전기	경복궁 내 최초 점등(1887) → 한성 전기 회사 → 전차 운행
의료 기관	최초의 근대식 의료 기관은 ❸ ( ), 이후 제중원으로 이름이 바뀜.

답 ❶ 갑신정변 ❷ 경운궁(덕수궁) ❸ 광혜원

필수 선택지

위 자료를 보고 옳으면 ○표, 틀리면 ×표를 하고, 그 까닭을 쓰시오.

① 소학교에 다니는 어린이 (   )

② 대한매일신보를 읽고 있는 학자 (   )

③ 지계 발급 업무를 담당하는 관리 (   )

④ 만민 공동회에 참여해 연설하는 지식인 (   )

⑤ 전등이 설치된 한성의 밤거리를 걷는 사람 (   )

답 ① ○ ② ×(1904년 창간) ③ ○ ④ ×(독립 협회는 1898년 해산) ⑤ ○

필수 유형

34 국채 보상 운동

문제 해결 전략

국채 보상 운동은 나랏빚을 갚아 국권을 회복하고자 1907년에 추진된 경제적 구국 운동이다. 국채 보상 운동의 전개 과정에 대한 내용을 자료로 제시하고 『대한매일신보』의 활동을 연결하여 묻는 문제가 자주 출제되고 있다.

필수 유형

(가) 운동에 대한 설명으로 옳은 것은?

국채 보상 운동 ← **한국사 신문** ○○○○년 ○월 ○일

가락지를 빼서 (가) 운동에 앞장서자

나랏빚 1,300만 원을 갚을 수 있는지에 따라 국권이 달려있다는 소식을 들었다. 각지에서 (가) 운동에 호응하여 남자들은 담배를 끊어 저축한 돈을 모금하고 있으며 황제께서도 담배를 끊을 뜻을 밝혔다. 이에 우리 여자들도 각각의 가락지를 빼서 나랏빚을 갚은 데 앞장선다면 국권이 회복될 것이고, 여자의 힘이 세상에 전파되어 남녀평등권을 찾을 수 있을 것이다.

필수 자료 해석

1907년에 전개된 국채 보상 운동은 일본에 진 빚을 갚아 국권을 회복하기 위해 ❶ (　　　) 에서 김광제, 서상돈 등의 발의로 시작되었다. 이 운동은 남성, 여성, 하층민 등 각계각층의 호응으로 국채 보상 기성회가 조직되고 ❷ (　　　) 등 언론 기관이 참여하며 전국으로 확산되었다. 그러나 일제가 ❸ (　　　) 을 횡령 혐의로 구속하는 등 탄압을 가하여 중단되었다.

답 ❶ 대구 ❷ 『대한매일신보』 ❸ 양기탁

필수 선택지

위 자료를 보고 옳으면 ○표, 틀리면 ×표를 하고, 그 까닭을 쓰시오.

① 대구에서 시작되었다. (　　　)

② 청군의 개입으로 실패하였다. (　　　)

③ 사회주의자들의 비판을 받았다. (　　　)

④ 치안 유지법에 의해 탄압받았다. (　　　)

⑤ 대한매일신보 등 언론 기관의 지원을 받았다. (　　　)

⑥ 이만손 등이 영남 만인소를 올리는 계기가 되었다. (　　　)

답 ① ○ ② ×(갑신정변) ③ ×(물산 장려 운동) ④ ×(1925년 이후) ⑤ ○ ⑥ ×(1880년대)

필수 유형

35 독도

문제 해결 전략

독도는 러일 전쟁 당시 일본이 불법 점령하여 군사적으로 이용하였다. 이러한 역사적 사실과 독도가 우리 영토임을 뒷받침하는 근거를 간도에 관련된 내용과 구분할 수 있는지 묻는 문제가 자주 출제된다.

필수 유형

밑줄 친 '이 섬'에 대한 탐구 활동으로 적절한 것은?

신라 지증왕 때 ❶ [　　] 를 보내 울릉도(당시 우산국)와 더불어 독도를 우리 영토로 편입시켰다.

현존하는 가장 오래된 지리지인 ❷ [　　] 에는 울진현을 기준으로 울릉도와 독도의 위치를 밝혀 우리 영토임을 분명히 하였다.

필수 자료 해석

대한 제국 정부는 1900년 칙령 제41호를 반포하여 ❸ [　　] 를 군으로 승격하고 독도를 관할하게 하였다. 일본 메이지 정부의 최고 행정 기관인 태정관은 1877년 시마네현에 보낸 지령에서 울릉도와 독도가 일본과 관계없음을 분명히 하였다. ❹ [　　] 이 진행되던 1905년 일본은 시마네현 고시 제40호를 내려 독도를 다케시마라 칭하며 일방적으로 자국 영토로 편입시켰다.

답 ❶ 이사부 ❷『세종실록지리지』 ❸ 울릉도 ❹ 러일 전쟁

필수 선택지

위 자료를 보고 옳으면 ○표, 틀리면 ×표를 하고, 그 까닭을 쓰시오.

① 안용복이 일본으로 건너간 배경을 조사한다. (　　)

② 러일 전쟁 당시 일본이 불법으로 점령한 섬을 알아본다. (　　)

③ 대한 제국 시기 이범윤이 관리사로 파견된 지역을 조사한다. (　　)

④ 대한 제국이 1900년에 반포한 칙령 제41호의 내용을 분석한다. (　　)

⑤ 신미양요 때 어재연 부대가 미군과 전투를 벌인 곳을 찾아본다. (　　)

⑥ 러시아의 남하를 견제하기 위하여 영국이 점령한 지역을 알아본다. (　　)

답 ①○ ②○ ③×(간도) ④○ ⑤×(강화도) ⑥×(거문도)

필수 개념

I 전근대 한국사의 이해

개념 01 구석기와 신석기 시대

(1) 도구

- 구석기: 돌을 깨뜨려서 ❶ ______ 를 만듦.
- 신석기: 돌을 갈아 만든 간석기와 토기를 사용함.

▲ 주먹도끼

▲ 갈판과 갈돌

▲ 빗살무늬 토기

(2) 생활 모습

- 구석기: 식량을 얻기 위해 ❷ ______ 생활, 동굴이나 바위 그늘, 막집에 거주
- 신석기: ❸ ______ 과 목축 시작, 정착 생활, 강가나 바닷가에 움집을 짓고 거주

답 ❶ 뗀석기 ❷ 이동 ❸ 농경

개념 02 청동기 시대와 고조선

(1) 도구

- 지배 계급은 ❶ ______, 고인돌을 통해 권위를 높임.
- 농경 등 생산 도구는 간석기(반달 돌칼)를 사용함.

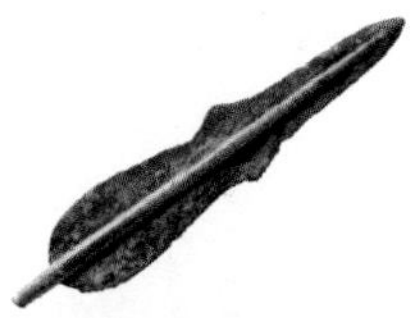

▲ 비파형 동검

▲ 탁자식 고인돌

▲ 반달 돌칼

(2) 생활 모습: 빈부 격차가 생기고, 계급이 발생하면서 권력자인 군장이 등장함.

(3) 고조선

- 청동기 문화와 농경 문화를 바탕으로 건국
- 위만이 집권한 후 본격적으로 ❷ ______ 문화 수용
- 사회 질서를 유지하고자 ❸ ______ 제정

답 ❶ 청동기 ❷ 철기 ❸ 8조법

개념 03

철기 시대와 여러 나라의 성장

(1) **도구**: 철제 농기구와 무기 보급, 한반도의 독자적 청동기 문화 발달, 중국 화폐(명도전 등) 출토

(2) **여러 나라의 성장**

- 부여: 연맹체 국가, 가(加)들이 ❶ ______ 지배, 순장, 형사취수혼, 제천 행사(영고)
- 고구려: 연맹체 국가, 제가 회의, ❷ ______ (데릴사위제), 제천 행사(동맹)
- 옥저: 군장 사회(읍군, 삼로), 민며느리제, 가족 공동 무덤
- 동예: 군장 사회(읍군, 삼로), 책화, 족외혼, 제천 행사(무천)
- 삼한: 군장 사회(신지, 읍차), 벼농사 발달, 철 수출(변한), ❸ ______ 사회(천군과 소도), 계절제

답 ❶ 사출도 ❷ 서옥제 ❸ 제정 분리

개념 04

삼국과 가야의 발전

(1) **고구려**: 졸본 지역에 건국

- 소수림왕: 태학 설립, 불교 공인, 율령 반포
- 광개토 대왕: 요동과 만주 지역, 한강 이북 장악
- 장수왕: ❶ ______ 천도, 남진 정책, 한강 유역 차지

(2) **백제**: 한강 유역을 기반으로 성장

- 근초고왕: 마한 정복, 고구려 공격, 중국·왜와 교류
- 무령왕: 중국 남조와 교류, ❷ ______ 에 왕족 파견
- 성왕: 사비로 천도, 국호를 남부여로 고침, 신라 진흥왕과 연합하여 한강 하류 유역 일시 회복

(3) **신라**: 진한의 소국인 사로국에서 출발

- 지증왕: 국호 '신라', '왕' 칭호 사용, 우산국 정복
- 법흥왕: 불교 공인, 율령 반포, 금관가야 정복
- 진흥왕: 화랑도 개편, 한강 유역 차지, ❸ ______ 정복

(4) **가야**: 전기(금관가야 중심) → 후기(대가야 중심)

답 ❶ 평양 ❷ 22담로 ❸ 대가야

개념 05

신라의 삼국 통일

(1) 고구려와 수, 당의 전쟁

- 수: 을지문덕의 ❶ [ ] 으로 격퇴
- 당: 천리장성 축조로 대비, 안시성 싸움으로 격퇴

(2) 나당 동맹 체결과 백제, 고구려의 멸망

- 신라 ❷ [ ] 의 요청으로 나당 동맹 체결(648)
- 나당 연합군의 공격으로 백제 멸망(660), 고구려 멸망(668) → 각지에서 부흥 운동 전개 → 실패

(3) 나당 전쟁: 당이 웅진도독부, 안동도호부, 계림도독부를 설치하며 한반도 전체를 지배하려 함. → 전쟁 발발 → 신라가 매소성, ❸ [ ] 전투에서 승리하여 당군을 몰아내고 삼국 통일 완성

답 ❶ 살수 대첩 ❷ 김춘추 ❸ 기벌포

개념 06

통일 신라의 발전

▲ 9주 5소경

(1) 통일 신라의 발전

- 신문왕: 김흠돌의 난 진압, ❶ [ ] 을 폐지하고 관료전 지급, 국학 설치
- 성덕왕: 정전 지급

(2) 통치 체제 정비

- 중앙: 집사부를 중심으로 운영
- 지방: 9주 5소경
- 군사: 9서당 10정
- 촌락 문서: 생산 자원과 노동력 관리

(3) 신라 말 사회 동요와 후삼국의 성립

- 정치 혼란: 혜공왕 피살 이후 진골 귀족 간 왕위 쟁탈전 전개 → 중앙 정부의 통제력 약화 → 농민 봉기 발생(원종과 애노의 봉기 등)
- 사회 변화: 지방에서 ❷ [ ] 성장 → 일부 6두품 세력과 연합
- 후삼국 성립: 견훤이 후백제, 궁예가 후고구려 건국

답 ❶ 녹읍 ❷ 호족

개념 07

발해의 건국과 발전

(1) 건국과 발전

- 고왕(대조영): 고구려 출신, 고구려 유민과 말갈인을 이끌고 발해 건국, ❶ ______ 계승 의식 표방
- 무왕: 영토 확장, 당의 산둥 지방 공격
- 문왕: 당의 문물 제도 수용, 신라와 교류(신라도)
- 선왕: 전성기, 당이 ❷ ______ 이라 부름.
- 멸망: 거란의 침략으로 멸망(926)

(2) 통치 제도 정비

- 중앙: ❸ ______ (당의 제도 수용, 독자적 운영)
- 지방: 5경 15부 62주

답 ❶ 고구려 ❷ 해동성국 ❸ 3성 6부제

개념 08

고대의 종교와 사상

(1) 불교

- 삼국 시대: 중앙 집권 체제 확립과 왕권 강화 뒷받침(왕즉불 사상), 불교문화 발달
- 통일 신라: ❶ ______ (일심 사상 주장, 아미타 신앙 전파), 의상(화엄 사상 정립, 관음 신앙 전파), 혜초(『왕오천축국전』), 불교문화 융성
- 신라 말: 선종의 유행(9산선문)

(2) 유교(유학): 중앙 집권 체제 확립 뒷받침

- 삼국 시대: 태학(고구려), 오경박사(백제), 임신서기석(신라)
- 통일 신라: 국학 설립(신문왕), ❷ ______ 실시(원성왕), 강수·최치원의 활약
- 발해: 6부 명칭에 유교 덕목 사용, 주자감 설치

(3) 도교와 풍수지리설

- 도교: 신선 사상과 함께 귀족을 중심으로 유행, 예술에 영향(사신도, 산수무늬 벽돌, 백제 금동 대향로)
- 풍수지리설: 신라 말에 유행, 수도 금성(경주) 중심의 지리 인식 탈피, 호족의 사상적 기반

답 ❶ 원효 ❷ 독서삼품과

개념 09 고려의 건국과 통치 체제의 정비

(1) 고려의 건국과 발전

- 태조(왕건): 고려 건국, 후삼국 통일, 발해 유민 포용, 호족 포섭 정책(❶ ______ 제도, 기인 제도), 북진 정책(서경 중시), 훈요 10조
- 광종: 노비안검법 실시, 과거제 시행, 독자 연호 사용
- 성종: 최승로의 ❷ ______를 수용하여 유교를 정치 이념으로 채택, 중앙 정치 체제 정비

(2) 통치 체제의 정비

- 중앙: 2성 6부제, 도병마사와 식목도감, 중추원, 어사대, 삼사, 대간
- 지방: 12목 설치(성종), 5도 양계, 특수 행정 구역(❸ ______), 주현과 속현

답 ❶ 사심관 ❷ 시무 28조 ❸ 향, 부곡, 소

개념 10 고려 전기 대외 관계와 지배층의 변화

(1) 고려 전기의 대외 관계

- 거란: ❶ ______의 외교 담판으로 1차 침입 격퇴, 강동 6주 획득, 강감찬의 귀주 대첩으로 3차 침입 격퇴
- 여진: 윤관이 ❷ ______을 이끌고 정벌, 동북 9성 설치 → 반환, 이후 금의 사대 관계 요구 수용

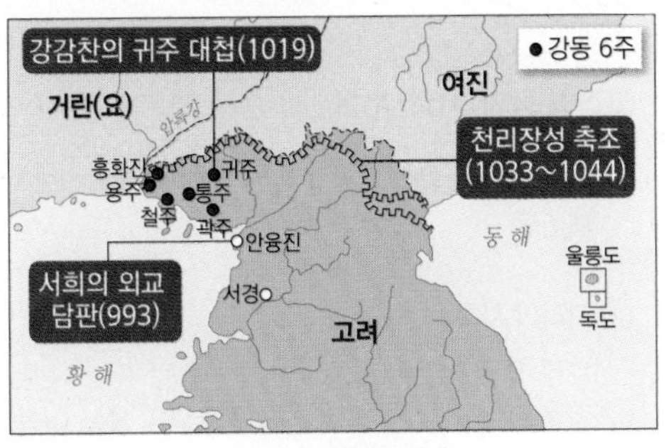

▲ 거란의 침입과 격퇴

(2) 지배층의 변화: 문벌 → 무신

- 문벌 사회의 동요: 이자겸의 난, 묘청의 ❸ ______
- 무신 정변: 무신의 정권 장악 → 최씨 무신 정권 성립(교정도감, 삼별초 설치)

답 ❶ 서희 ❷ 별무반 ❸ 서경 천도 운동

개념 11

고려 후기의 정치 변동

(1) 몽골의 침략과 항전

- 최씨 무신 정권: ❶ [ ] 로 수도를 옮기고 항전
- 백성, 하층민: 처인성 전투, 충주성 전투 승리
- 삼별초: 강화도 → 진도 → 제주도로 근거지를 옮기며 항전

(2) 원 간섭기: 개경 환도(1270) → 정동행성 설치, 관제와 왕실 칭호 격하, 친원적 성향의 ❷ [ ] 성장

(3) 공민왕의 개혁 정치

- 반원 개혁: 친원 세력 제거, 쌍성총관부 공격
- 자주 개혁: 전민변정도감(신돈), ❸ [ ] 등용

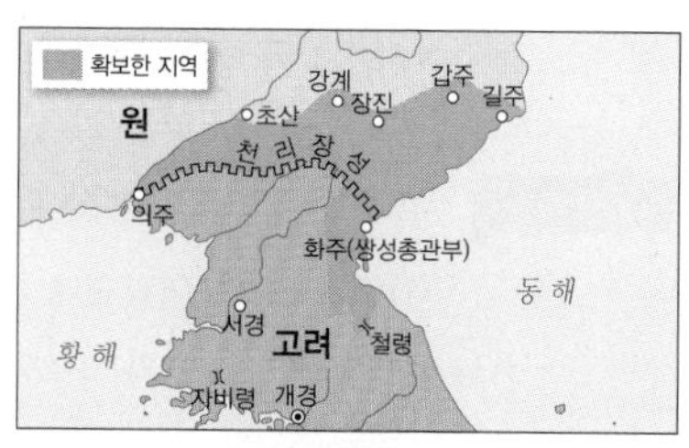

▲ 쌍성총관부 탈환

답 ❶ 강화도 ❷ 권문세족 ❸ 신진 사대부

개념 12

고려의 경제, 사회, 문화

(1) 고려의 경제: 전시과(토지 제도) 시행, ❶ [ ] (국제 무역항) 발달, 활구(은병)와 화폐 사용

(2) 고려의 사회

- 신분제: 양인과 천인으로 구분, 특수 행정 구역 주민은 차별 대우
- 가족 제도: 부계와 모계가 동등, 자녀 균등 상속, 여성의 재혼 가능

(3) 고려의 문화

- 불교: 의천(교관겸수), 지눌(정혜쌍수, 돈오점수)
- 역사서: ❷ [ ] (김부식), 『삼국유사』(일연)
- 문화유산: 팔만대장경, 『직지심체요절』, 청자 등

답 ❶ 벽란도 ❷ 『삼국사기』

개념 13 조선의 건국과 통치 체제의 정비

(1) 조선의 건국과 발전

- 태조(이성계): 위화도 회군으로 권력 장악, 과전법 실시 → 조선 건국, 한양으로 천도
- 태종: 6조 직계제 시행(왕권 강화), 호패법 실시
- 세종: ❶ ＿＿＿＿(왕권과 신권의 조화), 훈민정음 창제
- 세조: 6조 직계제 시행, 경연 폐지
- 성종: ❷ ＿＿＿＿ 완성 및 반포, 경연 강화

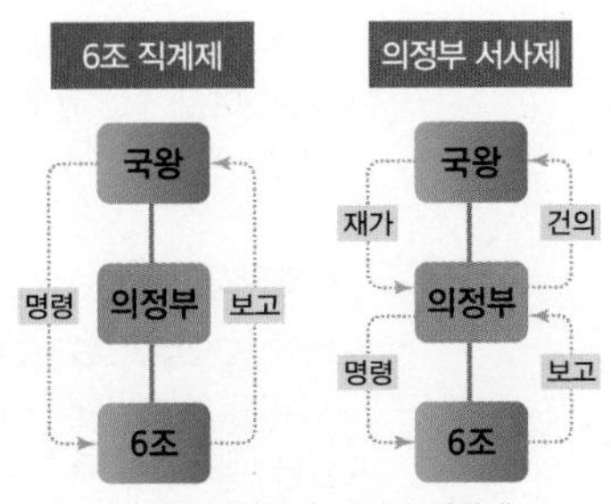

▲ 6조 직계제와 의정부 서사제

(2) 통치 체제의 정비

- 중앙 정치 제도: ❸ ＿＿＿＿와 6조, 3사(언론 기구)
- 지방 행정 제도: 8도(모든 군현에 지방관 파견)

답 ❶ 의정부 서사제 ❷『경국대전』 ❸ 의정부

개념 14 조선의 정치 운영 변화

(1) 사림의 성장과 사화의 발생

- 사림의 성장: ❶ ＿＿＿＿ 세력의 부정과 비리 비판
- 사화: 사림이 반대파의 탄압으로 큰 피해를 입은 사건 → 서원과 향약을 기반으로 사림 세력 성장

(2) 붕당의 등장과 정치 운영의 변화

- 붕당 정치: 정국을 주도한 ❷ ＿＿＿＿ 간에 대립 발생 → 붕당 형성 → 붕당 간 공존, 공론에 따른 운영
- 예송: 예법 문제를 놓고 붕당 간 대립 심화
- 환국: 특정 붕당의 권력 독점, 상대 당 탄압
- 탕평 정치: 영조와 정조의 왕권 강화, 붕당 약화, 개혁 추진
- 세도 정치: 외척 세력의 권력 독점

답 ❶ 훈구 ❷ 사림

개념 15 양 난의 발발과 대외 관계의 변화

(1) 조선 전기의 대외 관계: 사대교린을 기본 원칙으로 전개

- 사대: 명에 조공, 경제·문화적 실리 추구
- 교린: 여진, 일본에 회유책과 강경책 함께 사용(세종 때 ❶ ______ 개척, 쓰시마섬 정벌)

(2) 왜란과 호란

- 왜란: 도요토미 히데요시의 야심 → 일본군의 조선 침략 → 이순신이 이끄는 수군, 곽재우 등 의병의 활약 → 휴전 협상 → 협상 결렬, 일본군 재침략 → 일본군 철수
- 호란: 광해군의 ❷ ______ 정책 → 인조반정 이후 친명배금 정책 추진 → 정묘호란(후금과 형제 관계 체결) → 병자호란(청과 군신 관계 체결)

(3) 조선 후기의 대외 관계

- 청에 ❸ ______ 파견, 북벌론과 북학론 등장
- 일본과 기유약조 체결, 통신사 파견

답 ❶ 4군 6진 ❷ 중립 외교 ❸ 연행사

개념 16 조선 후기의 변화

(1) 수취 제도의 개편

- 토지세: 영정법(풍흉에 관계없이 세금액 고정)
- 공납: 대동법(토지 면적에 따라 세금 납부) → ❶ ______ 등장, 상품 화폐 경제의 발달
- 군역: 균역법(영조, 장정 1인당 매년 군포 1필 납부)

(2) 상품 화폐 경제의 발달

- 농업: 모내기법 보급으로 생산량 증가 → 농민 분화
- 상업: 통공 정책(금난전권 폐지) → 사상의 성장
- 화폐: ❷ ______(동전)의 전국적 유통

(3) 농민 봉기: 세도 정치 시기 부패 만연, 삼정의 문란

- 홍경래의 난: 세도 정권의 수탈과 ❸ ______ 지역 차별에 반발 → 관군에 진압
- 임술 농민 봉기: 삼정의 문란에 저항, 진주에서 전국으로 확산 → 안핵사 파견, 삼정이정청 설치

답 ❶ 공인 ❷ 상평통보 ❸ 평안도

필수 개념

II 근대 국민 국가 수립 운동

개념 17 흥선 대원군의 개혁 정치

(1) 통치 체제의 재정비

- 비변사 사실상 폐지
- 안동 김씨 세력 축출
- 『대전회통』, 『육전조례』 편찬
- 경복궁 중건 → 원납전 징수, ❶ ______ 발행 → 양반층과 백성 모두의 반발

▲ 당백전

(2) 민생 안정과 재정 확충

- 양전 사업 실시 → 국가 수입 증가
- 호포제 실시 → 집집마다 군포 징수 → ❷ ______에게도 군포 징수
- 사창제 실시 → 환곡의 폐단 시정, 농민의 부담 감소
- 서원 철폐 → 백성 환영, 양반 유생 반발

답 ❶ 당백전 ❷ 양반

개념 18 통상 수교 거부 정책과 양요의 발발

(1) 병인양요(1866)

- 발발: 프랑스군이 병인박해를 구실로 강화도 침략
- 전개: 한성근 부대(문수산성), 양헌수 부대(정족산성)의 활약 → 프랑스군이 철수 결정
- 결과: 프랑스군이 철수하며 의궤 등 ❶ ______의 도서 약탈

(2) 신미양요(1871)

- 발발: 미군이 ❷ ______ 사건을 구실로 강화도 침략
- 전개: 어재연 부대(광성보) 등의 항전 → 미군 철수
- 영향: 흥선 대원군이 전국 각지에 척화비 건립 → 통상 수교 거부 의지 천명

▲ 척화비

답 ❶ 외규장각 ❷ 제너럴셔먼호

개념 19 문호 개방과 개화 정책의 추진

(1) 강화도 조약(1876)

• 배경: 고종의 친정으로 대외 정책 변화, 운요호 사건
• 주요 내용: 조선을 자주 국가로 명시, 부산 외 2개 항구 개항, 해안 측량권과 ❶ [   ] 허용
• 성격: 조선이 외국과 맺은 최초의 근대적 조약, 조선에 불리한 불평등 조약

(2) 조미 수호 통상 조약(1882)

• 배경: 『조선책략』의 유포, 청의 알선
• 주요 내용: 영사 재판권과 ❷ [   ] 대우 인정, 관세 부과, 거중 조정 포함

(3) 정부의 개화 정책

• 개화 정책을 총괄하는 통리기무아문 설치
• 수신사, 조사 시찰단, 영선사 등 해외 시찰단 파견
• 신식 군대인 ❸ [   ] 창설

답 ❶ 영사 재판권 ❷ 최혜국 ❸ 별기군

개념 20 위정척사 운동과 임오군란

(1) 위정척사 운동: 서양 문물 수용을 거부하고 성리학적 질서를 지키려는 운동

시기	주요 인물	핵심 주장
1860년대	이항로, 기정진	통상 반대 운동(척화 주전론)
1870년대	❶ [ ]	개항 반대 운동(왜양일체론)
1880년대	이만손	개화 반대 운동(영남 만인소)

(2) 임오군란(1882)

• 배경: 구식 군인에 대한 차별 대우
• 전개: 구식 군인의 봉기 → 도시 하층민 합세 → 흥선 대원군의 재집권 → 청군의 흥선 대원군 납치, 무력 진압
• 결과: 청과 조청 상민 수륙 무역 장정(조선을 속국으로 규정, 청 상인의 내륙 진출 인정), 일본과 ❷ [   ] 조약 체결(일본 공사관에 경비병 주둔 허용)

답 ❶ 최익현 ❷ 제물포

개념 21 개화파의 분화와 갑신정변

(1) 개화파의 분화

구분	온건 개화파	급진 개화파
중심인물	김홍집, 어윤중	김옥균, 박영효
개화 모델	청의 ❶	일본의 메이지 유신
외교 정책	청과의 우호 관계 중시	청의 내정 간섭 반대

(2) 갑신정변(1884)

- 배경: 청의 내정 간섭 심화, 급진 개화파의 입지 축소
- 전개: 급진 개화파가 ❷ 개국 축하연을 이용하여 정변 → 개화당 정부 수립 → 개혁 정강 발표 → 청군의 개입으로 실패
- 개혁 정강의 주요 내용: 청에 대한 사대 관계 청산, 조세 제도 개혁, 문벌 폐지, 재정 일원화 등
- 결과: 청의 내정 간섭 심화, 조선과 일본 간 한성 조약 체결, 청과 일본 간 ❸ 조약 체결

답 ❶ 양무운동 ❷ 우정총국 ❸ 톈진

개념 22 동학 농민 운동의 전개

(1) **고부 농민 봉기**: 고부 군수 조병갑의 탐학 → 전봉준이 이끄는 농민들의 봉기 → 폐정 시정 약속 후 해산

(2) **제1차 봉기**: 안핵사 이용태가 고부 농민 봉기 가담자 처벌 → 무장에서 봉기, 백산에서 격문 발표 → 황토현·황룡촌 전투 승리 → 전주성 점령 → 정부가 청에 지원 요청 → 청과 일본의 군대 조선 상륙 → 전주 화약 체결 → 농민 자치 기구인 ❶ 설치

(3) **청일 전쟁과 삼국 간섭**: 조선 정부가 청일 양군에 철병 요청 → 일본의 철병 거부, 경복궁 점령 → 청일 전쟁 발발 → ❷ 조약 체결 → 삼국 간섭으로 일본이 랴오둥반도 청에 반환

(4) **제2차 봉기**: 일본의 침략을 물리치고자 남접·북접 연합 부대가 논산에 집결 → 공주 ❸ 전투에서 패배 → 전봉준 등 농민군 지도자 체포

답 ❶ 집강소 ❷ 시모노세키 ❸ 우금치

개념 23

갑오개혁

(1) 제1차 갑오개혁

- 과정: ❶ [ ]를 설치하여 개혁 추진
- 내용: 개국 기년 사용, 과거제 폐지, 조세의 금납화, 신분제 폐지, 조혼 금지, 과부의 재가 허용 등

(2) 제2차 갑오개혁

- 과정: 군국기무처 폐지 → 김홍집·박영효 연립 내각 구성, 고종의 ❷ [ ] 반포
- 내용: 내각제 도입, 지방 행정 구역 개편(8도 → 23부), 재판소 설치, 교육입국 조서 반포, 한성 사범 학교 관제 제정 등

(3) 제3차 갑오개혁(을미개혁)

- 과정: 삼국 간섭 이후 러시아의 영향력 확대 → 을미사변 → 김홍집 내각 수립
- 내용: '건양' 연호 사용, 태양력 사용, ❸ [ ]과 종두법 실시, 소학교 설립 등
- 중단: 을미의병, 아관 파천으로 김홍집 내각 붕괴

답 ❶ 군국기무처 ❷ 홍범 14조 ❸ 단발령

개념 24

독립 협회와 대한 제국

(1) 독립 협회

- 창립: 『독립신문』을 창간한 ❶ [ ]이 독립문 건립을 추진하며 개화파 관료 및 지식인과 창립
- 주요 활동: 만민 공동회 개최, 독립문과 독립관 건립, 관민 공동회에서 ❷ [ ] 채택
- 해산: 보수 세력의 모함 → 고종이 황국 협회와 군대를 동원하여 강제 해산

(2) 대한 제국(1897)

- 배경: 고종의 환궁 → 국호 '대한', 연호 '광무'로 변경, 환구단에서 황제 즉위 → 대한 제국 수립 선포
- 주요 정책: 원수부 설치, 대한국 국제 반포
- 광무개혁: ❸ [ ]의 원칙에 따라 추진 → 양전 사업 실시, 지계 발급, 상공업 및 산업 진흥책 추진

답 ❶ 서재필 ❷ 헌의 6조 ❸ 구본신참

개념 25 러일 전쟁과 일본의 국권 침탈

(1) 러일 전쟁

- 전개 및 결과: 삼국 간섭 이후 러시아와 일본 간 대립 심화 → 일본의 기습 공격으로 전쟁 발발 → ❶ [ ] 조약 체결

(2) 일본의 국권 침탈

- 한일 의정서: 일본이 한반도에서 전쟁에 필요한 요충지를 마음대로 사용 가능
- 제1차 한일 협약: 외교와 재정 분야에 외국인 고문 파견(외교: 스티븐스, 재정: 메가타)
- 을사늑약(제2차 한일 협약): 대한 제국의 ❷ [ ] 박탈, 통감부 설치 → 고종의 헤이그 특사 파견 → 고종 강제 퇴위
- 한일 신협약(정미 7조약): 정부 각 부에 일본인 차관 배치, 대한 제국의 ❸ [ ] 해산
- 한국 병합 조약: 대한 제국의 국권 상실

답 ❶ 포츠머스 ❷ 외교권 ❸ 군대

개념 26 항일 의병 운동과 의열 투쟁

(1) 항일 의병 운동

구분	계기	주도	특징
을미의병 (1895)	을미사변, 단발령	유인석, 이소응	단발령 철회와 고종의 해산 권고로 해산
을사의병 (1905)	❶ [ ]	최익현, 신돌석	평민 출신 의병장 등장
정미의병 (1907)	고종 강제 퇴위, 군대 해산	양반 유생, 농민, 해산 군인 등	해산 군인 가담, 13도 창의군 결성 → 서울 진공 작전 전개

(2) **의열 투쟁**: 나철, 오기호 등이 을사 5적을 처단하고자 자신회 조직, 장인환과 전명운이 스티븐스 저격, ❷ [ ]이 이토 히로부미 처단, 이재명이 이완용 습격

답 ❶ 을사늑약 ❷ 안중근

개념 27

애국 계몽 운동

(1) 애국 계몽 운동 단체

보안회	일본의 황무지 개간권 요구 반대 운동 전개 → 철회
헌정 연구회	입헌 정치 체제 수립 지향, 일진회의 친일 행위 규탄
대한 자강회	헌정 연구회 계승, ❶ [ ]의 강제 퇴위 반대 운동 전개
대한 협회	대한 자강회 계승, 친일적 모습을 보이기도 함.
신민회	• 안창호, 양기탁 등이 비밀 결사로 조직 • 공화 정체의 근대 국민 국가 건설 목표 • 대성 학교와 오산 학교 설립, 태극 서관과 자기 회사 운영 • 남만주 삼원보에 독립운동 기지 건설, 신흥 강습소 설립 • ❷ [ ]으로 와해

(2) **교육·언론·출판**: 지방에서 학회 설립, 사립 학교 설립. 각종 신문, 학회지 등에 애국심 함양 촉구 글 수록

답 ❶ 고종 ❷ 105인 사건

개념 28

독도와 간도

(1) 독도

• 삼국 시대: 신라 지증왕 때 이사부의 우산국 복속
• 조선: 숙종 때 ❶ [ ]이 일본에 건너가 에도 막부로부터 울릉도와 독도가 우리 영토임을 확인
• 태정관 지령문(1877): 일본 메이지 정부의 태정관이 울릉도와 독도가 일본과 관계없음을 인정한 문서
• 대한 제국 칙령 제41호(1900): 울릉도를 울도로 개칭, 울도 군수가 울릉도와 죽도·석도(독도)를 관할

(2) 간도

• 조선: 숙종 때 ❷ [ ]를 세워 청과 조선의 국경 확정
• 대한 제국: 간도 관리사(이범윤) 임명, 간도를 함경도 행정 구역에 편입
• 간도 협약(1909): 일본이 만주 철도 부설권 등을 얻는 조건으로 간도를 청의 영토로 인정

답 ❶ 안용복 ❷ 백두산정계비

개념 29

개항 이후 열강의 경제 침략

(1) **개항 이후의 무역**: 개항장 10리 안에서만 무역 가능(거류지 무역), 조선인 중개 상인의 활동(객주, 여각 등)

(2) **임오군란 이후 상권 경쟁**

- 조청 상민 수륙 무역 장정(1882): ❶ [   ] 상인의 내지 통상 허용 → 청과 일본 상인의 치열한 상권 경쟁 → 조선인 상인 타격
- 조일 통상 장정(1883): 관세 부과, 양곡 유출 제한(방곡령 근거), 일본의 최혜국 대우 인정

(3) **일본의 경제 침탈**

- 화폐 정리 사업(1905): 재정 고문 ❷ [   ]의 주도, 백동화 등을 일본의 제일 은행권으로 교환 → 일본 제일 은행이 사실상 중앙은행 역할 담당, 재정 자주권 침해, 한국 상인과 은행 파산
- 동양 척식 주식회사: 일본인의 토지 투자 및 농업 이민 후원

답 ❶ 청 ❷ 메가타

개념 30

경제적 구국 운동

(1) **방곡령 실시**: 일본으로 곡물 대량 유출 → 곡물 가격 폭등, 식량 사정 악화 → 일부 지방관이 방곡령 선포 → 일본의 항의로 철회, 배상금 지불

(2) **상권 수호 운동**: 대동 상회, 장통 상회 등 회사 설립, 한성의 시전 상인과 시민들이 철시 투쟁, 시전 상인들이 ❶ [   ] 조직

(3) **근대 산업 자본 육성**: 근대적 기업 및 은행 설립(조선 은행, 한성 은행, 대한 천일 은행 등)

(4) **국채 보상 운동**

- 배경: 일본 차관 도입 등으로 대한 제국의 재정 예속 심화
- 전개: ❷ [   ]에서 시작 → 『대한매일신보』 등 언론 기관과 각종 단체를 통해 전국으로 확산 → 통감부의 탄압으로 중단

답 ❶ 황국 중앙 총상회 ❷ 대구

개념 31 근대 시설과 근대적 교육 기관

(1) 근대 시설의 도입

구분	내용
교통	• 전차: 서대문 ~ 청량리 구간 운행(1899) • 철도: 경인선(1899), 경부선(1905), 경의선(1906) 개통
통신	• 우편: 우정총국 설치(1884), 만국 우편 연합 가입(1900) • 전화: 경운궁에 처음 가설(1886)
의료	광혜원(1885, 제중원으로 명칭 변경), 국립 광제원(1900) 등, 지석영이 종두법 도입
기타	❶ (1883, 신문 발행), 기기창(1883, 무기 제조), 전환국 설립(1883, 화폐 발행), 경복궁에 전등 가설(1887)

(2) 근대적 교육 기관

- 최초의 근대식 교육 기관인 원산 학사(1883) 설립
- 동문학, 육영 공원, 배재 학당, 이화 학당 등 설립
- ❷ (1895) → 근대 학교에 관한 법규 제정
- 을사늑약 전후 애국 계몽 운동의 일환으로 학교 설립

답 ❶ 박문국 ❷ 교육입국 조서

개념 32 언론 기관의 발달과 종교의 변화

(1) 언론 기관의 발달

신문	내용
『한성순보』	순 한문, 최초의 신문, 정부 정책 홍보
『독립신문』	최초의 순 한글 신문, 영문판 발행, 민권 의식 향상에 노력
『황성신문』	양반 유생층 대상, 장지연의 ❶ 게재
『대한매일신보』	양기탁 및 영국인 베델이 창간, 일본의 국권 침탈 비판, 국채 보상 운동 후원

(2) 종교의 변화

종교	내용
천주교	소학교와 고아원 등 설립, 『경향신문』 발행
개신교	근대 교육과 서양 의술 보급 노력
천도교	손병희가 동학을 천도교로 개칭, 『만세보』 발행
불교	한용운 등이 불교 자주성 회복 노력
유교	박은식이 「유교 구신론」을 저술하여 개혁 강조
대종교	단군 신앙 바탕, 만주 일대에서 ❷ 을 조직하여 무장 독립 투쟁 전개

답 ❶ 「시일야방성대곡」 ❷ 중광단

수능전략 | 한국사

수능에 꼭 나오는
필수 유형 ZIP 1